STEPHEN GILMAN

LA CELESTINA: ARTE Y ESTRUCTURA

Versión española
de
MARGIT FRENK DE ALATORRE

taurus

Cubierta de AL-ANDALUS

© 1974, Stephen Gilman
℗ de esta edición, TAURUS EDICIONES, S. A.
Plaza del Marqués de Salamanca, 7 - Madrid - 6
Depósito Legal: M.—10524 - 1974
I S B N : 84 - 306 - 2071 - 0
PRINTED IN SPAIN

INDICE

9

PALABRAS PRELIMINARES A LA
EDICION ESPAÑOLA

Cuando Jesús Aguirre, director literario de la editorial Taurus, *me propuso que se tradujera un libro mío reciente, también dedicado al tema celestinesco* (The Spain of Fernando de Rojas, Princeton, N. J. 1972), *le contesté que le agradecía mucho su interés, pero que me parecía que antes había que publicar en español el libro presente. Y, cuando le expliqué por qué, le convencí. El segundo libro representaba un esfuerzo en apoyo del análisis crítico del primero con consideraciones históricas y sociales. Su intención general y su atención particular a ciertos aspectos negativos del renacimiento isabelino no serían comprendidos por lectores que no conocieran lo escrito por mí anteriormente. Son libros esencialmente complementarios.*

La presente edición es idéntica a la original —aunque la traductora, Margit Frenk de Alatorre, habrá mejorado en algunas ocasiones el estilo. Yo he intervenido sobre todo en los últimos dos capítulos que ella no pudo llegar a corregir, y, como es natural, no he podido resistir a la tentación de cambiar algunos juicios erróneos y párrafos mal aliñados. Pero nada más. Mis reacciones a la voluminosa acumulación de la crítica celestinista que ha salido en los últimos veinte años (el texto fue escrito en los años 1950-1952, aun cuando apareciera en 1956) se ve-

rán en La España de Fernando de Rojas. *Por otra parte, este libro —como todos— tiene su existencia propia basada en su momento histórico y en la sensibilidad joven y conocimientos limitados de quien entonces lo escribió. Hay que respetar esa identidad suya.*

STEPHEN GILMAN

Nerja, 23 de julio, 1973

PREFACIO

Un prefacio es a veces un grito de alarma, una advertencia en la que el autor previene al lector contra los pre-
juicios, las peculiaridades, las equivocaciones aparentes
y las apariencias equívocas que le esperan en el texto que
habrá de leer. El presente prefacio no constituye una excepción. Y como los gritos de alarma —a diferencia de
la crítica y de la creación— han de ser breves y parcos
para ser eficaces, me limitaré a dos observaciones, que
no pasarán de un párrafo cada una.

La primera es que este libro *no* es un libro sobre la
Celestina. Contiene quizá cosas que puedan ser interesantes o reveladoras en un libro acerca de la *Celestina*, pero
en sí mismo no es tal cosa. Se concibió y elaboró como
examen del arte de Fernando de Rojas, tal como se manifiesta en las palabras por él escritas. Este nuevo enfoque, como lo ha hecho notar María Rosa Lida de Malkiel,
ya hacía mucha falta. El interminable debate acerca de
la paternidad de la obra, junto con la enigmática modestia del propio Rojas, ha oscurecido injustamente la grandeza del creador de la *Celestina*. Fernando de Rojas es
algo más que uno de los grandes escritores españoles: es
uno de los grandes escritores del mundo, y merece figurar
al lado de los mejores artistas literarios que ha habido.
Mi propósito es justamente mostrar por qué y cómo. Par-
to del supuesto de que mis lectores conocen ya y admiran
la *Celestina*, de que no necesitan explicaciones preliminares ni resúmenes del argumento ni apreciaciones. Y partiendo de este supuesto, me lanzaré a la inmensamente
peligrosa tarea de estudiar el arte de este artista que
fraguó una obra tan extraordinaria, tan profunda, tan
irónica y tan hermosa.

La segunda advertencia que quiero hacer se deriva de la primera. La disposición del libro —la estructura de esta crítica— se funda en los diversos aspectos o planos del arte de Rojas: el estilo, la caracterización, la estructura, el tema y el género. Habría sido posible proceder de otro modo, estudiar la composición de la *Celestina* comparándola o contrastándola exteriormente con las teorías artísticas de la época, sobre todo con las expresadas a propósito de los comentarios a Terencio. No deja de ser atractivo este enfoque, que subrayaría de manera significativa la originalidad de Rojas. Sin embargo, yo me he decidido por un enfoque interno. He preferido trazar desde dentro los contornos de la originalidad artística de Rojas, renunciando a la asombrosa silueta de conducta creadora que hubiera podido obtenerse mediante un contraste entre aquello que Rojas realizó y aquello que la doctrina literaria le mandaba hacer. El lector de este libro se encontrará, pues, con que al principio nos detendremos en minúsculos rasgos de estilo y que sólo hacia el final llegaremos a conclusiones de orden general. El lector deberá resignarse a un gradual aumento de los datos informativos y a una creciente profundidad de interpretación, sin buscar súbitas revelaciones. Los comentarios iniciales se refieren al empleo peculiar del pronombre *tú* en la obra de Rojas, y sólo en los últimos capítulos he tratado de enfrentarme con los problemas de significación, visión histórica y forma.

Una vez hechas estas advertencias, quisiera expresar mi agradecimiento a todas las personas que me ayudaron en mi tarea. A la cabeza de ellas está don Américo Castro, quien me introdujo en los estudios literarios durante su primer seminario de Princeton. De hecho, ese seminario versó sobre la *Celestina*, y todos cuantos participamos en él lo recordamos como una de las experiencias clave de nuestra carrera. En cuanto a mí, he de confesar que ese semestre llegó a ser parte de mi vida, a tal grado, que me es imposible precisar la medida de originalidad de estos ensayos (originalidad en el sentido de responsabilidad definitiva). Mi lectura de la *Celestina* comenzó por ser la lectura de don Américo.

Si en lo espiritual mi principal deuda es para con Américo Castro, en lo material este libro debe su existencia a una beca de la Guggenheim Foundation. Estoy profundamente agradecido a la Guggenheim y a todos aquellos que tuvieron a bien recomendarme ante ella. También quiero dar las gracias al presidente del Departamento de Lenguas Románicas de la Ohio State University, Robert A. Rockwood, que resolvió los problemas provocados por mis viajes y por mis exigencias. Su amistad y su ayuda me han sido valiosísimas. La traducción al español fue posible gracias a un subsidio especial de la Graduate School de la Universidad de Ohio, que conseguí por intermedio del director N. Paul Hudson. A una de mis discípulas, la señora Jane Johnson Chandler, y a mi cuñado Claudio Guillén, debo valiosas sugerencias. La señora Chandler escribió una tesis excelente con interesantes interpretaciones de algunas de las correcciones hechas por Rojas, y la comparación de Rojas con Marlowe propuesta por Claudio Guillén me ayudó a aclarar en gran medida mis ideas. A este propósito quisiera mencionar igualmente a María Rosa Lida de Malkiel y a Juan David García Bacca, que pusieron a mi disposición los artículos citados en el texto; espero que no pongan objeción al empleo que he dado a sus palabras.

Por último, en lo referente a la poda y a la presentación del texto, permítaseme mencionar a mi traductora, Margit Frenk Alatorre, a mi amigo Roy Harvey Pearce, a mi suegro Jorge Guillén y a mi esposa Teresa. Cada uno a su manera ha hecho lo que estaba en su mano para hacerme legible. Merecen por ello toda mi gratitud.

S. G.

Columbus, Ohio,
2 de octubre de 1953

CAPITULO PRIMERO
EN BUSCA DE UN ARTISTA

Si la *Celestina* estuvo en peligro de no llegar a ser una de las grandes obras clásicas de la literatura europea, fue por culpa del propio Fernando de Rojas. Al referir la génesis de la obra lo hizo con tal misterio que sucesivas generaciones de lectores han dudado, no sólo de la identidad de su autor, sino —duda mucho más corrosiva— de la de la obra misma. La Carta y los versos que preceden al texto ponen en entredicho la unidad de la *Celestina* y hasta el acto de su creación. Por eso, el conjunto cada vez mayor de estudios y discusiones que, como los «peces pilotos» al tiburón, acompañan a la obra maestra, suscita enormes dificultades y mutuas discrepancias. La atención de los investigadores, desviada de los valores y problemas literarios, ha debido concentrarse una y otra vez en hipótesis sobre la paternidad de las diferentes partes y del conjunto de la obra. No cabe duda, aunque sea triste confesarlo, que si Rojas hubiese mantenido el anonimato o si, por el contrario, hubiese definido terminantemente su papel de autor, la *Celestina* contaría hoy con muchos más admiradores.

Será innecesario repetir aquí en detalle la compleja y un tanto abrumadora historia crítica de la obra. El lector podrá encontrar en otros estudios los datos que le interesen a este respecto. Sin embargo, como las circunstancias que acompañaron la aparición de las primeras ediciones y las diversas interpretaciones que de aquéllas se han dado condicionan forzosamente todo esfuerzo por comprender la *Celestina*, no podremos desentendernos de ellas. En otras palabras, el crítico debe tener una opinión definida sobre el número, si no sobre la identidad, de los autores; además, debe ser capaz de defender esa opinión. Esto a su vez lo obliga a enfrentarse con las opiniones divergentes y con los hechos que han motivado las divergencias. De ahí que, por desgracia, antes de intentar una valoración y un examen de la *Celestina* sea forzoso precisar estos puntos.

Comencemos por los datos más elementales y libres de dudas; pueden enumerarse brevemente. La primera edición conocida de la obra se imprimió sin nombre de autor en Burgos, 1499. El único ejemplar conservado (que los eruditos de principios de siglo llamaron «ejemplar Heber») carece del primer folio. Es probable que llevara por un lado el título, tal como aparece en la edición de Sevilla, 1501:

> Comedia de Calisto e Melibea con sus argumentos *nuevamente añadidos*, la qual contiene, demás de su agradable y dulce estilo, muchas sentencias filosofales y avisos muy necesarios para mancebos, mostrándoles los engaños que están encerrados en siruientes y alcahuetas [1].

A juzgar por los «argumentos» o sumarios que preceden a cada uno de los dieciséis actos, es de suponer que en el verso del folio perdido hubiera un «Argumento de toda la obra» y quizá el segundo título o *incipit* que aparece en las ediciones posteriores:

> Síguese la Comedia de Calisto y Melibea, compuesta en reprehensión de los locos enamorados, que, vencidos en su desordenado apetito, a sus amigas llaman e dizen ser su dios. Assí mesmo fecha en auiso de los engaños de las alcahuetas e malos e lisonjeros siruientes [2].

Así, la *Celestina* salió a luz como anónima «comedia» en dieciséis actos, con un irreprochable propósito moral.

---

[1] Tomado de la edición crítica de la *Comedia* hecha por Foulché-Delbosc, «Bibliotheca Hispanica», Mâcon, 1900. Cejador no lo incluye. La cursiva, por supuesto, es mía.
[2] Tomado de la edición de Cejador en «Clásicos Castellanos», 2 vols. Madrid, 1913 (2.ª ed., 1945). Esta edición es la más conveniente, si no la mejor; en adelante los números puestos entre paréntesis se referirán al acto, volumen y página de esa edición de 1913. Las discrepancias entre el texto que ofrecemos y la versión de Cejador son (si no erratas) resultado de una confrontación de supresiones e interpolaciones con el texto de Foulché-Delbosc mencionado en la nota 1.

En la ya mencionada segunda edición de Sevilla, 1501 *, el autor revela su identidad de manera vacilante. En la Carta preliminar del «auctor a vn amigo» afirma haber hallado el fragmento de una «comedia» de autor desconocido, notable por sus muchas y variadas perfecciones:

> E como mirasse su primor, sotil artificio, su fuerte e claro metal, su modo e manera de lauor, su estilo elegante, jamás en nuestra castellana lengua visto ni oydo, leylo tres o quatro vezes. E tantas quantas más lo leya, tanta más necesidad me ponía de releerlo e tanto más me agradaua y en su processo nueuas sentencias sentía. Vi no sólo ser dulce en su principal hystoria o fición toda junta, pero avn de algunas sus particularidades salían deleytables fontezicas de filosofía, de otros agradables donayres, de otros auisos e consejos contra lisonjeros e malos siruientes e falsas mugeres hechizeras (vol. I, p. 5).

En términos exaltados se encomia el estilo, la composición, la intención temática y hasta el hondo significado de la obra que revelan sucesivas lecturas. El autor de la Carta explica en seguida que tan excelentes cualidades le decidieron a completar la *Comedia* durante unas vacaciones de dos semanas, «recreación de su principal estudio»: el Derecho. El extenso primer acto, afirma, constituye el fragmento original, mientras que los quince restantes contienen sus propias «maldoladas razones». Esa misma modestia le hace callar su nombre:

> E pues él con temor de detractores e nocibles lenguas, más aparejadas a reprehender que a saber inuentar, quiso celar e encubrir su nombre, no me culpéys si en el fin baxo que lo pongo no espressare el mío (vol. I, p. 6).

Pero la Carta preliminar no es la única innovación de 1501. Al comienzo y al final de la obra hay sendos poemas en versos de arte mayor, menos importantes por lo que dicen una vez más sobre la modestia del autor, temeroso de los «murmuros», que por lo que esconden. El poema inicial contiene un acróstico que revela el nombre del continuador de la obra, y el otro nos da la clave de ese acróstico. Una de las últimas estrofas de este poema final, atribuido a Alonso de Proaza, humanista valen-

---

* Gracias a la generosidad de Martin Bodmer, ya disponemos de una edición falsímine de la *Comedia*, fechada en 1500. No se diferencia esta edición, en cuanto a materia introductoria, de las atribuidas al año 1501.

ciano de gran renombre en aquel tiempo, dice en un estilo que contrasta con la modestia de la Carta y de los acrósticos:

No quiere mi pluma ni manda razón
que quede la fama de aqueste gran hombre
ni su digna fama ni su claro nombre
cubierto de oluido por nuestra ocasión.
Por ende juntemos de cada renglón
de sus onze coplas la letra primera,
las quales descubren por sabia manera
su nombre, su tierra, su clara nación (vol. II, p. 233).

Basta seguir estas instrucciones para saber que «El Bachiller Fernando de Rojas acabó la Comedia de Calisto y Melibea e fué nascido en la Puebla de Montalván».

Así, en esta segunda y penúltima versión de la *Celestina* se han añadido a la justificación didáctica de la primera ciertas consideraciones de orden literario y estético. No sólo se subraya ahora la «intención» moral de la Comedia, sino también el arte con que tal intención se ha logrado. Casi parece como si el paso al nuevo siglo implicase la adición de una carta «renacentista» a un previo encabezado «medieval». De todos modos queda claro que Fernando de Rojas se revela como un artista consciente del arte y de la fama, a la manera de los nuevos tiempos. Este nuevo tipo de crítica se aplica únicamente al primer acto de la *Comedia*, atribuido a un autor distinto, anónimo todavía, acto según Rojas mucho más valioso que el resto. Sin embargo, al declararse autor de la «menos valiosa» continuación de quince actos, Rojas causa por su exceso mismo de modestia, demasiado insistente, una impresión sospechosa. Esa voluntad de misterio, ese descubrimiento de una obra maestra fragmentaria escrita por mano desconocida, esos imposibles «quinze días de vnas vacaciones», junto con el alternante juego de ocultaciones y revelaciones de su personalidad, todo ello permite y aun provoca cierta incredulidad. Pero sea que nos inclinemos a aceptar la verdad de tales afirmaciones, sea que las pongamos en duda, el hecho es, digámoslo una vez más, que el propio Rojas contribuyó a dificultar la tarea de entender la *Celestina* como obra de arte, situación que tanto la ha perjudicado al correr de los siglos.

En su tercera y última versión de la *Celestina* (Salamanca, Sevilla, Toledo, 1502), Rojas no sólo modifica los preliminares y el título, sino también, y mucho, el texto.

Ante todo, la Carta introductoria sugiere que el primer acto puede ser de Juan de Mena o bien de Rodrigo Cota. Esta insinuación ha provocado grandes discusiones, y en vez de aclarar las cosas ha venido a aumentar la confusión inicial [3]. En segundo lugar, la Carta va seguida ahora de un nuevo Prólogo (copiado en gran parte del *De remediis utriusque fortunae* de Petrarca), referente a varias innovaciones, entre ellas al hecho de que ya no se llame *Comedia*, sino *Tragicomedia*. El autor ya no duda sólo de la paternidad y del valor de su obra, sino del género mismo a que pertenece.

> El primer auctor quiso darle denominación del principio, que fué plazer, e llamóla *comedia*. Yo, viendo estas discordias, entre estos extremos partí agora por medio la porfía, e llaméla *tragicomedia* (vol. I, p. 25).

Y si, de un lado, el autor propone este nuevo género híbrido, también indica que ya no ve tan claro el fin moral a que aludió en los preliminares de las ediciones anteriores. Siguiendo a Petrarca, comenta la inconstancia de la naturaleza, el eterno antagonismo de las especies y los elementos, reflejado e intensificado en el mundo del hombre:

> Pues ¿qué diremos entre los hombres, a quien todo lo sobredicho es subjeto? ¿Quién explanará sus guerras, sus enemistades, sus embidias, sus aceleramientos e mouimientos e descontentamientos, aquel mudar de trajes, aquel derribar a renouar edificios e otros muchos affectos diuersos e variedades que desta nuestra flaca humanidad nos prouienen? (vol. I, p. 22).

El tema —o la tesis— de la obra ¿es, por consiguiente, el castigo ejemplar, la represión de lo absurdo y malo y la afirmación de lo cuerdo y bueno? ¿O será más bien desesperada exhibición de aquellos azares de la existencia provocados por una fortuna ya no ejemplar? ¿Es acaso la *Celestina* una comedia de vicios y locuras, castigados de acuerdo con un espíritu de justicia, o presenta a su modo el tema eterno y siempre original de la tragedia: la condición humana en sí misma? Una vez más, las ob-

---

[3] Los eruditos están de acuerdo en que, por diversas razones, ni Cota ni Mena parecen ser autores del primer acto. De los dos se ha dado la preferencia a Cota, en virtud de su poema *Diálogo entre el Amor y un viejo*, que presenta ciertas analogías de tono y circunstancias con la *Celestina*.

servaciones preliminares de Rojas no aclaran sino parecen velar y poner en duda la idea que tenía de su obra.

El conjunto de tales comentarios no puede menos de despertar duda e inseguridad en el lector; por otra parte, la nota dominante que de ellos se desprende es el temor. En la Carta, Rojas habla de los «detractores e nocibles lenguas» y se disculpa largamente por haber escrito la obra. Los versos acrósticos llevan el siguiente título: «El autor, escusándose de su yerro en esta obra que escrivió, contra sí arguye e compara». El Prólogo termina con un panorama desconcertante de las opuestas reacciones causadas por la *Comedia*. Es típica la frase final:

> Assí que viendo estas contiendas, estos díssonos e varios juyzios, miré adonde la mayor parte acostaua, e hallé que querían que se alargasse en el processo de su deleyte destos amantes, sobre lo qual fuy muy importunado; de manera que acordé, avnque contra mi voluntad, meter segunda vez la pluma en tan estraña lauor e tan agena de mi facultad, hurtando algunos ratos a mi principal estudio, con otras horas destinadas para recreación puesto que no han de faltar nueuos detractores a la nueua adición (vol. I, pp. 25-26).

Teniendo en cuenta que sólo los versos de Alonso de Proaza expresan cierta confianza en el valor de la obra, entera, podemos llegar a la conclusión de que el misterio que rodea la génesis de la *Celestina* está íntimamente ligado a esa preocupación y precaución inherentes a los comentarios preliminares.

Sólo hay una cosa que parece clara y fuera de toda discusión: para alargar «el processo de su deleyte destos amantes», Rojas añadió cinco actos a los dieciséis originales de la *Comedia*. Además, aunque no lo dice en el Prólogo, suprimió unas treinta y cinco líneas del texto anterior (según cálculos de Foulché-Delbosc), y compuso diversas adiciones, desde la intercalación de una palabra hasta la de pasajes enteros. Revisó, corrigió, amplió el texto en tal medida, que bien puede considerarse la *Tragicomedia* como una nueva versión de la obra [4]. Extraño parece que, a pesar de que Fernando de Rojas se confiesa abiertamente autor de los cinco actos añadidos, haya habido y siga habiendo críticos que nieguen esa atribución.

---

[4] Emplearemos siempre los términos *Comedia* y *Tragicomedia* para distinguir las dos versiones.

Hasta la afirmación más inequívoca del Prólogo se ha visto afectada por ese ambiente general de duda y miedo. He ahí, pues, los hechos fundamentales. Su adecuada interpretación sigue dando motivo a controversias. Al interpretarlos por nuestra parte no nos guiará más que el anhelo de comprender el arte de Fernando de Rojas. La busca de aquello que los románticos hubieran llamado el «genio» de Rojas condicionará necesariamente nuestras conclusiones. Pero al mismo tiempo —ya lo hemos dicho— no podremos desentendernos de las múltiples tradiciones críticas que, a lo largo de los siglos, han surgido en torno a esta obra maestra de la literatura española; esas tradiciones nos han de servir de guía en el laberinto que acabamos de esbozar. Así, la solución que demos al problema de la paternidad deberá convenir a nuestros fines particulares y al mismo tiempo ser objetivamente razonable y persuasiva. A este propósito será útil recordar que cada una de las soluciones tradicionales dadas al problema de la paternidad trae implícitamente consigo determinada actitud ante la obra, actitud que, después de confrontarla con la nuestra, hemos de aceptar o rechazar. Refirámonos a seis críticos: Juan de Valdés, Blanco White, Foulché-Delbosc, Menéndez Pelayo, R. E. House y, finalmente, Menéndez Pidal, con sus respectivos juicios y puntos de vista. Un estudio exhaustivo del problema de la paternidad requeriría sin duda muchos más nombres y pormenores de los necesarios aquí: para nuestro intento, bastará examinar las opiniones de estos seis, que se han expresado de manera decidida y plenamente consciente acerca del asunto.

Si en su *Diálogo de la lengua* Juan de Valdés critica la adolescente pedantería de un humanismo que, en tiempo de Rojas, era lo bastante nuevo para parecer a menudo más preocupado por la erudición y los latinismos que por el buen gusto, en general se muestra complacido con la *Celestina*: «Ningún libro ay escrito en castellano donde la lengua esté más natural, más propia ni más elegante» [5]. Pero, como todos sus contemporáneos, Juan de Valdés cree a pie juntillas las aseveraciones de la Carta preliminar, y por eso establece una sutilísima distinción entre los méritos del primer acto y los del resto de la obra:

---

[5] *Diálogo de la lengua*, ed. J. F. Montesinos, «Clásicos Castellanos». Madrid, 1928, pp. 177-178.

> *Celestina,* me contenta el ingenio del autor que la co-
> mençó, y no tanto el del que la acabó; el juizio de todos
> dos me satisfaze mucho, porque sprimieron a mi ver muy
> bien y con mucha destreza las naturales condiciones de las
> personas que introduxeron en su tragicomedia, guardando
> el decoro dellas desde el principio hasta el fin [6].

Valdés admite la unidad literaria y al mismo tiempo —por
motivos difíciles de explicar— la niega. Cuantos, siguiendo a Valdés, han creído que Fernando de Rojas descubrió
efectivamente un fragmento anónimo, se han inclinado a
ese desmembramiento vacilante del texto y al doble juicio valorativo. El problema es grave. En contraste con
las dos partes del *Roman de la Rose,* las dos *Celestinas*
están íntimamente trabadas en su estructura; no hay contradicción en sus personajes, y su estilo parece ser uno
solo (lo cual, como se verá adelante, no quiere decir necesariamente que tengan un solo autor). De ahí que la
comparación estética de Juan de Valdés resulte en extremo frágil, y además dañosa para el concepto de la *Celestina* como conjunto. Si admitimos sin reservas la existencia de dos autores, nada más natural que juzgar las
«razones» de uno de ellos más «maldoladas» que las del
otro; pero es una distinción meramente verbal, que no
contribuye a aclarar el valor intrínseco de la obra.

Tres siglos más tarde, en el apogeo del romanticismo
inglés, un escritor como Blanco White juzgaba cosa increíble que pudiese haber en la *Celestina* dos textos de
distinta mano. En vez de preferir arbitrariamente una de
las dos partes, decidió negar crédito a la Carta preliminar
e imaginarse una unidad de inspiración más de acuerdo
con su propio concepto del artista:

> Lo que me parece a mí más cierto es que de los que ha-
> blan de la *Celestina* pocos la han leído con atención; pues
> a haberlo hecho, bien pronto se persuadirían que la inven-
> ción y estilo nacen de una misma fuente, desde el principio
> hasta el fin [7].

A pesar de la ingenuidad con que Blanco White formula
sus argumentos concretos, ese artículo de *El Mensajero de
Londres* avivó el interés del siglo XIX por la *Celestina.*
Defender su integridad artística era proclamar su categoría de obra maestra. Blanco White y Juan de Valdés

---

[6] *Ibid.,* pp. 176-177.
[7] *Variedades o El Mensajero de Londres,* vol. I, Londres,
1824, p. 226.

representan, pues, los dos extremos opuestos de una crítica un tanto apriorística de la *Celestina*. Sin examinar de cerca ni el texto ni los preliminares (a pesar de que Blanco White asegura haber «leído con atención»), cada uno de estos críticos rechaza una de las soluciones: no admite la unidad del texto o rechaza la veracidad de la Carta. El humanista, inteligente y algo escéptico, establece una distinción entre el «ingenio» —«invención»— del autor del primer acto y el del autor del resto de la obra; en cambio, los juzga iguales en «juizio», o sea en la disposición de lo inventado. El romántico se desentiende de la afirmación del autor para sostener la unidad de inspiración, que le parece cualidad indispensable de toda gran obra literaria.

Es curioso que uno de los primeros estudios detallados del texto, en relación con el problema de la paternidad, no se hiciese a base de las diferencias entre el primer acto y el resto, sino como examen de las adiciones e interpolaciones de 1502. Después de reeditar el texto de la *Comedia*, Foulché-Delbosc lo comparó cuidadosamente con la versión ampliada de 1502, y, a pesar de las inequívocas palabras de Rojas sobre la refundición de la obra, llegó a la conclusión de que gran parte del material añadido era «indigno del autor original». Los refranes interpolados, las repeticiones, las referencias eruditas y ciertos cambios sufridos por los personajes en los actos añadidos le parecieron prueba de que la *Celestina* quedó sometida en 1502 a la intervención de un segundo autor, muy inferior al primero, que le impuso una serie de exornaciones superfluas. Para Foulché-Delbosc, la *Comedia* de dieciséis actos constituye una unidad artística perfecta, y las afirmaciones de la Carta preliminar son del todo falsas y engañosas. Antes de que Serrano y Sanz publicase los documentos que identificaban a Fernando de Rojas como converso y como abogado —alcalde de Talavera durante algún tiempo— y lo relacionaban con la *Celestina*, Foulché-Delbosc llegó a considerar el acróstico como una superchería[8].

En el origen de los juicios de Foulché-Delbosc —defen-

---

[8] Las opiniones de Foulché-Delbosc figuran en tres artículos, que llevan todos el título de «Observations sur le *Célestine*», en la *Revue Hispanique*, VII, 1900, pp. 28-30; IX, 1902, pp. 171-195; LXXVIII, 1930, pp. 544-599. Su edición de la *Comedia* de 1501 se publicó en la *Bibliotheca Hispanica*, vol. I, 1900. Los documen-

didos por Cejador, House, Azorín y Delpy[9]— se vislumbran, cuando menos, dos supuestos tácitos. Por de pronto, según la tradición de Malherbe y Boileau, la idea de que el buen gusto, la poda y la rígida vigilancia del idioma son cualidades indispensables a todo buen escritor. El «mauvais gout» de los refranes intercalados, las «redites», la «invraisemblance» de los nuevos elementos eruditos en relación con los personajes, la falta de «bienséance» de que hace gala Melibea en la segunda escena del jardín, fundamentaron el juicio de Foulché-Delbosc; era, para él, «le coté esthétique de la question». Al lado de tales supuestos típicamente franceses, intervino también la creencia, un tanto supersticiosa, de muchos críticos positivistas —creencia que se remonta a los comienzos del romanticismo—, de que en todos los casos el texto más viejo y primitivo es necesariamente el mejor; la tarea del investigador consiste en restablecer la forma dictada por la inspiración original, eliminando toda mala interpretación, toda lectura incorrecta, toda falsa corrección, en una palabra, todas las intervenciones de los copistas o refundidores más tardíos. La *Comedia* es la versión primitiva y pura de la *Celestina*, y la *Tragicomedia* constituye una corrupción del texto auténtico. A la fe en la inspiración individual, tal como la vemos en Blanco White, Foulché-Delbosc añade, pues, ciertas nociones neoclásicas de buen gusto, remotamente emparentadas con las de Juan de Valdés, aunque ahora interviene ya un importante elemento: el examen filológico. Foulché-Delbosc no tendrá, pues, inconveniente en atribuir a Rojas el primer acto, pero creerá que no son suyas las adiciones de 1502. De esta suerte rechaza a un mismo tiempo el testimonio de la Carta y el del Prólogo (!).

En su espléndido estudio sobre la *Celestina*, Menéndez Pelayo también se funda, sin duda, en una serie de criterios literarios preestablecidos, pero no los aplica con tanta precipitación al problema de la paternidad. Muy

tos descubiertos por Serrano y Sanz se pueden ver en sus «Noticias biográficas de Fernando de Rojas», *Revista de Archivos, Bibliotecas y Museos*, VI, 1902, pp. 249-299.

[9] CEJADOR ha expresado sus ideas en las notas y la Introducción a su edición. Para las opiniones de House, véase la nota 12. El ensayo de Azorín se imprimió por vez primera en *Los valores literarios* (Madrid, 1913.) Delpy, el más reciente defensor de Foulché-Delbosc, ha publicado un artículo titulado «Les profanations du texte de *La Celestina*» en el *Bulletin Hispanique*, XLIV, 1947, pp. 261-275.

bien comprende el riesgo que significa negar por motivos estéticos los hechos consignados en la Carta y, por otra parte, dejar que esos hechos alteren la intuición personal. Si comparte muchas de las objeciones de Foulché-Delbosc a las adiciones de 1502, no admite la conclusión de que son obra de un segundo autor. No todas las adiciones son malas —dice—, y muchos rasgos criticables tienen su paralelo en la *Comedia*. Podríamos desear que Rojas hubiera optado por dejar la obra tal como estaba, pero el texto de la *Tragicomedia* no justifica una negación de las escuetas afirmaciones del Prólogo. ¿Y el primer acto? Menéndez Pelayo lo supone del mismo Rojas, considerando la cautela de la Carta preliminar (por ejemplo, la afirmación de haber acabado la obra en quince días) y la conformidad de los personajes del primer acto con los del resto de la obra. Aunque, «en absoluto rigor crítico, la cuestión del primer acto es insoluble, y a quien se atenga estrictamente a las palabras del bachiller ha de ser muy difícil refutarle» [10], Menéndez Pelayo opina que

el bachiller Rojas se mueve dentro de la fábula de la *Celestina*, no como quien continúa obra ajena, sino como quien dispone libremente de su labor propia. Sería el más extraordinario de los prodigios literarios el que un continuador llegase a penetrar de tal modo en la concepción ajena y a identificarse de tal suerte con el espíritu del primitivo autor y con los tipos primarios que él había creado. No conocemos composición alguna donde tal prodigio se verifique; cualquiera que sea el ingenio del que intenta soldar su invención con la ajena, siempre queda visible el punto de la soldadura; siempre en manos del continuador pierden los tipos algo de su valor y pureza primitivos, y resultan o lánguidos y descoloridos, o recargados y caricaturescos. Tal acontece con el falso *Quijote* de Avellaneda; tal con el segundo *Guzmán de Alfarache*, de Mateo Luján de Sayavedra; tal con las dos continuaciones del *Lazarillo de Tormes*. ¿Pero quién sería capaz de notar diferencia alguna entre el Calisto, la Celestina, el Sempronio o el Pármeno del primer acto y los personajes que con iguales nombres figuran en los actos siguientes? ¿Dónde se ve la menos huella de afectación o de esfuerzo para sostenerlos ni para recargarlos? En el primer acto está en germen toda la tragicomedia, y los siguientes son el único desarrollo natural y legítimo de las premisas sentadas en el primero [11].

---

[10] *Orígenes de la novela*, Edición Nacional, Santander, 1942, vol. III, p. 247.
[11] *Ibid.*, p. 259.

Importa notar a este respecto que el razonamiento de Menéndez Pelayo es de orden comparativo. No insiste en la semejanza de ambas partes para luego decir que forzosamente tuvo que haber unidad de inspiración, sino que, desde el punto de vista de la continuidad de los personajes, compara la *Celestina* con otras obras que fueron objeto de continuaciones. De todo ello deduce, no la imposibilidad teórica, sino la inverosimilitud práctica de que hubiese dos autores. Si el primer acto no es de Rojas, el fracaso de otras análogas tentativas de continuar una obra ajena pone de relieve que se trata de un extraordinario caso único de injerto literario. Su conclusión es una pregunta: en vista de todo esto, ¿no es más razonable suponer que Rojas fue el autor del primer acto?

Para Menéndez Pelayo y sus precursores, el problema de la paternidad, aunque histórico y real en sí mismo, era de orden literario por su importancia: era un problema de creación poética y de valor estético.

Hemos podido observar con cuántas precauciones se esforzó Menéndez Pelayo por conciliar los dos puntos de vista. Ahora bien, un erudito norteamericano, R. E. House, después de adherirse a la tesis de Foulché-Delbosc, se propuso demostrarla con testimonios lingüísticos. Decidió buscar hechos que resolvieran la cuestión, y los resultados a que llegó fueron a la vez más y menos sensacionales de lo que él hubiera deseado. House comenzó por dividir la *Tragicomedia* en cinco partes de extensión aproximadamente igual: el primer acto, los actos añadidos en 1502 y tres partes constituidas por los quince actos restantes de la Comedia. Concentrándose en ciertos elementos del estilo (orden de las palabras, extensión de los discursos, alternancia de «le» y «lo» como objeto directo referido a cosas, etc.), hizo un recuento de porcentajes en cada una de las cinco partes. En casi todos los casos encontró análoga proporción en las tres divisiones formadas con los quince actos de la *Comedia,* pero divergencias de peso entre estas divisiones y las otras dos (el primer acto y las adiciones de 1502). Además, House vio que en estas tres grandes partes de la obra la mayoría de los factores elegidos aumentaban o disminuían en progresión regular; son típicas a este respecto las conclusiones sobre el uso de «le» y «lo»:

Aplicado a cosas, «lo» aparece frente a «le» en proporción de uno a seis en el primer acto, de dos a tres en los actos II-XVI y de más de dos a uno en las adiciones [12].

No es de extrañar que estos «hechos» hicieran vacilar a House en sus conclusiones; el testimonio lingüístico lo llevó al absurdo literario:

> Lejos está de la intención del autor de estas observaciones el querer dar una decisión final a cuestión tan doctamente debatida por otros. Los hechos presentados cuentan su propia historia con mayor claridad de lo que él pudiera hacerlo. Sin embargo, mientras no haya una proposición más convincente, se adhiere a quienes piensan que Alonso de Proaza fue el autor de las adiciones de 1502.
>
> Las diferencias que inesperadamente se han hallado entre el primer acto y el resto de la versión de 1499 ofrecen un nuevo campo de estudio. ¿A qué puede deberse el que en los ocho tipos de orden sintáctico estudiados el primer acto difiera de los actos II-XVI?... No es probable que Rojas hallara el primer acto, como dice, en la forma en que nos lo ha legado, pero la Carta preliminar del «auctor a vn su amigo» puede ser más verídica de lo que suele suponerse [13].

«Inesperadamente» y sin ganas, House tiene que encarar la idea de una triple paternidad. Al juzgar sus conclusiones, deberemos recordar que no toma en cuenta la posibilidad de que el inseguro lapso de tiempo (no conocemos la fecha en que se escribió la *Comedia)* transcurrido entre el momento en que se terminaron los dieciséis primeros actos y la publicación de la última versión puede haber cambiado varios hábitos lingüísticos de Rojas: tanto más cuanto que la suya fue una época de inestabilidad lingüística. Por ejemplo, una comparación análoga entre el lenguaje del *Tractado de amores* y el de la *Cárcel de amor* (probablemente escritos en diferentes épocas, a pesar de haberse publicado el uno en 1491 y la otra en 1492 [14]), revelará quizá cambios semejantes. En todo caso, parece

---

[12] R. E. House, M. Mulroney, I. G. Probst, «Notes on the authorship of the *Celestina*», *Philological Quarterly*, III, 1924, p. 88. El artículo previo de House en que anuncia su apoyo literario de FOULCHÉ-DELBOSC, «The present status of the problem of authorship of the *Celestina*», se encuentra en la misma revista, II, 1923, pp. 38-47.

[13] «Notes on the authorship», art. cit., p. 91.

[14] Sobre la transformación de los hábitos estilísticos, cf. la introducción de S. Gili Gaya a las *Obras* de Diego de San Pedro, «Clásicos Castellanos», Madrid, 1950.

más razonable creer en el testimonio directo del Prólogo que admitir la inverosímil existencia de tres autores. A pesar de su buena fe, House más bien parece haber minado las deducciones de su admirado Foulché-Delbosc.

Finalmente, en un artículo reciente sobre la transformación del estilo en el reinado de Fernando e Isabel, Menéndez Pidal hace un resumen de sus propias ideas sobre el problema. Vuelve —cosa curiosa— a la opinión de Juan de Valdés, pero la sostiene de manera diferente. Después de estudiar los arcaísmos de lenguaje del primer acto, dice:

> Así esta comedia genial, que en el siglo XVI formó escuela, y en su turbia profundidad fue admirada universalmente, se publica como obra anónima y escrita en colaboración, al igual de otras producciones españolas que, a pesar de una poderosa fuerza creadora, aparecen ligadas a la estilística colectiva. En lo que toca a la *Celestina*, su fuerte unidad de concepción artística (argumento único de los que impugnan la multiplicidad de autores) se explica bien, porque en el auto primero está, como en semilla, la obra entera, siendo probable además que ese auto fuera acompañado del argumento de la comedia...
>
> De igual modo que la idea directriz, el autor anónimo del primer auto impone un estilo al autor medio anónimo de los autos restantes...[15].

Esta interpretación de la unidad de concepto, estilo y personajes en la *Celestina*, de la carencia de fronteras literarias perceptibles entre el primer acto y los que le siguen, refleja el largo e intenso trato de Menéndez Pidal con la poesía tradicional. Como él mismo ha mostrado con erudición y persuasiva elegancia, la unidad literaria de la poesía tradicional es a menudo resultado de la colaboración de muchos espíritus creadores dentro de una estructura y de un estilo uniforme. No hace falta una inspiración única. Según lo muestra la historia de la comedia del siglo XVII, este carácter «popular» queda patente también en otros sectores de la literatura española; de hecho es una de las famosas «características generales» de esa literatura establecidas por Menéndez Pidal. Vemos asimismo que él atribuye a Fernando de Rojas los actos añadidos, sin detenerse a estudiar la cuestión, que evi-

---

[15] Ramón Menéndez Pidal, «La lengua en tiempos de los Reyes Católicos», *Cuadernos Hispanoamericanos*, 1950, p. 5.

dentemente considera resuelta, a pesar de Foulché-Delbosc y de House [16].

Al examinar el razonamiento de Menéndez Pidal vemos que sabe esquivar muchas de las trampas en que cayeron sus predecesores. No se funda en una apreciación literaria personal ni retuerce el sentido de los preliminares; no niega la unidad de la *Celestina* y a la vez no juzga a Rojas indigno de crédito. Podemos dudar de que en una obra tan «personal» como la *Celestina* interviniera una creación colectiva como la que se supone tuvo lugar en la epopeya, en el romancero y en la comedia; sin embargo, la existencia misma de ese tipo de colaboraciones creadoras hace que la posibilidad de que Rojas haya continuado en efecto la obra de otro autor sea un poco menos inverosímil de lo que suponía Menéndez Pelayo. También hay que tener en cuenta que en los diversos ejemplos de continuaciones fracasadas que menciona Menéndez Pelayo (el *Quijote apócrifo,* el *Guzmán de Alfarache* de Juan Martí, etc.) se trata siempre de imitaciones hechas desde fuera, no el segundo brote de un germen creador original; la notoria intención de Avellaneda no fue escribir otro *Quijote,* sino mejorarlo, y es probable que los autores de varias otras continuaciones no cavilaran demasiado para reproducir el modelo. Si hemos de creerle, Rojas no imitó al primer autor, sino que completó su obra, empleando la misma estructura literaria. En este sentido, Menéndez Pidal está quizá en lo justo al hacer notar ciertas semejanzas con la técnica de la creación «tradicional».

Una vez examinada la sospechosa versión que de la génesis de la *Celestina* nos dan la Carta, el Prólogo y los versos acrósticos, y una vez esbozadas brevemente las opiniones y los enfoques a que ha dado lugar, hemos de formular nuestra propia actitud: si pretendemos descubrir cómo creaba Rojas, su arte único y personalísimo, deberemos prescindir del problema de la paternidad en cuanto tal. Dos razones vienen en apoyo de esta conclusión. Primero: como no existen pruebas positivas, la cuestión es insoluble. Segundo: cualquier hipótesis propuesta no sólo tiene que concordar con los hechos históricos y lingüísticos; debe satisfacer además las exigencias de la

---

[16] Al comienzo de su párrafo sobre la *Celestina,* Menéndez Pidal afirma categóricamente: «Rojas mismo añadió cinco autos más en 1502», y no vuelve a hablar del asunto.

apreciación literaria. Como ya lo hemos comprobado, en la *Celestina* estos dos caminos hacia la verdad resultan contradictorios, y el afán de conciliarlos supone el falseamiento de uno de ellos o de los dos. Por atenerse estrictamente a la Carta preliminar, Juan de Valdés divide el texto arbitrariamente; Blanco White niega crédito a la Carta, porque así conviene mejor a la teoría literaria romántica. Foulché-Delbosc rechaza la afirmación menos dudosa del Prólogo y, fundado en criterios literarios evidentemente ajenos a la *Celestina*, declara que las adiciones de 1502 no son de Fernando de Rojas. Menéndez Pelayo corrige tales errores, pero no logra concebir la existencia de un fragmento previo. House se esfuerza por resolver el problema al margen de la literatura, y va a dar al absurdo de tres autores. Menéndez Pidal es el único cuya solución permite la comprensión de los hechos desde el punto de vista literario; pero su solución se basa en un tipo de creación poética que parece muy diferente del de la *Celestina*. Creemos por eso que el problema de la paternidad hace imposible la valoración del texto mismo, y que por el momento es forzoso dejarlo de lado y entre paréntesis.

Para proceder así necesitamos la colaboración del lector; él debe estar dispuesto a conceder —y las opiniones de Menéndez Pidal pueden ayudarle— que lo que Rojas afirma en la Carta y en el Prólogo es cierto. No hace falta, por supuesto, admitir el negativo juicio que Rojas da sobre su propia contribución, ni creer que escribió la obra en quince días; él mismo lo dice: «avn más tiempo e menos acepto». Pero sus principales afirmaciones, el hecho de que el primer acto es obra de autor desconocido y de que las adiciones de 1502 son todas de Rojas, deberán tomarse al pie de la letra. Partiendo de este supuesto, nos veremos en libertad de trabajar a nuestras anchas con el texto completo de la *Celestina*, excepción hecha del primer acto.

Ahora bien, este método equivale a dar nuevo relieve a las adiciones de 1502. Si aceptamos sin dudas ni vacilaciones que Rojas es su autor, resultarán ser clave valiosísima de su concepto global de la *Celestina* y de las expresiones individuales de su arte. Debemos imaginarnos a Rojas en el momento de ponerse a leer, revisar y ampliar un texto que había completado unos cuatro o cinco años antes (1498 es quizá el último año posible para la terminación de la *Comedia*). Debemos imaginárnoslo, no sumergido intuitivamente en su propio arte, sino más bien en la plenitud de su meditación, enriquecido ahora con una nueva perspectiva de su obra. Como a Cervantes, los años que median entre la primera obra y la continuación posterior permitieron a Fernando de Rojas comprender intelectualmente su propia creación, para luego descubrir nuevas profundidades de inspiración creadora. No importa que las ulteriores interpretaciones de la *Celestina* no siempre admitan este hecho, ni que la versión de 1502 revele que a menudo Rojas entendió su propia obra en menor medida que el Cervantes de 1615. Lo que importa es que captemos esa nueva actitud del artista ante su labor, actitud que imaginamos responsable de esos cambios de enfoque tan evidentes en las adiciones e interpolaciones de 1502.

Vista de este modo, la *Tragicomedia* suscita una serie de importantes preguntas, que implícita o explícitamente nos habrán de guiar en la reconstrucción del arte de Fernando de Rojas. Las palabras, frases, párrafos intercalados (lo mismo que los suprimidos) nos pueden revelar cómo se creó la *Celestina*. ¿Qué errores o pasajes oscuros creyó el autor necesitados de corrección? ¿En qué «temas» quiso insistir al llegar a un nuevo concepto de su obra maestra? ¿Qué elementos de su estilo decidió repetir o acentuar? ¿Qué nuevos rasgos adoptan los personajes después de su larga convivencia con el autor? ¿En qué forma refuerza los diversos actos y «escenas», y en qué grado se revela así la estructura interna de la obra? Ahí están también el segundo monólogo de Calisto, la nueva capacidad de Areusa para la intriga y el último coloquio en el jardín, que invitan a una comparación con pasajes análogos de la *Comedia*. En otras palabras, las interpolaciones y los actos añadidos pueden o no aumentar el valor de la obra, pero, si admitimos que Rojas es su autor, son esenciales para una comprensión de su arte. Podemos imaginarnos la importancia que el descubrimiento de una edición del *Hamlet*, revisada por su autor, tendría para los estudios shakespearianos. Pues bien, la *Celestina* ofrece a los estudiosos de la literatura española una ocasión semejante.

Lástima que haya sido imposible atenernos exclusivamente a la intención original y circunscribir estos ensayos sólo a las adiciones. En primer término, tal estudio habría provocado una indeseable polémica con quienes niegan la premisa mayor: la autenticidad de la revisión. Cada cambio, considerado aisladamente, habría exigido por fuerza una valoración particular para hacer constar si está de acuerdo con otras partes de la *Comedia*. Pero aún más importante es el hecho de que la estructura, los personajes y el tema están tan integrados a la obra que no podemos estudiarlos en su plenitud si nos limitamos al disperso testimonio de interpolaciones y supresiones. En cuanto a los actos añadidos, la ausencia de tres de los cinco personajes principales origina un enfoque totalmente nuevo de la estructura y una serie de transformaciones orientadas por la preocupación temática primitiva. De ahí que los actos y los pasajes añadidos sólo puedan manifestarnos en forma aproximada las dimensiones del arte de Rojas. Serían en realidad una base demasiado frágil e inadecuada para conocer las técnicas creadoras de la obra como conjunto. Pero a pesar del ensanchamiento de nuestro primitivo plan, algunas etapas de la investigación sobre la estructura, el estilo y el tema descubren claramente que surgieron de un examen de los materiales agregados; de hecho, fue este examen el que originó la concepción del presente libro.

Sólo en lo referente al estilo ocuparán las interpolaciones y supresiones el primer plano en nuestra investigación. Son tantos los cambios de menor monta (a menudo de una palabra o dos) que revelan una indudable preocupación estilística, tantos los que pueden relacionarse significativamente con su contexto verbal inmediato, que su estudio nos proporciona un perfil de la composición de la obra. Muchas de esas correcciones al parecer insignificantes tienen además la ventaja de demostrar que Rojas fue, en efecto, su autor [17]; porque sólo pudo haber-

---

[17] Una pequeña prueba de esto, no observada hasta ahora que yo sepa, se encuentra en una de las interpolaciones del Act. XII. Dice Sempronio recordando sus mocedades picarescas: «¿E yo no serví al cura de Sant Miguel *e al mesonero de la plaça e a Mollejar el ortelano? E también yo tenía mis qüestiones con los que tiravan piedras a los páxaros que assentauan en un álamo grande que tenía, porque dañavan la ortaliza.*» (Aucto XII, vol. II, p. 90). Aquí el nombre «Mollejar el ortelano» se parece sospechosamente al de la «guerra de Mollegas» mencionada en la *Probanza* como el más importante de los bienes raíces que la familia de Rojas poseía en la Puebla de Montalbán: «... tenía en la dicha villa de la puebla de Montaluán ciertos vienes rraices, especialmente una güerta que llaman la güerta de Mollegas...»

las hecho, sólo pudo juzgarlas dignas de ser hechas, una persona creadoramente consciente de cada línea que escribía. Como ya dijimos, no es nuestra intención polemizar con Foulché-Delbosc, con Delpy ni con nadie, pero nos parece evidente que tanto las causas íntimas como la forma de la revisión corresponden a un escritor preocupado por su propio estilo. Indudablemente las interpolaciones no son borrones de un jornalero de la literatura, sino producto de horas de meditación sobre el lenguaje, vividas por uno de los artistas más conscientes que ha habido en la literatura española.

Sin embargo, el hecho de que las adiciones vengan a negar la tesis de un tercer autor es sólo resultado accesorio del primer ensayo; al concentrarnos en el conjunto de las interpolaciones y adiciones, podremos revivir esas pocas horas que tan decisivas fueron en la historia literaria de España, y podremos a la vez intentar el redescubrimiento del grande y único arte de Fernando de Rojas.

(F. del Valle Lersundi, «Documentos referentes a Fernando de Rojas», RFE, XII, 1935, p. 388). Es cierto que otro de los testigos habla de una «güerta de Moblejas» (propiedad del mismo Bachiller), pero esto parece ser cuestión de paleografía más que otra cosa. Lo importante es que uno de los pocos nombres en la *Celestina* que no se remontan a la comedia nueva o a la comedia humanística viene a quedar directamente relacionado con uno de los pocos hechos que conocemos acerca de Rojas. No parece ser una simple coincidencia. Más bien me inclino a identificar los recuerdos de Sempronio con los de su autor y a ver en esas peleas de muchachos una reminiscencia de la niñez del propio Rojas. Es interesante observar que esta casual referencia a Molléjar el hortelano fue aprovechada por Feliciano de Silva en su *Segunda Celestina*. Feliciano de Silva captó evidentemente las posibilidades picarescas de ese pasaje —el mozo que ha servido a varios amos— y puso de relieve al único que Sempronio menciona por su nombre.

CAPITULO II
EL ARTE DEL ESTILO

1. Diálogo y vida

Si queremos redescubrir la *Celestina* desde el punto de vista del arte de Rojas, deberemos definir lo que entendemos por *estilo*. Emplearemos la palabra en un sentido próximo al de su antepasado *stylus*. Y evitaremos las connotaciones dadas al término por un Juan de Valdés o un Leo Spitzer, —para sólo mencionar a dos críticos que han estudiado este aspecto de la obra de arte. *Estilo* significa aquí el resultado de aquellos criterios artísticos que llevan al escritor a pensar en determinada palabra, a aceptarla o a suprimirla de su texto. Estos criterios se relacionan sin duda con las nociones de orden, de propiedad, de efecto agradable que suelen guiar la pluma de los escritores; son producto de su preocupación consciente, aunque no forzosamente académica, por la palabra escrita. Es cierto que las tácitas normas de estilo de toda época y escuela desempeñan un papel importante en el arte del escritor; sin embargo, creemos que la conciencia individual del estilo supera a las recetas. Este concepto del estilo —selección de palabras en virtud de una conciencia peculiar del lenguaje— está a medio camino entre las nociones —opuestas, pero ambas igualmente verdaderas y generalizadas— de los dos críticos arriba mencionados. Juan de Valdés se interesó quizá menos por el arte del escritor que por los efectos que su «stilo» podían producir en el lector, efectos que dependían de que el estilo concordara con ciertos principios esenciales y al parecer absolutos de buen gusto. Spitzer, por el contrario, relaciona el estilo tan estrechamente con el creador y con su época, que prefiere insistir en las posibilidades que tiene el estilo de traicionar inconscientemente a uno y otra, traición de la que el crítico puede sacar un excelente partido. Para nuestro objeto, sin embargo, ni el lector ni el escritor bastan por sí solos; en Rojas, el arte del estilo se funda en un criterio a la vez individual e impersonal, que va rigiendo el lenguaje de frase en frase.

Al proponer tan elemental definición del estilo, no pretendemos rechazar arbitrariamente los puntos de vista de un Spitzer o de un Juan de Valdés. Mucho de lo que hemos de decir se funda en los métodos actuales de examen estilístico; y al mismo tiempo tenemos que reconocer que en Rojas la conciencia del lenguaje estaba determinada sin duda por ciertas ideas generales del estilo, presagio de las que deberían regir unos cincuenta años más tarde, cuando se compuso el *Diálogo de la lengua*. Admitamos desde luego la validez y aun la necesidad de los puntos de vista de Valdés y Spitzer, pero, al menos por ahora, preferimos dejar de lado tanto el juicio estético como la elaboración de la intuición, porque ninguno de ellos nos ayudará a reconstruir la consciente preocupación de Rojas por la palabra, tan evidente en las interpolaciones y supresiones de 1502. Fernando de Rojas, uno de los artistas más atentos al fenómeno de la conciencia humana, parece haber tenido —al menos cuando corrigió la *Comedia* en 1502— clara conciencia de la naturaleza de su propio arte. Para estudiar su estilo será, pues, útil y valioso descubrir sus normas personales.

No hace falta decir que si Rojas hizo interpolaciones en la *Celestina* fue porque creyó conveniente dar nueva forma a ciertos pasajes. En este sentido, todas ellas revelan virtualmente su arte del estilo; a la vez que adiciones, son correcciones, y es de gran interés comparar el estilo de los pasajes corregidos con el del contexto primitivo. Pero tomadas en su conjunto, y desde el punto de vista de Rojas, las interpolaciones pueden dividirse en dos grupos, uno de los cuales está más relacionado que el otro con los problemas de estilo. Si, como pretendemos, la nueva versión de Fernando de Rojas es fruto de largos años de meditación sobre su obra, ciertas mudanzas deberán reflejar forzosamente el nuevo concepto que tenía del conjunto, de su unidad temática, de su división en actos, de la evolución de sus personajes; otros, en cambio, se deberán a una lectura cuidadosa de los elementos de menor monta: la palabra, la oración, el párrafo o, a lo sumo, el parlamento. Las correcciones hechas en estos últimos elementos son justamente las que mejor revelan el sentido que tenía Rojas del estilo, pues, por la misma evidencia de lo corregido, nos permiten ver cómo Rojas va «conduciendo» su lenguaje. El primer tipo de interpolaciones se debe a una conciencia de las líneas generales de la creación, por encima de las palabras; el segundo se relaciona con la disposición de las palabras mismas [1].

Si echamos una ojeada de conjunto a todas las interpolaciones de una o dos palabras —interpolaciones que casi por definición son estilísticas—, veremos destacarse un grupo de rasgos comunes: [2]

> CEL.—¿Qué pensauas, *Sempronio*? ¿Auíame de mantener del viento? (Aucto II; vol. I, p. 133).
> CEL.—¡Para adalid eres *tú* bueno, cargado de agüeros e recelo! (Aucto III; vol. I, p. 140).
> CEL.—¡Oh *mis enamorados*, mis perlas de oro! ¡Tal me venga el año qual me parece vuestra venida! (Aucto IX; vol. II, p. 27).
> MELIB.—Amiga Lucrecia e *mi leal criada* e fiel secretaria, ya has visto cómo no ha sido más en mi mano (Aucto X; vol. II, pp. 66-67).
> CAL.—Descuelga, *Pármeno*, mis coraças e *armáos vosotros e assí yremos a buen recaudo, porque como dizen: el hombre apercibido, medio combatido* (Aucto XII; vol. II, p. 83).
> SOS.—*Señor*, vna muger que se llama Celestina (Aucto XIII; vol. II, p. 118).

Se ha concedido escasa atención a este tipo de adiciones, y, sin embargo, ponen de manifiesto un sentido de los requisitos estilísticos fundamentales del diálogo. El autor insiste en que todo lo que un personaje diga vaya

---

[1] Por supuesto, estos dos tipos de interpolaciones no pueden separarse radicalmente uno de otro. Muchas de las adiciones destinadas a reforzar, por decirlo así, la disposición de los materiales temáticos reflejan también la atención al aspecto lingüístico. Sin embargo, el distingo es útil para nuestros fines, porque da nuevo realce a una serie de modificaciones textuales que hasta ahora los críticos, interesados sólo en hallar apoyo a sus teorías sobre la paternidad, han pasado por alto o han interpretado mal. Entre las correcciones esencialmente estilísticas, de acuerdo con nuestra definición, están no sólo los refranes y pasajes eruditos añadidos, sino también lo que llamamos «correcciones mínimas»: supresiones e inserciones de una o dos palabras. Comenzaremos por estas últimas, que nos permitirán establecer la relación más inmediata entre la palabra y el arte del estilo.

[2] Las interpolaciones van en cursiva.

claramente dirigido a una segunda persona, en que sus palabras se digan en función, tanto del hablante como del oyente, y no sólo para instrucción o deleite del lector. Las palabras intercaladas hacen ver la profunda intencionalidad que caracteriza el lenguaje de la *Celestina*: es lenguaje hablado —aunque no siempre popular—, en el sentido de que parece emerger de una vida y dirigirse a otra. Como veremos, cada palabra se apoya en un *yo* y en un *tú*. El diálogo es para Rojas el lenguaje que resulta del encuentro de dos vidas.

Esta manera de gobernar el estilo según los requisitos del diálogo vivo es tan fundamental en el arte de Rojas, que merece ejemplificarse en detalle. Comencemos por examinar dos de las interpolaciones citadas; veremos que son necesarias, que no son meras adiciones mecánicas y superficiales destinadas a dar una falsa apariencia de diálogo. El texto completo del primer ejemplo es el siguiente:

> CEL.—¿El primero, hijo? Pocas vírgines, a Dios gracias, has tú visto en esta cibdad que hayan abierto tienda a vender, de quien yo no aya sido corredora de su primer hilado. En nasciendo la mochacha, la hago escriuir en mi registro, *e esto* para saber quántas se me salen de la red. ¿Qué pensauas, *Sempronio?* ¿Auíame de mantener del viento? ¿Heredé otra herencia? ¿Tengo otra casa o viña? ¿Conócesme otra hazienda más deste oficio? ¿De qué como o beuo? ¿De qué visto y calço? En esta cibdad nascida, en ella criada, manteniendo honrra, como todo el mundo sabe, ¿conoscida pues, no soy? Quien no supiere mi nombre e mi casa, tenle por estranjero (Aucto III; vol. I, p. 133).

Este párrafo se compone evidentemente de dos elementos: uno de ellos —narración jactanciosa— tiene carácter indicativo, mientras que el otro es interrogativo y consiste en una serie de preguntas más o menos retóricas, que no exigen respuesta. Al principio del pasaje hay tres palabras apuntadas al oyente: «¿El primero, hijo?»; pero estas palabras no bastan por sí solas para mantener la atención de Sempronio, que es quien ha de ser impresionado por el discurso; de ahí que su segunda parte comience por un «¿Qué pensauas?», pregunta que, por retórica que sea, va claramente dirigida a Sempronio, convirtiéndolo en blanco de las preguntas siguientes. Pero en 1502 Rojas no se sentía aún satisfecho con esta llamada de atención, y decidió reforzarla para dar al diálogo más verosimilitud en este punto estratégico. En efecto,

el «¿Qué pensauas, *Sempronio?*» no sólo es estilísticamente necesario para Rojas, sino también para Celestina,
tanto que en la *Comedia* es casi palpable la falta del
nombre.

Más necesario aún para la expresión es quizá ese «*tú*»
del segundo ejemplo. Sempronio ha seguido dudando de
la habilidad profesional de Celestina y le recuerda indirectamente que en una ocasión la emplumaron a causa de
un fracaso. Celestina responde enojada:

> ¡Alahé, en malora a ti he yo menester para compañero!
> ¡Avn si quisiesses auisar a Celestina en su oficio! Pues
> quando tú nasciste ya comía yo pan con corteza. ¡Para ada-
> lid eres *tú* bueno, cargado de agüeros e recelo! (Aucto III;
> vol. I, p. 140).

Poco hay que explicar aquí; los pronombres *yo* y *tú* son
indispensables para que adquiera forma de diálogo la
violenta reacción de Celestina, su réplica espontánea, no
sólo a las dudas de Sempronio, sino al tácito insulto.
Y Rojas subraya la oposición afectiva de la primera y segunda personas añadiendo un «*tú*» a la última frase; pone
un acento final a la viva indignación, a esa indignación
dialogada de Celestina. En uno y otro caso es evidente que
la palabra intercalada no constituye una segunda mano de
barniz que se aplica al diálogo; viene más bien a reforzar un rasgo ya presente: ese apuntar a la segunda persona. En las dos ocasiones el *yo* del hablante no sólo se
expresa a sí mismo, sino a la vez se proyecta sobre el *tú*
del que escucha; y Rojas, corrector de su propio texto,
nos muestra la importancia que para su arte del estilo
tenía tal requisito del diálogo.

Claro está que este rasgo no es en modo alguno exclusivo de la *Celestina*. Todo gran novelista, dramaturgo
o poeta épico conoce intuitivamente esas relaciones entre
el estilo y el diálogo. Pero Rojas se distingue quizá por
su consciente y concienzudo desarrollo del estilo sobre
tal base. La crítica no ha concedido la debida atención a
la extrema sutileza de sus diálogos. Podemos escoger al
acaso cualquier pasaje de la obra (exceptuando el primer
acto y los frecuentes monólogos), y en seguida veremos
esa mutua presencia del *yo* y el *tú*, que influye decisivamente en la disposición de las palabras. En la *Celestina*
la palabra constituye un puente entre el personaje que
habla y el que escucha, el punto en que vienen a confluir

41

dos vidas. El siguiente pasaje es típico; Celestina ha estado hablando en voz baja con Lucrecia al final de su primera entrevista con Melibea:

> MELIB.—¿Qué le dizes, madre?
> CEL.—Señora, acá nos entendemos.
> MELIB.—Dímelo, que me enojo quando yo presente se habla cosa de que no aya parte.
> CEL.—Señora, que te acuerde la oración para que la mandes escriuir, e que aprenda de mí a tener mesura en el tiempo de tu yra, en la qual yo vsé lo que se dize: que del ayrado es de apartar por poco tiempo, del enemigo por mucho. Pues tú, señora, tenías yra con lo que sospechaste de mis palabras, no enemistad. Porque avnque fueran las que tú pensauas, en sí no eran malas: que cada día ay hombres penados por mugeres e mugeres por hombres, e esto obra la natura, e la natura ordenóla Dios, e Dios no hizo cosa mala. E assí quedaua mi demanda, como quiera que fuesse, en sí loable, pues de tal tronco procede, e yo libre de pena (Aucto IV; vol I, pp. 191-192).

Al llegar a este punto, Melibea no puede ya dominar a Celestina, aunque débilmente la amenaza con enojarse nuevamente. Su femenino reproche es ya en sí mismo señal de derrota y allana el camino a la respuesta de Celestina. Esta, en perfecto dominio de la situación, prepara su siguiente ofensiva; comienza por dar una explicación poco convincente de su aparte con Lucrecia («...que te acuerde la oración...»), y en seguida, sin dejar lugar a que Melibea insista en esa explicación, hace un resumen de la entrevista. Emplea las palabras precisas que quisiera dejar grabadas en la mente de Melibea, y prepara astutamente las razones que siguen: 'no eres mi enemiga; tu enojo fue sólo transitorio'; y en seguida, con mayor atrevimiento: 'y aunque lo que te enojó fuese cierto, viéndolo bien, no es necesariamente malo'. Finalmente, sugiere que las sospechas de Melibea podían, después de todo, ser justificadas: «Mi demanda, como quiera que fuese...».

Volvamos al estilo de este pasaje: en apariencia está escrito en el lenguaje de todo argumento racional y objetivo, de toda afirmación general aplicada a un caso particular. Pero ya desde dentro, y viéndolo más de cerca, notamos una serie de transiciones al parecer irracionales. La primera frase de Celestina, con su «e que», con su «que aprenda de mí a tener mesura» y su distinción entre el enojo y la enemistad, difícilmente podía corresponder a lo que Celestina había estado murmurando al oído de

Lucrecia. El «porque» que introduce la tercera frase es igualmente equívoco: no hay posible relación causal alguna entre la airada reacción de Melibea y el intento que hace Celestina de legitimar sus palabras, aunque éstas fueran «las que tú pensauas». La lógica argumental no es más que una máscara; la manera de hablar de Celestina depende en realidad de la presencia viva de Melibea como oyente. Cada palabra está, en efecto, calculada para producir determinada reacción psicológica (aunque a la vez pueda manifestar los sentimientos del hablante); así la verdadera estructura del pasaje citado, se funda más que en la lógica formal, en la alternancia vital de la primera y la segunda personas. Obsérvense las siguientes frases: «*Señora*, que *te* acuerde...»; «que aprenda de *mí* a tener mesura en el tiempo de *tu* yra, en la qual *yo* vsé...»; «pues *tú*, *señora*, *tenías* yra...»; «aunque fueran las que *tú pensauas*...»; «*yo* libre de pena...» Esta abundancia de pronombres de primera y segunda persona muestra que las observaciones de orden general («del ayrado es de apartar por poco tiempo» o «Dios no hizo cosa mala») están en realidad subordinadas a la confrontación de dos vidas. En Rojas, el arte del estilo es ante todo un arte del diálogo vivo.

Tan cierto es esto, que podríamos aplicar a todo su estilo una de las observaciones interpoladas más agudas; se refiere a Celestina: «Lo que en sus cuentas reza es... qué despenseros *le dan ración e quál lo mejor e cómo les llaman por nombre, por que quando los encontrare no hable como entraña...*» (Aucto IX; vol. II, p. 26). Y Sempronio continúa: «Quando menea los labios es fengir mentiras, ordenar cautelas para hauer dinero: por aquí le entraré, esto me responderá, estotro replicaré. Assí viue ésta...» La vida de Celestina, como todas las vidas de la obra, está dedicada al diálogo. Son tantas las interpolaciones que muestran la fundamental importancia de este componente dentro del estilo de Rojas, que resulta imposible enumerarlas; recordemos sólo la primera frase añadida en el acto IV. Alisa ha dicho que tendrá que dejar sola a Melibea con Celestina:

CEL.—*(Aparte)* Por aquí anda el diablo aparejando oportunidad, arreziando el mal a la otra. *¡Ea!, buen amigo, ¡tener rezio! Agora es mi tiempo o nunca. No la dexes, lléuamela de aquí a quien digo* (Aucto IV; vol. I, p. 163).

En la *Comedia* de dieciséis actos, este aparte (y el que más adelante, en el mismo acto, precede a una interpolación parecida: «¡Ce, hermano, que se va todo a perder!») no pasaba de ser una referencia a la solemne invocación con que terminaba el acto III. Pero la interpolación, con ese secreto dirigirse a un óyente invisible, transmite al lector la conciencia que tiene Celestina de una presencia diabólica. Su fe en lo sobrenatural emerge del reino de las fórmulas y conjuros rituales para adaptarse vitalmente al ambiente de esperanza y desesperación de esos dos momentos. Celestina no habla ya *del* «triste Plutón», sino que se dirige *a* su «buen amigo» y «hermano», encauzando su superstición por un rumbo circunstancial. ¡Cuánta mayor fuerza hay en este aparte que en el original, y, al mismo tiempo, qué de acuerdo está con los rasgos más intrínsecos del estilo de Rojas!

Enfocando de este modo las intenciones estilísticas de Rojas, otros rasgos interesantes de su lenguaje y de su técnica adquirirán nueva significación. Tenemos, por ejemplo, la extraordinaria frecuencia de las preguntas. Más de la mitad de las frases llevan signo de interrogación; teniendo en cuenta la extensión de la obra, es probable que la *Celestina* tenga mayor número de construcciones de este tipo que cualquier otra obra de la literatura occidental[3]. Claro está que estas preguntas rara vez pretenden provocar en quien las escucha una respuesta informativa; pero, como vimos en la primera interpolación estudiada, todas ellas invocan la presencia del oyente. Si las frecuentes exclamaciones expresan los sentimientos del *yo*, las preguntas, por su parte, llevan implícita la presencia del *tú*. El lenguaje casi nunca llega a tener vida aparte, independiente del diálogo entre dos personas que están cara a cara.

Este principio de dirección artística sobrepasa necesariamente los límites del estilo y del lenguaje; podemos descubrirlo en muchos otros aspectos. Recordemos, por ejemplo, el constante tópico de los afeites femeninos. Aunque frecuente en la literatura satírica contemporánea y anterior (Arcipreste de Talavera) y mencionado bre-

---

[3] En una tesis doctoral presentada en la Universidad de Columbia Stanley M. Sapon calcula un 54,69 por 100 de construcciones interrogativas en la *Celestina*, porcentaje que corresponde a 736 preguntas (*A Study of the development of the interrogative in Spanish*, Columbus, Ohio, 1951).

vemente en las *Coplas* de Manrique como símbolo de la fugacidad de la vida, el tópico parece responder en la *Celestina* a necesidades de otro tipo. Los afeites representan una especie de coloquio plástico: es un diálogo visual que acompaña al diálogo de palabras. Criticando a Melibea, Areusa dice: «Por vna vez que aya de salir donde pueda ser vista, enuiste su cara con hiel e miel, con vnas *tostadas e higos passados* e con otras cosas...» (Aucto IX; vol. II, p. 33). Lo mismo en uno de los actos añadidos; Elicia decide quitarse el luto por Celestina:

Mas para eso es el buen seso, viendo la pérdida al ojo, viendo que los atauíos hazen la muger hermosa, avnque no lo sea, tornan de vieja moça e a la moça más. No es otra cosa la color e aluayalde sino pegajosa liga en que se trauan los hombres. Ande, pues, mi espejo e alcohol, que tengo dañados estos ojos; anden mis tocas blancas, mis gorgueras labradas, mis ropas de plazer. Quiero adereçar lexía para estos cabellos, que perdían ya la ruuia color y, esto hecho, contaré mis gallinas, haré mi cama, porque la limpieza alegra el coraçón, barreré mi puerta e regaré la calle, porque los que passaren vean que es ya desterrado el dolor (Aucto XVII; vol. p. 167).

Los afeites, lo mismo que los vestidos, se dan aquí en función de un encuentro personal; por eso los vemos reaparecer una y otra vez a lo largo de la obra, no como tópico o lugar común, sino como preocupación vital.

Por último, aludamos brevemente al constante «diálogo» de ademanes y gestos. Cada habitante de la *Celestina* está en todo momento despierto a la presencia de los demás. Y no sólo a esa presencia artificialmente preparada para él con afeites, sino también a todas aquellas expresiones físicas momentáneas que revelan al otro en la intimidad de su vida. Si los afeites se dirigen al *tú*, los gestos surgen del *yo* a manera de exclamaciones. Aunque Rojas evite describir las facciones de las caras individuales —limitación que no podemos detenernos a explicar aquí—, los cambios de andadura en Celestina, los saltos de desahogo que da Pármeno al librarse del peligro (Aucto XII), los raptos de Calisto y muchos gestos vienen a complementar el diálogo de las palabras. El estilo, los tópicos y las acciones se subordinan conscientemente a la primera y segunda personas, que integran el paradigma artístico de Rojas.

Si es verdad que, como afirmamos, el estilo de la *Celestina* gira en torno al eje de una vida hablada, que se

45

extiende entre el *tú* y el *yo*, debe ser posible distinguir dentro de la obra dos estilos más o menos individuales: el basado en una de las personas del paradigma y el basado en la otra. Ya hemos insinuado que la frecuente alternancia de preguntas y exclamaciones pueden quizá representar un desplazamiento de la expresión de un lado de ese eje al otro. Más aún, estos dos momentos o modalidades estilísticas deberán poder rastrearse en cualquier pasaje: esto es, debemos ser capaces de juzgar estilísticamente todo discurso en la medida en que su intención sea, ya afectar la vida del que escucha, ya expresar la del que habla. Aquellas palabras con que Celestina termina su discurso a Melibea en el acto IV, «Señora, que te acuerde la oración...», pertenecen sin duda a un estilo fundamentalmente dirigido al *tú*. Esa apariencia de razón ese medir cada palabra en vista del efecto que ha de causar, ese subrayar el pronombre, todo revela una preponderancia de la segunda persona. Y en cuanto a la primera persona, al *yo* del hablante, que inevitablemente tiene que desempeñar en todo diálogo vivo un papel igual al del *tú*, ¿no habrá en la *Celestina* pasajes que representen este otro tipo de expresión? En respuesta y a título de ejemplo, recordemos uno de los discursos más conocidos:

AREU.—Assí goze de mí, que es verdad que éstas que siruen a señoras, ni gozan deleyte ni conocen los dulces premios de amor. *Nunca tratan con parientes, con yguales a quien pueden hablar tú por tú, con quien digan: «¿Qué cenaste?», «¿Estás preñada?», «¿Quántas gallinas crías?», «Lléuame a merendar a tu casa», «Muéstrame tu enamorado», «¿Quánto ha que no te vido?», «¿Cómo te va con él?», «¿Quién son tus vezinas?» e otras cosas de ygualdad semejantes. ¡O tía, y qué duro nombre e qué graue e soberuio es «señora» contino en la boca!* Por esto me viuo sobre mí, desde que me sé conocer. Que jamás me precié de llamarme de otrie, sino mía. Mayormente destas señoras que agora se vsan. Gástase con ella lo mejor del tiempo, e con vna saya rota de las que ellas desechan pagan seruicio de diez años. Denostadas, maltratadas las traen, contino sojuzgadas, que hablar delante dellas no osan. E quando veen cerca el tiempo de la obligación de casallas, leuántanles vn caramillo, que se echan con el moço o con el hijo, o pídenles celos del marido, o que meten hombres en casa, o que hurtó la taça o perdió el anillo; danles vn ciento de açotes e échanlas la puerta fuera, las haldas en la cabeça, diziendo: «Allá yrás, ladrona, puta, no destruyrás mi casa e honrra». Assí que esperan galardón, sacan baldón; esperan salir casadas, salen amenguadas; esperan vestidos e joyas de boda, salen desnudas e denostadas. Éstos son sus premios, éstos

46

son sus beneficios e pagos. Obligánseles a dar marido, quítanles el vestido. La mejor honrra que en sus casas tienen es andar hechas callejeras, de dueña en dueña, con sus mensajes a cuestas. Nunca oyen su nombre propio de la boca dellas, sino puta acá, puta acullá, «¿A dó vas, tiñosa?», «¿Qué heziste, vellaca?», «¿Por qué comiste esto, golosa?», «¿Cómo fregaste la sartén, puerca?», «¿Por qué no limpiaste el manto, suzia?», «¿Cómo dixiste esto, necia?», «¿Quién perdió el plato, desaliñada?», «¿Cómo faltó el paño de manos, ladrona? A tu rufián lo aurás dado», «Ven acá, mala muger, la gallina hauada no paresce: pues búscala presto; si no, en la primera blanca de tu soldada la contaré». É tras esto mill chapinazos e pellizcos, palos e açotes. No ay quien las sepa contentar, no quien pueda sofrillas. Su plazer es dar bozes, su gloria es reñir. De lo mejor fecho menos contentamiento muestran. Por esto, madre, he quesido más viuir en mi pequeña casa, esenta e señora, que no en sus ricos palacios sojuzgada e catiua (Aucto IX; vol. II, pp. 42-44).

Formalmente, al menos, este parlamento se dirige a Celestina («O tía...» y «Por eso, madre...»), pero en realidad, y a pesar del abundante empleo de la segunda persona, no va dirigido a nadie. Más bien expresa el sentimiento casi frenético que Areusa tiene de sí misma, la necesidad de libertad, no como una abstracción, sino como verdadera y única alternativa de la servidumbre. Estilísticamente, esta revelación sentimental del *yo* puede analizarse más en detalle: hay momentos de poética explicación del *yo* («he querido más viuir en mi pequeña casa, esenta e señora...»); hay, por otra parte, rápidas antítesis («esperan galardón, sacan baldón...»), que, si también van dispuestas artísticamente, declaran más de cerca la indignación de Areusa; por último, y esto es lo más interesante, hay dos pasajes (uno añadido) de rápidas preguntas y exclamaciones, que —hasta donde esto era posible en tiempo de Rojas— vienen a dar al traste con la formalidad estilística. Aquí Areusa expresa su existencia sentimental en términos inmediatos; desaparece toda supervisión racional, todo deseo de inteligibilidad o de disposición poética. Es un estilo explosivo, que no necesita un blanco a que dirigirse, porque todo él se concentra en la fuerza de la explosión misma; el estilo se ha liberado de las limitaciones que pudiera imponerle el punto de vista de otra persona, y de la relación *tú-yo*, requisito gramatical de toda interrogación, ya no queda sino un mero vestigio de intercambio de ideas. Tanto la secuencia de la acción como la existencia particular del oyente quedan desintegradas estilísticamente por esta erupción del sentimiento personal. Si en las palabras que dice Celestina para persuadir a Melibea la razón encauzaba hacia el *tú* los sentimientos y deseos del *yo*, disponiéndolos en tal forma que no pudieran sino encontrar aceptación, en las frases de Areusa, no encauzadas a ninguna meta, los afectos y deseos ya sólo conservan una huella caótica y superficial de razonada dirección. En el primer caso (cuando Celestina se disculpa ante Melibea), la expresión sentimental queda oculta bajo varias capas de bien meditados argumentos, mientras que en el segundo está recubierto sólo por un transparente velo de gramática. Entre estos dos extremos estilísticos, entre el *tú* y el *yo*, entre el argumento y el sentimiento es donde Rojas practica su arte de las palabras. Un estilo no es necesariamente menos vital que el otro; ambos respiran vida, pero cada uno a su modo, y ambos se dan, en consciente equilibrio, en casi todos los pasajes de la *Celestina* [4].

---

[4] A primera vista, tenderemos quizá a ver en estos dos estilos el reflejo de dos actitudes distintas del autor: en el primer caso Rojas sería el intelectual dedicado a elaborar un estilo conciso y bien construido; en el segundo, se diría que, arrebatado por la inspiración, prorrumpe como Rabelais en un nuevo estilo de vivaz espontaneidad. No creo que ahí esté el *quid* de la diferencia. (Excepto quizá algún pasaje del primer acto, como aquel que desarrolla la expresión «puta vieja»). En mi opinión, Rojas maneja ambos estilos conscientemente, adaptándolos al personaje y a la situación. Para dar apoyo a esta idea, haré notar ante todo la oculta vitalidad del estilo dirigido hacia el *tú:* por debajo de la coherencia formal del argumento, se ajusta perfectamente a la vida del oyente. Obsérvese, además, con cuánta solicitud se ha graduado la ruptura estilística en las palabras de Areusa. Es también significativo que Rojas hiciera aquí una interpolación. En la *Comedia*, Areusa comenzaba por afirmar su voluntad de independencia, justificándola luego con una descripción del triste destino de las criadas; después, lanzándose de lleno a su tema, se va excitando cada vez más hasta identificarse con el personaje que está describiendo, y hasta sentirse víctima de los hipotéticos insultos. Aquí desaparece todo afán razonador y a la vez la conciencia de un círculo de oyentes: el lenguaje de Areusa se ve invadido por la sustancia viva de su indignación. Agotado este chorro de vida interior, Areusa vuelve a las antítesis semiproverbiales y formula una conclusión que comienza con «por esto...». Al releer el pasaje, Rojas parece haber percibido que los sentimientos de Areusa sólo hallaban expresión negativa: se mostraba el ultraje momentáneo, el violento rechazo de la servidumbre, pero sin indicar ningún valor positivo. Max Scheler diría que no se habían realizado del todo las potencialidades de su sentimiento en términos de «descubrimiento» de valores. Por eso Rojas inserta un pasaje que, según afirma Me-

Así, Rojas pudo inventar su diálogo gracias a la consciente combinación y variación de dos estilos; el argumentativo, destinado a impresionar al oyente, y el sentimental, que expresa el *yo* del hablante. De ninguno de ellos puede decirse que aparezca en forma absolutamente pura. Si en el último argumento de Celestina atisbamos en el fondo ciertos sentimientos de poder y alivio, en la explosión de Areusa se percibe la necesidad añorada de una segunda persona: la vecina o amiga imaginaria. Pero en la mayor parte de las oraciones —así, la respuesta de Celestina a las dudas de Sempronio— encontramos una continua fusión vital de ambos estilos. Además —y esto es lo que ahora importa subrayar— la existencia del dualismo queda patente en las interpolaciones, valioso testimonio para estudiar la preocupación estilística de Rojas.

Al sentar tal conclusión, debemos tener mucho cuidado en no ceder a la tentación de aceptar como cosa natural la maestría del diálogo de Rojas, su facultad de relacionar simultáneamente el lenguaje, y hasta el gesto, con dos vidas distintas. El diálogo, tal como se presenta en la *Celestina*, constituye una innovación extraordinaria, no sólo dentro de la literatura española, sino dentro de la europea (exceptuando ciertos pasajes de Dante). Quizá la objeción de más peso que pudiera hacerse a esta aseveración sea la existencia, no tanto de los conatos anteriores de teatro, sino de epopeyas como el *Poema del Cid*. Pero aun ahí, el diálogo es deliberadamente ejemplar y raras veces rebasa el marco del heroísmo para convertirse en intuitiva comprensión de las dos vidas por él relacionadas. En todo caso, por increíble que parezca a la literatura del siglo XX, que descansa en los descubrimientos genéricos y estilísticos de períodos remotos, Fernando

néndez Pelayo, es a la vez «vivo» y «sabroso». Evocando rápidamente, en forma de diálogo imaginario, el pequeño chismorreo de vecindad con sus leves emociones se consigue que las abstracciones de libertad, igualdad y fraternidad cobren nuevo y palpitante sentido. Y terminada esa valoración viva, que parte de su propia experiencia, Areusa no se esfuerza por presentar una conclusión racional, un resumen; exclama, parafraseando a Petrarca: «¡Oh tía, y qué duro nombre e qué graue e soberuio es señora contino en la boca!» Esta frase, una de las mejores del libro, no viene a completar una idea: es una valoración implícita; su fuerza poética queda patente cuando la comparamos con el original petrarquesco: *Durum enim superbumque nomen est dominus.* Es admirable el empleo tan meditado que Rojas hace de este estilo.

de Rojas fue de los primeros que, basados en la magra tradición de su tiempo, supieron desarrollar técnicas capaces de dar expresión a un diálogo flexible y vivo. Y, a pesar de que el examen estilístico no puede por sí solo explicar esta hazaña, las interpolaciones de 1502 testifican que no fue cosa accidental, parcial, «subconsciente», sino el logro de un gran artista, que tenía plena conciencia de lo que estaba haciendo y que iba escogiendo cada palabra y cada frase en vista de ese *tú* y de ese *yo* vivos que constituyen la situación «dialógica»[5].

2. DEL MONÓLOGO AL DIÁLOGO: LA «CELESTINA» Y EL «CORBACHO»

Fuente del estilo de Rojas y a la vez valioso punto de comparación es el *Corbacho* del Arcipreste de Talavera. Muchos han observado que las citadas palabras de Areusa y otros pasajes de la *Celestina* se inspiran en el *Corbacho*. A pesar de esto, convendrá recordar algún trozo característico del Arcipreste para darnos cuenta exacta de las innovaciones estilísticas de la *Celestina*. Escojo con este fin, no la tan citada escena de la gallina perdida, sino un pasaje que nos hace pensar en la primera seducción de Melibea y en su protesta pasiva contra las viriles actividades de Calisto. La escena constituye un contraste más justo, porque aquí el Arcipreste no se empeña tanto en la caricatura del habla popular, y además porque debemos imaginarnos que el parlamento se dirige a una sola persona[6]:

---

[5] Tomo este adjetivo de un título de Martin Buber: *Dialogisches Leben* (Zürich, 1947). Es una obra que trata de derivar de la situación del diálogo una especie de comunión humana. Es ésta una posibilidad temática que está en radical oposición con lo que hace Rojas: derivar el diálogo de aquello que, como veremos, es un tema de «guerra» y de separación definitiva de los hombres. Sin embargo, en la *Celestina* se trata de personas —no de ideas—, y el adjetivo de Buber nos sirve mejor que «dialéctico».

[6] *El Arcipreste de Talavera*, ed. Leslev Byrd Simpson, University of California Press, Berkeley, 1939, pp. 197-198.

¡Yuy! ¡Dexadme! ¡Non quiero! ¡Yuy! ¡Qué porfiado¡ ¡En buena fe yo me vaya! ¡Por Dios, pues, yo dé bozes! ¡Estad en ora buena! ¡Dexadme agora estar! ¡Estad vn poco quedo! ¡Ya, por Dios, non seades enojo! ¡Ay, paso, señor, que sodes descortés! Aued ora vergüenza! ¿Estáys en vuestro seso? ¡Auad ora, que vos miran! ¿Non vedes que vos veen? ¡Y estad, para synsabor! ¡En buena fee que me ensañe! ¡Pues, en verdad, non me rrío yo! ¡Estad en ora mala! Pues ¿querés que vos lo diga? ¡En buena fe yo vos muerda las manos! ¡Líbreme Dios deste demoño! ¡Y andad allá sy querés! ¡O, cómo soys pesado! ¡Mucho soys enojoso! ¡Ay de mí! ¡Guay de mí! ¡Avad, que me quebráys el dedo! ¡Auad, que me apretáys la mano! ¡El diablo lo troxo aquí! ¡O mesquina! ¡O desauenturada, que noramala nascí! ¡Mal punto vine aquí! ¡Dolores que vos maten, rrauia que vos acabe, diablo, huerco, maldito, y piensa que tengo su fuerça! ¡Todos los huesos me a quebrantado! ¡Todas las manos me a molidas! ¡Rauia, Señor! ¡A osadas allá yrés nunca jamás! ¡Desta seré escarmentada! ¡Yuy! Tomóme agora el diablo en venir acá! ¡Maldita sea mi vida agora! ¡Fuese yo muerta, o triste de mí! ¿Quién me engañó? ¡Maldita sea la que jamás en onbre se fía, amén!

MELIB.—Señor mío, pues me fié en tus manos, pues quise complir tu voluntad, no sea de peor condición, por ser piadosa, que si fuera esquiua e sin misericordia; no quieras perderme por tan breue deleyte e en tan poco espacio. Que las malfechas cosas, después de cometidas, más presto se pueden reprehender que emendar. Goza de lo que yo gozo, que es ver e llegar a tu persona; no pidas ni tomes aquello que, tomado, no será en tu mano boluer. Guarte, señor, de dañar lo que con todos tesoros del mundo no se restaura.

CAL.—...¿no quieres que me arrime al dulce puerto a descansar de mis passados trabajos?

MELIB.—Por mi vida, que avnque hable tu lengua quanto quisiere, no obren las manos quanto pueden. Está quedo, señor mío. *Bástete, pues ya soy tuya, gozar de lo esterior, desto que es propio fruto de amadores; no me quieras robar el mayor don que la natura me ha dado. Cata que del buen pastor es propio tresquillar sus ouejas e ganado; pero no destruyrlo y estragarlo.*

CAL.—...Perdona, señora, a mis desuergonçadas manos, que jamás pensaron de tocar tu ropa con su indignidad e poco merecer; agora gozan de llegar a tu gentil cuerpo e lindas e delicadas carnes.

MELIB.—Apártate allá, Lucrecia.

CAL.—¿Por qué, mi señora? Bien me huelgo que estén semejantes testigos de mi gloria.

MELIB.—Yo no los quiero de mi yerro. Si pensara que tan desmesuradamente te auías de hauer conmigo, no fiara mi persona de tu cruel conuersación (Aucto XIV; vol. II, pp. 126-127).

Si sólo leemos estos dos pasajes superficialmente y para enterarnos del contenido, tenderemos a concluir que la anónima mujer del *Corbacho* es mucho más sincera en sus protestas que Melibea, la cual parece hipócrita y fingidamente recatada. La diferencia de tono y ritmo contribuye de manera decisiva a crear tal impresión. El personaje del Arcipreste se lanza violentamente a una serie de breves protestas y amenazas, se concentra en el sonido y la furia de sus palabras. Es un estilo puramente exclamativo, en que cada frase tiene muy escasa relación con la que sigue; y aunque al final se da a entender que el galán ha llegado efectivamente a las obras (es difícil precisar en qué forma), podríamos cambiar de orden las diversas partes del discurso sin dañar al sentido. En otras palabras, el *yo* del hablante carece de toda perspectiva estilística; el *tú* (o, en este caso, el *vos)* no existe de hecho; es mero supuesto del parlamento de la mujer, como lo son en el de Areusa las vecinas con que parece conversar. Melibea, en cambio, se muestra en extremo consciente de la presencia efectiva de Calisto; razona con él, discute con él y luego se rinde: «Apártate allá, Lucrecia», con reservas que no pasan de ser verbales. Y justamente con esta conciencia de Calisto, con este darse cuenta de lo que le está sucediendo, Melibea delata la fragilidad de su posición; su consentimiento queda manifiesto desde el momento en que se esfuerza, sin violencia, por discutir desde el punto de vista de Calisto. (La interpolación no hace sino continuar esta discusión.)

Sin embargo, y a pesar de la primera impresión, las líneas que siguen al pasaje del *Corbacho* nos muestran que lo que el Arcipreste quería era pintar la hipocresía femenina, la radical falsedad de las mujeres:

> Esto e otras cosas dizen por se honestar, mas Dios sabe la fuerça que ponen nin la femencia que dan a fuyr nin rresystir; que dan bozes e están quedas; menean los braços, pero el cuerpo está quedo; gimen e non se mueuen; fazen como que ponen toda su fuerça, mostrando aver dolor e aver enojo.

Sería erróneo decir que el *Corbacho* es mera caricatura o exageración humorística; parece más bien representar una especie de dicotomía de la conciencia. Podemos afirmar que Melibea *doth protest too much,* que finge una actitud que no ha de mantener, y que para la mujer del

Corbacho no hay, en cambio, fingida renuncia. En este último personaje vemos la doble reacción típica del *ego* irracional: la incapacidad, propia del espíritu infantil, de percibir contradicción lógica entre el *sí* y el *no*. Al no tener conciencia del prójimo, la mujer es para el Arcipreste un ser infrahumano, hipócrita y falso, ilógico y oscuro, y esto no deliberadamente, sino por naturaleza: «gimen e non se mueuen». Pero Melibea confronta su femineidad con su humanidad, esto es, se esfuerza por hablar a Calisto en un plano distante, no en el inmediato del placer y la violencia. Parece estar diciendo: *tú* y *yo* somos seres humanos capaces de razonar, y debemos encarar la situación peculiar de mi sexo desde ese punto de vista. Melibea llega a ser persona humana (con posibilidades de resbalar hasta la hipocresía) porque participa en un diálogo con otra persona, porque desea hacer que Calisto piense en ella como *tú* tanto como piensa en su propio *yo* apasionado. Lo que importa no es, pues, una mayor o menor medida de hipocresía (en último término, ninguna de las dos mujeres hacen verdaderas objeciones a su destino) ni una mayor o menor vitalidad, sino más bien la diferencia entre las complejidades de un intercambio dialogado y la simplicidad de un estilo que sólo expresa las ideas del hablante. En un caso, el amante es «diablo, huerco, maldito», sombra humana a quien se pretende rechazar a fuerza de exclamaciones; en el otro es «señor mío», es un ser real, amado y temido, a quien puede pedírsele algo. Sin la participación de la segunda persona son imposibles, tanto el fingimiento como la sinceridad. (Y Melibea representa lo uno y lo otro.)

Vemos confirmado todo esto en la reacción de Melibea, una vez concluido el acto de amor:

> ¡O mi vida e mi señor! ¿Cómo has quisido que pierda el nombre e corona de virgen por tan breue deleyte? ¡O pecadora de mi madre, si de tal cosa fueses sabidora, cómo tomarías de grado tu muerte e me la darías a mí por fuerça! ¡Cómo serías cruel verdugo de tu propia sangre! ¡Cómo sería yo fin quexosa de tus días! ¡O mi padre honrrado, cómo he dañado tu fama e dado causa e lugar a quebrantar tu casa! ¡O traydora de mí, cómo no miré primero el gran yerro que seguía de tu entrada, el gran peligro que esperaua! (Aucto XIV; vol. II, pp. 128-129).

Melibea comienza por dirigirse a Calisto, pero a medida que aumentan su angustia y sus remordimientos [7] olvida la presencia del amado y piensa en su madre y su padre, símbolos de su propia desobediencia. Aquí el estilo cambia radicalmente; recuerda las palabras de la mujer del *Corbacho* después de haberse alejado su amigo: hay idéntica continuidad de exclamaciones, idéntica incapacidad de integrar el discurso lógicamente. Melibea, claro está, reconoce su propia culpa y las consecuencias de ella, de modo que no acusa a Calisto ni pierde del todo la razón. En el *Corbacho*, el alejamiento de la segunda persona no ocasiona un cambio de estilo; antes y después, la explosión es la misma; sólo concluye al agotarse su propia fuerza. Hasta podemos imaginarnos que después del «amén» final, la mujer olvida cuanto ha pasado y que no vuelve a reaccionar hasta sentirse nuevamente estimulada, estímulo que no tendrá manera de valorar. Para las mujeres del *Corbacho*, la pérdida de un huevo significa tanto como la del honor; como no hay diálogo, no hay tampoco un mundo externo que tenga para ellas un valor mayor o menor. Así, la primera tirada termina con la pregunta —que debe interpretarse literalmente— «¿Quién me engañó?», mientras que Melibea, después de las exclamaciones, vuelve a Calisto, con una mayor comprensión de lo que él significa para ella:

> Señor, por Dios, pues ya todo queda por ti, pues ya soy tu dueña, pues ya no pueden negar mi amor, no me niegues tu vista de día, passando por mi puerta; de noche donde tú ordenares (Aucto XIV; vol. II, p. 129).

En una palabra, el Arcipreste no fue capaz de guiar o dirigir el estilo que la intuición del carácter femenino, vitalmente irracional, le había permitido descubrir. El desbocado *yo* de sus palabras no tiene dirección, no tiene conciencia de un *tú* que pudiera convertirlas en diálogo. Por ignorar el diálogo, el Arcipreste no supo atemperar —y en esto nos recuerda algo a Rabelais— el frenesí, el ímpetu de su estilo, ni supo darle cabida en un tipo determinado de forma literaria. Cada parlamento, cada nue-

---

[7] No hace falta que veamos en el cínico comentario de Sosia («¡Ante quisiera yo oyrte essos miraglos! Todas sabés essa oración después que no puede dejar de ser hecho») la interpretación de Rojas, así como no necesitamos atribuirle a él el burdo retrato que Areusa hace de Melibea.

vo torrente de vida femenina, está escrito en un estilo que posee innegable vitalidad, pero que carece de genes celulares, o sea, de una ley interna para su crecimiento y que, una vez agotado el impulso inicial, desaparece. En contraste con el de la *Celestina*, el estilo del *Corbacho* parece protoplásmico y agenérico; vital, pero limitado al presente, sin ese pasado y ese futuro internos necesarios para asegurar, no sólo la continuidad, sino también la forma. Dicho de otro modo, el estilo del Arcipreste carece de perspectiva, y brota de los sentimientos de una sola vida. Rojas, en cambio, logró, con esa constante yuxtaposición dialógica de dos o más vidas, dominar el ímpetu de su estilo, construyendo con él, primero la *Comedia* y más tarde la *Tragicomedia*. Su dominio del diálogo se basa, entre otras cosas, en una perspectiva estilística, desconocida por su predecesor.

No es difícil precisar los recursos de estilo que empleó Rojas para poner freno a los torrentes discursivos de sus personajes. Son la claridad y la lógica, cualidades manifiesta y deliberadamente negadas a las mujeres del Arcipreste de Talavera. Según todas las leyes de la retórica, la imposición a la claridad y a la lógica constituye el único medio eficaz para que el lenguaje deje de ser simple expresión y se convierta en comunicación; si esta verdad lingüística puede no ser absoluta, ciertamente conviene a Fernando de Rojas. Casi todos los pasajes de la *Celestina* lo atestiguan; basta que, como en la entrevista de Celestina con Melibea, un personaje trate de discutir con otro o de persuadirlo, para que la claridad y por lo menos una apariencia de lógica sean requisitos ineludibles. Si, como hemos dicho, el secreto del estilo de Rojas consiste en su consciente dominio del diálogo, en su facultad de colocar una palabra, frase o párrafo dentro de la perspectiva de dos existencias, no debe sorprendernos que, a pesar de su profunda intuición de la vida, la *Celestina* sea una de las obras más claras y lógicas de la literatura española. Y, exceptuando ciertos pasajes del primer acto, esta característica resulta ser tan cierta hoy como lo era en 1500, cuando el estilo de Rojas contrastaba violentamente con los estilos antes conocidos [8]. Tampoco puede

---

[8] Esto no sólo se aplica a los dos Arciprestes, sino también, como ha mostrado Menéndez Pidal, a la mayor parte de la prosa y de la poesía del siglo xv. Hasta la *Dorotea*, la más ilustre sucesora de la *'Celestina*, es mucho menos clara y lógica que su modelo.

sorprendernos que en la revisión de 1502 haya tantas interpolaciones estilísticas destinadas a reforzar alguna de esas dos cualidades. Pese a la oscuridad (al parecer, deliberada) de los preliminares, Rojas consagró gran parte de sus esfuerzos a la busca de la claridad y la lógica. Una comparación, aunque sea somera, de los dos pasajes arriba citados, nos dará una idea de lo conseguido en esa dirección.

Podría objetársenos: si Rojas se limitó a sustituir el estilo «sentimental» o apasionado del *Corbacho* por una sumisión a los conceptos clásicos, de claridad y lógica, ¿por qué considerar el estilo de la *Celestina* como una gran hazaña? ¿No podían haber hecho otro tanto el Arcipreste o cualquier otro escritor? Ese estilo ¿no era, en suma, resultado inevitable de aquello que Menéndez Pidal (artículo citado en el capítulo I, nota 15) llama el paso de las complicaciones retóricas que caracterizan la prosa del siglo XV a los nuevos estilos humanísticos del reinado de Isabel y Fernando? Hasta cierto punto, así ocurrió. Pero decir que Rojas mezcló dos estilos opuestos es evidentemente una afirmación demasiado simplista. Como traté de mostrar en la sección anterior, lo que hace Rojas no es una mezcla: amalgama el sentimiento y el argumento, en forma infinitamente matizada de acuerdo con las circunstancias de cada ocasión. Tuvo, pues, que descubrir una claridad y una lógica que no se oponían necesariamente a la vida. No eran, para él, reglas mecánicas ni preceptos inertes, sino que podían fundirse con la vida para la creación de un nuevo estilo hablado. En este sentido, Rojas resolvió el problema que tanto preocupó al Cicerón de los diálogos sobre oratoria: el contraste entre las recetas retóricas y la eficacia natural y viva del discurso[9]. Como veremos, la claridad y la lógica de Rojas no eran cualidades abstractas e intelectuales, ni gobernaban el estilo en forma apriorística; eran más bien una «claridad vital» y una «lógica vital». Así fue como Rojas pudo hacer crecer una escena de una frase, convertir un torrente de palabras en intercambio humano; así logró yuxtaponer el *yo* al *tú* sin destruirlos.

---

[9] Es significativo el hecho de que, al tratar de este problema, Cicerón se refiera frecuentemente a las prácticas de la «Comedia nueva».

3. Hacia la claridad

Veamos ahora esos principios de estilo que distinguen a Rojas del Arcipreste de Talavera, examinando algunas interpolaciones. Comencemos por la claridad, en un pasaje en que Rojas sustituyó unas palabras por otras. En uno de los últimos esfuerzos dirigidos a conseguir el apoyo de Pármeno, Celestina dice, en la *Comedia:*

> Bien pensaua yo que, después que concediste en mi buen consejo, que no hauías de tornarte atrás. Todavía me parece que te quedan reliquias vanas, hablando por antojo, más que por razón. Desechas el prouecho por contentar la lengua. Óyeme, si no me has oydo, e mira que soy vieja e el buen consejo mora en los viejos e de los mancebos es propio el deleyte. Bien creo que de tu yerro sola la edad tiene culpa. Espero en Dios [que variarán tus costumbres, variando el cabello]; digo, hijo, cresciendo e viendo cosas nueuas cada día. Porque la mocedad en sólo lo presente se impide e ocupa a mirar; mas la madura edad no dexa presente ni passado ni por venir (Aucto VII; vol. I, pp. 231-232) [10].

La frase suprimida, que casi es proverbio, está de acuerdo con el carácter de Celestina y con el contexto: comparación de la edad madura con la juventud. Pero al releerla, Rojas se dio cuenta de que estaba mal encauzada, que no era clara desde el punto de vista del diálogo. En efecto, el «variarán tus costumbres, variando el cabello» no es adecuado al adolescente Pármeno, a un Pármeno que en ese mismo acto gozará su primera noche de amor. Si Celestina ha de esperar hasta que Pármeno encanezca, tendrá que esperar mucho. Por eso leemos en la *Tragicomedia:*

> Espero en Dios *que serás mejor para mí de aquí adelante, e mudarás el ruyn propósito con la tierna edad. Que, como dizen, múdanse costumbres con la mudança del cabello e variación;* digo, hijo, cresciendo e viendo cosas nueuas cada día.

La mención de la tierna edad de Pármeno nos revela que Rojas se dio cuenta del error cometido en el original; por eso subrayó también el carácter general del proverbio,

[10] Para mayor comodidad, las omisiones van entre corchetes y las interpolaciones en cursiva. Señalaremos las omisiones siempre que sea posible.

añadiendo la palabra «dizen». Subsiste la idea —indispensable en el argumento de Celestina— de que Pármeno habrá de llegar, tarde o temprano, a la madurez, pero ahora es más clara, por estar relacionada con la circunstancia particular de su persona y edad. Lo que ha determinado la aclaración son las leyes inherentes a la dirección dialógica.

Más evidente aún es esta preocupación en una de las interpolaciones del acto v. Celestina trata de explicar a Sempronio por qué él no necesitará del dinero de Calisto una parte igual a la de ella:

> CEL.—¿Qué, hijo? ¡Una dozena de agujetas e vn torce para el bonete e vn arco para andarte de casa en casa tirando a páxaros e aojando páxaras a las ventanas! *Mochachas digo, bouo, de las que no saben bolar, que bien me entiendes. Que no ay mejor alcahuete para ellas que vn arco, que se puede entrar cada vno hecho moxtrenco, como dizen: en achaque de trama etc.* Mas ¡ay, Sempronio, de quien tiene de mantener honrra e se va haziendo vieja como yo! (Aucto V; vol. I, pp. 197-198).

Aquí el original tiene sentido si el lector comprende que «páxaras» está empleado figuradamente, como equivalente de «pollita»; pero aun si lo comprende, este sentido no agota la intención del autor: la verdadera relación entre «arco» y «páxaras» no queda clara y exige una «glosa» aclaratoria que explique su oculto significado. Al hacer esa glosa, Rojas se atiene nuevamente a las leyes del diálogo. Debemos imaginarnos un gesto de sorpresa en Sempronio cuando oye la palabra «páxaras», gesto que obliga a Celestina a explicarle —a él, no a nosotros— su intención: «Mochachas digo, bouo...» La busca de una flecha perdida, continúa explicando, es ideal para entablar una amistad; si ha llamado «páxaras» a las «mochachas» es precisamente porque es posible cazarlas con arco y flechas. De este modo, Rojas hace que Celestina, provocada tácitamente por Sempronio, aclare su propio pensamiento y que lo realice en forma por demás adecuada, puesto que sus palabras, a la vez que aluden a su propia vocación (la alcahuetería), se refieren a ese afán de Sempronio por imitar a su amo. Teniendo en cuenta el conjunto de la obra, la flecha podría considerarse como el halcón del hombre pobre.

Hay otros ejemplos en que la preocupación de Rojas por la claridad como elemento indispensable del diálogo, y las correcciones hechas con este propósito, no se refieren a la argumentación, sino a los sentimientos. La claridad no sólo es necesaria para el intercambio con otro personaje, sino para la expresión del *yo*. El pasaje del acto IV, en que Melibea pasa de la ira al consentimiento contiene una evidente interpolación de ese tipo:

> CEL.—Que no es otro mi oficio sino seruir a los semejantes: desto biuo e desto me arreo. Nunca fue mi voluntad enojar a vnos por agradar a otros, avnque ayan dicho a tu merced en mi absencia otra cosa. Al fin, señora, a la firme verdad el viento del vulgo no la empece. *Vna sola soy en este limpio trato. En toda la ciudad pocos tengo descontentos. Con todos cumplo, los que algo me mandan, como si touiesse veynte pies e otras tantas manos.*
>
> MELIB.—*No me marauillo, que vn solo maestro de vicios dizen que basta para corromper vn gran pueblo.* Por cierto, tantos e tales loores me han dicho de tus *falsas* mañas, que no sé si crea que pedías oración (Aucto IV; vol. I, pp. 183-184).

Dejando aparte la primera interpolación, relacionada con el carácter de Celestina, examinemos los cambios sufridos por la respuesta de Melibea. El texto de la *Comedia* da expresión en forma sarcástica a los últimos vestigios de su enojo, ya dispuesto a calmarse. Más tarde, Melibea habrá de rendirse; pero aquí Rojas quiere expresar todavía su esfuerzo por mantener intelectualmente un sentimiento en realidad ya disipado. Transición es delicada: es evidente que en 1502 Rojas dudó de su claridad. ¿Acaso «loor de tus mañas» no podía interpretarse literalmente y sugerir que Melibea ya había cedido? De ahí la intercalación de «No me marauillo...», cáustica frase dirigida a Celestina, y la palabra «falsas» que, unida a «loores», da al sarcasmo una brutal claridad.

Esta interpolación parece sustituir la entonación de la voz, que, de ser hablada la escena, hubiera aclarado su sentido. Por naturaleza, la claridad de todo diálogo depende de la voz humana, y muchos de estos esfuerzos de Rojas se deben en último término a esa afonía de las vidas por él creadas. Tiene, pues, que suplir la entonación con palabras. Esto nos conduce materialmente a la famosa estrofa de Alonso de Proaza: hay que leer la *Celestina* en voz alta; y no es poco probable que el mismo Rojas le haya sugerido estas instrucciones (vol. II, p. 233):

DIZE EL MODO QUE SE HA DE TENER LEYENDO
ESTA TRAGICOMEDIA

Si amas y quieres a mucha atención
leyendo a Calisto mouer los oyentes,
cumple que sepas hablar entre dientes,
a vezes con gozo, esperança y passión,
a vezes ayrado con gran turbación.
Finge leyendo mil artes y modos,
pregunta y responde por boca de todos,
llorando y riyendo en tiempo y sazón.

Estas palabras comportan cierto matiz de melancolía ante la imposibilidad de representar la obra en el teatro, melancolía que presupone la comprensión de esa problemática relación entre el diálogo y el arte del estilo. Pero podríamos consolar a Proaza mostrándole pasajes a semejanza del citado, que ilustran cómo Rojas logró su maravillosa y palpitante claridad precisamente gracias a ese problema estilístico. Si Rojas hubiese escrito para actores, es muy posible que el diálogo no fuera ni tan vivo ni tan claro.

Hay, por supuesto, muchos otros casos de correcciones aclaratorias en la *Tragicomedia,* pero los citados son los más interesantes desde el punto de vista del estilo [11].

---

[11] Otro tipo de interpolaciones aclaratorias consiste en cambios hechos al texto original para adaptarlo a las adiciones, sean los nuevos actos o los pasajes intercalados. He aquí un ejemplo típico: la frase incluida en las últimas palabras de Melibea a Calisto después de la primera escena del jardín:

Sea tu venida por este secreto lugar a la mesma ora, por que siempre te espere apercebida del gozo con que quedo, esperando las venideras noches (Aucto XIV; vol. II, p. 129).

Aquí Rojas nos prepara para los cinco actos que va a injertar. Véanse también las interpolaciones del acto XX (vol. II, pp. 207-209) y el «No tengo ya enojo...» del último aguijonazo que da Celestina a Pármeno y Areusa (Aucto VII; vol. I, p. 260), que explica que ella los deje, a pesar del deseo, expresado en el pasaje interpolado, de presenciar la escena de amor.
Hay otras interpolaciones que sólo se proponen aclarar el sentido; así:

CEL.—No es cosa más propia del que ama que la impaciencia. Toda tardança les es tormento. Ninguna dilación les agrada. En vn momento querrían poner en efeto sus cogitaciones. Antes las querrían ver concluydas que empeçadas. Mayormente estos nouicios *amantes* que contra cualquier señuelo buelan sin deliberación (Aucto III; vol. I, p. 128).

Además de atestiguar lo constante de esa busca de la claridad, tales pasajes muestran también que Rojas se daba perfecta cuenta de que, al faltar una adecuada relación entre la palabra y el personaje que la enuncia o la escucha, el texto podía quedar oscuro. Esos tres pasajes, que constituían algo así como una oscuridad vital, quedan corregidos según sus propias leyes de la manera más delicada. Aparte de esta conclusión, que viene a dar apoyo a nuestra idea sobre la paternidad de las interpolaciones, los ejemplos precedentes (y también los que mostraremos más adelante) nos permitirán comparar el concepto de claridad, tal como lo vemos en Rojas, con el contenido de la palabra *clarté*. A título de ensayo, podremos esbozar con esos testimonios una pequeña teoría de la claridad en la *Celestina*.

Hasta en las correcciones más insignificantes de la *Tragicomedia*, hasta para esas oscuridades, a menudo más imaginarias que reales, que pueden salvarse con leves cambios de palabras, es evidente que el principio que guía a Rojas dista mucho de la *clarté*. En contraste con Malherbe, Rojas resuelve casi todas las dificultades de lengua o de sentido mediante adiciones (o sea el *amplificatio* de la retórica medieval); a tal extremo respeta su propia creación, que prefiere añadir palabras y hasta frases enteras explicativas en vez de modificar o suprimir. Siempre trata de impedir que el afán de claridad entorpezca la plena realización del sentimiento, la imagen o la idea. No cambia la palabra «nouicios» (véase la nota anterior), no renuncia a la equiparación proverbial de la sabiduría con las canas, ni a la cínica mención de las «páxaras»; y en cuanto al sarcasmo de Melibea, se limita a subrayarlo. En otras palabras, para Rojas la claridad es elemento necesario del diálogo, pero no principio estético ni criterio literario.

En la *Comedia, el antecedente*, «el que ama,» está tan lejos de «novicios.» que el lector podría pensar que Rojas lo usa en sentido religioso. Otros ejemplos de clarificación específica son «niños *de cuna*» (Aucto VI; vol. I, p. 123).

Por fin, hay un grupo de interpolaciones que aclaran el sentido en términos de la vida del que habla o del que escucha. Además de las estudiadas arriba con todo detalle, podemos mencionar «a *mandar*» de Pleberio como más apropiado para un amo (Aucto XX, vol. II, p. 191) y la inserción de la palabra «*alguna*» en una oración de Pármeno para mejor expresar su estado de incertidumbre y miedo (Aucto XII, vol. II, p. 79).

No podemos menos de recordar a este propósito el famoso pasaje en que Sempronio condena la extravagancia del estilo:

> CAL.—...Ni comeré hasta entonce; avnque primero sean los cauallos de Febo apacentados en aquellos verdes prados que suelen, quando han dado fin a su jornada.
> SEMP.—Dexa, señor, essos rodeos, dexa essas poesías, que no es habla conueniente la que a todos no es común, la que todos no participan, la que pocos entienden. Di: «avnque se ponga el sol», e sabrán todos lo que dizes. E come alguna conserua, con que tanto espacio de tiempo te sostengas (Aucto VIII; vol. II, pp. 21-22).

Hay que notar ante todo que, aunque es probable que Rojas esté de acuerdo con Sempronio, esta observación no es en modo alguno un manifiesto literario que se intercala en el texto a la primera ocasión; por el contrario, forma parte de la crítica de Sempronio sobre la conducta de Calisto (el que se niegue a comer, el que no se dé cuenta de que ha pasado la noche); tal crítica confiere unidad interna a la escena y es representativa de la relación de Calisto con su criado. Así, más que una doctrina del estilo, este pasaje expresa, de paso, uno de los aspectos de la claridad concebida por Rojas: hay que evitar todo adorno extrínseco precisamente porque no contribuye al diálogo («no es habla conueniente la que a todos no es común»), porque no forma parte orgánica de la comunicación por el lenguaje [12].

Si aquí Rojas parece declararse en favor de la eliminación de todo ornamento superfluo, en su propia obra más bien se atiene a este principio del diálogo antes y no después de escribir. Ese principio puede ayudarnos a comprender la radical diferencia que existe entre la prosa de Rojas y la de un Diego de San Pedro o un Juan de Mena; pero no podemos exigir que las modificaciones del texto de 1502 se guíen por él. O, lo que es igual: podemos estar de acuerdo con Moratín, Foulché-Delbosc y Menéndez Pelayo, que hallan en la *Tragicomedia* (y en la *Comedia*) pasajes que debieron haberse suprimido o simplificado, y al mismo tiempo podemos admitir que, desde el punto

---

[12] Sempronio critica el adorno verbal del diálogo de la misma suerte que Cicerón cuando aconseja al orador que evite el estilo recargado en sus discursos: *in dicendo autem vitium vel maximum sit a vulgari genere orationis, atque a consuetudine communis sensus abhorrere (De oratore, I, III, 12).*

de vista de Rojas, lo que él escribe no es ni decorativo ni superfluo: él mismo habría sostenido que bastaba que una cosa mereciera esos calificativos para que no pasara por su pluma. De ahí que, cuando procura aclarar el texto, no lo corte; más bien desarrolla el sentido del diálogo. Si es cierto que Rojas no considera la *Comedia* como texto ya consagrado e incapaz de mayor perfección, tiende, sin embargo, a respetarla en su conjunto y a mantener, en las adiciones aclaratorias, los contornos fundamentales de su significado; no la mutila ni escorza en provecho de una claridad retórica o racional. Debemos tener cuidado en no confundir con la modificación aclaratoria realizada en períodos posteriores o anteriores un tipo de aclaración que está en profundo acuerdo con el carácter de todo el arte de Rojas.

Conviene insistir en este tema de la claridad, porque se relaciona evidentemente con todo el proceso de revisión de 1502. La redacción de la *Tragicomedia* presenta dos rasgos paralelos a lo que hemos visto en los ejemplos de aclaración del estilo: en primer lugar, las supresiones son muy inferiores en número a las adiciones (sólo hay dos o tres supresiones que restan sustancia o «contenido» a la *Comedia)*; en segundo lugar, teniendo en cuenta la cantidad de adiciones e interpolaciones, sorprende encontrar sólo tres o cuatro cambios destinados a encuadrar los nuevos pasajes dentro del texto original [13]. No sólo añade Rojas más de lo que quita, sino que los materiales añadidos (tanto los actos como las interpolaciones) parecen brotar orgánicamente de lo ya escrito y requieren sólo un mínimo de adaptación. Se da así un proceso de complementación creadora de los personajes, de la estructura y del tema, que recuerda la aclaración por adiciones que hemos venido viendo. Es decir, que los actos añadidos pueden «aclarar» el conjunto del mismo modo que las interpolaciones, grandes o pequeñas, aclaran los pasajes individuales. En contraste con las estériles explosiones del Arcipreste de Talavera, en Rojas el dominio dialógico de la vida hace posible una continua aclaración vital, un llegar artísticamente a la madurez, tal como él la concebía. Leer la *Celestina* significa leer una dialéctica vital hábilmente guiada por su autor hacia una plenitud de significado, desde los detalles del estilo hasta la culminación del tema.

---

[13] Véase la nota 11.

Es curioso que una imagen empleada en ese Prólogo tantas veces desdeñado venga a ilustrar justamente el amplio concepto de claridad creadora o vital según Rojas. Hablando del *Omnia secundem litem fiunt* de Heráclito, dice el autor:

> E como sea cierto que toda palabra del hombre sciente está preñada, désta se puede dezir que de muy hinchada y llena quiere rebentar, echando de sí tan crescidos ramos y hojas, que del menor pimpollo se sacaría harto fruto entre personas discretas (vol. I, pp. 16-17) [14].

Esta metáfora está muy lejos del trillado tópico «una idea fértil». Rojas se representa plásticamente el proceso del crecimiento creador desde la oscura potencia de la idea seminal, pasando por su germinación y florecimiento en el espíritu, hasta el nacimiento del nuevo fruto. La claridad es, en el sentido más profundo, una evidente plenitud, un producto final, resultado de un ciclo de crecimiento, y no reducción a un diagrama racional. Reconocemos que esa definición sobrepasa en mucho a nuestros ejemplos; pero es evidente que para un artista auténtico como lo es Rojas, el más insignificante empleo de una palabra se relaciona por fuerza con toda su técnica. El estudio del estilo de la *Celestina* desde el punto de vista de su autor no puede hacerse aisladamente; de hecho, es necesaria introducción a todo su arte.

4. LA LÓGICA DEFENDIDA

Para volver a nuestro tema, el segundo elemento del lenguaje hablado que distingue a la *Celestina* del *Corbacho* es la lógica. En teoría podrá trazarse una frontera retórica precisa entre la claridad y la lógica, pero en el caso del estilo de las interpolaciones es difícil separarlas. Podremos quizá distinguirlas para nuestros fines diciendo que las correcciones lógicas tienen por fin reforzar la coherencia de una frase o de un discurso más que compensar las oscuridades de una palabra o de una frase. La lógica es un instrumento del intercambio de ideas; su

---

[14] Como observa Castro Guisasola, estas ideas están tomadas de Petrarca: *Ita se res habet: doctorum hominum verba praegnantia sunt.* Lo significativo no es sólo la adaptación, sino el hecho de que Rojas escogiera este pasaje, muy distante en el *De remediis*, del prólogo a la segunda parte.

empleo comunica al oyente la seguridad de que lo dicho puede someterse a prueba, mientras para el propio hablante le permite confiar que lo que él dice es coherente y completo. A esta luz, la lógica se compone de unidades menores de claridad, y así, con ambas funciones, determina uno de los aspectos más característicos y conscientes del arte de Rojas. Conforme los personajes de la obra (principalmente Celestina misma) procuran de continuo persuadirse unos a otros y sin cesar combinan en su diálogo el sentimiento con el argumento, la lógica real o aparente les es indispensable; ya nos lo ha mostrado el argumento final de Celestina, en el acto IV, y cada página ofrece ejemplar parecido. Por otra parte, el número y la importancia de las interpolaciones que no tienen otro objeto que el de reforzar la lógica del discurso nos muestra hasta qué punto trabajaba Rojas conscientemente. Vale la pena notar que entre esas interpolaciones figuran las más duramente criticadas por Foulché-Delbosc, Cejador y Delpy.

Las interpolaciones breves, las que se proponen reforzar la coherencia de una sola frase, vienen a confirmar la insistente preocupación de Rojas por la lógica de su estilo. Los tres ejemplos siguientes apenas requieren comentario; son meras correcciones gramaticales y están muy cerca de esa frontera artificial que hemos trazado entre la claridad y la lógica:

> PÁRM.—...¿Qué se yo si Melibea anda porque le pague nuestro amo su mucho atreuimiento desta manera? E *más*, avn no somos muy ciertos dezir verdad la vieja (Aucto XII; vol. II, p. 84).
>
> CEL.—...Ya sabes tú, Pármeno amigo, lo que te prometí, e tú, hija mía, lo que te tengo rogado. Dexada *aparte* la dificultad con que me lo has concedido, pocas razones son necessarias, porque el tiempo no lo padece (Aucto VII; vol. I, p. 257).
>
> PÁRM.—Madre, ¿mandas que te acompañe?
>
> CEL.—Sería quitar a vn sancto para poner en otro. Acompáñeos Dios; que yo vieja soy, *que* no he temor que me fuercen en la calle (Aucto VII; vol. I, p. 260) [15].

---

[15] Cada una de estas palabras viene a reforzar a su modo la lógica gramatical de la idea: el «*más*» introduce un segundo motivo de temor sentido por Pármeno, y lo separa categóricamente del primero; el «*aparte*» refuerza la transición del pasado al futuro en el pensamiento de Celestina, acentuando más la palabra «dexada»; el «*que*» subordina a la idea de la avanzada edad de Celestina la conclusión de que hay escaso peligro (o esperanza) de que la violen en la calle.

Un poco menos evidente es quizá la siguiente interpolación de dos palabras (ya la hemos citado a otro propósito):

> CEL.—...Pocas vírgines, a Dios gracias, has tú visto en esta cibdad que hayan abierto tienda a vender, de quien yo no aya sido corredora de su primer hilado. En nasciendo la mochacha, la hago escriuir en mi registro, *e esto* para saber quántas se me salen de la red (Aucto III; vol. I, página 133).

Aquí la corrección revela que Rojas notó la falta de equilibrio lógico en la frase original. De las tres partes de este pasaje, dos son hechos o acciones (nacimiento de la niña, registro de su nombre) y la tercera un razonamiento. «E esto» sirve, pues, para separar esa tercera parte y subrayar la diferencia de categoría, para impedir que el razonamiento se funda en la mente del oyente con la acción que le precede. Si el sentido de la frase original estaba del todo claro, su estructura tripartita impedía que hubiese énfasis en el argumento racional de Celestina, que venía a ser mero apéndice de «la hago escriuir en mi registro». Estas interpolaciones de menor monta manifiestan, pues, que Rojas se preocupaba por la gramática como forma de la lógica y se hacía cargo de la importancia de los enlaces y de su propiedad [16].

Pasando de la frase al párrafo, encontraremos gran número de intercalaciones que constituyen la conclusión general de observaciones y razonamientos previos. Hay en la *Celestina* una tendencia general a terminar cada parlamento (o cada unidad de argumento) con una afirmación final —a menudo con sabor de proverbio— que viene a resumir y enlazar todo lo dicho anteriormente. Baste un ejemplo, tomado del pasaje en que Sempronio niega la constancia del sentimiento y de las preferencias humanas:

> SEMP.—Que no ay cosa tan difícile de çofrir en sus principios que el tiempo no la ablande e faga comportable. Ninguna llaga tanto se sintió que por luengo tiempo no afloxase su tormento, ni plazer tan alegre fue que no le amengüe su antigüedad. El mal e el bien, la prosperidad

---

[16] Al lado de estas interpolaciones de enlaces gramaticales podemos mencionar los adverbios que dan mayor precisión a las relaciones temporales: «*agora*», «*al principio*», «*después*» (Aucto III, vol. I, p. 136; Aucto IV, vol. I, pág. 182; Aucto XI, vol. II, p. 79).

e aduersidad, la glorià e pena, todo pierde con el tiempo la fuerça de su acelerado principio. Pues los casos de admiración e venidos con gran desseo, tan presto como passados, oluidados. Cada día vemos nouedades e las oymos e las passamos e dexamos atrás. Diminúyelas el tiempo, házelas contingibles. ¿Qué tanto te marauillarías si dixesen: «La tierra tembló» o otra semejante cosa, que no oluidases luego? Assí como: «elado está el río», «el ciego vee ya», «muerto es tu padre», «vn rayo cayó», «ganada es Granada», «el rey entra oy», «el turco es vencido», «eclipse ay mañana», «la puente es lleuada», «aquél es ya obispo», «a Pedro robaron», «Ynés se ahorcó», [«Cristóbal fué borracho»]. ¿Qué me dirás, sino que a tres días passados o a la segunda vista no ay quien dello se marauille? Todo es assí, todo passa desta manera, todo se oluida, todo queda atrás. Pues assí será este amor de mi amo: quanto más fuere andando, tanto más disminuyendo. *Que la costumbre luenga amansa los dolores, afloxa e deshaze los deleytes, desmengua las marauillas.* Procuremos prouecho mientra pendiere la contienda. E si a pie enxuto le pudiéremos remediar, lo mejor es; e si no, poco a poco le soldaremos el reproche o menosprecio de Melibea contra él. Donde no, más vale que pene el amo que no que peligre el moço (Aucto III; vol. I, pp. 129-132).

La conclusión, tal como aparece en la *Comedia,* podrá resumirse así: «todos los sentimientos y valoraciones son transitorios; también desaparecerá el amor de mi amo; tratemos por eso de aprovecharnos de sus sufrimientos; y, finalmente, àunque este razonamiento resulte falso, nada importa». Una vez sacada la conclusión general «Todo es assí...», las consecuencias prácticas se siguen automáticamente. Lo que falta no es, pues, una conclusión, sino una recapitulación de lo dicho, un resumen final del contenido. Y esto es precisamente lo que Rojas inserta después de la última referencia concreta —el amor de Calisto— y antes de la moraleja.

Aun admitiendo que con esta corrección lógica Rojas llenó una laguna, es evidente que la interpolación interrumpe la fluidez del discurso. Desde el punto de vista de la tópica, la recapitulación puede ser necesaria, pero en cuanto al discurso mismo, la ruptura es criticable. En 1502, Rojas parece pensar más en el contenido del parlamento que en el personaje que lo está pronunciando; deja que la estructura lógica se asome por entre el diálogo. Pero precisamente los excesos de este tipo [17] ponen

---

[17] Hay en el texto de 1502 otros ejemplos de recapitulación y conclusión menos infelices que el aducido:

de relieve las dificultades de esa «lógica vital» que Rojas se esforzaba por lograr. Ese parcial fracaso subraya la discreción que por lo común emplea en sus intervenciones lógicas, el éxito con que esquiva la sequedad y la dificultad conceptual que solemos esperar de todo «estilo lógico». Tal éxito no sólo nos parece difícil, sino imposi-

> CEL.—Pero pues en mi dicha estaua tu ayrada respuesta, padézcase él su dolor, en pago de buscar tan desdichada mensajera. Que, pues en tu mucha virtud me faltó piedad, también me faltará agua si a la mar me embiara. *Pero ya sabes que el deleyte de la vengança dura vn momento y el de la misericordia para siempre* (Aucto IV; vol. I, pp. 181-182).
>
> AREU.—El vientre no se le he visto; pero, juzgando por lo otro, creo que le tiene tan floxo como vieja de cincuenta años. No sé qué se ha visto Calisto, porque dexa de amar otras que más ligeramente podría hauer e con quien más él holgasse; *sino que el gusto dañado muchas vezes juzga por dulce lo amargo.* (Aucto IX; vol. II, p. 34).

Estas observaciones de carácter general vienen a propósito en el diálogo, no sólo por la brevedad de los pasajes que rematan, sino también porque abstraen de la vida una teoría, y unas cuantas palabras la presentan a una nueva luz. En vez de traicionar la lógica del argumento, como en el pasaje arriba citado, le dan mayor significación. Véase igualmente: «... *pues dizen que ninguna humana passión es perpetua ni durable*» (Aucto VIII; vol. II, p. 12), «*E si no crees en dolor, cree en color, e verás lo que viene de su sola compañía*» (Aucto VII; vol. I, p. 252) y otros pasajes.

Un ejemplo del acto VII nos muestra la introducción de un tópico:

> CEL.—Porque la mocedad en sólo lo presente se impide e ocupa a mirar; mas la madura edad no dexa presente ni passado ni por venir. Si tú touieras memoria, hijo Pármeno, del pasado amor que te tuue, la primera posada que tomaste venido nueuamente en esta cibdad, auía de ser la mía. Pero los moços curáys poco de los viejos. Regísvos a sabor de paladar. *Nunca pensáys ni hauéys de tener necessidad dellos. Nunca pensáys en enfermedades.* Nunca pensáys que os puede faltar esta florezilla de juuentud. Pues mira, amigo, que para tales necessidades como éstas, buen acorro es vna vieja conoscida, amiga, madre e más que madre, buen mesón para descansar sano, buen hospital para sanar enfermo, buena bolsa para necessidad, buena arca para guardar dinero en prosperidad... (Aucto VII; vol. I, pp. 232-233).

Celestina basa su argumento en el pasado, el presente y el futuro, y, evidente, el objeto de la interpolación fue presentar en términos generales aquellos argumentos que se refieren a la futura necesidad que la juventud tendrá de los viejos. Otra vez vemos colmada una laguna lógica.

ble, y la misma expresión «lógica vital» resulta paradójica. Tenemos demasiado grabada en la mente la antítesis lógica-vida para poder imaginarnos una verdadera síntesis estilística de ambas. Rojas podrá haber mezclado la lógica con la vida, haber empleado aquélla para refrenar a ésta, pero ¿cómo pudo amalgamarlas? Más aún, ¿cómo pudo crear la impresión de haberlas amalgamado? Esa impresión de pedantería que nos hizo «Que la costumbre luenga...» ¿no fue, pues, más que un exceso, una cosa inevitable?

Podremos responder a esta pregunta recordando dos de las interpolaciones lógicas de mayor extensión, que, como en el caso de la claridad, nos permiten adentrarnos en este aspecto del arte del estilo de Rojas. La primera de ellas figura en el acto IV. Celestina, anticipándose al enojo de Melibea, trata de suscitar la benevolencia y la piedad de la muchacha:

> E pues como todos seamos humanos, nascidos para morir, sea cierto que no se puede dezir nacido el que para sí solo nasció. Porque sería semejante a los brutos animales, en los quales avn ay algunos piadosos, como se dize del vnicornio, que se humilla a qualquiera donzella. *El perro con todo su ímpetu e braueza, quando viene a morder, si se echan en el suelo, no haze mal: esto de piedad.* ¿Pues las aues? Ninguna cosa el gallo come que no participe e llame las gallinas a comer dello. *El pelicano rompe el pecho por dar a sus hijos a comer de sus entrañas. Las cigüeñas mantienen otro tanto tiempo a sus padres viejos en el nido, quanto ellos les dieron ceuo siendo pollitos.* Pues *tal conoscimiento dió la natura a los animales e aues,* ¿por qué los hombres hauemos de ser más crueles? ¿Por qué no daremos parte de nuestras gracias e personas a los próximos...? (Aucto IV; vol. I, pp. 175-177).

El motivo más evidente para añadir esos nuevos ejemplos es la disparidad lógica de los dos enumerados en la primera versión: el unicornio y el gallo. Cabía remediarla añadiendo al primero de ellos un animal doméstico y al segundo un ave exótica (si no mitológica). En la *Tragicomedia* las dos clases, «animales» y «aves», están representadas, pues, por igual número de ejemplos. Las «cigüeñas», aunque vienen a romper la simetría de ese esquema, tienen también su justificación: sugieren nuevamente el motivo básico de la conversación preliminar con Melibea: el contraste entre la juventud y la vejez; la juventud se caracteriza aquí por el gentil trato que da a los viejos, que es justamente lo que Celestina espera de Melibea. La última interpolación «Pues tal conoscimiento...» es, claro está, un ejemplo más del afán de Rojas por apuntalar la lógica de sus conclusiones.

El segundo ejemplo está en una escena paralela a la anterior, aunque esta vez irónica: el intento de persuadir a Areusa de que acepte a Pármeno a pesar de tener ya un amante. Las palabras y el tono del argumento son muy diferentes:

> CEL.—... ¡Ay! ¡ay! Hija, ¡si viesses el saber de tu prima e qué tanto le ha aprouechado mi criança e consejos, e qué gran maestra está! E avn ¡que no se halla ella mal con mis castigos! Que vno en la cama e otro en la puerta e otro que sospira por ella en su casa se precia de tener. E con todos cumple e a todos muestra buena cara e todos piensan que son muy queridos, e cada vno piensa que no ay otro e que él solo es priuado e él solo es el que le da lo que ha menester. ¿E tú piensas que con dos que tengas que las tablas de la cama lo han de descobrir? ¿De vna sola gotera te mantienes? ¡No te sobrarán muchos manjares! ¡No quiero arrendar tus excamochos! Nunca vno me agradó, nunca en vno puse toda mi afición. Más pueden dos e más quatro e más dan e más tienen e más ay en qué escoger. No ay cosa más perdida, hija, que el mur que no sabe sino vn horado. Si aquél le tapan, no haurá donde se esconda del gato. Quien no tiene sino vn ojo, ¡mira a quánto peligro anda! Vna alma sola ni canta ni llora; [vn solo acto no haze hábito]; vn frayle solo pocas vezes lo encontrarás por la calle; vna perdiz sola por marauilla buela [mayormente en verano]; *vn manjar solo continuo presto pone hastío; vna golondrina no haze verano; vn testigo solo no es entera fe; quien sola vna ropa tiene, presto la enuegece.* ¿Qué quieres, hija, deste número de vno? Más inconuenientes te diré del que años tengo a cuestas. Ten siquiera dos, que es compañía loable [e tal qual es éste]: *como tienes dos orejas, dos pies e dos manos, dos sáuanas en la cama; como dos camisas para remudar. E si más quisieres, mejor te yrá, que mientra más moros, más ganancia; que honrra sin prouecho no es sino como anillo en el dedo. E pues entrambos no caben en vn saco, acoge la ganancia.* Sube, hijo Pármeno (Aucto VII; vol. I, pp. 254-256).

Algunos críticos han sostenido que la mayor parte de las interpolaciones consisten en sartas de refranes como los que acabamos de leer; en realidad, es ésta la única [18]. Ve-

---

[18] Sólo hay otra interpolación que añade más de un refrán:

> CEL.—No temo esso, que de día m eauiso por dónde venga de noche. *Que jamás me subo por poyo, ni calçada, sino por medio de la calle. Porque como dizen: no da passo*

mos aquí que Rojas, como Cervantes, observó que los refranes tienen una tendencia estilística a presentarse en serie [19], y parece haberse complacido en las exageraciones cómicas y populares de tal tendencia. Ambos autores producen un efecto humorístico, no sólo alargando la cadena de refranes, sino también haciéndolos dispares. Así,

> seguro quien corre por el muro e que aquel va más sano que anda por llano. Más quiero ensuziar mis zapatos con el lodo que ensangrentar las tocas e los cantos (Aucto XI; vol. II, p. 78).

Aquí las adiciones de tipo proverbial se subordinan a la nota temática de espacio; no se da el desbordamiento del otro ejemplo. La impresión de que las interpolaciones abundan en refranes se debe probablemente al hecho de que no se ha distinguido entre éstos y las conclusiones y demás materiales eruditos añadidos.

[19] No han tenido en cuenta esta tendencia quienes llegan al extremo de criticar la interpolación de un único refrán, como en:

> CAL.—No sé quién te abezó tanta filosofía, Sempronio.
> SEMP.—Señor, no es todo blanco aquello que de negro no tiene semejança, ni es todo oro quanto amarillo reluze (Aucto VIII; vol. II, pp. 20-21).

Rojas parece haber juzgado que los refranes, como las golondrinas y los frailes, no pueden ir solos y que por lo tanto la frase, tal como estaba en la *Comedia*, carecía de equilibrio. Bastará ojear varias obras maestras de la literatura española para ver que él no era el único que juzgaba así. Es interesante —no conozco ningún estudio sobre el problema— meditar en las razones estilísticas de este fenómeno. El orador o escritor parece considerar que un refrán solo es incompleto, que cada refrán constituye un fragmento de la gran sabiduría popular, más que una única joya epigramática capaz de resplandecer por sí sola. Esta interdependencia de los refranes se refleja quizá en el estilo poemático que los caracterizan. Son, en cierto sentido, versos de un poema no escrito. No me refiero sólo a la tendencia a la rima interna y al ritmo. Quisiera también subrayar que muchos proverbios dan a su contenido de sabiduría popular una carga poética, esto es, lo convierten en metáfora. He aquí un posible sentido de la palabra «refrán» (cf. E. S. O'Kane, «On the *refrán*», *Hispanic Review*, 1950). Si en la poesía de tipo más elevado cada metáfora exige e invoca la presencia de otra, así también cada refrán depende del apoyo del que le sigue. La verdad no se comunica racionalmente, sino por intuiciones semipoéticas que se refuerzan una a la otra. Ortega y Gasset dice algo muy parecido cuando compara los refranes a «almenas» que proporcionan a quien de ellos se sirve una serie sucesiva de defensas. Naturalmente, esta tendencia estilística inherente al refranero puede exagerarse (como en el ejemplo que citamos o como en el *Quijote*), produciendo un efecto cómico; pero esto, más que negar su existencia, la confirma.

en las palabras de Celestina a Areusa, tal como las vemos en la *Comedia* y en la primera de las interpolaciones, los refranes se incluyen por el solo hecho de contener el número *uno*. Aún más, el único ejemplo de la primera versión que representa un razonamiento más serio («un solo acto no hace hábito») queda suprimido en 1502. La segunda intercalación, con el súbito y significativo paso de las partes del cuerpo a las sábanas y camisas, sigue un análogo esquema de disparidad. Tanto cuidaba el autor de las supresiones [20] y adiciones, que sin duda alguna aspiró a producir determinado efecto estilístico. La mera amplificación luego no le interesaba.

Es interesante observar los criterios lógicos que parecen guiar ese torrente de disparidades cómicas. Después de proponer a Elicia como dechado de conducta y después de comentar la relativa pobreza de Areusa, Celestina inicia la fase principal de su argumentación mediante una afirmación introductoria, que más adelante ha de apoyar con ejemplos proverbiales: «Nunca vno me agradó, nunca en vno puse toda mi afición. Más pueden dos e más quatro e más dan e más tienen e más ay en qué escoger». Considerada esta frase como un plan o una afirmación que es menester justificar, el texto de la *Comedia* resultaba incompleto: frente a los seis refranes que negaban valor al número *uno* no había ninguno que defendiera el *dos y más*. Las interpolaciones vinieron a completar el esquema: los nuevos refranes, a la vez que refuerzan el ataque al *uno*, desarrollan la idea del *dos y mas*, si no en forma simétrica, al menos lo bastante para justificar la frase introductoria. Viene a continuación una defensa de los números aún mayores: la épica referencia a «mientra más moros más ganancia», y esa conclusión, que también falta en la *Comedia* y que da un toque final al cínico humor del pasaje: «E pues entrambos no caben en vn saco, acoge la ganancia». Queda terminado entonces el argumento y satisfechas las formalidades; Celestina no necesita esperar la respuesta, y sin más rodeos llama a su protegido: «Sube, hijo Pármeno».

Esta desenfadada escena, tan cuidadosamente completada en 1502, está en radical oposición con el serio par-

---

[20] Nótese la cuidadosa omisión de «mayormente en verano», destinada a impedir la repetición de una palabra: «vna golondrina no haze verano», y la supresión de la cláusula que introducía a Pármeno, «e tal qual es éste», porque ya no tiene objeto.

lamento pronunciado ante Melibea sobre los piadosos hábitos de los ánimales. En este último caso, el autor procura evitar la disparidad, mientras que en el otro reúne toda clase de frases proverbiales con el fin de acentuarla. Hay también diferencia en el ritmo. La persuasión de Areusa se inicia con un ejemplo bastante largo, de dos frases, pero de pronto adquiere tal rapidez, que no deja a Areusa tiempo para contestar, ni siquiera para planear una contestación. Cuando Celestina llega al número *dos*, expresa sus cinco ejemplos con un mínimo de palabras. La persuasión de Melibea, por lo contrario, es relativamente lenta; es una invitación a meditar, no un intento de abrumarla con palabras. Sin embargo, y a pesar de tan evidentes diferencias, el extremo cuidado puesto en la composición lógica de ambos pasajes muestra que Rojas no quería meramente producir en su lector dos reacciones contrastadas, festiva la una y la otra seria o didáctica. A través de Celestina, trató de inventar argumentos que estuvieran conformes con el personaje que los escucha y con la situación. Tanto Melibea como Areusa debían estar bien preparadas para lo que había de venir. Hacía falta una apariencia reconocible de lógica, un razonamiento convincente y coherente, con introducción, precedentes y conclusión, necesario en sí mismo, y no sólo porque el contenido lo exigiera. En otras palabras, la lógica viene a dirigir el argumento hacia el oyente mientras, por debajo, la situación individual determina el tono, el ritmo y el decoro de lo que se está diciendo. En uno de los casos, Celestina se anticipa, para evitarla, a la peligrosísima ira de Melibea; en el otro, combate la timidez, evidentemente falsa, de Areusa. Cada caso requiere su propia solución, sus propios razonamientos; a la vez, cada uno, en cuanto razonamiento, exige toda una capa exterior de lógica, una apariencia formal de sinceridad.

Nuevamente vemos, pues, que en el estilo dialógico de Rojas la reacción del lector es menos importante que la impresión producida en el personaje que escucha y los sentimientos expresados por el que habla. Para una situación cómica hay un argumento cómico; para una situación trágica en potencia, un argumento grave. Si las aspiraciones de Rojas se hubiesen limitado a hacernos reír o a darnos lecciones acerca de los animales, habría podido añadir muchos más ejemplos, incluir juegos verbales o enumerar autoridades y precedentes. Nada de eso hay aquí. Lo que hizo fue intercalar ciertos elementos que estuviesen en armonía con los términos lógicos de la argumentación y con la situación vital representada por el lenguaje. Es un tipo de lógica que impide que el diálogo se aparte de la vida, que encierra el lenguaje dentro de los límites de la situación de los que hablan. El estilo concebido así es manifiestamente contrario a esa retórica familiar que consiste en cubrir un fondo de «instrucción» con una amena capa de «entretenimiento», o sea la de invención novelesca destinada a una lección. En toda la *Celestina*, y sobre todo en los dos ejemplos citados, la forma lógica de la lección sirve justamente para recubrir los supuestos, graves o jocosos, de una situación viva creada por el encuentro del hablante con el oyente. Los personajes parecen guiarse intuitivamente por esa idea ciceroniana de que si el orador puede de hecho instruir, gustar y conmover simultáneamente a su público, tiene que fingir que sólo está haciendo la primera de estas tres cosas. A título de meros espectadores, acabamos de ver cómo Celestina, orador dotadísimo, quiere «conmover» a Melibea y «gustar» a Areusa, cuidando de esconder su intención bajo un disfraz de instrucción lógica. La viva autenticidad del diálogo, lo directo del discurso respecto del hablante y la concordancia de tono y ritmo con la situación se logran dando a la lógica y a la lección el lugar que les corresponde —la superficie del lenguaje hablado—, no ocultándolas a los ojos del lector para complacerlo. Así, en la superficie, la lógica desempeña el doble papel de dar forma al intercambio de ideas y de contribuir a circunscribir el lenguaje hablado dentro de los límites de un asunto dado.

En suma, el estilo lógico de la *Celestina*, justamente por acomodarse a la superficie, no estorba los fines de la obra, y es vital porque, en vez de oponerse al diálogo vivo, le proporciona un marco y un énfasis. En las dos interpolaciones citadas, Rojas resuelve muy bien el antagonismo de lógica y vida, equilibrándolas con propiedad. Por una parte, la superficie lógica suministra un plano de contraste, que nos permite ver el concepto, ya serio, ya humorístico, que Celestina tiene de su situación. Los frenos mismos de la lógica hacen resaltar, como vimos en el discurso final del acto IV, esa intensa confluencia de dos vidas por la palabra, que constituye el gran mérito estilístico de la obra. Por otra parte, esa misma lógica impide que el sentimiento se salga de madre, como ocurre en el Arcipreste de Talavera; por el hecho de ser una cualidad del argumento, continuamente está recordando al *yo* la presencia del *tú*, y el porqué de su encuentro con él. De un modo más flexible y por tanto menos fácil de reconocer, la lógica desempeña en el arte del estilo de Rojas un papel análogo al del verso alejandrino en Racine.

Recordando nuestra comparación de Rojas con el Arcipreste, ahora podremos reconocer plenamente que en Rojas existe profunda relación entre ese afán de hacer resaltar la claridad y la lógica por medio de interpolaciones y su dominio del diálogo. Ninguno de esos dos elementos gobierna por sí solo el estilo; el autor no emplea ni el uno ni el otro de manera absoluta y con el propósito de complacer al lector; ambos vienen a ser parte integrante del lenguaje hablado, componentes de la situación dialógica. Esa claridad fundada en «la habla común» es resultado del consciente esfuerzo de Rojas hacia la plena madurez de la expresión o la persuasión. Por eso allana el camino al encuentro de la primera persona con la segunda dentro del diálogo. La lógica ordena los sentimientos del hablante o la provocación de sentimientos en el oyente dentro de un marco necesario de técnica argumental, de frases introductorias, de precedentes y de conclusiones adecuadas. Y esta ordenación es la que permite que las dos vidas se encuentren, no sólo con un lenguaje común, sino con la conciencia de que el otro es un ser que piensa, que debe comprender y ser convencido. Las diversas y siempre variadas vidas y situaciones individuales parten todas, en su diálogo, de este mismo punto, y su individualidad misma, su vivaz espontaneidad se acentúan y adquieren sentido gracias al contrapeso de la lógica. Así, cuando Melibea dice:

> Señor mío, pues me fié en tus manos, pues quise complir tu voluntad, no sea de peor condición por ser piadosa que si fuera esquiua e sin misericordia; no quieras perderme por tan breue deleyte e en tan poco espacio...,

la claridad y lógica de su mansa desesperación no mutilan ni destruyen el sentimiento vital; sus palabras son la sustancia del encuentro con Calisto. Estilísticamente, esta conversación se basa en el torrente fresco pero estéril del Arcipreste de Talavera; pero ahora el *yo* y el *tú* pueden convivir en una misma frase.

75

5. EQUILIBRIO Y DECORO

Examinando todos los pasajes interpolados, adverti- mos la ausencia de ciertas correcciones muy comunes en otras obras: aquellas que denotan la conciencia del autor del efecto de su estilo en su futuro lector. Me refiero a las correcciones relacionadas con el sonido de los voca- blos, con las repeticiones infelices de una palabra, con el enderezamiento de frases mal equilibradas, etc. Es cierto que algunas supresiones nos muestran a un Rojas cons- ciente de que el estilo era cosa suya, [21] pero en general ese gran trabajo de corrección parece extrañamente dis- tante del concepto ordinario de la revisión textual. El he- cho mismo de que sólo haya veinticinco omisiones frente a unas ochenta y siete intercalaciones [22] parece mostrar que a Rojas le importaba relativamente poco el equilibrio o la armonía objetiva de su estilo; además, la mayor par- te de esas supresiones más tienen que ver con el conte- nido que con la forma. La idea del estilo que tenía Rojas debía de ser tan profundamente dialógica que raras veces juzgaba los elementos del lenguaje desde su propio pun- to de vista (o por lo menos de lo que suponemos puede haber sido su punto de vista). Por eso las enmiendas que acentúan la claridad y la lógica, las correcciones que con- tribuyen a la expresividad y al encauzamiento del diálogo, son muy superiores en número a las que afectan al estilo en cuanto tal. Por lo que toca a este aspecto, Rojas dista quizá tanto de un Guevara o de un Diego de San Pedro como del Arcipreste de Talavera.

La ausencia de supresiones de ese tipo es significativa, porque nos hace ver en la obra algo que a primera vista puede parecer una falta de dirección estilística conjunta. Se diría que Rojas nunca escribe de acuerdo con lo que *él* considera un estilo equilibrado o armonioso, no pone por su propia cuenta una vigilancia formal sobre la obra de arte. Cuando corrige, intercala desde dentro del diálo-

---

[21] Además de: «mayormente en verano», se puede señalar: «¿Por qué me dexaste quando yo te havía de dexar?» (Aucto XXI; vol. II, p. 227). El verbo «dexar» se repite demasiado en ese pasaje.

[22] En este recuento se consideran por separado, no sólo las adiciones o supresiones de frases aisladas, sino las debidas a la intervención de un nuevo personaje.

go y de acuerdo con el *tú* y *el* yo que en él viven [23]. Si es cierto, ¿de qué manera lograr realizar la esencial tarea de construir escenas a base de parlamentos y actos a base de escenas? Este problema no lo presenta sólo, claro está, la *Celestina*, sino toda obra dialogada, esto es, toda obra cimentada en un diálogo tan auténtico como lo es el de Rojas. Veamos primero la novela. Para gobernar el conjunto de su obra, el novelista puede intercalar, cuando lo crea necesario, pasajes descriptivos, puede establecer entre sí mismo y el diálogo y la actuación de sus personajes una distancia irónica; el novelista se identifica con sus personajes, pero también los juzga; les concede libertad, pero al mismo tiempo los vigila; es, en resumidas cuentas, lo que Cervantes llama el «padrastro» de sus creaciones. Esto, por supuesto, le estaba negado a Rojas. El dramaturgo por otra parte, debe disponer sus personajes de tal manera que lo que ellos tengan que decir dé lugar a una escena o a un acto. En ambos géneros, el creador dirige el diálogo de sus personajes, considerándolos no sólo como un *tú* y un *yo* que se enfrentan en un encuentro o una situación, sino también como un *él* o *ella;* los ve, pues, en tercera persona, a la vez que en primera y segunda. A esto se debe que, por lo común, cada personaje tenga dentro del diálogo un lenguaje típico, y exclusivo, y que la obra esté supeditada a una dirección conjunta, a la cual, como Juan de Valdés y toda la tradición humanística, podremos dar el nombre de «decoro». No hace falta que se trate de ese tipo especial de decoro que el siglo XIX conoció con el nombre de «realismo». Todo género establecido parece exigir una relación más o menos fija entre el carácter del hablante, tal como lo concibe el autor y el estilo de lo que dice. La existencia de un arte del estilo que se extienda sobre toda la obra y no se limite a la frase o al parlamento aislados dependen por lo

---

[23] Podrá alegarse —y con razón— que esto ya es en sí mismo un principio estilístico general, pero ello no viene al caso. Lo que importa es que ese entregarse plenamente al diálogo parece estar negando que Rojas adoptara ante el conjunto de su obra la actitud de dueño y señor. Sin embargo, es evidente que no podía menos de tener determinado concepto estilístico para cada escena y cada acto, lo mismo que para cada pasaje individual; de otro modo no hubiera podido construir la *Celestina* como lo hizo; la obra no habría pasado de ser un conglomerado de animados intercambios, unidos por la trama, pero carentes de un sentido estilístico global.

común, no sólo de la primera y segunda persona, sino también de la tercera.

He mencionado estos elementales rasgos literarios a fin de subrayar lo que juzgo una peculiaridad fundamental del arte de Rojas, peculiaridad que no sólo afecta al estilo, sino a los personajes, a la estructura, al tema y en último término al género de la obra. Me refiero a la ausencia efectiva de una tercera persona independiente de los personajes que integran la *Celestina*. En lo referente al estilo, esta observación no constituye en absoluto un descubrimiento nuevo ni original. El hecho de que Celestina se resista a emplear sólo el lenguaje típico de las clases bajas y de que Melibea no renuncie a citar precedentes eruditos ha desconcertado desde hace mucho a los críticos empeñados en establecer una división natural o jerárquica de los estilos. En la última y fatal entrevista de los amantes, el mismo Calisto, cuyo estilo parece algo más coherente que el de los demás personajes, interrumpe su ardiente discurso con un chiste picaresco: «el que quiere comer el aue quita primero las plumas». Es un ejemplo magnífico de lo que Rachel Frank ha llamado las «paradojas» de la *Celestina* [24]. Esta libertad del individuo para «elegir» su propio estilo es tanto más paradójica cuanto que parece oponerse a un dominio artístico del autor sobre el conjunto de la obra. Si la relativa inexistencia de la tercera persona contribuye a dar libertad y vida al diálogo, diríase, por otra parte, que es artísticamente insostenible, que es una invitación al caos. Y, sin embargo, no hay tal caos en la *Celestina;* lo que sucede es que esa dirección que suele ejercer la tercera persona se reemplaza aquí por un tipo radicalmente distinto de decoro. Es un decoro que parece remotamente relacionado con el de la oratoria; decoro ciceroniano del tópico. Pero en la *Celestina* se realiza sobre una nueva base, característica y exclusiva de Fernando de Rojas. En vez de disponer el estilo rígidamente de acuerdo con la persona que habla o con lo que dice, Rojas combina ambas cosas en el nuevo decoro de la situación. El estilo se adapta flexiblemente a la elevación poética de las circunstancias y a la reacción viva que frente a esa elevación sienten los individuos interesados.

Esta clase de vigilancia estilística, casi tan ignota en

[24] Véase su artículo «Four paradoxes in the *Celestina*», *Romanic Review*, XXXVIII, 1947, pp. 53-68.

el pasado literario de la *Celestina* como en su porvenir, se ve a menudo disimulada por el texto. Como Pármeno, Sempronio y sus amigos, por la naturaleza misma de las cosas, suelen estar más metidos en situaciones en un nivel poético inferior al de Calisto y Melibea, con frecuencia parece como si el estilo se guiara por un género más corriente de decoro. Muchos lectores se han visto despistados por el «realismo» de la *Celestina*, y es difícil resistir a la tentación de dividir el estilo de la obra en categorías como «elevado» y «bajo», «sublime» y «simple», o aun «vivo» y «convencional». Sólo un estudio detenido de ciertas interpolaciones y de las escenas en que aparecen nos permitirá llegar a la conclusión de que las excepciones no son errores ni desatinos, y que, en vez de tan simplistas dualismos, Rojas practica un decoro muy personal: decoro que va guiando y ordenando el estilo, y esto sin interferir con el *tú* y el *yo*, siempre autónomos en el diálogo. La sutileza misma de este logro artístico lo hace quedar perfectamente disimulado.

La preocupación de Rojas por el nivel de su estilo, preocupación fundamental en todo tipo de decoro, queda manifiesta en varias de las supresiones. Al releer un grupo de frases o cláusulas de la *Comedia*, Rojas suprimía todas aquellas que a su juicio rompían la elevación del pasaje. Ya hemos visto cómo suprime la frase «un solo acto no hace hábito» de entre esa serie de refranes dispares que Celestina aduce para dar al traste con la preferencia —muy dudosa además— de Areusa por el número *uno;* el refrán parecía demasiado serio para figurar en un pasaje de tan ilógica lógica. Encontramos otro ejemplo en la lamentación de Pleberio:

> ¡Ay, ay, noble muger! [Nuestro gozo en el pozo]. Nuestro bien todo es perdido. ¡No queramos más biuir! E por que el incogitado dolor te dé más pena, todo junto sin pensarle, por que más presto vayas al sepulcro, por que no llore yo solo la pérdida dolorida de entramos, ves allí a la que tú pariste e yo engendré hecha pedaços (Aucto XXI; vol. II, página 216).

El refrán suprimido era demasiado familiar para tan elegíacas circunstancias. Quizá una especie de perversidad nos haga preferir la frase original, por esa irónica ruptura de nivel, y, sin embargo, no podemos menos de admitir que era «indecorosa». No es que Pleberio fuera incapaz de decir «nuestro gozo en el pozo», sino que al nivel estilístico de su dolor no tolera que el refrán se diga en tal momento. De estas supresiones, la primera mantiene un bajo nivel de argumento cómico, la segunda un alto nivel de dolor y de meditación temática definitiva[25].

Si las omisiones ponen de manifiesto esa fundamental preocupación por el nivel estilístico de cada situación, las interpolaciones realzan a su vez el curioso decoro que de ella resulta. La relación que existe en este sentido entre el arte estilístico de Rojas y el de la oratoria se ve en dos interpolaciones, tan criticadas que apenas hace falta citarlas. Una de ellas es la invocación de Plutón por Celestina, con sus eruditas adiciones:

> Conjúrote, triste Plutón, señor de la profundidad infernal..., *regidor de las tres furias, Tesífone, Megera y Aleto, administrador de todas las cosas negras del reyno de Stigie e Dite, con todas sus lagunas e sombras infernales e litigioso caos, mantenedor de las bolantes harpías, con toda la otra compañía de espantables e pauorosas ydras;* yo, Celestina, tu más conocida cliéntula, te conjuro... (Aucto III; vol. I, pp. 148-150).

La otra es el último soliloquio de Melibea, en el cual trata de disculpar su crueldad para con sus padres. La *Tragicomedia* añade precedentes clásicos:

> Buen tiempo terné para contar a Pleberio mi señor la causa de mi ya acordado fin. Gran sinrazón hago a sus canas, gran ofensa a su vegez. Gran fatiga le acarreo con mi falta. En gran soledad le dexo. *Y caso que por mi morir a mis queridos padres sus días se diminuyessen, ¿quién dubda que no aya auido otros más crueles contra sus padres? Bursia, rey de Bitinia, sin ninguna razón, no aquexándole pena como a mí, mató a su propio padre...* (Aucto XX; vol. II, pp. 207-208).

En ambos casos, Rojas parece creer que la situación particular requiere un adecuado reconocimiento estilístico. El primer pasaje consiste en una invocación de los poderes de las tinieblas (aunque en contraste con Shakespeare,

---

[25] El hecho de que esta frase de Pleberio, como casi todas las suprimidas en 1502, se incluya en ediciones corrientes de la obra refleja esa errónea idea de los eruditos —ya la hemos visto en Foulché-Delbosc— de que la primera versión es necesariamente la mejor. He aquí otras omisiones parecidas a las citadas: «Cristóbal fue borracho» (Aucto III; vol. I, p. 131) y «O mis grandes servidores», frase de vacía pomposidad (Aucto XIII; vol. II, p. 117).

Rojas cuida de no introducir personajes sobrenaturales), invocación respaldada por una extensa tradición medieval y clásica. Así se anuncia el destino trágico con toda la convencionalidad horripilante que el caso requiere. El segundo pasaje está en el otro extremo de la trayectoria fatal: inmediatamente anterior al suicidio de Melibea, acontecimiento que también merece énfasis estilístico. Ambos discursos, por lo tanto, presentan paralelismos evidentes. En los dos hay una insistencia en la verticalidad (la profundidad de los infiernos y la elevación de la azotea); son soliloquios; nos recuerdan el clasicismo retórico de un Juan de Mena; etc. La intención de Rojas es claramente la de hacer resaltar el marco literario y oratorio que encierra la palpitante vida del conjunto —exactamente igual como en el discurso final de Pleberio. Nada importa, pues, que sea inverosímil el que Melibea recuerde o aun que conozca la historia de «Bursia, rey de Bitinia», ni que la necromancia de Celestina se exprese en términos que sobrepasan tanto a su educación como a las tradiciones de su patria. En este punto cada uno de los dos pasajes queda subordinado a una situación univalente, no dialógica. Son momentos culminantes y su tema exige una «sublimidad» apropiada. Reconociendo el carácter oratorio más que «dialógico» de situaciones tan extremadas y definitivas, Rojas las refuerza con interpolaciones coherentes.

Pero estos ejemplos son excepcionales dentro de la *Celestina*, son casos extremos de oratorio alejamiento de este tipo de decoro que exigía Foulché-Delbosc. En general, la situación y el estilo son dialógicos; y hasta los monólogos, a medida que expresan los sentimientos del hablante, resultan ser argumentos dirigidos a sí propio, al otro *yo* desdoblado. En tales circunstancias, ese decoro originalmente basado en el tópico se adapta ahora a las necesidades vitales del personaje que habla y del que le escucha. Si Rojas quería servirse del nivel lingüístico como medio para gobernar artísticamente su estilo, debía hacerlo de un modo más sutil y eficaz del posible en ese concepto tradicional del decoro.

En dos interpolaciones del acto VIII podemos ver un tipo de decoro elemental de situación viva, que cabría llamar «decoro dialógico». La primera noche con Areusa deja a Pármeno en un estado de euforia y plenitud, saboreando lo que él llama «el claro liquor del pensamiento»; el estilo que corresponde a este estado de ánimo queda reafirmado en 1502:

> PÁRM.—No es, Sempronio, verdadera fuerça ni poderío dañar e empecer, mas aprouechar e guarecer, e muy mayor quererlo hazer. Yo siempre te tuue por hermano. No se cumpla, por Dios, en ti lo que se dize, que pequeña causa desparte conformes amigos. Muy mal me tratas. No sé dónde nazca este rencor. *No me indignes, Sempronio, con tan lastimeras razones. Cata que es muy rara la paciencia que agudo baldón no penetre e traspasse.*
>
> SEMP.—No digo mal en esto, sino que se eche otra sardina para el moço de cauallos, pues tú tienes amiga.
>
> PÁRM.—Estás enojado. Quiérote sofrir, avnque más mal me trates, *pues dizen que ninguna humana passión es perpetua ni durable* (Aucto VIII; vol. II, pp. 11-12).

Esas palabras de Pármeno no tenían en la *Comedia* la elevada fraseología con que él se expresa en el resto de la escena (por ejemplo, en los pasajes que comienzan «¡O plazer singular!» y «¡O Sempronio, amigo e más que hermano!»). Las frases interpoladas, con sus adjetivos antepuestos («lastimeras razones», «agudo baldón», «humana pasión») y con esas conclusiones dobles tan decorativas, parecen estar destinadas a suplir la falta; gracias a ellas el pasaje queda a la altura estilística del conjunto.

Lo importante, aquí como siempre, no es que esas interpolaciones sean en sí mismas adecuadas, sino que pongan de manifiesto el arte estilístico de Rojas. El alto nivel del último ejemplo no sólo corresponde al tópico (el amor), sino también a la experiencia sentimental de Pármeno. Es un estado de ánimo que sobrepasa las fronteras del tópico y penetra en la discusión con Sempronio, y otro tanto ocurre con el estilo. Contrastando con la retórica erudición de Celestina y Melibea, Rojas emplea aquí una elevación estilística destinada a expresar esa tranquila superioridad, esa complacencia fastidiosamente adolescente, del personaje que está hablando. La irritada reacción de Sempronio sirve de contrapunto al estado de ánimo de Pármeno; el estilo del primero con ese sarcástico «que se eche otra sardina para el moço de cauallos» es tan bajo como es alto el de su compañero. Complacencia e irritación, reposo e impaciencia, amor y odio, armonía y discordancia: estos dualismos dan lugar a un complejo decoro que confiere a la escena suprema perfección de arte. Empleando una ironía a lo Cervantes, pero que en último término es mucho más corrosiva, Rojas contrasta a los dos criados y gobierna su intercambio dialógico no sólo con el argumento y el sentimiento, sino también con un decoro originalísimo. No hay en la obra posible repetición, pues en cada caso el nivel del estilo contribuye a la incesante renovación del diálogo vivo.

Aunque ese contrapunto de niveles abunda en la *Celestina* (sobre todo en las conversaciones de Calisto con los demás personajes), no es el único medio de dirección estilística empleado por Rojas. También suele haber variación de decoro en las palabras de un mismo personaje en cierto momento. A falta de interpolación, tomemos este ejemplo:

> CEL.—...No pensé yo, hijo Sempronio, que assí me respondiera mi buena fortuna. De los discretos mensajeros es hazer lo que el tiempo quiere. Assí que la qualidad de lo fecho no puede encubrir tiempo dissimulado. E más, que yo sé que tu amo, según lo que dél sentí, es liberal e algo antojadizo. Más dará en vn día de buenas nueuas que en ciento que ande penado e yo yendo e viniendo. Que los acelerados e súpitos plazeres crían alteración, la mucha alteración estorua el deliberar. Pues ¿en qué podrá para el bien sino en bien e el alto mensaje sino en luengas albricias? Calla, bouo, dexa fazer a tu vieja (Aucto V; vol. I, página 199).

La alegría que siente aquí Celestina ante su inesperado éxito se expresa con una especie de complacencia estilística; a Sempronio (que antes había puesto en duda su habilidad) lo trata con condescendencia, empleando un lenguaje comparable al que usa Pármeno después del éxito alcanzado con Areusa. Los adjetivos antepuestos y los cultismos nos muestran a una Celestina satisfecha consigo misma, que se niega a dar a Sempronio detalles de la entrevista con Melibea, porque hacerlo sería «desflorar su embaxada». Pero Celestina es demasiado experta en el manejo de sus palabras para permanecer largo tiempo en ese plano o para dejar a Sempronio una oportunidad de ponerle una zancadilla lingüística: al final del pasaje desciende de pronto a un nivel estilístico mucho más bajo y accesible, a la vez que conserva toda su satisfecha superioridad: «Calla, bouo, dexa fazer a tu vieja». El solemne «hijo Sempronio» se convierte en «bouo» cuando esa confluencia de sentimiento y argumento que caracteriza al pasaje pasa a un nuevo nivel. Toda la escena se compone de una «decorosa» alternancia de estilos en Celestina: una serie de «rupturas» que expresan su complacencia, su deseo de castigar a Sempronio por las dudas expresadas en el acto III y a la vez la necesidad de mantener su apoyo. El primer elemento —la complacencia— es constante, pero los dos últimos varían, y dan lugar a cambios tan bruscos como el que hemos estudiado.

No siempre contrasta Rojas un nivel estilístico con otro, como en los ejemplos precedentes. En el soliloquio de Melibea y en la invocación de Celestina, un solo estilo llena páginas enteras de diálogo, sin que por eso disminuya su sutileza. Cuando Melibea cede a las instancias de Celestina en el acto X, hay en las dos mujeres una especial e ininterrumpida elevación estilística, que Rojas tuvo cuidado de no traicionar con la siguiente interpolación:

> LUCR.—El seso tiene perdido mi señora. Gran mal es éste. Catiuádola ha esta hechizera.
> CEL.—Nunca me ha de faltar vn diablo acá e acullá: escapóme Dios de Pármeno, tópome con Lucrecia.
> MELIB.—¿Qué dizes, amada maestra? ¿Qué te fablaua essa moça?
> CEL.—No le oy nada. *Pero diga lo que dixere, sabe que no ay cosa más contraria en las grandes curas delante los animosos çurujanos, que los flacos coraçones, los quales con su gran lástima, con sus dolorosas hablas, con sus sentibles meneos, ponen temor al enfermo, fazen que desconfíe de la salud e al médico enojan e turban, e la turbación altera la mano, rige sin orden la aguja. Por donde se puede conocer claro* que es muy necessario para tu salud que no esté persona delante, e assí, que la deues mandar salir. E tú, hija Lucrecia, perdona.
> MELIB.—Salte fuera presto (Aucto X; vol. II, p. 57).

La alegórica ficción de la herida causada en el corazón por el acto del Amor (herida que sólo la «antigua maestra destas llagas» podía sanar) parecería afectada y artificial si no estuviera representando ese pacto estilístico, largo tiempo esperado, entre las vidas y metas de Celestina y Melibea. Una franca declaración habría sido contraria, no sólo a este momento de capitulación, sino también a la existencia sentimental de Melibea. Era imposible que dijera: «Comprendo que amo a Calisto»; tenía que buscar, en colaboración con Celestina, un plano estilístico lo bastante artificial para dar a la revelación de su amor toda la inevitabilidad de una ceremonia o de una danza ritual. De este modo, Melibea y Celestina dejan de ser enemigas en la batalla del amor —la cual, desde luego, tiene su propia tradición metafórica y su propio estilo—[26], para convertirse en cómplices. Cada una de ellas necesita de la otra y necesita también de un artificioso lenguaje diplomático que permita negociar la rendición del amor. Sólo así es posible que el secreto virginal llegue a una admisión decisiva y desfalleciente.

La finura con que Rojas mantiene en ese pasaje el nivel estilístico queda manifiesta por la interpolación, que prepara la salida de Lucrecia con palabras apropiadas a la escena. En la *Comedia* decía: «No le oy nada. Lo que digo es que es muy necessario para tu salud que no esté persona delante...» Dada la nueva relación existente entre Celestina y Melibea, esta frase resultaba demasiado brusca. De acuerdo con el armisticio estilístico, con su elaborado protocolo, resulta impropio que Celestina recuerde a Melibea tan directamente la necesidad de que, para bien de ambas, sea secreto lo que van a tratar. Lucrecia representa en esta escena una posibilidad de contrapunto, que podría estorbar la ficción del médico y el paciente. La partida debe jugarse sin intervención ajena; y ese modo de alejar a un testigo, indeseable según las reglas del juego, constituye un magnífico ejemplo de interpolación eficaz.

Así, lo que determina el decoro en la *Celestina* no es la persona en cuanto figura fija, ni tampoco un tópico de importancia establecida o calculada. El diálogo mismo, el encuentro de dos o más vidas, con su compleja fusión de sentimientos, es lo que crea un decoro *sui generis*. El tópico y el personaje —exceptuando páginas de carácter oratorio como las antes citadas— confluyen en la inmediatez de una situación viva. O, lo que es igual, los dos elementos se dan en función del diálogo, dentro, y no fuera de él. Cuando Celestina habla a Pármeno acerca del

---

[26] Véase, por ejemplo, el siguiente pasaje, que, como muchas veces se ha observado, recuerda al *Roman de la Rose*:

CAL.— ¡O desdichado! Que las cibdades están con piedras cercadas e a piedras piedras las vencen; pero esta mi señora tiene el coraçón de azero. No ay metal que con él pueda; no ay tiro que le melle. Pues poned escalas en su muro; vnos ojos tiene con que echa saetas, vna lengua de reproches e desuíos, el asiento tiene en parte que media legua no le pueden poner cerco (Aucto VI; vol. I, p. 221).

También el tópico de la curación de las heridas del amor aparece en Guillaume de Loris (cf. versos 1724-1727).

amor, lo que importa es aquello que dice en *ese* momento preciso y en *esas* circunstancias, no el hecho de que sea Celestina quien lo dice ni de que su tema sea el amor. Desde el punto de vista estilístico, la *Celestina* está integrada por una serie de unidades dialógicas de esa especie; cada una con un lenguaje que tiene el nivel correspondiente a su vida consciente. Dentro de este proceso cabe un contrapunto de niveles entre los diversos hablantes, una ruptura de niveles en lo dicho por un solo personaje, o bien el mantenimiento de un nivel único cuando la lucha entre los hablantes se desarrolla de común acuerdo. El estudio de las interpolaciones de Rojas puede revelarnos, pues, su consciente y concienzudo gobierno del estilo. El carácter primordial del diálogo da lugar en la *Celestina* a un decoro de las situaciones dialógicas.

6. EL ARTE DEL ESTILO

Si fijamos una mirada retrospectiva sobre todo lo dicho acerca del estilo de la *Celestina*, nuestra impresión general es la siguiente: Rojas retocó el texto de la *Comedia* con suma habilidad y coherencia. Casi todas las interpolaciones y supresiones revelan gran cuidado del detalle, gran flexibilidad y extraordinaria precisión en el ajuste del material añadido al sentido del primer texto. Parece, pues, que los intentos hasta ahora realizados para calificar las interpolaciones de meras adiciones postizas (eruditas, proverbiales, de repetición, etc.) no han tenido en cuenta las circunstancias individuales de cada cambio. Los críticos no han notado que Rojas quiso corregir con esos retoques una serie de defectos de lógica y de decoro y aclarar los pasajes oscuros del original; y para sostener su punto de vista han tenido que pasar por alto o falsear muchos ejemplos. En su constante y afortunada labor correctora, Rojas se esforzó por engarzar las adiciones en los pasajes primitivos, conforme a una vigilancia conjunta del estilo. Por eso, la clasificación de las interpolaciones y supresiones aquí propuesta —clasificación basada en los procedimientos estilísticos del autor mismo— resulta más válida. Uno de los resultados accesorios más valiosos de este método es la confirmación de aquello que aventurábamos en un principio: que Fernando de Rojas fue quien escribió y corrigió el texto de 1502.

No debe pensarse que los criterios estilísticos que inspiraron esa nueva clasificación de los retoques corresponden a diversas etapas del proceso creador de Rojas. No hemos de imaginarnos, por ejemplo, que Rojas sólo ponía atención en el intercambio dialógico vivo, y que examinaba sucesivamente la claridad, la lógica y el decoro de lo escrito. Durante la creación original, todos esos elementos debieron de confluir intuitivamente; sólo las correcciones hechas más tarde nos permiten distinguir niveles y tipos de preocupación estilística. En este sentido, las interpolaciones y supresiones constituyen un regalo espléndido para el crítico de la *Celestina*. Ponen de manifiesto aquello que una versión única, concluida, hubiera ocultado a nuestra vista: cómo Rojas, inspirado por la *Comedia nueva* y partiendo de una tradición nacional que comprendía a la vez la retórica del siglo xv y la amorfa vitalidad del Arcipreste de Talavera, creó un estilo dialógico sin precedentes y raras veces igualado más tarde en su autenticidad literaria. Después de Rojas, el diálogo habría de quedar a menudo supeditado a la caracterización o habría de convertirse en vehículo de la poesía, en recurso de la dialéctica o de la exposición de ideas. Pocas veces o nunca ha vuelto a emplearse sólo por su valor intrínseco, como fin en sí mismo.

Rechazando, pues, la suposición de que Rojas haya creado el diálogo de la *Celestina* en la misma forma en que lo corrigió, volvamos rápidamente sobre nuestros pasos. Lo que Rojas exigía a su estilo era, ante todo, que poseyera dirección, que no sólo tuviera un punto de partida —la vida del hablante—, sino también un destino —la vida del oyente—. Cada palabra, cada frase y cada párrafo existe dinámicamente, posee lo que podemos llamar una «trayectoria vital» entre el *yo* y el *tú*. Desde luego, la dirección, la trayectoria, con su punto de partida y su meta, no siempre —casi podemos decir nunca— es idéntica a sí misma. En ocasiones la meta es clara, la trayectoria es llana y el *tú* queda mucho más dominado que el *yo;* éste es el estilo que hemos llamado «argumentativo». Por el contrario, en casos como el de la explosión sentimental de Areúsa, el *tú* casi aparece reducido a una ficción gramatical, la meta es imprecisa, la trayectoria sigue accidentadas curvas; es un estilo destinado a expresar los sentimientos del *yo*. La *Celestina* oscila entre estos dos extremos, en un número infinito de combinaciones. Lo que casi nunca vemos en los actos que hemos atribuído a Rojas·es la rabelesiana expansión del estilo por el estilo mismo (como por ejemplo, el pasaje que desarrolla el improperio «puta vieja» en el acto I). Tampoco observamos la trayectoria opuesta: la broma o la lección que parten del autor y van encaminadas al lector. Considerada como obra teatral, la *Celestina* es casi diametralmente opuesta al teatro del Siglo de Oro; como su base dramática es el diálogo por el diálogo mismo, la *Comedia* y la *Tragicomedia* se convierten en un ejemplo extremo de teatro «imitativo», contrapuesto al teatro «exhibicionista», de Lope [27].

La manera de mantener este rumbo dialógico, su refinamiento y su gobierno pueden estudiarse en relación con las unidades de lenguaje, desde la más breve hasta la más extensa. Para las palabras, frases y oraciones, Rojas se impone plena aclaración del argumento y del sentimiento, y realiza esta tarea de acuerdo con el diálogo en que figuran. Rojas considera que una frase oscura entorpece tanto la comunicación como la expresión, y entonces la corrige bajo este criterio. A diferencia de Malherbe, que se preocupa por una especie de claridad «absoluta» para bien del lector, Rojas no poda lo que ha escrito, sino lo explica y amplía en el diálogo. Este proceso de aclaración creadora sugiere corolarios artísticos que sobrepasan en mucho el terreno del estilo. Las frases y los párrafos exigen además la lógica, una lógica de carácter oratorio, tanto menos conspicua cuanto que sólo aparece en la superficie del estilo hablado; aquí la coherencia lógica produce una impresión de objetividad, tanto del argumento como del sentimiento, una objetividad que acentúa

---

[27] La distinción entre estos dos términos —«teatro imitativo» y «teatro exhibicionista»— corresponde a dos formas de componer el diálogo y a dos relaciones antitéticas entre el dramaturgo y su auditorio. En el «teatro exhibicionista» el auditorio se incluye y participa en el diálogo y la acción. Pero en el «teatro imitativo» está excluido, y los personajes se portan como si no existiera. No saben que se les escucha. El caballero de Olmedo y el Comendador de Fuenteovejuna «salen» a hablar delante de nosotros y para nosotros, pero Phédre y Thésée mantienen una íntima confrontación detrás de una pared imaginaria de cristal. De ahí que —y sin la más leve intención de menospreciar a Lope— en *La Celestina* como en el teatro de Racine cada relectura nos descubre nuevas sutilezas de reacción y de caracterización. Nuestro papel de observador —hasta de espía— exige un continuo esfuerzo de comprensión.

la significación interna y subjetiva de lo que se dice. En la *Celestina* la lógica contribuye a transformar el lenguaje vivo en diálogo, pero raras veces en elocuencia formal. Finalmente, en cuanto a las escenas o situaciones, Rojas procura que el diálogo tenga conveniente decoro. Siguiendo las varias clases de nivel estilístico conocidas en su tiempo —como ha observado Enrique Anderson Imbert [28], los personajes viven dentro del lenguaje literario del siglo XV—, cada encuentro o situación se eleva o desciende en estilo según sus propias leyes. La personalidad, dirigida por las palabras de un argumento (o de un sentimiento), es lo que determina el decoro vital, no el personaje ni el tópico en sí, abstraídos del diálogo. Detrás de cada elaboración del lenguaje podemos percibir un esfuerzo consecuente y coherente por adaptar el estilo a las necesidades fundamentales del diálogo.

Como dijimos al comienzo del capítulo, hay muchas otras maneras de enfocar el estilo de Rojas y son muchas las observaciones importantes que podría originar. Así, no hemos tratado de encontrar las peculiaridades de ese estilo relativas a la personalidad del autor, ni de precisar en qué medida se transformó el lenguaje literario del siglo XV en la *Celestina*. Al estudiar el arte del estilo ha sido necesario dar por supuesta la materia prima literaria y el carácter único del artista, y concretarnos a examinar las técnicas que revelaban una preocupación consciente. Por limitado que sea este enfoque, no carece de valor para la comprensión de Fernando de Rojas y de la *Celestina;* su arte, repetimos, carece de verdaderos precedentes y paralelos. Como ejemplo de «conducta creadora», es en sí mismo único y digno de ser estudiado. He ahí nuestra justificación.

En apoyo del método seguido, comparemos someramente el arte del diálogo tal como lo vemos en Rojas con el de novela y el teatro del siglo XVII. (Ya hemos visto lo que lo distingue del explosivo monólogo del *Corbacho,*

---

[28] «Comedia de Calisto y Melibea,» *Realidad,* V, 1949. Después de mandar mi manuscrito al impresor, recibí un ejemplar del excelente estudio de Carmelo Samoná sobre este aspecto de la *Celestina, Aspetti del retoricismo nella Celestina,* Roma, 1953. En él Samoná completa la erudición de Castro Guisasola con su ejemplar meditación crítica. Como complemento a mi enfoque interno, me habría sido enormemente útil haberlo leído antes de emprender mi tarea.

su antecedente quizá menos remoto) [29]. A fin de evitar dificultades de índole genérica, atendamos sólo al decoro, tal como lo practicó el Cervantes del *Quijote* y Lope en cualquiera de sus comedias. A primera vista parece que la flexibilidad de niveles estilísticos y el empleo del contrapunto dialógico en Rojas son claramente cervantinos. ¿Acaso don Quijote no desciende a lo vulgar en determinadas situaciones? Y Sancho, ¿no suele ascender al apóstrofe caballeresco cuando las circunstancias lo exigen? [30]. Todo ese proceso de «sanchificación» y de «quijotización» de que habló por primera vez Madariaga parece aproximarse, en efecto, al decoro dialógico de la *Celestina*. Sin embargo, debemos recordar que éste era un procedimiento novelístico: la culminación de experiencias hace que el personaje se adapte a las nuevas circunstancias. Además, Cervantes se sirvió de ese procedimiento con consciente ironía; sin que llegase a dar a sus creaciones plena libertad de sobrepasar en el diálogo las fronteras de su carácter, se la concedió de vez en cuando con fines humorísticos. Vemos, pues, que si en la *Celestina* el decoro no se funda nunca en la tercera persona y el diálogo goza en cambio de absoluta prioridad estilística, en el *Quijote* el autor ejerce una vigilancia irónica sobre el lenguaje hablado por la primera y segunda personas, supeditándolo a su propia visión cambiante. El decoro del «padrastro» siempre presente puede contrastarse con el decoro radi-

---

[29] Como es bien sabido, la comedia latina constituía el modelo más directo para el diálogo. Sin embargo, y a pesar de ciertos ejemplos de Plauto o de Terencio, cuyo lenguaje parece coincidir con el de la *Celestina* (y es posible que la lista de Castro Guisasola sea incompleta), evidentemente la influencia fue más genérica que estilística. Por ser fundamentalmente teatrales, gran parte de esas comedias están escritas en la forma necesaria para producir cierta reacción del público, lo que a su vez supone la existencia de personajes estereotipados, cuyas acciones pueden preverse fácilmente y de los cuales puede esperarse que llevarán cada acto y cada pieza a su justa conclusión. No hay, por supuesto, un verdadero problema de decoro, dada la división clásica de los estilos. O sea, en la comedia latina el diálogo es sólo un elemento de la representación y no en sí mismo un valor estilístico. Un diálogo de esta índole no puede haber inspirado el arte peculiar de Fernando de Rojas.
[30] En el ensayo sobre el *Quijote* añadido a la traducción española de *Mimesis* (México, 1951), Auerbach llama la atención sobre el lenguaje caballeresco que emplea Sancho al presentar a don Quijote la aldeana que hace las veces de Dulcinea, en las afueras del Toboso (II, x). ¡Cuánto más «irreal» puede parecer la *Celestina* desde este punto de vista!

calmente autónomo de la situación, como lo practicó y permitió Rojas [31].

El segundo término de comparación es la comedia lopesca, que a su vez nos ofrece un panorama muy distinto. A pesar de que los diversos tipos de versificación, desde la redondilla hasta el romance, pasando por las octavas reales y los sonetos, se ajustan específicamente a determinadas situaciones y actitudes, éstas son más o menos fijas y mecánicas. No quiero decir que los personajes se ciñan estrictamente a un decoro fijo, sino que, en realidad, el repertorio de las situaciones teatrales permitidas ha quedado reducido y ordenado. Tal reducción, que confirió a ese teatro toda su potencia dramática —y que en cierto sentido corresponde a las «unidades» francesas— dio origen a un arte de «versificación decorosa» que, en comparación con los variados niveles estilísticos de la *Celestina*, parece rígido y esquemático. Es decir, en la comedia del Siglo de Oro, la situación y el metro a ella correspondiente son materiales «dados» de que se sirve el dramaturgo; mientras para Rojas, el decoro es producto final de su arte del diálogo. Aunque pueda presentarse la *Celestina* como antecedente de la ruptura introducida por el Siglo de Oro en la división clásica de estilos, el arte peculiar de Rojas no llegó a tener imitadores en el teatro. En vez de equilibrar arte y vida o de crear una nueva vida con los elementos ya establecidos del arte, Rojas creó su propio arte del lenguaje con la vida misma del diálogo. Es lo que hemos llamado «decoro dialógico».

Si continuáramos con esta suerte de comparaciones, tropezaríamos inevitablemente con el problema del género de la *Celestina*, problema que no podemos afrontar todavía. Por ahora sólo hemos tratado de insistir en el carácter único del estilo de Rojas, de subrayar la naturaleza singular de un arte fundado primordialmente en el diálogo [32].

---

[31] Para corroborar esta diferencia, recordemos que Cervantes tiende a revelar en el diálogo los momentos «literarios» culminantes. Su constante contrapunto de literatura y vida, o, como dice Américo Castro, de «lo particular histórico» y «lo universal poético», nunca da plena libertad al decoro. De hecho, Cervantes se divierte demasiado en su juego con el estilo para dejar que éste encuentre su propio nivel.

[32] Lo que hemos dicho no se aplica, claro está, a todo lo que suponemos escrito por Rojas. No hemos hablado de los monólogos o soliloquios, de los preliminares en prosa y verso, de los «ar-

gumentos» de los actos añadidos (indudablemente obra de Rojas, a diferencia de los de la *Comedia*). Los estudiaremos aquí brevemente, como «epílogo» a este ensayo.

Fuera de los tres soliloquios en que el tópico y la acción gobiernan el estilo a expensas de la reacción individual, (es decir, en que el hablante es colocado en el nivel del momento literario trascendental en vez de crearlo él), el arte de los demás soliloquios puede considerarse básicamente «dialógico». Entre los monólogos más importantes están los de Celestina antes y después de su primera entrevista con Melibea, y los de Calisto después de saber la muerte de los sirvientes y después de su primera noche de amor. Son de importancia secundaria parlamentos como el de Pármeno al final del acto II. Citaremos, a título de ejemplo, el soliloquio de Celestina después del éxito alcanzado con Melibea:

> CEL.—¡O rigurosos trances! ¡O cruda osadía! ¡O gran sofrimento! ¡E qué tan cercana estuue de la muerte, si mi mucha astucia no rigiera con el tiempo las velas de la petición! ¡O amenazas de donzella braua! ¡O ayrada donzella! ¡O diablo a quien yo conjuré! ¿Cómo compliste tu palabra en todo lo que te pedí? En cargo te soy. Assí amansaste la cruel hembra con tu poder e diste tan oportuno lugar a mi habla quanto quise, con la absencia de su madre. ¡O vieja Celestina! ¿Vas alegre? Sábete que la meytad está hecha, quando tienen buen principio las cosas. ¡O serpentino azeyte! ¡O blanco filado! ¡Cómo os aparejastes todos en mi fauor! ¡O!, ¡yo rompiera todos mis atamientos hechos e por fazer, ni creyera en yeruas ni piedras ni en palabras! Pues alégrate, vieja, que más sacarás deste pleyto que de quinze virgos que renouaras. ¡O malditas haldas, prolixas e largas, cómo me estoruáys de llegar adonde han de reposar mis nuevas! ¡O buena fortuna, cómo ayudas a los osados, e a los tímidos eres contraria! Nunca huyendo huye la muerte al couarde. ¡O, quántas erraran en lo que yo he acertado! ¿Qué fizieran en tan fuerte estrecho estas nuevas maestras de mi oficio, sino responder algo a Melibea por donde se perdiera quanto yo con buen callar he ganado? Por esto dizen «quien las sabe las tañe», e que es más cierto médico el esperimentado que el letrado, e la esperiencia e escarmiento haze los hombres arteros, e la vieja, como yo, que alce sus haldas al passar del vado, como maestra. ¡Ay cordón, cordón! Yo te faré traer por fuerça, si viuo, a la que no quiso darme su buena habla de grado (Aucto V; vol. I, pp. 193-195).

Notemos ante todo los apóstrofes que aparecen aquí y allá a lo largo del monólogo. «Diablo», «vieja Celestina», «serpentino azeyte», «vieja», «malditas haldas», «buena fortuna», «cordón»: todos ellos son interpelados en esta expresión del gozoso triunfo de Celestina. Además, hay un constante batir de exclamaciones y un subir y bajar del nivel estilístico según que el lenguaje de Celestina se aleje del sentimiento o se acerque a él, según que la razón y la lógica traduzcan el vigor de su pasión o bien sucumban ante ella. La estructura consiste en una alternancia de exclamación y razón, y la expresión va de la aprehensión inicial que siente Celestina al reconocer la presencia de una ayuda sobrenatural, hasta el final, pasando por una confianza cada vez mayor en su osadía y sabiduría. En contraste con los soliloquios más solemnes mencionados antes, este parlamento puede considerarse como expresión del sentimiento, situada en el polo subjetivo del eje dialógico. Junto con otros parlamentos análogos, éste puede compararse con la explosiva protesta de Areusa contra las «señoras»; ninguno de esos pasajes emerge de las circunstancias inmediatas, y todos manifiestan por medio de conatos de exclamaciones y de apóstrofes una reacción sentimental ante esas circunstancias, pese a las diferencias de decoro y de ritmo.

En cuanto a la «Carta a un su amigo» y al Prólogo, no contienen suficiente material textual para un estudio del arte estilístico de Rojas como lo hemos estado llevando a cabo a base de sus diálogos. Por lo demás, ambos imitan los prólogos de Petrarca al *De remediis* (quizá por ese ambiente general de timidez y vacilación que ya notamos en ellos). El origen petrarquista del Prólogo se conoce desde que Menéndez Pelayo se tomó el trabajo de compararlo con el prólogo del segundo libro de los «remedios» contra la adversa fortuna. Pero también la Carta —y esto nunca se ha dicho expresamente— parece haberse inspirado en Petrarca, aunque no en el segundo prólogo al *De remediis*, sino en el primero. Petrarca lo llama *Epistolaris praefatio* y lo dirige a su amigo Azzo da Coreggio nuevamente fortalecido, después de penosos reveses de la fortuna, así como el anónimo amigo de Rojas fue en un tiempo víctima del amor y está ya a salvo de él. En las dos ocasiones el autor propone su libro como armadura intelectual que protegerá al lector contra el amor o la fortuna:

> *Si qua ex me percipi aut sperari potest: ad id maxime respexi: ne armarium evolvere ad omnen hostis suspitionem ac strepitum sit necesse...*
>
> *Quae vero arci praesidet ratio: his omnibus una respondeat: clypeoque et galea suisque artibus et propria vi, sed coelisti magno auxilio circunfrementia hostium tela discutiat...*
>
> *Soli igitur imbecilles ex armati non aequo Marte cum implacabili hoste congredimur...* (F. Petrarcha, *Librorum*, Venecia, 1503; vol. II, f. 289).

Vemos, pues, que cuando habla él mismo, en prosa didáctica o expositiva, Rojas parece no tener ni la osadía, ni la independencia con que sus personajes llevan las cosas a su conclusión definitiva. El prologuista se oculta tras la autoridad y el ejemplo de Petrarca y además menciona a Aristóteles, Plinio y Lucano, aunque éstos no aparecen en el *De remediis*. Como hemos visto, el diálogo casi «se escribe solo», pero la tarea de presentar su propia opinión es arriesgada y necesariamente indecisa. Sin embargo, una comparación detallada de los dos prólogos revelará una serie de rasgos que recuerdan el auténtico arte estilístico que hemos estudiado en estas páginas. El Prólogo de la *Celestina* no por ser imitación es copia servil de Petrarca. Las digresiones y los cambios a menudo producen una visible ruptura con el *genus nobile*, más o menos mantenido en el original. Hay una tendencia al pormenor concreto, a las frases proverbiales y al lenguaje popular, como lo muestran los siguientes ejemplos:

Pues entre los animales ningún género carece de guerra: peces, fieras, aues, serpientes, de lo qual todo, vna especie a otra persigue. El león al lobo, el lobo la cabra, el perro la liebre e, si no paresciesse conseja de tras el fuego, yo llegaría más al cabo esta cuenta. El elefante, animal tan poderoso e fuerte, se espanta e huye de la vista de vn suziuelo ratón e avn de sólo oyrle toma gran temor (vol. I, p. 19).

Quid quod nullum animal bellis vacat? Pisces, ferae, volucres, serpentes, homines, una species aliam exagitat; nulli omnium quies data; leo lupum, lupus canem, canis leporem insequitur... Quorundam vero tam generosa ferocia et tam nobilis fertur elatio ut ursos aprosque fastidiant, inque solos elephantes aut leones dignentur irruere.

Es evidente aquí la ruptura del lenguaje. Se diría que Rojas se dirigiera a nosotros a través de los intersticios de su imitación. Veamos también el delicioso detalle de esa situación imaginada, original de Rojas (y la medida en que cambia el texto):

Las más [aves] biuen de rapina, como halcones e águilas e gauilanes. Hasta los grosseros milanos insultan dentro en nuestras moradas los domésticos pollos e debaxo las alas de sus madres los vienen a caçar (vol. I, pp. 21-22).

Iam qui, oro, alli ulpium doli, qui luporum ululatus, quod murmur, ad causas? quae cornorum miluorumque circa columbarum domus ac pullorum nidos uigilantia, quod inter se, ut perhibent naturale ac aeternum odium? Alter alterius inuadit nidum, effractisque ouis spem prolis interimit... (Castro Guisasola, *Observaciones*, p. 120).

En vez de convertirla en tema de discusión intelectual, Rojas nos comunica la indignación ante esta caza dentro de nuestra propia morada y bajo las alas mismas de la madre.

Finalmente, Rojas impone al texto prolijo y con frecuencia caótico de Petrarca una lógica y una concisión estrictas. El Prólogo de Rojas pasa de la guerra de los elementos y la naturaleza a la del reino animal y luego a la discordia aún mayor que impera en el mundo del hombre. En cuanto a los animales, los separa en mamíferos y reptiles, peces y aves, dedicando un párrafo a cada grupo. Petrarca, en cambio, había presentado muchos de esos ejemplos, sin intentar ordenarlos. Las luchas entre hombres, animales y elementos se siguen una a la otra, a medida que se le van ocurriendo; la imitación las salva de esa dispersión. Así, Rojas reúne el ejemplo del rocho con el del milano, que en el original figuraban en dos pasajes distintos. Ya vimos cómo en el intento de Celestina por inducir a Melibea a la caridad, Rojas se esforzó por completar la lógica, y del mismo modo la compa-

94

ración de los dos prólogos muestra hasta qué punto le preocupaba la cohesión lógica.

(Los versos de arte mayor que preceden a la *Celestina* nos ofrecen aún menos rastros de un arte estilístico original. Se atienen fielmente al esquema establecido por Juan de Mena, aunque son algo menos oscuros y solemnes. Más adelante hemos de considerar algunos aspectos de su contenido. En cuanto a los argumentos, véase el Apéndice II.)

CAPITULO III

EL ARTE DE LA CREACION DE PERSONAJES

Una de las conversaciones más notables de la *Celestina* ocurre en el acto IX, cuando Areusa y Elicia comentan, con perversidad femenina, el aspecto físico de Melibea. Los lectores suelen estar tan influídos por la visión extática de Calisto, que les parecen casi sacrílegas observaciones como ésta: «que assí goze de mí, vnas tetas tiene, para ser donzella, como si tres vezes houiesse parido: no parecen sino dos grandes calabaças...». Así nos recuerda Rojas que hasta las más evidentes valoraciones humanas dependen de un punto de vista, de una perspectiva particular. Estamos camino del *Quijote*, de aquel *Quijote* interpretado por Leo Spitzer como arte «perspectivista». Pero, descartando el humor sardónico y las posibilidades novelísticas de este pasaje, nos queda un problema esencial. ¿Cómo es Melibea? ¿Es fea o hermosa? ¿Cuál es la visión que tiene Rojas de su heroína, y cuál debemos aceptar nosotros: la de Calisto o la de las dos mujerzuelas? Desde luego, la prudencia nos aconseja suponer exageración de ambas partes. Calisto verá a una Melibea mucho más hermosa que la que nosotros veríamos, mientras que Elicia y Areusa sólo verán la fealdad que conviene a sus celos. Pero esta exageración, a su vez, no es más que una suposición nuestra. La última y más profunda verdad es que Melibea no tiene un aspecto físico determinado, y que no hay en la *Celestina* fealdad ni belleza más allá de lo que dicen los personajes. En este mundo dialógico es imposible conocer a Melibea en la tercera persona gramatical, como una «ella» siempre igual a sí misma. Y sería traicionar el arte de Rojas tratar de imaginar un retrato

97

—un cuerpo y un rostro— que no existen ni pueden existir según las tendencias más esenciales de ese arte.

Es preciso insistir en esta falta de visión fija para Melibea y para los demás personajes, porque coincide con lo que ya sabemos del decoro estilístico. Coincide con el hábito de Rojas de no limitar cada personaje al estilo que mejor podría convenirle. Ahora bien, si Celestina y Calisto pueden emplear niveles muy distintos de lenguaje, y si la misma belleza de Melibea es dudosa, ¿hasta qué punto podemos buscar acciones y reacciones características, o sea típicas? En otras palabras, si no existe la tercera persona ni en el estilo ni en los rasgos físicos, ¿existirá en aquella zona más íntima que llamamos «carácter»? Y si no hay carácter, ¿cuál puede ser el arte de Rojas en la «creación de personajes»? Para contestar a estas preguntas fundamentales, fijemos una breve mirada en Calisto y en Celestina, porque justamente ellos han sido objeto de convincentes caracterizaciones críticas. En su artículo sobre «La originalidad de la *Celestina*»[1], María Rosa Lida de Malkiel habla de la gradual y vital evolución de los personajes en la obra; toma como ejemplo la figura de Calisto, el cual, según ella, es «débil», «quejumbroso», «sentimental», «egoísta». Este juicio es acertadísimo, pero podemos preguntarnos en qué medida es Calisto permanente y característicamente antiheroico por el hecho de merecer tales calificativos. Cuando a la puerta de Melibea y en un momento de evidente peligro exclama: «Cierto soy burlado: no era Melibea la que me habló. Bullicio oygo, perdido soy. ¡Pues viua o muera, que no he de yr de aquí!» (Aucto XII; vol II, p. 88), de pronto desempeña plenamente su papel heroico. Lo mismo puede decirse del fatal impulso que lo lleva a defender a Tristán en el acto XIX.

En cuanto a Celestina, bien conocida es la interpretación que de ella hace Ramiro de Maeztu como genio de la sabiduría satánica y hedonista[2]. Sin embargo, dentro de esta caracterización es inexplicable que Celestina, en el fatal acto XII, pueda juzgar tan equivocadamente el estado psicológico de Pármeno y de Sempronio. No podemos sino concluir con María Rosa Lida de Malkiel que,

[1] *La Nación* (Buenos Aires), 16 de enero de 1949.
[2] *En Don Quijote, don Juan y la Celestina*, obra cuya edición más asequible es la de la «Colección Austral». Véase también F. Rauhut, «Das Dämonische in der *Celestina*», en *Festgabe für Karl Vossler*, Munich, 1932, pp. 117-148.

como las criaturas de Cervantes —y como el llamado *homo sapiens*—, las de la *Celestina* observan en su desarrollo una unidad interna, una línea muy clara y, a la vez, variaciones libres, que no impiden conocer un diseño coherente.

Así, Celestina y Calisto, como los hombres de carne y hueso, sólo pueden juzgarse o descubrirse después de verlos en acción y en el diálogo. En estas circunstancias es difícil reconstruir un arte de creación de personajes.

Renunciando, pues, el papel de tercera persona en la creación de personajes (en el sentido que el rey Lear o Edipo encarnan las tres personas gramaticales), volvemos necesariamente al *tú* y al *yo* del diálogo. Y esto nos conduce al verdadero problema del presente ensayo. Si la acción y la reacción sólo pueden explicarse dentro de las circunstancias vitales del momento, si son de hechos imprevisibles, ¿cómo puede Rojas hacerlas humanamente creíbles y concebibles? En otras palabras, ¿cómo pueden crearse vidas ficticias sin carácter permanente? El hecho mismo de formular de este modo la pregunta sugiere ya un método para resolverla: estudiar a los personajes de Rojas *en* y *desde* sus mutuas relaciones dialógicas. Si tenemos razón en decir que el arte de Rojas no permite establecer una definición fija —dramática o novelística— de los personajes, una definición que corresponda a la tercera persona, nada sacaremos con abstraer una «Celestina» o un «Calisto» del diálogo en que viven. Podemos dejar de lado las interpretaciones simbólicas y los retratos estáticos y relacionar a los hablantes con lo que sabemos ya acerca del arte de su lenguaje [3].

El estudio del arte con que Rojas crea vidas humanas en la primera y segunda personas puede llevarse a cabo de dos maneras: observando cada una de las vidas a través de todos sus encuentros dialógicos y, por otra parte,

---

[3] En su gran ensayo sobre el arte de Cervantes («La palabra escrita y el *Quijote*», en *Homenaje a Cervantes, Cuadernos de Ínsula*, Madrid, 1947), Américo Castro habla de una análoga variabilidad de los personajes de la novela: «De acuerdo con la misma ontología vital, don Quijote será alternativamente loco, cuerdo, tonto, payaso, bestia, magnífico orador, firme o vacilante en la conciencia de sí mismo, según sea la situación vital en que se halla articulado» (p. 25). Sin embargo, aun en el *Quijote* este requisito fundamental de las vidas de ficción no es tan radical como en la *Celestina*. La tercera persona existe justamente porque Cervantes «juega» con ella tan eficaz y tan graciosamente; en cambio, en la obra de Rojas la tercera persona, a mi ver, no aparece en absoluto.

considerando el conjunto de los personajes como apretados en un todo artístico gracias al diálogo (tal como la serpiente aprieta a Laocoonte y a sus hijos). Cualquiera de los dos caminos es, por sí mismo, incompleto; centrar en torno a un solo individuo las diferentes situaciones equivale a falsear la radical pluralidad del diálogo, y presentar el grupo de personajes como creación conjunta es desentenderse de la auténtica individualidad de cada uno. Y como no podemos investigar simultáneamente esas dos perspectivas de la vida de la *Celestina* (como tenemos que separarlas por el hecho mismo de que estamos sustituyendo la creación por la crítica) hemos de tener presente que cada una de las perspectivas nos ofrece una visión limitada y torcida. Más adelante, en la conclusión, trataremos de integrarlas en una síntesis más fiel a la obra; juntas, nos permitirán obtener una visión acertada de este aspecto del arte de Rojas.

1. ESQUEMAS DE CARACTERIZACIÓN

Comencemos por considerar el conjunto de personajes en cuanto unidad artística, unidad que supone un mínimo de definición necesaria para relacionar a cada uno de ellos con los demás. Por naturaleza, todo «reparto» de personajes depende de una serie de relaciones fijas: padre-hijo, amo-criado, etc.; se trata no sólo de una lista de nombres de los personajes que integran la obra, sino también de una explicación preliminar de las relaciones existentes entre esos «nombres», base del diálogo y de la acción. Esto, a su vez, requiere cierta medida de definición previa por parte del autor; el mismo Rojas, a pesar de su insistencia en el diálogo, no pudo esquivar esta necesidad. Así, el conjunto de personajes de la *Celestina* puede dividirse de acuerdo con los tres dualismos advertidos por los críticos medievales de Terencio: rico-pobre (aquí entra la división en las «clases sociales» que aparecen en la obra: amos y criados, prostitutas y mujeres respetables); viejo-joven; hombre-mujer. Es posible que en el mundo creado por Rabelais, con esa permanente negativa suya a admitir las limitaciones humanas, la definición previa tenga escasa importancia artística. Pero, como veremos, en la *Celestina* el hecho de que Calisto sea joven y rico y Celestina vieja y pobre es inmensamente signifi-

100

cativo. Así, Rojas convierte la definición más elemental del «reparto» en fundamento mismo de su arte de la caracterización.

En sí mismos, esos elementos sexuales, económicos y temporales de la identidad personal (junto con otros, como el aspecto físico, las relaciones familiares o la ocupación, que se aplican menos al «reparto» que al individuo) parecen demasiado obvias para tener la importancia que les hemos adjudicado. Lo que ocurre es que funcionan de manera muy distinta que en una novela de Zola. A diferencia de la tradicional y perniciosa división en personajes «cortesanos» y «picarescos», estas definiciones de Rojas limitan y condicionan la vida, pero nunca la predeterminan. Por libre que sea el individuo para hablar o reaccionar en una forma adecuada a la situación o al encuentro peculiar del momento, hay ciertas cosas que no puede superar. Celestina tiene que hablar a Calisto o a Melibea o a Sempronio desde su vejez, desde su pobreza y desde su sexo, y nunca deja de hacerlo. Aún más, estas condiciones de la vida, a la vez que limitan negativamente el repertorio de situaciones, dan forma positiva a los sentimientos y razones que las componen. A lo largo de la *Celestina* hay discusiones sobre la vejez y la juventud, sobre la servidumbre y la libertad, sobre las opuestas ventajas de la riqueza y de la pobreza, sobre la naturaleza de los hombres y de las mujeres, discusiones arraigadas en la preocupación que cada individuo siente por sus propias condiciones. Por eso el «reparto» de personajes (que en las primeras ediciones no existe) es algo más que una simple lista añadida a la obra para bien del lector; de hecho, impregna y determina la sustancia misma de la creación. En una obra que se caracteriza por su libertad dialógica y por la ausencia de una caracterización inicial, este mínimo de definiciones previas adquiere especial importancia artística.

Concentremos nuestra atención en una de las características que condicionan a los personajes: la femineidad, que, como todas las demás condiciones (las estudiaremos en el capítulo v), aparece a lo largo de la obra, y por primera vez en el acto primero. A pesar de nuestra actitud ante el problema de la paternidad, no hemos de dividir la obra herméticamente. Muchos de los aspectos del arte de Rojas, si no todos, tienen su germen en el diálogo que él atribuye a su predecesor. Así, en el primer acto las discusiones sobre la condición de las mujeres, a la vez que recuerdan las disputas medievales, son eco de la exacerbada polémica contemporánea en torno al sexo femenino. Sempronio inicia la discusión con un ataque escolástico, basado en autoridades como Aristóteles y San Bernardo y repleto de lugares comunes del tipo de «la imperfección de la flaca muger» o «assí como la materia apetece la forma, así la muger al varón». Es patente el carácter artificial del debate, pues lo que interesa a Sempronio no es disuadir a Calisto de su amor, sino todo lo contrario. No es ésta la intensa argumentación del *yo* al *tú* que vemos en los actos posteriores —choque de dos vidas en el diálogo—, sino más bien la repetición de una discusión tradicional, por el valor que en sí misma puede tener. Sin embargo, en ocasiones solemos encontrar algo así como una expresión de sentimientos personales:

> Semp.—...Huye de sus engaños. ¿Sabes qué facen? Cosa que es difícil entenderlas. No tienen modo, no razón, no intención. Por rigor comiençan el ofrescimiento que de sí quieren hazer. A los que meten por los agujeros denuestan en la calle. Combidan, despiden, llaman, niegan, señalan amor, pronuncian enemiga, ensáñanse presto, apacíguanse luego. Quieren que adeuinen lo que quieren. ¡O qué plaga! ¡O qué enojo! ¡O qué fastío es conferir con ellas, más de aquel breue tiempo que son aparejadas a deleyte! (Aucto I; vol. I, p. 51).

Al debate medieval Sempronio añade, pues, un sentimiento propio y una excepción muy personal («más de aquel breue tiempo...»). Es una serie de amargas exclamaciones basadas en su propia experiencia, en la futura como en la pasada. Unas páginas más adelante lo vemos sospechoso —y con razón— de un rival, pero definitivamente vencido por los talentos femeninos de Celestina y de Elicia. La hipocresía y violencia de ambas logran invalidar su razón de tal manera, que prefiere renunciar al masculino afán de saber la verdad. El tema tradicional de los odiosos engaños de la mujer se ha hecho auténtico, primero gracias al sentimiento y en seguida gracias a una situación dialógica.

En Calisto, desde luego, se da el proceso inverso. Sumergido en el amor por una sola mujer, y en su divinización, se niega a admitir la autoridad del tópico: «¡Ve! Mientras más me dizes e más inconuenientes me pones, más la quiero. No sé qué s'es» (Aucto I; vol. I, p. 51). Sin embargo, y a pesar de partir de un punto de vista tan personal, Calisto acaba por describir a Melibea de acuerdo con la manera medieval de expresar la belleza. Cada rasgo es elogiado por él, con perfección ordenada y típica: «Comienço por los cabellos...» [4]. Si Sempronio principia con un lugar común y termina con un sentimiento y un encuentro, Calisto parte de un encuentro y de un sentimiento para acabar en un lugar común. Su visión de Melibea puede interpretarse por eso como una defensa general de las mujeres; la perfección de su belleza le basta para justificar a su sexo. Así, al ataque aristotélico de Sempronio responde Calisto acertadamente con una negación platónica, y mientras uno de ellos expone su punto de vista, el otro lo refuta cómicamente con la opción contraria. Esta simetría del debate hace pensar que la polémica del siglo xv de la cual se hace eco se basaba en el choque de dos actitudes tradicionales: el escarnio escolástico de las mujeres y la exaltación cortesana no de las mujeres, sino de *la* mujer. En todo caso, parecería que, agotado de este modo el tópico, no se volverá sobre él en el resto de la obra.

Sin embargo, el autor del primer acto no se da por satisfecho. Después de descubrir —quizá a pesar suyo— las relaciones internas entre el debate tópico y el sentimiento personal, cree conveniente incluir otras opiniones masculinas sobre las mujeres. El tercer «hombre» del acto, Pármeno, aún no ha expresado su punto de vista, y cuando, hablando con él, Celestina menciona a Areusa, su reacción es ajena a todo debate o polémica. Sólo da expresión a esa mezcla de deseo personal y de timidez que constituye la sustancia misma de su inexperiencia: «marauillosa cosa es». En seguida alude, en forma un tanto puritana, a la lujuria, al vicio, al pecado, al deleite. Por esa falta de madurez, Pármeno, a diferencia de Sempronio y de Calisto, no considera a las mujeres ni como divinas ni como infrahumanas, sino como un misterio vedado. Su sentimiento no consiste en una aversión racional, ni tampoco en una adoración sin freno; es más bien curiosidad de los sentidos, disimulada por la pedan-

---

[4] Como muchos han observado, la descripción de Melibea coincide con la que hace don Amor de las mujeres deseables. Véanse los comentarios de María Rosa Lida de Malkiel sobre la divulgación y el sentido de este esquema, en sus «Notas para la interpretación, influencia, fuentes y texto del *Libro de buen amor*», en la *Revista de Filología Hispánica*, II, 1940, pp. 105-150.

tería. Vemos, pues, que en el primer acto aquello que comienza por ser una discusión más o menos cómica sobre las mujeres se convierte finalmente en la exposición de tres actitudes posibles ante ellas, de tres variaciones evidentemente deliberadas sobre un tema «sentimental». La existencia de este esquema de tres personajes queda confirmada por la unidad que presentan entre sí sus variedades de sentimiento masculino, unidad que viene a satisfacer el afán estético de lograr una composición estructurada. Para los tres (Sempronio, Calisto y Pármeno), la mujer es aquello que Simone de Beauvoir llama *l'autre*, una creatura distinta y separada del hombre, misteriosa en su irracionalidad, en su divinidad o en su incitación. Sólo existe en la medida en que provoca el deseo del hombre —o su odio—, y no se concibe en cuanto copartícipe en lo que llama Lope «el común camino a la muerte». Por ser un objeto, despierta sentimientos y encarna valores, pero no se piensa en ella como en un sujeto capaz de sentir y de valorar por su propia cuenta. Así, desde el momento en que el debate conceptual y abstracto se relaciona con las vidas individuales, surge de él un nuevo y sugerente esquema.

Fernando de Rojas no quiso limitarse a continuar el esquema que le suministraba el primer acto o ahondar en él. Su arte le llevó a alejarse de las conversaciones *sobre* las mujeres, que no pasan de revelar los sentimientos masculinos; prefirió dar a éstos expresión directa por medio del monólogo o del diálogo. De ahí que complementara el esquema con una serie de nuevas actitudes, no ante las mujeres o «la mujer», sino ante la femineidad; y son las mujeres —los personajes más directamente afectados por esa condición esencial para su vida— quienes expresan esas nuevas actitudes. Es curioso observar que de los tres hombres que con tal convicción habían expresado sus ideas en el primer acto, dos (Sempronio, que se siente fascinado por Melibea, y Pármeno, que comienza a superar su adolescencia después de conocer el amor) cambian radicalmente de posición en los actos siguientes. Las nuevas situaciones pueden modificar los sentimientos; lo que permanece más o menos inalterado es el llamado *sentiment du moi*, y sobre esta base reanuda Rojas el esquema previo. La autenticidad de la dirección dialógica, que va del *yo* al *tú*, hace que las vidas femeninas cobren importancia por lo menos igual a la de

104

los hombres, (cosa que los personajes masculinos del primer acto difícilmente hubieran podido comprender). La femineidad se valora y se siente desde dentro, subjetivamente, y en esto Rojas se aleja aún más del debate original.

Cada una de las cuatro jóvenes, Melibea, Elicia, Areusa y Lucrecia —Celestina, en cierto sentido, ha renunciado a su femineidad— está sentimentalmente preocupada por su condición de mujer. Y cada una de ellas se formula a sí misma, con mayor o menor conciencia, una valoración de su propia vida derivada de este sentimiento. Sirviéndonos de un giro actual, diremos que cada una de ellas parece elaborar un «proyecto de existencia femenina». Ya hemos visto cómo expresa Areusa su preferencia por la vida independiente, preferencia fundada en un profundo rechazo sentimental de las formas legítimas de vida que la sociedad le ofrecía a una mujer de su clase social. Por su parte, Lucrecia, que ha aceptado la servidumbre, se muestra tímidamente envidiosa de los placeres e irresponsabilidades de la prostitución:

> Por cierto, ya se me hauía oluidado mi principal demanda e mensaje con la memoria de esse tan alegre tiempo como has contado, e assí me estuuiera vn año sin comer, escuchándote e pensando en aquella vida buena que aquellas moças gozarían, que me parece e semeja que estó yo agora en ella (Aucto IX; vol. II, p. 50).

Lucrecia no está satisfecha con su propia vida, pero sólo por medio de la imaginación se atreve a buscar otra.

Elicia encarna una tercera posición, que consiste en limitarse deliberadamente a la inmediatez del impulso. Depende totalmente de Celestina (que le resuelve sus dificultades materiales y sociales), y encuentra su respuesta a la femineidad en el eje de violencia y deleite sensual que va determinando su existencia de momento a momento. Cuando Elicia se niega a aceptar los aspectos profesionales de su posición (por ejemplo, la desagradable tarea de remendar virgos), Celestina se da cuenta de que ella no puede ni quiere bastarse a sí misma:

> Cel.—Tú te lo dirás todo. Pobre vejez quieres. ¿Piensas que nunca has de salir de mi lado?
> Elic.—Por Dios, dexemos enojo e al tiempo el consejo. Ayamos mucho plazer. Mientra oy touiéremos de comer, no pensemos en mañana. Tan bien se muere el que mucho allega como el que pobremente viue, e el doctor como el

pastor, e el papa como el sacristán, e el señor como el sieruo, e el de alto linaje como el baxo, e tú con oficio como yo sin ninguno. No hauemos de viuir para siempre. Gozemos e holguemos, que la vejez pocos la veen, e de los que la veen ninguno murió de hambre (Aucto VIII; vol. I, página 262)[5].

Finalmente, tenemos el caso de Melibea. Cuando llega a un punto en que puede echar una ojeada de conjunto sobre toda su vida, rechaza la vida doméstica; esto es, el matrimonio o el amor dentro del espacio y del tiempo, en favor de un amor que, por ser «gloria», necesariamente tiene que darse fuera del espacio y del tiempo: «el amor no admite sino sólo amor por paga»[6]. A diferencia de Elicia, que en cierto sentido es «doméstica» por depender temporalmente de Celestina, Melibea quiere exceder todas las dimensiones con su pasión, con su misma femineidad.

Aquí también hay una unidad fundamental por debajo de estas valoraciones tan variadas. Lo que sucede con las cuatro mujeres es que ninguna de ellas —a diferencia de Celestina, que llega a tener una vocación casi masculina— logra compensar de un modo u otro su imperfección femenina. Los hechos vienen a dar apoyo, en forma mucho más sutil de lo que hubiera sospechado Sempronio, a la frase de Aristóteles que él cita: «¿No as leydo el filósofo, do dize: assí como la materia apetece a la forma, así la muger al varón?». Areusa se empeña en una independencia vacía, y vive atormentada por el deseo de compañía: habla constantemente de sus «vecinas»; está contenta con Pármeno, no sólo en cuanto

---

[5] Este aprovechamiento de los lugares comunes para expresar una valoración personal y auténtica es típico de la *Celestina*, como veremos en el capítulo sobre los temas. La interpolación que sigue al párrafo citado dice así: «*No quiero en este mundo sino día e victo, e parte en parayso. Avnque los ricos tienen mejor aparejo para ganar la gloria que quien poco tiene. No ay ninguno contento, no ay quien diga «harto tengo»; no ay ninguno que no trocasse mi plazer por sus dineros. Dexemos cuydados agenos e* acostémonos, que es hora. *Que más me engordará vn buen sueño sin temor que quanto thesoro ay en Venecia*» (vol. I, páginas 262-263). En este pasaje «mi plazer» y «mi sueño» se convierten en lo que Castro llamaría un «surtidor» vital de las «fontezicas de filosofía» de que se habla en la Carta preliminar.

[6] No hace falta reproducir este famoso pasaje, con su larga enumeración de precedentes clásicos; éstos se citan también con autenticidad sentimental y traen consigo una elevación del estilo adecuada a las circunstancias. El pasaje está en el acto XVI.

amante, sino también por ser una persona con la cual puede hablar acerca de su «mal de la madre»; pide a Elicia que vaya a vivir con ella; y, en fin de cuentas, a pesar de toda su independencia y habilidad para intrigar, cae en las garras de Centurio, rufián que se dedica a explotar a las mujeres de su especie. Del mismo modo, Lucrecia, que nunca sale de la servidumbre ni de los placeres de segunda mano, queda «incompleta» cuando muere Melibea, cuando pierde de ese modo una experiencia de amor que había dado contenido a sus ensoñaciones vagamente sórdidas. Así se explica que trate de abrazar a Calisto (como una aficionada al cine a un actor en una «aparición personal») y que Celestina se la gane con sólo prometerle (haciendo gala de una intuición digna de un agente de publicidad) un remedio para la halitosis. Elicia, con su pervertida domesticidad, es también incompleta si no tiene quien piense por ella, quien sepa sacar provecho de su violencia y de sus placeres. Y cuando se queda sola, ella, como las demás, debe encarar el fracaso de su existencia. Por eso Rojas hace que su reacción ante la muerte de Celestina vaya acompañada de retórica y de lutos: es expresión irónica de su nueva y desamparada «viudez». Finalmente, Melibea pierde su «gloria» al perder a su Calisto, y esto la hace penetrar fatalmente en el tiempo y el espacio que antes había negado[7].

Al comentar la unidad de tal esquema cabe observar que estas mujeres nunca tienen que enfrentarse a una elección moral como la que se presenta a Calisto en el primer acto. La distinción entre la virtud —en la vida casta o en el matrimonio— y el vicio no tiene importancia para ellas. La misma resistencia que Melibea opone en un principio al amor se funda en sentimientos de honor y quizá de miedo, pero no en un principio moral. Es significativo que la posibilidad del matrimonio se le ocurra después de descubrir el amor, no antes. Rojas parece estar diciendo que el hecho de ser mujer no es en sí ni bueno ni malo, sino que es una forma de existencia, encuadrada por un único marco de limitaciones. No es, pues, cosa que deba discutirse o censurarse moralmente desde fuera. En la *Celestina* la femineidad, la vejez y la pobreza son, como ya dijimos, diques intolerables y casi insuperables de la vida consciente, diques comunes a mu-

---

[7] La consecuencia artística y la confirmación de este momento culminante se estudiarán en el capítulo relativo al tema.

chas vidas. Y sobre esta base ha estructurado Rojas el diálogo de sus personajes, asociándolos entre sí por mutuas aunque diversas agonías y valoraciones. En vez de una galería de mujeres virtuosas o viciosas, con papeles prescritos, nos presenta cuatro vidas condicionadas por la femineidad, la cual en todas ellas constituye una especie de imperfección. Este esquema brota del diálogo —de su auténtica expresión del sentimiento—, y no le es impuesto desde fuera. En otras palabras, el arte dialógico de Rojas da lugar a un «reparto», no de personajes, sino de vidas; hace posible una nueva y multivalente estructuración de la vida de acuerdo con sus condiciones fundamentales, una manera radicalmente nueva de crear una significación universal a base de la existencia personal.

Cuando hablamos de una nueva «dirección» creadora, que para Rojas consiste en salir del interior de la vida consciente hacia sus fronteras exteriores comunes (proceso inverso al común en la Edad Media, con sus héroes y santos ejemplares en tercera persona), no debe pensarse que estamos proponiendo una interpretación rigurosamente «existencialista» de la *Celestina*. Es obvio que la existencia humana es la materia prima de toda gran literatura, y que cualquier presentación legítima de la condición humana tiene que ocuparse, en una u otra forma, de la esencia y de la existencia del hombre. En este sentido, toda la literatura occidental, desde Homero hasta nuestros días, es obra de «precursores» del existencialismo. Esto vale para Rojas como vale para Shakespeare, Racine o el Arcipreste de Hita. No queremos, pues, dar de la *Celestina* una interpretación de moda; lo que ocurre es que el arte peculiar de Rojas, que presenta la vida como una continua innovación dialógica dentro de las necesidades corporales y sociales, nos permite emplear ciertos términos y conceptos del pensamiento contemporáneo, que facilitan su comprensión. Como veremos, desde el punto de vista doctrinal, la *Celestina*, mucho más que existencialista en el sentido en que Sartre o Heidegger emplean la palabra, es estoica; pero como su sustancia creadora es el habla viva —o, para invertir la frase, la vida hablada—, el hecho de emplear términos tomados de las filosofías de la vida, de los valores y de la existencia no equivale a traicionar la obra. Sería anacrónico pretender que Rojas fue un precursor del pensamiento del siglo xx, pero por otra parte es evidente que este pensamiento facilita el estudio crítico de su arte.

2. TRAYECTORIAS DE LOS PERSONAJES

Fijar esquemas de vida en la *Celestina* es cosa en cierta medida arbitraria. Del intercambio dialógico general hemos escogido ciertos momentos culminantes en que varias vidas se expresan a sí mismas; lo hemos hecho con el objeto de comentar y comparar sus semejanzas y divergencias. Pero esto sólo fue posible porque partíamos de un supuesto previo —la necesaria existencia de tales esquemas—, porque presumíamos que ese mínimo de definición contenido en el «reparto» no podía sino adquirir nueva importancia artística por el hecho de faltar la tercera persona. Al concluir —y no sin razón— que el arte de Rojas no consiste en disponer los personajes desde fuera, sino en una sutil estructuración de la vida, no nos apoyamos, pues, en el sustrato del diálogo; pero sólo él, en realidad, puede confirmar definitivamente nuestra hipótesis. Así, será menester seguir paso a paso la trayectoria dialógica de un personaje a lo largo de sucesivos encuentros y situaciones. Cada esquema vital se compone de múltiples ramificaciones de vida, no en los momentos culminantes, sino todo el tiempo. Empleando un concepto aristotélico, los «reconocimientos» y catástrofes finales son resultado de una serie de «peripecias», y son éstas las que ahora debemos examinar. En una palabra, abandonaremos la «exposición» de esquemas concluídos para penetrar en el taller dialógico y ver cómo trabaja el artista con la vida.

Para este objeto he escogido un único ejemplo: la vida de Pármeno, entre otras razones porque Rojas trazó su trayectoria en forma sumamente explícita. La primera vez que vemos a Pármeno es en el primer acto, en un diálogo con Calisto que consiste en una descripción de Celestina destinada a preparar su llegada. Es posible, claro está, que los recuerdos, increíblemente detallados, que Pármeno guarda de Celestina y de su nefando establecimiento correspondan a esa evocación total a que suelen dar lugar las experiencias claves de la infancia: «Pero de aquel poco tiempo que la seruí recogía la nueua memoria lo que que la vejez no ha podido quitar». En todo caso, esta pormenorizada enumeración no permite ver claramente ni su *yo* íntimo ni el *tú* íntimo de Calisto. Es un pasaje que a todas luces carece de dirección, que no llena aún los requisitos «dialógicos» que Rojas exigirá más tarde a su obra. Hace falta que Calisto insinúe que Pármeno critica a Celestina por interés personal («Pero ruégote, Parmeno, la embidia de Sempronio, que en esto me sirue e complaze, no ponga impedimento en el remedio de mi vida. Que si para él houo jubón, para ti no faltará sayo») para que Pármeno responda con una proyección total de sí mismo:

> PÁRM.—Quéxome, señor, de la dubda de mi fidelidad e seruicio, por los prometimientos e amonestaciones tuyas. ¿Quándo me viste, señor, embidiar o por ningún interesse ni resabio tu prouecho estorcer? (Aucto I; vol. I, p. 87).

Esta misma visión de sí mismo como sirviente leal y constante reaparece en el pasaje en que Pármeno pone al descubierto la falsedad de lo que dice Celestina frente a la casa de Calisto. Aun hablando aparte, parece lamentar la sumisión de Calisto a Celestina: «Deshecho es, vencido es, caydo es: no es capaz de ninguna redención ni consejo ni esfuerço». En su primera situación dialógica frente a su amo, Pármeno parece ser un hombre prudente y leal, tanto que es Calisto y no él quien hace la comparación con Sempronio.

En su segunda situación, Pármeno se encuentra frente a Celestina, que, como siempre, domina y dirige la conversación. Como todo lector recordará, Celestina comienza con una «defensa e ilustración» del amor y luego, antes de que Pármeno pueda responder en ese nivel, hace descender el decoro de su estilo, que de pronto penetra en capas de la conciencia antes no mencionadas. El encuentro es bien conocido, pero es tan admirable que no puedo menos de reproducirlo:

> CEL.—...y en lo vegetatiuo algunas plantas han este respeto, si sin interposición de otra cosa en poca distancia de tierra están puestas, en que ay determinación de heruolarios e agricultores, ser machos e hembras. ¿Qué dirás a esto, Pármeno? ¡Neciuelo, loquito, angelico, perlica, simplezico! ¿Lobitos en tal gestico? Llégate acá, putico, que no sabes nada del mundo ni de sus deleytes. Mas ¡rauia mala me mate si te llego a mí, avnque vieja! Que la voz tienes ronca, las barbas te apuntas. Mal sosegadilla deues tener la punta de la barriga.

PÁRM.—¡Como cola de alacrán! (Aucto I; vol. I, pp. 95-96).

Esta súbita agresión carnal debilita las defensas intelectuales de Pármeno, que a duras penas logra volver a su antiguo papel de criado leal:

> Calla, madre, no me culpes ni me tengas, avnque moço, por insipiente. Amo a Calisto, porque le deuo fidelidad, por criança, por beneficios, por ser dél honrrado e bien tratado, que es la mayor cadena que el amor del seruidor al seruicio del señor prende, quanto lo contrario aparta. Véole perdido e no ay cosa peor que yr tras desseo sin esperança de buen fin, e especial pensando remediar su hecho tan arduo e difícil con vanos consejos e necias razones de aquel bruto Sempronio, que es pensar sacar aradores a pala e açadón. No lo puedo sufrir. ¡Dígolo e lloro! (Aucto I; vol. I, p. 96).

Aquí el Pármeno de la primera situación logra recobrarse, pero está a punto de llorar, le falta aquella virtuosa serenidad del «castigo» de Calisto. La envidia que, a pesar de sus protestas, siente por Sempronio, acaba por vencer su ya debilitada virtud. Nada falta para que Celestina pueda lanzar su ataque. Este ataque consiste, primeramente, en exponer una serie de argumentos que han de servir a Pármeno para sus futuras reflexiones (sobre las relaciones entre amo y criado, sobre la amistad y sobre la naturaleza del «deleyte»), y luego, después de preparar excusas para su conducta en el futuro, lo tienta directamente con el dinero y el amor de Areusa.

A medida que avanza la discusión, se va haciendo más patente la debilidad e indecisión de Pármeno, como lo revela la pedantería de los argumentos que opone a Celestina. Cuando, por último, dice: «todo me recelo, madre, de recebir dudoso consejo», confesando así su desconcierto, Celestina se da cuenta, con instinto de comerciante, de que bastará retirarse para capturar a Pármeno: «E assí, Pármeno, me despido de ti e deste negocio». Celestina tenía razón: en un aparte Pármeno sucumbe al primer ataque, deliberadamente lanzado por Celestina, e inicia sus reflexiones sobre la amistad aconsejada:

> Ésta ¿qué me aconseja? Paz con Sempronio. La paz no se deue negar: que bien auenturados son los pacíficos, que fijos de Dios serán llamados. Amor no se deue rehuyr. Caridad a los hermanos, interesse pocos le apartan. Pues quiérola complazer e oyr (Aucto I; vol. I, p. 110).

Así, el Pármeno de la segunda situación acaba por reconocer la supremacía de Celestina. Si antes era severo juez de la conducta, ahora resulta ser ignorante «discípulo», que dice a su maestra: «manda, que a tu mandado mi consentimiento se humilla». No es que Pármeno haya dado un paso brusco de la virtud al vicio, sino que han quedado destruídas las defensas de su razón. El doble ataque de Celestina a su conciencia intelectual (de la virtud) y a su conciencia sentimental (del despertar de la carne) lo ha dejado espiritualmente desnudo, incapaz de adoptar una actitud decidida. A eso se debe que en la tercera situación (el breve encuentro de Pármeno con Sempronio al final del acto), cuando Sempronio le pregunta: «¿Pues cómo estamos?», responda: «Como quisieres: avnque estoy espantado». Las palabras de Celestina han dejado al descubierto la adolescente pedantería, timidez, sensualidad y falta de estabilidad afectiva de Pármeno, lo han hecho encallar en una conciencia desnuda y tirada.

Rojas continúa la trayectoria vital de Pármeno repitiendo en el segundo acto la primera situación dialógica, durante un nuevo encuentro con Calisto. Quienes hayan interpretado la sumisión a Celestina como una revelación del carácter verdadero de Pármeno no podrán dejar de sentirse un tanto sorprendidos por esa cuarta aparición del personaje. Porque a primera vista parecería que Pármeno ha recobrado su anterior rectitud. Hasta censura a Calisto de manera aún más cortante que en el primer acto. Debemos tener en cuenta, sin embargo, que como el arte de la caracterización de la *Celestina* es de tipo dialógico y depende sólo de la primera y la segunda personas, todo encuentro de los mismos individuos debe traer consigo argumentos y sentimientos semejantes, si no iguales. Sería imposible que de pronto Pármeno declarara a Calisto que se había equivocado y le aconsejara confiar en Celestina, y sería imposible, entre otras cosas, porque Pármeno sigue siendo el *tú* que creó para sí mismo ante Calisto. Esto nos hace recordar el famoso pasaje en que Unamuno se hace eco de una idea de Oliver Wendell Holmes, afirmando que toda conversación entre dos personas incluye por lo menos a seis hablantes distintos (A tal como se concibe a sí mismo, A tal como lo concibe B, A tal como es desde el punto de vista de Dios, etc.). Pármeno se había presentado a sí mismo como hombre virtuoso, leal, severo, experimentado, y Calisto había aceptado esa caracterización. Aunque Celestina la haya destruído en la segunda situación dialógica, sigue siendo válida para Calisto, que no presenció esa destrucción y que ahora se dirige a Pármeno como esperando la reanudación de su anterior coloquio.

> Tú, Pármeno, ¿qué te parece de lo que oy ha pasado? Mi pena es grande, Melibea alta, Celestina sabia e buena maestra destos negocios. No podemos errar. Tú me la has aprouado con toda tu enemistad. Yo te creo. Que tanta es la fuerça de la verdad, que las lenguas de los enemigos trae a sí (Aucto II; vol. I, p. 119).

Esto hace que Pármeno tenga que responder con palabras de una «segunda persona», que ya no es auténticamente él mismo. Vemos, pues, que aunque en la *Celestina* no hay quizá en el sentido más usual de la palabra, «personajes», Rojas sabe cómo manejar las «caracterizaciones» creadas por el diálogo. A diferencia de lo propuesto por Unamuno, en cada conversación intervienen sólo cuatro personas, una primera y una segunda personas para cada vida, pero Rojas compensa la falta de un punto de vista absoluto confrontando con destreza los puntos de vista de sus personajes.

Aparte del carácter relativamente conservador de la segunda persona, es también probable que Pármeno se aferre a su crítica de Celestina como a una especie de manto capaz de cubrir la nueva desnudez de su ser. El franco ataque a Sempronio, la nueva amargura con que expresa su impresión de Celestina («E lo que más della siento es venir a manos de aquella trotacuentos, después de tres vezes emplumada»), el sarcástico aparte del comienzo, todo ello revela que su virtud carece de una serena autenticidad. La violencia con que habla ahora está condicionada por la destrucción interna que quiere ocultar. Se repite la primera situación, pero, como siempre en la *Celestina*, adaptada a las situaciones que después han tenido lugar. Este hacinamiento de situaciones dialógicas en cada trayectoria vital, esta repetición de escenas que construyen la continua innovación de la vida, salta a la vista como nunca en el monólogo final de Pármeno:

> CAL.—...presto será mi buelta.
> PÁRM.—¡Mas nunca sea! ¡Allá yrás con el diablo! A estos locos dezildes lo que les cumple; no os podrán ver.

¡Por mi ánima, que si agora le diessen vna lançada en el calcañar, que saliessen más sesos que de la cabeça! Pues anda, que a mi cargo que Celestina e Sempronio te espulguen. ¡O desdichado de mí! Por ser leal padezco mal. Otros se ganan por malos; yo me pierdo por bueno. ¡El mundo es tal! Quiero yrme al hilo de la gente, pues a los traydores llaman discretos, a los fieles nescios. Si creyera a Celestina con sus seys dozenas de años a cuestas, no me maltratara Calisto. Mas esto me porná escarmiento d'aquí adelante con él. Que si dixiere «Comamos», yo también; si quisiere derrocar la casa, aprouarlo; se quemar su hazienda, yr por fuego. ¡Destruya, rompa, quiebre, dañe, dé a alcahuetas lo suyo, que mi parte me cabrá, pues dizen: a río buelto ganancia de pescadores! ¡Nunca más perro a molino! (Aucto II; vol. I, pp. 125-126).

Pármeno se encuentra sin posibilidades de seguir considerándose a sí mismo como hombre virtuoso, valoración que había sido antes perfectamente auténtica. Por otra parte no tiene todavía su nuevo punto de apoyo, el «deleyte» que le ha ofrecido Celestina, y esto lo induce a amargas y desesperadas meditaciones. Aquí se ve claramente que la segunda situación se ha impuesto a la primera. Pármeno sigue distinguiendo el bien del mal, pero a esta distinción añade una segunda reflexión: «el mundo es tal». Con eso quiere decir que la lealtad ha pasado de moda. Como Celestina había predicho, Calisto lo ha maltratado. Entonces, ¿por qué seguir siendo víctima de sus principios? Tal parece como si hubiera estado esperando que le dijeran algunas palabras duras (y que lo forzaran a actuar indignamente como «moço d'espuelas») para ver confirmados los argumentos de Celestina y para rechazar definitivamente una actitud que ya no era auténtica en él. En cuanto se ve solo, libre de un encuentro inmediato con Calisto, Pármeno descarta ese *tú* que había estado fingiendo una virtud ya inexistente [8].

Después del segundo acto, Rojas ya no necesita confrontar directamente a Pármeno con su amo, y lo evita con cuidado. Hay ahora tan gran distancia entre Pármeno

---

[8] En la interpolación acentúa Rojas una reflexión que en la *Comedia* sólo aparecía insinuada por la palabra «locos». Pármeno se siente superior a su amo enloquecido; tiene que despreciar a Calisto personalmente, así como tiene que justificar su «traición» socialmente. Esta ruptura personal queda confirmada en las palabras que Pármeno dirige a Calisto al final de la interpolación: «Pues anda... ¡que... te espulguen!» La angustiada desesperación de Pármeno en cuanto *yo* se expresa aquí más directamente que en los razonamientos del texto original.

tal como es para Calisto y Pármeno tal como es para sí mismo, que un tercer encuentro entre ambos personajes sería más penoso que irónicamente revelador [9]. Así, Pármeno sólo vuelve a salir a escena en esa espléndida situación del acto VI, que hace confluir a Calisto, Celestina y los dos criados en un cuarteto de vidas integrado por armonías disonantes y contrapuntos. Pármeno —fuerza es reconocerlo— desempeña en esta reunión el papel menos importante. Su contribución parece relativamente insignificante si se la compara con el triunfo de Celestina, con los apasionados arranques de Calisto y hasta con la curiosidad y fascinación de Sempronio. A pesar de esto, el acto VI reanuda y confirma de manera dialógica la misma desesperación que Pármeno revela al final del segundo acto. En las primeras palabras que cruza con Sempronio se hace manifiesta su falta de rumbo firme y su angustia rabiosa.

> CEL.—...Mi vida diera por menor precio que agora daría este manto raydo e viejo.
> PÁRM.—Tú dirás lo tuyo: entre col e col, lechuga. Sobido has vn escalón; mas adelante te espero a la saya. Todo para ti e no nada de que puedas dar parte. Pelechar quiere la vieja. Tú me sacarás a mí verdadero e a mi amo loco. No le pierdas palabra, Sempronio, e verás cómo no quiere pedir dinero, porque es diuisible.
> SEMP.—Calla, hombre desesperado, que te matará Calisto si te oye (Aucto VI; vol. I, pp. 203-204).

---

[9] En el acto XII, después del evidente éxito de las negociaciones de Celestina, hay un momento en que ambos se enfrentan nuevamente del mismo modo que en la primera situación:

> CAL.—...¿Qué te parece, Pármeno, de la vieja que tú me desalabas? ¿Qué obra ha salido de sus manos? ¿Qué fuera hecha sin ella?
> PÁRM.—Ni yo sentía tu gran pena ni conoscía la gentileza e merescimiento de Melibea, e assí no tengo culpa. Conoscía a Celestina e sus mañas. Auisáuate como a señor; pero ya me parece que es otra. Todas las ha mudado (Aucto XII; vol. II, p. 99).

En este pasaje es evidente que Calisto ya cree que Pármeno habrá cambiado de opinión. Es un momento de triunfo para Calisto, un momento que reanuda la discusión anterior y le pone punto final. Así, Pármeno puede reconocer que ha cambiado de ideas y confesar que se había equivocado sin sacrificar con eso el *tú* anterior, ese *tú* que había surgido de la relación con su amo.

El siguiente comentario de Pármeno no lo muestra perseverante en su oposición, no a Celestina, sino a Sempronio:

> SEMP.—...¿No ternía este hombre sofrimiento para oyr lo que siempre ha deseado?
> PÁRM.—¡E que calle yo, Sempronio! Pues si nuestro amo te oye, tan bien te castigará a ti como a mí.
> SEMP.—¡O, mal fuego te abrase! Que tú fablas en daño de todos e yo a ninguno ofendo. ¡O, intolerable pestilencia e mortal te consuma, rixoso, embidioso, maldito! ¿Toda ésta es la amistad que con Celestina e comigo hauías concertado? ¡Vete de aquí a la mala ventura! (Aucto VI; vol. I, página 207).

En esta cita y en la anterior podemos ver hasta qué punto la idea que Sempronio (y Rojas) tiene de Pármeno corresponde a la nuestra. El mismo Pármeno hace un resumen de su trayectoria vital unas páginas más adelante:

> CAL.—Esso será de cuerpo, madre; pero no de gentileza, no de estado, no de gracia e discreción, no de linaje, no de presunción con merecimiento, no de virtud, no en habla.
> PÁRM.—Ya escurre eslauones el perdido. Ya se desconciertan sus badajadas. Nunca de menos de doze; siempre está hecho relox de mediodía. Cuenta, cuenta, Sempronio, que estás desbauando oyéndole a él locuras e a ella mentiras (Aucto VI; vol. I, p. 210).

En este remanso dentro de la trayectoria vital de Pármeno está implícita, aunque sólo negativamente, cada una de las situaciones precedentes. Hay un vestigio de la antigua lealtad a Calisto en la desconfianza a Celestina. Luego el acatamiento a Celestina se manifiesta como escarnio de Calisto. Y en cuanto a Sempronio, Pármeno nunca ha dejado de sentir repugnancia por su «brutalidad» [10]. Vemos, pues, que una sola frase como la que empieza «Cuenta, cuenta», es capaz de «armonizar» todas las discordias pasadas de Pármeno [11].

---

[10] Esto se había previsto en el primer acto. Al final de él, cuando Pármeno se declara dispuesto a contemporizar con Sempronio, «aunque... espantado», éste responde: «Pues calla, que yo te haré espantar dos tanto», a lo que Pármeno dice: «¡O Dios! No hay pestilencia más eficaz qu'el enemigo de casa para empecer» (Aucto I; vol. I, p. 112). El esfuerzo de Pármeno por hacer las paces nunca llega a su meta; por el contrario, la arrogante respuesta de Sempronio lo destruye todo. Pármeno no está aún en condiciones de hacer amistad con nadie, y mucho menos con Sempronio.

[11] Rojas reconoce a tal punto la necesidad de confirmar esta fase intermedia de la vida de Pármeno, que (además de los diá-

Una vez establecido y resumido el estado de la vida consciente de Pármeno, y después de recordar al lector cómo se manifiesta esa vida consciente al final del segundo acto, Rojas puede continuar la trayectoria. La quinta etapa o situación ocupa la primera mitad del acto VII y es repetición de la segunda (tal como la tercera es repetición de la primera). Una vez más, Pármeno se encuentra frente a Celestina y frente a los mismos argumentos antes aducidos por ella: las ventajas de la amistad, la destrucción de los lazos que unen al criado con el amo y las tentaciones del amor. Sin embargo, ahora como antes sería erróneo identificar las dos situaciones. Así, Rojas desarrolla mucho más las relaciones entre Celestina y Claudina que el autor del primer acto; si antes Celestina se había limitado a decir «que tan puta vieja era tu madre como yo», ahora esa amistad demoníaca constituye (con todo detalle) un arma espiritual para destruir definitivamente a Pármeno [12]. Hace falta que su virtud caiga por tierra para que él pueda resurgir como hombre «renovado».

Más interesante desde nuestro punto de vista es, sin embargo, la plena conciencia que de las situaciones intermedias (actos II y VI) tienen tanto Celestina como Pármeno. Celestina inicia su ofensiva con estas observaciones:

---

logos citados y de otros del mismo acto) hace que hasta Calisto se dé cuenta de lo que le pasa a su criado. Las palabras de Calisto lo retratan gráficamente:

CAL.—Corre; Pármeno, llama a mi sastre...
PÁRM.—¡Assí, assí! A la vieja todo... e a mí que me arrastren...
CAL.—¡De qué gana va el diablo! No ay cierto tan mal seruido hombre como yo, manteniendo moços adeuinos, reçongadores, enemigos de mi bien. ¿Qué vas, vellaco, rezando? Embidioso, ¿qué dizes, que no te entiendo? Ve donde te mando presto e no me enojes... (Aucto VI; vol. I, página 218).

[12] La reacción de Pármeno sólo se expresa aquí en un aparte: «No la medre Dios más a esta vieja que ella me da plazer con estos loores de sus palabras». Pero el dardo ha quedado clavado y, como veremos, será uno de los motivos de la muerte de Celestina. La intención que tuvo Rojas de desarrollar la figura de Claudina, sacando provecho de la breve mención que se hace de ella en el primer acto, queda manifiesta en lo que dice Celestina a Sempronio en el acto III: «...acordéle quién era su madre, por que no menospreciase mi oficio; por que, queriendo de mí dezir mal, tropeçasse primero en ella».

CEL.—Pármeno, hijo, después de las passadas razones no he hauido oportuno tiempo para te dezir e mostrar el mucho amor que te tengo, e asimismo cómo de mi boca todo el mundo ha oydo hasta agora en absencia bien de ti. La razón no es menester repetirla, porque yo te tenía por hijo, a lo menos quasi adotiuo e assí que imitavas a natural; e tú dasme el pago en mi presencia, paresciéndote mal quanto digo, susurrando e murmurando contra mí en presencia de Calisto. Bien pensaua yo que, después que concediste en mi buen consejo, que no hauías de tornarte atrás. Todavía me parece que te quedan reliquias vanas, hablando por antojo más que por razón. Desechas el prouecho por contentar la lengua... (Aucto VII; vol. I, pp. 231-232).

Celestina se da perfecta cuenta de que en el acto VI, Pármeno ya no se empeñaba realmente en contrarrestar sus planes, que sus observaciones eran «reliquias» de la primera situación. La respuesta de Pármeno es igualmente significativa:

Madre, para contigo digo que mi segundo yerro te confiesso e, con perdón de lo passado, quiero que ordenes lo por venir. Pero con Sempronio me paresce que es impossible sostenerse mi amistad. Él es desuariado, yo malsufrido: conciértame essos amigos (Aucto VII; vol. I, p. 234).

La rapidez de esta rendición se debe evidentemente a la falta de defensas. Fue tan hábil el ataque de Celestina en el primer acto, que la segunda agresión tiene resultados inmediatos. La única reserva de Pármeno es Sempronio, cuyas violencias no olvida; pero fuera de esto, puede ahora explicar y reconocer libremente que su actitud no había sido auténtica.

...Que avnque oy veyas que aquello dezía, no era porque me paresciesse mal lo que tú fazías, pero porque veya que le consejaua yo lo cierto e me daua malas gracias. Pero de aquí adelante demos tras él. Faz de las tuyas, que yo callaré. Que ya tropecé en no te creer cerca deste negocio con él (Aucto VII; vol. I, p. 237).

Vemos, pues, que Pármeno da un paso adelante en la acumulación de situaciones vividas. La trayectoria individual es un crecer de la conciencia de situación en situación, y, si se repiten los encuentros anteriores, ello ocurre en forma de una continua renovación del diálogo vivo.

La segunda aparición de Pármeno en ese acto (sexta situación) trae consigo un encuentro totalmente nuevo,

un encuentro que exige de él muy pocas palabras. Su
adolescente timidez frente a Areusa deja poco lugar a la
expresión hablada, y lo vemos, a través de las palabras
de Celestina, preso de cómicas inhibiciones:

> CEL.—...Sube, hijo Pármeno.
> AREU.—¡No suba! ¡Landre me mate! Que me fino de
> empacho, que no le conozco. Siempre houe vergüença dél.
> CEL.—Aquí estoy yo que te la quitaré e cobriré, e hablaré
> por entramos; que otro tan empachado es él.
> PÁRM.—Señora, Dios salue tu graciosa presencia.
> AREU.—Gentilhombre, buena sea tu venida.
> CEL.—Llégate acá, asno. ¿Adónde te vas allá assentar al
> rincón? No seas empachado, que al hombre vergonçoso el
> diablo le traxo a palacio. Oydme entrambos lo que digo...
> (Aucto VII; vol. I, pp. 256-257).

En tan decisiva situación, el hecho de que Pármeno no
participe en el diálogo corresponde a un adecuado oscure-
cimiento de la conciencia por la emoción y la vergüenza.
La conciencia sentimental del momento, por el hecho
mismo de representar sólo un segmento del amor, produce una timidez y un mutismo que nunca vemos en Calisto y Melibea. Desde este punto de vista es interesante
pensar en las razones que pudo tener Rojas para suprimir un largo pasaje de esta escena:

> AREU.—¿Qué te dize esse señor a la oreja? ¿Piensa que
> tengo que fazer nada de lo que pides?
> CEL.—No dize, hija, sino que se huelga mucho con tu
> amistad, porque eres persona tan honrrada e en quien
> qualquier beneficio cabrá bien. [E assimismo que, pues que
> esto por mi intercessión se haze, que él me promete d'aquí
> adelante ser muy amigo de Sempronio e venir en todo lo
> que quisiere contra su amo en un negocio que traemos en-
> tre manos. ¿Es verdad, Pármeno? ¿Prométeslo assí como
> digo?
> PÁRM.—Sí prometo, sin dubda.
> CEL.—Ha, don ruyn, palabra te tengo, a buen tiempo te
> así.] Llégate acá, negligente, vergonçoso, que quiero ver
> para quánto eres, ante que me vaya. Retóçala en esta cama
> (Aucto VII; vol. I, p. 258).

Rojas debió de juzgar que no cuadraba bien con esta escena preocupaciones y palabras heredadas de actos anteriores. La promesa que tiene que dar Pármeno es muy
cómica, pero dentro de su trayectoria vital es de importancia secundaria y en fin de cuentas innecesaria. Pármeno ya había prometido no estorbar los planes de Celestina, y en cuanto a la amistad con Sempronio, se ini-

cia por sí sola en el acto siguiente. En una palabra, el pasaje suprimido es un elemento de la «trama» y tiene justificación cómica, pero es ajeno a la vida de la situación misma. El recato de Areusa, la timidez de Pármeno y la vehemente carnalidad de Celestina se oponen a todo diálogo extraño.

Cuando a la mañana siguiente Pármeno deja a Areusa, se encuentra en un estado de euforia y de plenitud que está en fuerte contraste con su anterior desesperación. De la muda timidez que lo había embargado la noche anterior ha pasado a una serenidad que, como vimos en el ensayo anterior, se expresa en un lenguaje elevado y en una necesidad de diálogo: «Bien me dezía la vieja que de ninguna prosperidad es buena la posesión sin compañía. El plazer no comunicado no es plazer. ¿Quién sentiría esta mi dicha como yo la siento?». Este reconocimiento vital de que el tercer argumento defendido por Celestina en el primer acto (el del «deleyte») era acertado, y la conciencia dialógica del placer, vienen a rematar la trayectoria de Pármeno en cuanto vida independiente, y son a la vez una nueva base de su existencia. La transformación de Pármeno sólo llega a su fin cuando la conciencia y la valoración intelectuales de sí mismo (como hombre virtuoso) son sustituidas por una conciencia y una valoración sentimental: «¿Quién sentiría mi dicha como yo la siento?».

El resultado de esta nueva situación y de su correspondiente estado de cosas es que Pármeno se siente capaz por vez primera de vencer el brutal y sarcástico rencor de Sempronio. Propone que vayan a comer a casa de Celestina, y la respuesta de Sempronio pone el sello a su amistad lo mismo que a la nueva identidad de sus vidas:

> ¡O Dios, e cómo me has alegrado! Franco eres, nunca te faltaré. Como te tengo por hombre, como creo que Dios te ha de hazer bien, todo el enojo que de tus passadas fablas tenía se me ha tornado en amor. No dudo ya tu confederación con nosotros ser la que deue. Abraçarte quiero. Seamos como hermanos, ¡vaya el diablo para ruyn! Sea lo passado qüestión de Sant Juan e assí paz para todo el año. Que las yras de los amigos siempre suelen ser reintegración del amor. Comamos e holguemos, que nuestro amo ayunará por todos (Aucto VIII; vol. II, p. 16).

Como lo predice este pasaje, de aquí en adelante la trayectoria de Pármeno coincide totalmente con la de Sempronio; ni siquiera en la muerte se separan. Por ejemplo, es curioso observar cuán poca parte cabe a Pármeno en el diálogo que sigue a esta situación culminante. En la escena del banquete (acto IX) apenas abre la boca; en el acto XI, que reúne nuevamente las vidas del acto VI, las murmuraciones de Pármeno son pálido reflejo de aquellas que tanto habían irritado a Sempronio; y en la primera cita de los dos amantes él y Sempronio se entregan a un dúo de cobardía, cómico por la identidad misma de sus temores. Es cierto que en esta última situación el alivio que siente Pármeno después de eludir la peligrosa tarea de acercarse a la puerta se expresa en forma tanto más exaltada cuando mayor es su inexperiencia, y también es evidente, por ser nuevo en materia de picardías, se pliega continuamente a las órdenes de Sempronio. Rojas ya no se interesa por él como personaje autónomo; ya sólo sirve de medio para bergsonianas repeticiones de gestos, como podemos ver en este pasaje:

> PÁRM.—...¡O, si me viesses, hermano, como estó, plazer haurías! A medio lado, abiertas las piernas, el pie ysquierdo adelante puesto en huyda, las faldas en la cinta, la adarga arrollada e so el sobaco, por que no me empache. ¡Que, por Dios, que creo corriesse como vn gamo, según el temos tengo d'estar aquí!
>
> SEMP.—Mejor estó yo, que tengo liado el broquel e el espada con las correas, por que no se me caygan al correr, e el caxquete en la capilla (Aucto XII; vol. II, p. 95).

En efecto, Pármeno se ha convertido en mera copia de Sempronio, en una reproducción que ya no puede servir de guía para estudiar el arte de Rojas. Casi es simbólico que sus últimas palabras a Sempronio sean «Salta, que tras ti voy»[13].

---

[13] Rojas es, desde luego, un artista demasiado escrupuloso y coherente para dejar que el papel de Pármeno (o el de cualquier otro personaje) degenere completamente en reproducción caricaturesca. De ahí que todas las intervenciones de Pármeno en el diálogo, a partir de ese momento, se refieran necesariamente a situaciones pasadas. Así, la única situación del acto XI repite, con otras palabras, la del acto VI. Como vimos, en idénticas circunstancias dialógicas no puede dejar de repetirse, en cierta medida, el mismo diálogo. Es significativo lo que ocurre en la escena de la muerte de Celestina (acto XII). Ella comete el error de decir a Pármeno:

> CEL.—E tú, Pármeno, no pienses que soy tu catiua por saber mis secretos e mi passada vida e los casos que nos

Echando una ojeada retrospectiva a la «biografía» de Pármeno, veremos ante todo que confirma lo que hemos dicho antes: no hay una caracterización basada en la tercera persona. La vida de Pármeno, lo mismo que los «esquemas de caracterización», nos revela que, en efecto, el *tú* y el *yo* que concurren en cada situación son responsables de cuanto ocurre y de cuanto se dice. En vez de caracterizaciones fijas, que encaucen el diálogo a priori, lo que vemos es una «evolución» de la vida hablada a través de sucesivas situaciones vitales. Comprender esto equivale a lograr una nueva comprensión del arte de Rojas. Este se consagra —y no puede menos que consagrarse— a la presentación de cada una de las vidas como trayectoria significativa y fácilmente perceptible. Rojas no sólo es, pues, creador de sus personajes, sino más aún, director, hábil *metteur en scène* de sus vidas.

Como hemos visto, la dirección artística de Rojas se realiza de dos maneras: en primer lugar con repeticiones deliberadas, en segundo con innovaciones igualmente deliberadas. Con intención plenamente artística, Rojas reúne de cuando en cuando a los mismos hablantes (Pármeno y Calisto en los actos I y II, Pármeno y Celestina en los actos I y VII; Pármeno, Sempronio, Celestina y Calisto en los actos VI y XI), a fin de poner de manifiesto la estabilidad de sus relaciones mutuas y a la vez el profundo dinamismo de su vida interna. Sabe crear un equilibrio entre el carácter relativamente conservador de la segunda persona y el continuo y libre crecimiento de la primera en la experiencia. Así, la situación repetida constituye una señal que indica la dirección de cada trayecto-

acaescieron a mí e a la desdichada de tu madre. E avn assí me trataua ella, quando Dios quería.
PÁRM.—No me hinches las narizes con essas memorias; si no, embiart'é con nueuas a ella, donde mejor te puedas quexar (Aucto XII; vol. II, p. 102).

La desesperación de Pármeno parece volver con toda su fuerza cuando Celestina menciona los medios con que logró su destrucción espiritual, y él es el primero que la golpea. Pero al mismo tiempo —y esto es lo que hemos tratado de demostrar— Pármeno no ha tenido un nuevo crecimiento vital, un nuevo proceso que lo haga digno de que Rojas concentre en él su atención de artista. Le concede sólo unas cuantas líneas, y se sirve de él para subrayar con cómicas repeticiones la cobardía y el cinismo de Sempronio. El verdadero final de esa importante trayectoria ocurre en el acto VIII. Después de él sólo aparece alguna reminiscencia casual.

ria. En otras ocasiones, Rojas hace que las vidas penetren en una situación totalmente nueva, y entonces podemos observar cómo surgen las innovaciones de conducta y de lenguaje en su forma inmediata, «dialógica». Rojas se vale, pues, de una especial disposición de las situaciones para organizar la vida dentro de esas trayectorias que sustituyen la caracterización y que integran en fin de cuentas los «esquemas» arriba estudiados. Así como lo que dirige el estilo del diálogo es su propio decoro, así las vidas individuales de la *Celestina* se organizan a sí mismas (o parecen organizarse), primero en un crecimiento dialógico, y en seguida, a través de situaciones repetidas o divergentes, en trayectorias significativas, que sólo se descubren plenamente *después* de leída la obra; ninguna de ellas está prefigurada, y por lo tanto, ninguna es predecible.

Este arte de crear la vida prescindiendo de la «caracterización» parecería basarse en la doctrina de Bergson según la cual «la vida se hace viviendo». El crecimiento y las transformaciones del individuo a través de sucesivas situaciones, crecimiento que combina la presencia viva de situaciones pasadas con una incesante originalidad en el diálogo de cada momento, corresponde asombrosamente al concepto bergsoniano de la «evolución creadora». En vez de atenerse a un plan previamente establecido, cada vida de la *Celestina* se va construyendo o «creando», y al mismo tiempo nunca llega a desprenderse de las pasadas creaciones de sí misma; tiene que llevar a término, en forma original, el recorrido que quedó iniciado en el primer acto. Nuestro estudio de Pármeno confirma este hecho, pues cuando, como en su caso, la vida individual deja de «crearse a sí misma», Rojas pierde todo interés por ella. Después del acto VIII, Pármeno se limita a repetirse a sí mismo y a imitar «mecánicamente» a Sempronio, imitación que corresponde al concepto antivital del humor que encontramos descrito en *Le rire*. Un ejemplo complementario es el de Calisto y Melibea, que en la *Comedia* no llegan al término de su trayectoria antes del final de su vida. El camino se interrumpe en medio de su «proceso de amores»; de ahí la *Tragicomedia*, dedicada a completar esa trayectoria antes de que sucumban los protagonistas. Sin embargo, por ilustradora que sea la comparación con Bergson, no deja de ser inexacta: la materia prima con que trabaja Rojas no es la vida como tal, sino la vida hablada, vida de mutuos encuentros por la palabra. Las trayectorias vitales no son, después de todo, sino abstracciones; dentro de la *Celestina* es quizá más exacto decir que Melibea y Calisto no llegan a decirse todo lo que podrían haberse dicho en la *Comedia* [14].

3. MODALIDADES DEL CARÁCTER

Los dos caminos que hemos seguido para determinar el arte de Rojas en la creación de los personajes han tenido por resultado el falseamiento que habíamos previsto. Los esquemas derivados del conjunto de los personajes, si bien reflejan la «mutualidad» dialógica de la vida en la *Celestina*, la abstraen de la situación concreta. Y al trazar una vida individual, tal como se va presentando de situación en situación, establecemos una trayectoria que es en sí misma una abstracción, que no puede darse independientemente dentro de una creación basada de manera fundamental en el diálogo. Cuando examinamos los esquemas parecía como si Rojas se hubiera interesado ante todo en un conjunto de conciencias humanas dedicadas a valorarse a sí mismas de acuerdo con los demás personajes y con sus limitaciones vitales y nuestro estudio de las trayectorias nos mostró como arquitecto de la vida, que encontraba las situaciones más capaces de ilustrar el crecimiento individual. Ambos puntos de vista son válidos; tanto Sartre como Bergson pueden aclarar en cierta medida el arte de Rojas; pero al mismo tiempo ninguno de los dos puede explicarlo ni sugerir plenamente

[14] A propósito de nuestro aprovechamiento de ideas bergsonianas para la comprensión del arte de Rojas, es interesante recordar la cita inicial de Heráclito. Aunque es evidente que Petrarca fue la fuente intermedia, Heráclito seguía siendo el pensador que más concordaba con las intuiciones que el propio Rojas tenía de la vida. (Lo ha visto bien Américo Castro en su comparación de la *Celestina* con el *Quijote;* véase el artículo citado en la nota 3.) Recientemente Eduardo Nicol ha tratado de responder a las protestas de Bergson contra quienes relacionaban su pensamiento con el de Heráclito: «Cuando Bergson protesta de que su filosofía se confunda con la de Heráclito, revela que dejó pasar inadvertida la significación profunda del pensamiento heraclitea-no, la que precisamente justifica su actualidad ante el problema del ser y el tiempo. Pues todo el esfuerzo de Heráclito tendió a buscar en lo cambiante mismo el principio de su cambio...» (*Historicismo y existencialismo*, México, 1950, pp. 35-36).

su originalidad. Hay que tratar de combinar ambas cosas en una nueva síntesis que permita captar el carácter peculiar de los habitantes de la *Celestina*, la manera de ser que hace posible su estancia en esta obra extraordinaria. Para hacerlo tendremos que apartarnos de la antropología y de la biografía literarias y emprender una excursión por la psicología literaria.

Esta excursión exige que, antes de comenzar, reconozcamos un hecho muy simple: que no podemos saber de la «psicología» de los personajes más que lo que ellos mismos están dispuestos a revelarnos. Es imposible elaborar un retrato de Melibea reuniendo las contradictorias descripciones de Areusa y Calisto (o aun escogiendo una de ellas); tampoco podemos aspirar a hacer un análisis del carácter independiente de la primera y la segunda persona. Es anacrónico hacer interpretaciones freudianas de la locura de don Quijote, pero en el caso de una obra como la *Celestina*, en que no aparece para nada la tercera persona, esa interpretación no sólo sería anacrónica, sino fatal. En otras palabras, una psicología limitada por definición a la primera y a la segunda personas tiene que ser necesariamente una psicología de la conciencia. Aunque yo mismo he pecado alguna vez en este sentido [15], la pretensión de llegar a un posible conocimiento de la vida subsconsciente de los personajes está en contradicción con la naturaleza del arte que aquí estudiamos. Al concentrarse en el subconsciente, los psicólogos efectúan en tercera persona una investigación de la vida tan rigurosa como la realizada por los anatomistas del carácter. Y si para la *Celestina* rechazamos a los segundos, debemos rechazar también a los primeros. Lo que hemos de hacer es atenernos a lo que los personajes se dicen uno a otro, a lo que pueden pensar y sentir en palabras. Vossler ha llamado la atención sobre el «humanismo» de Racine, patente en su absoluta confianza artística en las palabras; de manera más radical, cabría decir lo mismo de Rojas. Lo que no se expresa en el texto simplemente no existe.

Por fortuna, los personajes de la *Celestina* captan per-

---

[15] En mi artículo «Tiempo y género literario en la *Celestina*», publicado en la *Revista de Filología Hispánica*, 1945, pp. 147-159. En el capítulo relativo a los temas examinaremos el peculiar fenómeno de las dos corrientes de tiempo que hay en la obra, fenómeno que me llevó a pensar que Calisto y Melibea tenían una vida subconsciente.

fectamente una serie de matices inherentes a los cambios psicológicos, matices que en otras obras quedan a cargo del omnisciente narrador, o que el lector tiene que leer entre líneas. Recordemos, por ejemplo, el agudo análisis que hace Celestina de los rencorosos apartes de Pármeno en el acto VI: «...te quedan reliquias vanas, hablando por antojo más que por razón», y recordemos la confirmación igualmente convincente de este análisis en boca de Pármeno: «... veya que le consejaua lo cierto y me daua malas gracias». Más inesperadamente consciente es aún la conocida explicación que Melibea da a Calisto de la repentina «cristalización» de su amor: «E avnque muchos días he pugnado por dissimular, no he podido tanto que, en tornándome aquella muger tu dulce nombre a la memoria, no descubriesses mi deseo...». No hay profunda acumulación de fuerzas en el subconsciente, sino que Melibea se da perfecta cuenta de la intensificación de sus sentimientos y de que el solo nombre de Calisto basta para darles salida. Además del amor, como presencia consciente, aparece también el apetito carnal. Cuando en el primer acto Celestina menciona de pronto la incipiente y vigorosa sexualidad de Pármeno («Que la voz tienes ronca, las barbas te apuntan. Mal sosegadilla deues tener la punta de la barriga»), su respuesta inmediata («¡Como cola de alacrán») es tan franca como la observación que la ha provocado. Pese a su pretendida virtud, Pármeno no se esfuerza por ocultar o sublimar ese aspecto de su vida; si Melibea es consciente de su amor, Pármeno lo es de su sexualidad. En la *Celestina* todo se dice porque todo puede decirse. Empleando un término y un concepto de Américo Castro, el «integralismo» del arte de Rojas hace que se puedan incluir en el diálogo todos los niveles de la vida humana; sería por eso imposible hacer un corte vertical de la psique. Debemos aceptar el hecho de que en la *Celestina* ni la delicadeza ni la vergüenza (recordemos, además de la franqueza sexual, la plena conciencia que Pármeno y Sempronio tienen de su propia cobardía en el acto XII) pueden poner freno a la conciencia verbal [16].

---

[16] Otra cosa que confirma la necesidad de una «psicología» de la conciencia es la escasez de sueños en una obra en que el amor desempeña un papel tan importante. Es cierto que en el acto VI Calisto dice: «En sueños la veo tantas noches...», pero la misma sencillez de esta visión onírica no hace más que confirmar nuestra observación.

Si nuestro punto de partida es la conciencia humana, es evidente que en ella hemos de hallar también el eje de los esquemas de caracterización y de las trayectorias que ya hemos estudiado. Sin embargo, en ambos casos parece difícil esa derivación. Como vimos, en la *Celestina* los esquemas de vida no sólo descansan en la conciencia de las condiciones físicas y sociales, sino también en las reacciones sentimentales que producen. Del mismo modo, por el hecho de ser producto de cada situación, las trayectorias parecerían depender de la participación en niveles de vida no incluidos en la frase «pienso, luego soy». O sea, para que pueda darse un esquema o una trayectoria hace falta que la conciencia se relacione con aspectos de la vida ajenos a ella. El rival tradicional de la razón es la pasión; si concebimos la conciencia como categoría racional, resultará que en la *Celestina* se produce justamente el dualismo razón-pasión, y éste parece eliminar una psicología basada exclusivamente en uno de los dos elementos. Descartada, pues, la posibilidad de una caracterización basada en la tercera persona, nos encontramos frente a algo que se le parece mucho: una zona de pasión inconsciente y arrolladora, conocida sólo por nosotros y por el autor, no por la mente y el discurso de quienes tienen que luchar con ella. El oscuro oleaje que se agita tras el espíritu de Fedra, su desvalida conciencia de que el amor está deformando su visión de las cosas, parece ser el modelo del crecimiento y del contrapunto de la vida de la *Celestina*   .

Pero en el momento mismo de llegar a esta conclusión sabemos intuitivamente que es falsa, que el arte de la caracterización es por completo distinto en Rojas y en Racine. El error parece deberse a que estamos aceptando sin más un concepto demasiado limitado, demasiado francés, de la conciencia (si es que admitimos la acostumbrada identificación del pensamiento cartesiano con la mentalidad francesa). Debemos partir del hecho de que en la *Celestina* hay, al lado de la conciencia racional, una conciencia sentimental del tipo de la expuesta por Scheler y Heidegger. Al hablar del deleite, Celestina misma explica a Pármeno con palabras vivas y convincentes, la importancia de esa conciencia:

> ...El deleyte es con los amigos en las cosas sensuales, e especial en recontar las cosas de amores e comunicarlas: esto hize, esto otro me dixo, tal donayre passamos, de tal

manera la tomé, assí la besé, assí me mordió, assí la abracé, assí se allegó. ¡O, qué fabla! ¡O, qué gracia! ¡O, qué juegos! ¡O, qué besos! Vamos allá, boluamos acá, ande la música, pintemos los motes, cantemos canciones, inuenciones, justemos, qué cimera sacaremos o qué letra. Ya va a la missa, mañana saldrá, rondemos su calle, mira su carta, vamos de noche, tenme el escala, aguarda a la puerta. ¿Cómo te fué? Cata el cornudo, sola la dexa. Dale otra buelta, tornemos allá. E para esto, Pármeno, ¿ay deleyte sin compañía? Alahé, alahé: la que las sabe las tañe. Éste es el deleyte; que lo ál, mejor lo fazen los asnos en el prado (Aucto I; vol. I, pp. 107-108).

Este «deleite» de Celestina es algo muy distinto de la ciega pasión sensual. No es ninguna fuerza oscura contraria a la conciencia. Si resumimos todo lo dicho por Celestina en la palabra «compañía», podremos apreciar plenamente la distinción que ella ve entre la vida consciente y dialogada de los hombres y la vida instintiva de las bestias, entre sentimiento y pasión. Al encontrar después la confirmación vital de esta doctrina, Pármeno la repite con una pregunta dirigida al vacío: «¿Quién sentiría esta mi dicha como yo la siento?». En efecto, en la *Celestina* no encontramos pasiones racinianas ni instintos freudianos opuestos a la razón, sino más bien una serie de sentimientos: amor, «deleyte», temor, angustia, odio y muchos más. Y todos ellos constituyen una conciencia tan real como la conciencia racional. Como diría Heidegger, las vidas creadas por Rojas no sólo «sienten», sino que también «se sienten a sí mismos».

Juan David García Bacca, a cuyo espléndido artículo «Sobre el sentido de 'conciencia' en *La Celestina*» [17] debo en parte las presentes consideraciones, llega a decir que no hay en la obra más conciencia que la sentimental, al menos en lo tocante a la figura de Celestina. Refiriéndose ante todo a la frase de Celestina «assí goze desta alma pecadora» (acto IV), García Bacca insinúa que ese «goce» pecaminoso es el principal descubrimiento sentimental de Rojas [18]. Sea como fuere, en conjunto, el arte de la

---

[17] *Revista de Guatemala*, 1945.

[18] Reproducimos a continuación los pasajes más importantes del ensayo de García Bacca a fin de justificar nuestras reservas. La *Celestina* le interesa sobre todo como ejemplo de la «conciencia hispánica», no como obra de arte. «La conciencia real de verdad es la conciencia sentimental, y sería más correcto decir que *conciencia es sentimiento*, porque sentimiento es esencialmente un *sentirse*» [se remite a su estudio sobre Heidegger]. «El instinto filosófico español, el del pueblo... inventó esas maravillo-

Celestina exige la presencia de ambas formas de conciencia y su íntima convivencia. Por una parte, Pármeno se observa a sí mismo intelectualmente y trata de adaptar su vida a esquemas tan generales como lo es el del «criado virtuoso», y por otra parte se va sintiendo a sí mismo sentimentalmente de situación en situación, de acuerdo con su angustia, su odio, su deleite o su temor. Hay, como hemos visto, un continuo esfuerzo por convertir el sentimiento en una actitud razonable y justificable y por hacer que la generalización intelectual corresponda a la radical autonomía del sentimiento. Y esto no sólo ocurre con Pármeno: cada una de las vidas de la *Celestina* sostiene un debate análogo de la conciencia, racionalizando el sen-

sas frases de la *Celestina,* que son todo un programa de *conciencia real,* de criterio metafísico para saber *cuándo somos* y *cuánto somos.* Porque... el sentimiento, y cada sentimiento a su manera y grado, no solamente nos hace *notar* que somos reales, sino nos hace *estar siendo* reales, y siéndolo y notándolo en nosotros, para nosotros mismos.» [Aquí se insinúa que la fórmula para crear vidas literarias más «reales» que las del creador o autor consiste precisamente en la expresión adecuada de los sentimientos.] «Unamuno, tan español, sostendrá que no es precisamente el sentimiento del *goce* el que nos haga *sentirnos* y *ser más reales,* sino el sentimiento de *agonía,* el *sentimiento trágico* de la vida...» «Es claro que, radicalmente, tan español es Unamuno como Celestina, pues para ambos, sin gazmoñerías ni falsos recatos, conciencia es *conciencia sentimental,* hombre es ser que se siente y existe sintiéndose; porque se siente y en la medida que se siente. No existe en rigor *conciencia* intelectual; y los intentos históricos que se han hecho ciertamente para darle la supremacía en el hombre han sido en detrimento de su realidad misma, que nunca el hombre se nota menos hombre que cuando discurre, intuye ideas, hace ciencia abstracta.» «Celestina suelta a continuación otra frase de malicia metafísica infinitamente mayor que la primera [la primera era «así goze de mí»]: *así goce yo de esta alma pecadora.* ¿Cuál es el valor metafísico, en qué grado nos hacen *ser reales* y *sentirnos reales* los goces pecaminosos del alma?»

García Bacca no llega a contestar tan interesante pregunta; en cambio termina citando unos versos de Baudelaire que le parecen contener una idea análoga *(Les fleurs du mal:* «L'irrémediable»).

> *Un phare ironique, infernale,*
> *flambeau des grâces sataniques,*
> *soulagement et gloires uniques,*
> *la conscience dans le mal.*

Fue necesario citar tantos pasajes de este artículo porque, a pesar de que no se ocupa fundamentalmente de la *Celestina* en cuanto obra de arte, nos ha sugerido muchas ideas. García Bacca no desarrolla la interpretación de los problemas que a nosotros nos preocupan; sólo la insinúa.

129

timiento y «sentimentalizando» la razón. En sus dos monólogos, Calisto se tambalea impotente entre una conciencia de sí mismo como amo y caballero de honor y la conciencia de sí mismo como hombre enamorado. Elicia expresa su indignación sentimental y su sensualidad empleando los más trillados lugares comunes; y la misma Celestina, antes de ir a ver a Melibea por primera vez, vacila entre la sensación de miedo y el concepto «vocacional» que tiene de sí misma como alcahueta. Admitimos que estas simplificaciones escorzan el arte de Rojas, puesto que en el agónico enlace de las dos conciencias hay frecuente transposición de los términos de una a la otra: la razonada virtud de Pármeno, por ejemplo, se prolonga después del acto VIII bajo una forma de un odio a Celestina. A pesar de esto, el lector de la *Celestina* no podrá menos de reconocer la validez de la caracterización de Fernando de Rojas de acuerdo con lo que es: un arte de la vida consciente.

El pleno significado de esta fusión de la conciencia sentimental con la racional quedará claro en cuanto la relacionemos con la primacía del diálogo, a la cual, en último término, debe su origen. En este sentido, la conciencia sentimental puede identificarse con la conciencia en primera persona, mientras que la conciencia racional es propia de la segunda persona. Como cada individuo sólo vive gracias al diálogo, en parte se ve a sí mismo como los demás lo ven o como él imagina que lo ven. De acuerdo con las condiciones de su vida —joven o viejo, amo o criado, hombre o mujer, etc.— trata de incorporarse a una clasificación «social» y de concebirse a sí mismo dentro de esa clasificación. El estilo de la discusión, con su lógica superficial y sus lugares comunes muy siglo xv, se conforma a lo largo de la obra con esa segunda persona, con ese tú. Por otra parte, el mismo individuo «se siente a sí mismo», más o menos simultáneamente, como un *yo*, y expresa esa sensación en un estilo que hemos llamado «sentimental». De acuerdo con la descripción que de las ideas de Heidegger hace García Bacca, sólo así el individuo se hace «real» y «auténtico». En contraste con las creaciones de Racine, llevadas por un destino de pasión que es ajeno al *yo* y a la conciencia, estas vidas *son* sus sentimientos, tanto como *son* sus pensamientos, o más. Por eso el diálogo no sólo expresa la vida consciente, sino también se divide en dos estilos que expresan las dos modalidades de conciencia —la primera y la segunda personas de ese mismo diálogo. El *tú* y el *yo*, además de tener una función gramatical, representan respectivamente una manera trascendente o inmanente, racional o sentimental de ser consciente. Si dejamos de reconocer ese dualismo dialógico que constituye el requisito psicológico para que un personaje resida en la *Celestina*, inevitablemente falsearemos el arte de la caracterización propio de Rojas.

Una vez expuesta esta teoría, podemos volver a los esquemas y trayectorias que, como dijimos, dan cohesión artística a la vida dentro de la *Celestina*, a pesar de la ausencia de la tercera persona. Y la explicación de esos esquemas y trayectorias es justamente la que ha de corroborar la teoría, pues ambos son testimonio del texto mismo. En el caso de Pármeno, lo que hemos llamado su trayectoria es evidentemente una secuencia dialógica de autorretratos intelectuales. Celestina inició ese proceso al estimular la incipiente conciencia sentimental de Pármeno y al proporcionarle temas para futuras reflexiones. Después de esto podemos observar, de situación en situación, cómo la transformación de Pármeno adopta la forma de una desesperada discordancia entre sus dos conciencias, hasta el momento en que, en el acto VIII, su plenitud sentimental detiene el proceso. La razón ha quedado subordinada al sentimiento. Aunque otras trayectorias no se siguen con tanto detalle, en la medida en que cada vida reacciona de manera diferente en distintas situaciones las dos modalidades de la conciencia tienen que modificar la actuación de los personajes. Cada persona y cada frase de la *Celestina* tiene su trayectoria propia, cuando menos en potencia.

En cuanto a los esquemas, dependen de momentos de plenitud consciente, momentos en que el *yo* y el *tú* de determinada vida tienen un máximo de conciencia mutua. En esos casos el intelecto percibe con mayor agudeza las condiciones particulares que lo limitan; esto a su vez despierta un profundo «sentimiento del *yo*» y finalmente una declaración más o menos razonada de tales condiciones. El exaltado pasaje de Areusa sobre la libertad, con su conciencia inicial de la femineidad (la comparación con Lucrecia), con sus explosiones sentimentales (evocación imaginativa de la vida independiente y de la maldad de las amas) y, por último, con la recapitulación final, que

131

constituye una visión total de su propia vida («Por esto, madre, he querido vivir...»), es probablemente la mejor ilustración de ese tipo de momentos de plenitud. Luego, dado el hecho de que otros personajes se encaran con las mismas condiciones, los esquemas resultan casi sin quererlo el autor. Es decir, aunque las trayectorias dependen de la cambiante oposición de conciencia sentimental y conciencia racional, del *tú* y del *yo* del mismo personaje, el oposición o conflicto no es inevitable. Hay también momentos de profunda y auténtica colaboración entre las dos modalidades, y en ellos descansan los «esquemas de caracterización». Como el arte de Rojas brota del dualismo dialógico, cada una de sus dos formas posibles —antagonismo y colaboración— da lugar a una disposición artística particular

Cosa paradójica, esta ausencia de la tercera persona, da a la *Celestina* una calidad ejemplar. Solemos pensar que los personajes ejemplares de la literatura están ligados, casi por definición, a la tercera persona. Cuando hablan lo hacen en una forma rígida y representativa. Por eso podría parecer que Pármeno y Sempronio, Calisto y Melibea, Areusa y Elicia, lo mismo que los demás personajes constituyen el polo opuesto de las figuras ejemplares. Si, como hemos dicho, sólo se representan a sí mismos, ¿cómo pueden tener una significación que sobrepase las reducidas fronteras de los pensamientos y sentimientos expresados en el diálogo? Es ésta una cuestión decisiva, que se relaciona no sólo con el descubrimiento de la técnica de creación, sino también con el valor de esa técnica. Porque todo arte que aspire a la grandeza debe superar la verosimilitud y la «imitación», para llegar a connotaciones humanas fundamentales. No podremos dar una respuesta definitiva mientras no examinemos el arte del tema; baste por ahora notar que el hecho de que Rojas se limitara al *tú* y al *yo* da a la vida consciente de la *Celestina* un carácter ejemplar. Así como Berceo, al limitarse al *él*, supo crear al santo como *hombre* ejemplar, así Rojas crea *vidas* ejemplares limitándose a las otras dos personas gramaticales. Excluye de su arte la anécdota, los detalles descriptivos superfluos y la realidad externa (salvo la que se refleja en la conciencia), y con ello logró crear una pureza casi clásica. Esa entrega de Melibea al amor puede llegar a ser de este modo tan ejemplar como la de Isolda, aun cuando en cada caso el arte que ha creado esa ejemplaridad sea muy distinto. Los esquemas y las trayectorias de la vida consciente en la *Celestina* van más allá de su «modo e manera de lauor» expresados en forma dialógica, y penetran en el ámbito del reconocimiento universal.

4. INTERPOLACIONES QUE AFECTAN A LA CARACTERIZACIÓN

Hay en la *Celestina* una creación humana fundamental, cuyo ser y cuya vida, sin ser excepcionales, suponen un arte digno de estudiarse por separado. Esa creación es, por supuesto, la de Celestina misma. Examinando brevemente su relación con las dos perspectivas arriba adoptadas, la del esquema y la de la trayectoria, veremos que su posición es única. En primer lugar, a diferencia de los criados, de los amantes y de las prostitutas, ella no está asociada naturalmente con nadie. Aunque también ella participa de las condiciones limitadoras necesarias del «reparto», sus reacciones ante la femineidad, la pobreza y la edad parecen, en cierta medida, muy alejadas de las de los demás personajes. Celestina es heterogénea y se resiste a encajar en un esquema [19]. En segundo lugar, en vez de tener una trayectoria individual clara, la función de Celestina consiste en «engendrar» las trayectorias de los demás, sobre todo las de Pármeno y Melibea. Es maestra de trayectorias, puesto que, partiendo de su propia estabilidad vital, dirige las vidas que la rodean. Cierto es que la codicia que la lleva a la muerte, lo mismo que la resolución y valentía que determinan su éxito con Melibea, son consecuencia de la maestría con que Rojas sabía describir el crecimiento vital de sus personajes. Pero aparte de esos momentos, su vida se mantiene más o menos inmóvil dentro de su perfección y sirve de eje en torno al cual gira todo lo demás. Rojas nunca llega a traicionar el retrato de Celestina, incluído en el primer acto, retrato que nos la muestra rodeada de «cient mugeres» y soportando los insultos «con alegre cara».

Esa posición central sólo es posible porque la conciencia racional y la conciencia sentimental de Celestina, su

---

[19] Como hemos de ver, es posible encontrar un paralelo: la figura de Pleberio, quien después de la muerte de Celestina desempeña el papel de persona anciana, que antes le había correspondido a ella. Pero no por eso deja de ser evidente el predominio artístico de Celestina.

tú y su *yo*, están en la mayoría de los casos unidas en una sola, y casi parece no haber diferencia entre ellas. Celestina no se siente atormentada por ninguna ruptura de su ser, por ningún debate consigo misma, ni tampoco llega a un único momento de visión clara. Más bien tiene una conciencia constante e íntegra, apoyada en su vocación. Esa impresionante frase española «soy quien soy» o «yo sé quién soy», aunque no llega a formularse en la obra tan expresamente como en los siglos subsiguientes, es de hecho la fuente de la individualidad. Frases del tipo de «soy una vieja qual Dios me hizo, no peor que todas» y «viuo de mi oficio como cada cual oficial del suyo, muy limpiamente» construyen su conciencia sobre los cimientos de su vocación.

A causa de estas diferencias, Rojas parece haber pensado que bien podía distinguir a Celestina con una serie de detalles personales. En contraste con los demás personajes, su avanzada edad hace posible una cantidad de recuerdos de incidentes y de ambientes olvidados ya por la ciudad. Su rostro marcado por la cicatriz, su casa, sus ocupaciones, sus vicios son conocidos de todo el mundo y contribuyen a hacer posible una caracterización negada sistemáticamente a los otros personajes. Puesto que posee una vocación firme, Celestina no tiene por qué temer a la tercera persona. O, para decirlo con otras palabras, el *tú* y el *yo* de Celestina se identifican a tal grado, que presuponen un *ella*, sin que por eso quede limitada la libertad dialógica. De ahí que en su caso Rojas se sirva de un arte de la caracterización distinto del empleado en general.

La principal caracterización de Celestina tiene lugar, por supuesto, en el primer acto. Ahí la vemos en acción por primera vez (engañando a Sempronio en ese episodio que casi constituye un entremés); viene en seguida la larga desripción; y, finalmente, Celestina entra de lleno en el diálogo, en la escena de la persuasión de Pármeno. El primer acto nos habla de su casa y de lo que en ella hay, de su rostro y de los afeites y el rasguño que lo adornan, de su vocación y de los engaños de su vocación. El personaje que de este modo se nos presenta es tan completo, que en ocasiones nos sentimos tentados a pensar que su diálogo fue hecho a su medida. Esto ocurre por ejemplo en ese aparte tan grosero del cual Calisto pesca algunas palabras: «Sempronio, ¡de aquéllas viuo yo...!» En los actos posteriores Celestina no osará decir tales

134

cosas, y se limitará (como en el acto VI) a insinuar su afán de dinero. El pasaje no sale de la situación del momento y viene a confirmar esa caracterización atroz de Celestina que hace el lector en la tercera persona. Ahí está para siempre con Calisto arrodillado a sus pies, retratada como un santo del mal, figura central de un cuadro de costumbres diabólicas.

Ahora bien, cuando Rojas se hizo cargo de la figura de Celestina, la sometió a un arte que, por su misma naturaleza, excluía tales episodios. A partir del segundo acto, ella, como todos los demás personajes, dedica su vida exclusivamente al diálogo. Pero al mismo tiempo, y en virtud de la singularidad de su papel, Rojas no vacila en recordar de cuando en cuando aquellos pormenores expresados en el primer acto que pueden tener lugar propio en el diálogo. Así, en el acto III, Celestina menciona su siniestra colección de bruja: «Pues sube presto al sobrado alto de la solana e baxa acá el bote del azeyte serpentino que hallarás colgado del pedaço de la soga que traxe del campo la otra noche, quando llouía e hazía escuro...». A este tipo de alusiones pertenece la referencia a la cicatriz, en el pasaje en que Lucrecia, avergonzada, trata de decir a Alisa quién es Celestina:

> ALISA.—¿Con quién hablas, Lucrecia?
> LUCR.—Señora, con aquella vieja de la cuchillada, que solía viuir en las tenerías, a la cuesta del río (Aucto IV; vol. I, pp. 159-160).

Así, aunque Rojas no repite la larga «caracterización» del primer acto, aprovecha algunos de sus detalles adaptándolos a su propio arte.

El resultado de tan discreta continuación y recreación de Celestina es que ella domina vitalmente la obra. Al reforzar con incidentes adecuados su posición clave dentro de los esquemas y las trayectorias, al subrayar de este modo la plenitud de su conciencia, destacándola como algo peculiarmente «celestinesco» (en contraste con las depuradas divisiones internas y las agonías de los demás), Rojas hizo posible que Celestina se ganara las sensibilidades de muchos generaciones de lectores. Gracias a esas reliquias de caracterización conscientemente conservadas, Celestina logra imponer su realidad de «carne y hueso», como diría Unamuno, no sólo a los demás personajes, sino también a quienes, al leer la obra, le devuelven una vez más la vida. De ahí que las gentes sustituyeran al título de *Tragicomedia de Calisto y Melibea* por el de *La Celestina*. Debemos tener en cuenta esto al examinar las interpolaciones referentes a la caracterización. Al hacerlas, Rojas sumó a su arte una nueva experiencia: la de ser lector de su propia obra, y en cuanto lector tuvo que sentirse fascinado y conquistado por Celestina. De las noventa y cinco supresiones e interpolaciones hechas desde el primer acto hasta el XII, cerca de cincuenta y una figuran en los parlamentos de Celestina; y el resto se reparten entre los demás personajes. Esta cifra revela hasta qué punto para Rojas, lector y corrector, habían dejado de ser Calisto y Melibea el núcelo vital de su creación y habían sido reemplazados por Celestina.

No todos los cincuenta y un cambios, claro está, se relacionan directamente con el «carácter» de Celestina. La mayoría de ellos afectan al estilo, y otros deberán exexplicarse con referencia *a la estructura y al tema. Hay, sin embargo buen número* de interpolaciones importantes y relativamente extensas que ponen de manifiesto que Rojas se interesaba ahora más en Celestina, se preocupaba más por el personaje. Son éstas las interpolaciones que queremos examinar aquí; ilustrarán mejor que nada el especialísimo arte de la caracterización que Rojas reservó a Celestina y la peculiar importancia que ésta había llegado a adquirir.

El primer tipo de interpolaciones presenta el atributo de Celestina en que más insistió Rojas: el rabelaisiano amor al vino. En la *Comedia*, esta debilidad (heredada, según Menéndez Pelayo, de alcahuetas clásicas como las Dipsas de Ovidio) queda patente en el banquete del acto IX; Celestina habla aquí del vino como de un sustituto de su ya perdida capacidad de amar:

> CEL.—Assentáos vosotros, mis hijos, que harto lugar ay para todos, a Dios gracias: tanto nos diessen del parayso, quando allá vamos. Ponéos en orden, cada vno cabe la suya; yo que estoy sola porné cabo a mí este jarro e taça, que no es más mi vida de quanto con ello hablo. Despúes que me fuy faziendo vieja, no sé mejor oficio a la mesa que escanciar [20] (Aucto IX; vol. II, p. 29).

[20] La primera mención del vino en la *Comedia* es relativamente breve; Celestina dice de él en el acto IV que la consuela de su pobreza: «Que con mi pobreza jamás me faltó, a Dios gracias, vna blanca para pan e vn cuarto para vino...» También aquí la alusión cuadra perfectamente con el contexto.

La situación misma y sus posibilidades dialógicas hacen que Celestina dé salida a esos sentimientos; otro tanto ocurre más tarde, cuando Celestina enumera los distintos tipos de vino que le daban los clérigos. Sin embargo, cuando Rojas releyó esos pasajes del acto IX parece haberlos interpretado aparte de su contexto, como un elemento apropiado y divertido, digno de más insistencia. (Además, era un elemento que le pertenecía de lleno, pues el tópico está efectivamente excluído del primer acto). Alargó, pues, dos de los pasajes primitivos [21], y aún insertó un nuevo parlamento sobre el vino en un pasaje en que antes no se hacía referencia alguna a él:

> CEL.—...Su madre e yo, vña e carne. Della aprendí todo lo mejor que sé de mi oficio. Juntas comíamos, juntas dormíamos, juntas auíamos nuestros solazes, nuestros plazeres, nuestros consejos e conciertos... ¡O muerte, muerte! ¡A quántos priuas de agradable compañía! ¡A quántos desconsuela tu enojosa visitación! Por vno que comes con tiempo, cortas mil en agraz. Que siendo ella viua, no fueran estos mis passos desacompañados. ¡Buen siglo aya, que leal amiga e buena compañera me fué! *Que jamás me dexó hazer cosa en mi cabo estando ella presente. Si yo traya el pan, ella la carne. Si yo ponía la mesa, ella los manteles. No loca, no fantástica ni presumptuosa como las de agora. En mi ánima, descubierta se yua hasta el cabo de la ciudad con su jarro en la mano, que en todo el camino no oya peor de «Señora Claudina». E aosadas que otra conoscía peor el vino e qualquier mercaduría... Que jamás boluía sin ocho o diez gostaduras, vn açumbre en el jarro e otro en el cuerpo. Ansí le fiauan dos o tres arrobas en vezes, como sobre vna taça de plata. Su palabra era prenda de oro en quantos bodegones auía. Si yuamos por la calle, donde quiera que ouiéssemos sed entráuamos en la primera tauerna y luego mandaua echar medio açumbre para mojar la boca. Mas a mi cargo que no le quitaron la toca por ello, sino quanto la rayauan en su taja, e andar adelante. Si tal fuesse agora su hijo...* (Aucto III; vol. I, pp. 134-136).

Tenemos aquí a una Celestina aficionada al trago, en una situación y en un acto que originalmente no la presentaban así. El amor al vino, que en la *Comedia* resultaba ser consecuencia viva de las circunstancias del acto IX, parece haberse convertido en una «característica» o rasgo típico. Sería, sin embargo, injusto considerar esta interpolación como una traición al arte dialógico de Rojas. Celestina no pronuncia un discurso tópico sobre el vino ni un parlamento totalmente disociado de sus preocupacio-

---

[21] El del acto IX citado arriba y el mencionado en la nota 20.

nes de ese instante. De hecho, el pasaje añadido no puede compararse con el intercalado en el acto IX: «Esto quita la tristeza del coraçón...; esto da esfuerço al moço e al viejo fuerça, pone color al descolorido, coraje al couarde, al floxo diligencia...». No habla, en realidad, del vino en cuanto tal, sino de esa borracha amistad de Celestina con Claudina, de esa común afición al vino, que queda integrada a la evocación general. Al releer el pasaje en su forma original, Rojas debe de haber pensado que era demasiado abstractamente elegíaco, que repetía demasiado —aunque en forma irónica— los lugares comunes sobre la amistad y la muerte. A los recuerdos tópicos de la *Comedia*, Rojas añade, pues, un recuerdo sentimental capaz de hacer resurgir con detalles vigorosos —y mordazmente cómicos— la experiencia viva del pasado. Al simple recuerdo Rojas ha añadido la reminiscencia sentimental de los tiempos que fueron.

La interpolación que acabamos de examinar ilustra uno de los aspectos del peculiar arte de la caracterización, que Rojas reservó para Celestina. Rojas combina aquí la conciencia intelectual con la sentimental, y al hacerlo se sirve de elementos de caracterización negados a los demás personajes. Así como Rojas no abandonó del todo a esa bien caracterizada Celestina del primer acto, así en este caso el amor al vino, que había brotado de las circunstancias especiales del acto IX, reaparece como punto de partida de una reminiscencia no por sórdida menos auténtica. Si por definición y gracias al papel que desempeña, Celestina cambia relativamente poco a lo largo de la obra, si su conciencia es única en medio de esquemas comunes, entonces un atributo como el amor al vino puede trasplantarse libremente de una situación a la otra, con tal de que se presente en forma dialógica. Como hemos dicho, la unión de su *tú* con su *yo* hace que Celestina parezca tener un carácter fijo, y de esto Rojas saca todo el provecho posible en sus interpolaciones [22]. Es significativo el hecho de que las interpolaciones referen-

---

[22] Hay que reconocer que en otros casos las frases añadidas parecen mucho más artificiales que la citada. En algún caso ocurre que la exageración de un rasgo de la personalidad desentona con el sentido y el argumento propios de la situación (véase por ejemplo la interpolación que sigue a la frase citada en la nota 20: Acto IV, vol. I, p. 171). La excesiva insistencia en un detalle constituye una tentación casi irresistible para todo autor que corrige, con plena conciencia, una obra creada intuitivamente.

tes a la caracterización se limiten a Celestina. Cuando Rojas cambia las palabras de Pármeno, sólo lo hace de acuerdo con el contexto. Pármeno no tiene ni la edad ni la firme conciencia de su vocación necesarias para superar su situación inmediata [23].

De las demás interpolaciones que ponen de relieve la peculiar caracterización de Celestina, podemos destacar dos que acentúan su sagacidad y su perspicacia. La evocación sentimental de la vinosa amistad con Claudina queda compensada con la perspicacia intelectual del siguiente pasaje:

> ELIC.—¿Cómo vienes tan tarde? No lo deues hazer, que eres vieja; tropeçarás donde caygas e mueras.
> CEL.—No temo esso, que de día me auiso por dónde venga de noche. *Que jamás me subo por poyo ni calçada, sino por medio de la calle. Porque, como dizen: no da passo seguro quien corre por el muro, e que aquel va más sano que anda por llano. Más quiero ensuziar mis zapatos con el lodo que ensangrentar las tocas e los cantos. Pero no te duele a ti en esse lugar* (Aucto XI; vol. II, p. 78) [24].

---

[23] Tal ocurre, por ejemplo, en la interpolación del final del segundo acto; la indignación que siente Pármeno ante la necedad de Calisto se suma a otras reflexiones racionales o desesperadas. También cabe citar la frase, de tono absurdamente elevado: «No me indignes, Sempronio, con tan lastimeras razones...», que corresponde a la plenitud sentimental de Pármeno en el acto VIII. En cuanto a los demás personajes, es difícil distinguir qué interpolaciones contribuyen a la caracterización; esto se debe a que todas ellas se relacionan estrechamente con otros aspectos de la creación. Así, cuando Calisto dice: «...Mañana haré que vengo de fuera, si pudiere vengar estas muertes, si no, pagaré mi inocencia con mi fingida absencia, *o me fingiré loco, por mejor gozar deste sabroso deleyte de mis amores, como hizo aquel gran capitán Ulixes por euitar la batalla troyana e holgar con Penélope, su muger*» (Aucto XIII, vol. II, p. 121), la adición no sólo subraya la «sentimentalización» del honor en el momento que precede inmediatamente a la plena consumación del amor, sino que también establece un marcado contraste entre el final de este acto y el del siguiente. Rojas insiste en mostrar la ligereza y facilidad con que Calisto, impulsado todavía por el deseo, esquiva sus obligaciones con el objeto de que más adelante cobre pleno sentido su angustia —posterior al acto de amor— ante el honor perdido. La interpolación hace que el lector pueda asociar el segundo monólogo con el primero. La caracterización, el estilo y la estructura no están claramente separados. La única excepción a esta regla es, por supuesto, la figura de Celestina, que llegó a fascinar a su autor en cuanto individuo.

[24] Además de contribuir a la caracterización de Celestina, esta interpolación refleja la preocupación de Rojas por el espacio, que parece anticipar aquí las cuatro muertes producidas por una caída. Tiene, como veremos, importancia temática.

La segunda interpolación, a la cual ya hemos aludido, no está en boca de Celestina, sino que aparece en una conversación de Sempronio con Pármeno:

> SEMP.—...Avnque ella te crió, mejor conozco yo sus propiedades que tú. Lo que en sus cuentas reza es los virgos que tiene a cargo, e quántos enamorados ay en la cibdad, e quántas moças tiene encomendadas, e qué despenseros *le dan ración e quál lo mejor e cómo les llaman por nombre, por que quando los encontrare no hable como estraña,* e qué canónigo es más moço e franco. Quando menea los labios es fengir mentiras, ordenar cautelas para hauer dinero: por aquí le entraré, esto me responderá, estotro replicaré. Assí viue esta que nosotros mucho honramos (Aucto IX; vol. II, p. 26).

La diabólica prudencia de Celestina se convierte en una función del diálogo, y esto es justamente lo que subraya la interpolación.

Por último hay unas interpolaciones que no acentúan la conciencia intelectual ni la sentimental, sino más bien la unión de ambas en una conciencia vocacional. El ejemplo más notable y más perverso es la larga adición en el acto VII:

> CEL.—...Retóçala en esta cama.
> ....
> AREU.—*Ay, señor mío, no me trates de tal manera; ten mesura, por cortesía; mira las canas de aquella vieja honrrada, que están presentes; ...Assí goze de mí, de casa me salga si fasta que Celestina mi tía sea yda a mi ropa tocas.*
> CEL.—*¿Qué es eso, Areusa? ¿Qué son estas estrañezas y esquieuedad, estas nouedades e retraymiento? Paresce, hija, que no sé yo qué cosa es esto, que nunca vi estar vn hombre con vna muger juntos, e que jamás passé por ello ni gozé de lo que gozas, e que no sé lo que passan e lo que dizen e hazen. ¡Guay de quien tal oye como yo! Pues auísote, de tanto, que fuy errada como tú e tuue amigos; pero nunca el viejo ni la vieja echaua de mi lado ni su consejo, en público ni en mis secretos. Para la muerte que a Dios deuo, más quisiera vna gran bofetada en mitad de mi cara. Paresce que ayer nascí, según tu encubrimiento. Por hazerte a ti honesta me hazes a mí necia e vergonçosa e de poco secreto e sin esperiencia, o me amenguas en mi officio por alçar a ti en el tuyo. Pues de cossario a cossario no se pierden sino los barriles. Más te alabo yo detrás que tú te estimas delante.*
> AREU.—*Madre, si erré, aya perdón e llégate más acá, y él haga lo que quisiere. Que más quiero tener a ti contenta que no a mí; antes que quebrare vn ojo que enojarte.*
> CEL.—*No tengo ya enojo; pero dígotelo para adelante.* Quedáos a *Dios,* que voyme *sólo* porque me hazés dentera

con vuestros besar e retoçar (Aucto VII; vol. I, pp. 258-260).

La abrupta violencia con que reacciona Celestina (violencia que no podía menos de sorprender a Areusa, lo mismo que al lector) no se debe únicamente al enojo que le causa la falsa pretensión de pudor. Es ante todo la violencia del honor ofendido. Celestina habría preferido «una gran bofetada en mitad de la cara», y no que la echaran y humillaran de esa forma. No importa que Rojas haya escrito ese pasaje con una ironía casi feroz, ni que todo el valor del honor caiga por tierra ante la obscenidad del contexto; para Celestina —y la ironía depende justamente de esto—, tanto la violencia como el valor son auténticos. Se trata del honor del oficio, que, con la edad y con la experiencia, ha llegado a ser y a representar la vida de Celestina. En cuanto *yo*, Celestina siente que existe de acuerdo con una profunda idea del honor; en cuanto *tú*, se retrata a sí misma según ese concepto, y exige que los demás la consideren y la traten de acuerdo con él. Con su «sentir» y su «pensar», Celestina se crea un *ser* vocacional, que es auténtico a pesar de tantos engaños y mentiras. Y decir «*ser* vocacional» no es sino expresar en otra forma el honor. Para la alcahueta, exactamente como para el caballero, hay en el honor un acuerdo fundamental entre el sentimiento de dignidad y la conformación intelectual exterior a un código o sistema de opiniones [25].

---

[25] Cuando en el acto VII Celestina explica a Pármeno las persecuciones y humillaciones de que fue objeto Claudina cuando se descubrieron sus hechicerías, dice, en la *Comedia*, lo siguiente: «Algo han de sofrir los hombres en este triste mundo para sustentar su vidas». Al releer esta frase en 1502, Rojas añadió dos palabras que recalcaban la intención irónica que le había guiado al dar a Celestina una peculiar conciencia de su infame vocación: «*y honras*». La descripción que sigue a esta interpolación contribuye a fijar la tríada (vocación, conciencia de sí misma, honor) que distingue a Celestina (y su visión de Claudina) de Calisto, Melibea, Sempronio y los demás personajes: «...En todo tenía gracia. Que en Dios e en mi conciencia, avn en aquella escalera estaua e parecía que a todos los de baxo no tenía en vna blanca, según su meneo e presencia. Assí que los que algo son, como ella, e saben e valen, son los que más presto yerran. Verás quién fue Virgilio y qué tanto supo; mas ya haurás oydo cómo estouo en vn cesto colgado de vna torre, mirándole toda Roma. Pero por eso no dejó de ser honrado ni perdió el nombre de Virgilio» (Aucto VII; vol. I, pp. 243-244). Este pasaje está profundamente arraigado en la tradición española, en esa tradición que dio lugar a la espléndida aunque caricaturesca visión del tío del Buscón en el cadalso.

Así, tanto en la *Comedia* como en sus interpolaciones, Rojas establece una distinción entre Celestina y su tipo popular, entre Celestina y aquellas otras alcahuetas que sólo piensan en su propio interés y en engañar y destruir a los demás. En contraste con su predecesora Trotaconventos, nada caracterizada con su infinidad de nombres, y en contraste con su sucesora Gerarda, demasiado caracterizada con su infinidad de refranes, Celestina afirma intelectual y sentimentalmente su propio ser independiente. En el famoso monólogo de vacilación preliminar decide su vocación con dos palabras: «yr quiero», y a partir de ese momento de autodefinición Celestina pasa a ser de una vez por todas el núcleo artístico de la obra.

Podríamos sentirnos tentados a hablar ahora de la relación existente entre esta Celestina y la forma española de vivir (relación que muestra que Rojas era radicalmente español, a pesar de su desesperado e irónico cinismo durante los años mismos en que España confiaba más en su porvenir y lograba su mayor gloria, y a pesar de su judaísmo). O podríamos referirnos a lo que esta antiheroica Celestina tiene de común con la tradición del héroe épico (apoyo sobrenatural, creencia en los agüeros, «mocedades» vividas con Claudina, etc.). Pero esto nos llevaría al fondo mismo del propósito creador de Rojas y nos apartaría del arte consciente de la caracterización, que es lo que nos interesa aquí. Nos contentamos con haber mostrado cómo refuerza Rojas por medio de interpolaciones la integración del *tú* y del *yo* en la vida de Celestina, y cómo esa integración da lugar a una vocación y a un inherente sentimiento del honor, que Rojas cuida de subrayar. La conciencia especial de Celestina dentro del ámbito de ese arte dialógico ha quedado conscientemente particularizada [26].

---

[26] Madariaga ha percibido cómo Celestina está caracterizada en una forma muy especial; pero la manera como lo dice parece excluir toda posibilidad de investigación. «Celestina está concebida y descrita con una riqueza de detalles quizá mayor que la de los demás personajes, por ser el más pintoresco» («Discurso sobre Melibea», en *Sur*, 1941, 76, pp. 38-69). Esta idea concuerda con el afán que tiene Madariaga de subordinar Celestina a Melibea y con su esfuerzo por encontrar en Celestina ejemplos de ineficacia que disminuyan su importancia. Con un «reparto» como el de la *Celestina*, del cual está ausente la caracterización, se puede jugar indefinidamente con tales yuxtaposiciones de los papeles. Sería fácil tratar de probar la supremacía artística de cualquiera de los principales personajes de la *Celestina*.

CAPITULO IV
EL ARTE DE LA ESTRUCTURA

1. La división en actos

Cuando los críticos —desde Aristóteles hasta los de nuestros días— explican el arte del dramaturgo, lo interpretan sobre todo como un arte de la estructura. Lo que hace el dramaturgo es su trama, y una trama meritoria —como todos sabemos— es un arreglo eficaz de la acción en el tiempo. De ahí que, aunque lo que más estimamos en la obra de un dramaturgo sean sus personajes o su capacidad poética, como artista lo elogiamos o lo censuramos por su capacidad de arreglar y relacionar escenas, actos, «anagnórisis», catástrofes finales, etc. Lo juzgamos en forma primordial en términos de la estructura, porque precisamente fabrica su obra con plena conciencia en términos de la estructura.

Sin embargo, si atribuimos esta primacía del arte de la estructura al hacer de la *Celestina,* quedamos a la fuerza decepcionados. Vista en forma aislada —y no en relación íntima con otros aspectos del arte de Rojas— la división en actos nos parece caprichosa y absurda, una imposición *ex post facto* de un autor impresionado por una tradición teatral ajena a su comprensión y a su visión de la vida. El número de actos (16 en la primera versión y 21 en la segunda) es no sólo insólito sino también sin ninguna relación con una estructura interna del acontecer. Aún más, una comparación de los actos individuales entre sí revela divergencias al parecer inexplicables en cuanto a extensión y significación. Después del Acto XI, que sólo contiene una brevísima relación por parte de Celestina de lo que ha pasado en su segunda entrevista con Melibea, nos encontramos ante el desmesurado Acto XII con su primera confesión de amor y sus muertes múltiples. Desde el punto de vista de la estructura, la *Celestina* parece ser todo menos lo que se llama en inglés un «well made play». Más bien semeja un aborto monstruoso, la creación típica de un período de transición que ya no era la Edad Media y todavía no era el Renacimiento.

Naturalmente un punto de vista que presenta una visión tan disforme y tan grotesca de la *Celestina* es inaceptable. A su manera Fernando de Rojas sí era un artista de la estructura tan grande como un Esquilo o un Shakespeare, y cada uno de sus actos es el resultado de un cálculo perfectamente consecuente. Cada uno representa un escondido significado estructural que puede explicarse si comprendemos que para él la estructura no es aislable —que está ligada orgánicamente a todo lo que hemos aprendido sobre su arte del estilo y su arte de la creación de los personajes—. Específicamente esto quiere decir que lo que los actos dividen no es acción en el sentido usual de la palabra sino el «continuum» de la conciencia en el diálogo. O sea eso que hemos llamado «conciencia hablada». No vale la pena insistir de nuevo en que Rojas se interesa poco por su trama, según él un esqueleto seco y descarnado.

El énfasis puesto en la íntima interrelación de la primera y segunda persona, el rechazo de toda tipificación tópica y hasta de «caracteres» en el sentido común de ese concepto, tiene como resultado necesario la creación de individuos cuyas vidas y cuyas reacciones orales tienen más significado artístico que sus acciones. La trama sólo existe para estimular la conciencia personal de los que la viven.

Así el breve «argumento de toda la obra» reduce todo lo que realmente pasa en la *Celestina* a un solo párrafo sin dificultad y sin inexactitud. Y el mismo Rojas puede pedir prestadas sus peripecias de amor, codicia y muerte de sus varias fuentes sin menoscabo de su profunda originalidad. Sería, por cierto, y a pesar de su exactitud, difícil componer un sumario que comunicaría menos sobre la peculiaridad artística de la *Celestina* que este «argumento» preliminar. Y lo mismo puede decirse de los argumentos de los 16 actos de la *Comedia* [1]. Y no deja de ser in-

---

[1] Sobre los argumentos de los actos añadidos, véase el apéndice II.

dicativo que Rojas expresamente los atribuye a «los impresores». Para él no son más que una especie de abstracción anatómica que, al dibujarse, mata la vida cultivada y escuchada con tanta atención.

Por supuesto, una obra como ésta tiene que tener un argumento, un mínimo de acción, exactamente como su reparto de personajes tiene que tener un mínimo de definición previa. Pero hay que darse plena cuenta de que el autor emplea los dos para sus propios fines. Cuando se adapta la *Celestina* para el teatro (la versión de Paul Achard es un ejemplo egregio) ¡cuánto puede y debe eliminarse! Desde el punto de vista de la trama teatral, acto tras acto parece secundario y hasta tangencial. La seducción de Pármeno, por ejemplo, sólo indirectísimamente puede relacionarse con la de Melibea y sin aparente merma podría pasarse por alto. Por lo tanto nos incumbe ahora abandonar las connotaciones habituales de la palabra «acto», y tratar de inventar una nueva definición basada en la noción de una unidad o etapa de la conciencia «dialógica». Tenemos que tratar de comprender el «acto» sin la presencia de un dramaturgo titiritero que maneja la acción de personajes conocidos y conocibles como un «él» o una «ella».

La proposición de redefinir el «acto» para nuestras necesidades celestinescas sólo puede realizarse a base del claro interés que siente Rojas por las «situaciones dialógicas», aquellos encuentros repetidos o variados que vimos dibujar la trayectoria vital de Pármeno. Si Rojas hubiese aislado formalmente cada una de estas situaciones en una secuencia de escenas numeradas, no habría problema en la estructura. En realidad, por el contrario, el hecho mismo de que Rojas no dividiera la acción con pausas temporales (hacemos aquí caso omiso del mes con que separa, en las adiciones, los actos XV y XVI) parece sugerir la especial importancia de los «actos». Claro está que desde el punto de vista del tiempo, la *Comedia* (y aun la *Tragicomedia)* son un enorme acto dividido en muchas escenas. Pero el arte de la estructura no se limita en Rojas a la segmentación espontánea de unidades de estilo o de caracterización, sino que contribuye acto tras acto al sentido del conjunto.

O sea, en vez de aislar las escenas, Rojas las reúne en actos, cada uno de los cuales subraya y relaciona entre sí los estados de conciencia hablada que en él se exponen.

145

En otras palabras, una vez eliminada la trama y la acción, podemos circunscribir aún más nuestra tarea emprendiendo el análisis de cada acto en cuanto agrupamiento significativo de las «situaciones dialógicas» que contiene. Las conversaciones de las gentes constituyen las unidades de conciencia en la *Celestina*, los ladrillos con que Rojas construyó esa estructura extraordinaria y coherente.

Comencemos por enumerar los veintiún actos de acuerdo con las situaciones que los integran. Ponemos entre paréntesis el primer acto, que no puede, por supuesto, equipararse con los demás, no sólo por ser otro su autor, sino también porque su extensión se debe a razones ajenas a la estructura. He aquí, pues, la lista:

Aucto I

1. Calisto Melibea.
2. Calisto Sempronio.
3. Sempronio Celestina Elicia.
4. Sempronio Celestina.
5. Pármeno Calisto.
6. Pármeno Calisto Sempronio Celestina.
7. Pármeno Celestina.
8. Pármeno Calisto Sempronio Celestina.

Aucto II

1. Pármeno Calisto Sempronio.
2. Pármeno Calisto.
3. Pármeno.

Aucto III

1. Celestina Sempronio.
2. Celestina Elicia Sempronio.
3. Celestina.

Aucto IV

1. Celestina.
2. Celestina Lucrecia.
3. Celestina Lucrecia Alisa.
4. Celestina Lucrecia Alisa Melibea.
5. Celestina Lucrecia Melibea.

Aucto V

1. Celestina.
2. Celestina Sempronio.
3. Celestina Pármeno Calisto Sempronio.

Aucto VI

1. Pármeno Calisto Sempronio Celestina.

146

Aucto VII

1. Celestina Pármeno.
2. Celestina Pármeno Areusa.
3. Celestina Elicia.

Aucto VIII

1. Pármeno Areusa.
2. Pármeno Sempronio.
3. Pármeno Sempronio Calisto.

Aucto IX

1. Sempronio Pármeno.
2. Sempronio Pármeno Celestina Elicia Areusa.
3. Sempronio Pármeno Celestina Elicia Areusa Lucrecia.
4. Celestina Lucrecia.

Aucto X

1. Melibea.
2. Melibea Lucrecia Celestina.
3. Melibea Lucrecia.
4. Alisa Celestina.
5. Melibea Alisa Lucrecia.

Aucto XI

1. Celestina.
2. Calisto Sempronio.
3. Celestina Calisto Sempronio Pármeno.
4. Celestina Elicia.

Aucto XII

1. Sempronio Pármeno Calisto.
2. Sempronio Pármeno Calisto Melibea Lucrecia.
3. Sempronio Pármeno Calisto.
4. Sempronio Pármeno Celestina Elicia.

Aucto XIII

1. Calisto.
2. Calisto Tristán.
3. Tristán Sosia.
4. Calisto Tristán Sosia.
5. Calisto.

Aucto XIV

1. Melibea Lucrecia.
2. Sosia Tristán Calisto Melibea Lucrecia.
3. Melibea Lucrecia.
4. Sosia Tristán Calisto.
5. Calisto.
6. Sosia Tristán.

Aucto XV

1. Elicia Areusa Centurio.
2. Elicia Areusa.

Aucto XVI

1. Pleberio Alisa.
2. Melibea Lucrecia.
3. Melibea Lucrecia Pleberio Alisa.

Aucto XVII

1. Elicia.
2. Elicia Areusa.
3. Elicia Areusa Sosia.
4. Elicia Areusa.

Aucto XVIII

1. Centurio Elisa Areusa.
2. Centurio.

Aucto XIX

1. Tristán Sosia Calisto.
2. Melibea Lucrecia Calisto Tristán Sosia.
3. Melibea Lucrecia Tristán Sosia.

Aucto XX

1. Pleberio Lucrecia.
2. Pleberio Lucrecia Melibea.
3. Melibea.
4. Melibea Pleberio.

Aucto XXI

1. Pleberio Alisa [2].

Si echamos una ojeada a esta lista, veremos que, con escasas excepciones, dentro de cada acto hay por lo menos un hablante que aparece en todas las escenas. Esto nos lleva a pensar que, en cada caso, la vida de uno de los personajes sirve de eje en torno al cual se acomodan las demás; en este sentido podemos decir que el acto constituye un recurso de composición. También observaremos que ese personaje clave tiene a su cargo, en varias

---

[2] Es evidente que esta lista no pone de relieve las situaciones de carácter coral, es decir, aquellas en que el diálogo pasa rápidamente de un grupo a otro, y en que a menudo uno de los grupos escucha lo que está diciendo el otro. Aún podrían hacerse otras objeciones de menor monta, por la misma flexibilidad con que Rojas avanza de situación en situación. Estas cuestiones se examinarán en la segunda parte de este ensayo, en que nos ocuparemos de la estructura interna de las escenas.

ocasiones, un monólogo pronunciado al principio o al final del acto, monólogo que refuerza aún más su posición (actos II, III, IV, V, X, XIII, XVII, XVIII). Cuando esto no ocurre, suele haber un breve diálogo entre dos personajes, que remata las situaciones más extensas; ese diálogo acentúa la fase o el estado de conciencia expresado en el acto (actos VII, VIII, XI, XIV, XVI, XX). En ambos casos, ya sea que haya monólogo, ya que el acto termine en diálogo, notaremos que la estructura repite, en mayor escala, la lógica «parlamentaria» del estilo.

Estas observaciones, claro está, no pasan de ser provisionales, pero de ellas se deduce que podemos facilitarnos nuestra tarea examinando: *1)* el comienzo y el final de los actos, y *2)* el papel desempeñado en cada uno de ellos por el personaje central. Éstos son los aspectos que permiten percibir con mayor claridad la preocupación de Rojas por la estructura, su deliberada ordenación de la conciencia. Luego, siguiendo nuestro método habitual, hemos de poner atención también en las interpolaciones (principalmente en las que se refieren al personaje que se halla presente en todas las escenas o situaciones dentro de un acto).

El segundo acto confirma de manera ejemplar la utilidad de tales criterios. Hay un personaje que está presente en las tres situaciones que lo integran: Pármeno. Y también al final del acto, Pármeno pronuncia un monólogo que da expresión a su estado de ánimo; y en ese monólogo hay una interpolación que, como ya hemos tenido ocasión de ver, contribuye en mucho a nuestra comprensión del Pármeno desesperado y débil de este acto. Veámoslo más de cerca. El autor del «argumento» creía evidentemente que Pármeno no está presente en el primer diálogo, a pesar de que Calisto comienza con las palabras «Hermanos míos...»:

> Partida Celestina de Calisto para su casa, queda Calisto hablando con Sempronio, criado suyo; al qual, como quien en alguna esperança puesto está, todo aguijar le parece tardança. Embía de sí a Sempronio a solicitar a Celestina para el concebido negocio. Quedan entretanto Calisto e Pármeno juntos razonando (Aucto II; vol. I, p. 113).

Pero si leemos con cuidado, veremos que toda la conversación estaba hecha para que Pármeno la oiga. La cínica afectación de virtud y de prudencia por parte de Sempronio (en su parlamento sobre el honor) y el exagerado elogio que Calisto hace del mismo Sempronio («Sabido eres, fiel te siento, por buen criado te tengo») son justamente los elementos que mejor podían hacer que Pármeno recordara los consejos de Celestina. ¿Para qué hacerse el criado virtuoso, cuando es a Sempronio a quien elogian?

Las palabras finales de la primera situación son decisivas:

> CAL.—Sempronio amigo, pues tanto sientes mi soledad, llama a Pármeno, e quedará conmigo, e de aquí adelante sey, como sueles, leal, que en el seruicio del criado está el galardón del señor.
> PÁRM.—Aquí estoy, señor.
> CAL.—Yo no, pues no te veya. No te partas della, Sempronio, ni me oluides a mí, e ve con Dios (Aucto II; vol. I, p. 119).

Esta última adulación echa aún más sal en las heridas de Pármeno, lo mismo que el hecho de que Calisto ni siquiera se diera cuenta de su presencia. Es innegable que el diálogo entre Calisto y Sempronio tiene interés en sí mismo, pero desde el punto de vista de la estructura debemos leerlo de acuerdo con lo que significa para Pármeno y para su experiencia. La conciencia oculta que da unidad a esta conversación es precisamente la conciencia de Pármeno.

La segunda situación comienza con la confirmación visible del pésimo efecto del diálogo previo en Pármeno. Calisto alude a su aspecto deprimido y malhumorado:

> PÁRM.—...¡En caso se haurán de ayunar estas franquezas!
> CAL.—Pues pido tu parecer, seyme agradable, Pármeno. No abaxes la cabeça al responder. Mas como la embidia es triste, la tristeza sin lengua, puede más contigo su voluntad que mi temor. ¿Qué dixiste, enojoso? (Aucto II; vol. I, p. 120).

Pármeno, en efecto, está envidioso y enojado después de oír el injusto elogio de Sempronio que ha hecho Calisto. En el diálogo que sigue a estas palabras se hace cada vez más evidente que la virtud de Pármeno no es auténtica. La escena en que tiene que ensillar el caballo para Calisto constituye una última humillación y da lugar al soliloquio final. Pero lo que ahora nos interesa es el modo cómo se construye todo el acto y cómo va quedando manifiesto el estado de ánimo de Pármeno. En cuanto lectores, comenzamos por imaginarnos ese estado de ánimo; luego, su aspecto y sus palabras nos lo indican; y finalmente lo vemos expresado con toda claridad en un parlamento dirigido al vacío. En las tres situaciones del acto, Pármeno pasa del *tú* de un mero oyente pasivo al *tú* y *yo* del diálogo y, por último, al «sentimiento de sí mismo» en cuanto *yo*. Vemos, pues, que esta etapa particular en la trayectoria de la conciencia de Pármeno se convierte en medio para lograr la unidad artística del acto.

He aquí que la estructura también es «dialógica». Desde el punto de vista de la acción dramática, el acto debería girar en torno a los amores de Calisto, y esto es lo que cree erróneamente el autor del «argumento». Pero la verdadera significación del acto radica, como ya insinuábamos, en un organizar y acentuar la evolución de la conciencia de Pármeno a través del diálogo. Y el argumento no dedica a esto más que una sola frase: «Quedan entre tanto Calisto e Pármeno juntos razonando». La sutileza y coherencia del arte de Rojas se ve ya en el primero de los actos que escribió.

Si volvemos a nuestra lista de situaciones, veremos que los tres actos siguientes se concentran ante todo en la vida consciente de Celestina; contienen respectivamente la preparación de la primera entrevista con Melibea, el coloquio mismo y la vuelta a casa de Calisto. Se podría decir que Rojas se esforzó por lograr que el acto IV, con su concentrada acción y su marcado interés dramático, no hiciera sombra a aquello que más le preocupaba desde el punto de vista artístico: la plena revelación de Celestina a través de sus propias palabras. Con este objeto colocó quizá el acto IV entre dos actos que no tenían otra razón de ser que mostrar a la alcahueta como persona consciente. En efecto, el acto III repite primero la cuarta situación del acto I (habla Celestina con Sempronio), y vemos otra vez aquella reacción de cinismo y avaricia:

> CEL.—...Digo que me alegro destas nuevas, como los cirujanos de los descalabrados. E como aquéllos dañan en los principios las llagas e encarecen el prometimiento de la salud, assí entiendo yo facer a Calisto (Aucto I; vol. I, p. 65).

Pero a pesar de esta intención puramente picaresca, los temores y dudas de Sempronio provocan en Celestina una nueva reacción dialógica de orgullo profesional: «¡Avn si quisieses auisar a Celestina en su oficio!» El resultado final no es un ardid picaresco, sino el tremendo conjuro de Plutón por su «más conocida cliéntula». Vemos aquí la presentación casi oficial de una eficacia diabólica y de un «oficio» que hasta ahora sólo conocíamos de oídas. Ya no se trata de engaño antiheroico, sino de auténtico heroísmo diabólico.

Por abrumador que sea ese conjuro, su formalismo ritual palidece al lado del monólogo con que comienza el acto IV. Nadie provoca aquí a Celestina a la afirmación de sí misma: ni una segunda persona demoníaca ni un Sempronio suspicaz. Nos quedamos a solas con Celestina, y podemos presenciar la espantosa autenticidad de su *yo* en un momento de crisis y de decisión. En este pasaje es donde la razón y el sentimiento de Celestina se integran en una conciencia de la profesión, y donde ella queda definitivamente caracterizada. Esa confluencia de temor y de resolución, de proyección de sí misma en cuanto *tú* («Tú, puta vieja, ¿por qué acrescentaste mis pasiones con tus promessas?») y de afirmación de sí misma en cuanto *yo* («Yr quiero») es tan vigorosa e impresionante, que casi hace sombra al coloquio con Melibea. El monólogo inicial del acto IV constituye, pues, un momento central de conciencia colocado entre los alardes aparentemente vanos del acto III y la seducción de Melibea; revela y acentúa con notable sinceridad a esa nueva Celestina con la cual hemos de convivir de aquí en adelante.

Hasta los «agüeros» (los del texto primitivo y los de la interpolación), que repiten la conjuración sobrenatural en un plano más adecuado a la profesión viva de Celestina, contribuyen a dar ímpetu al soliloquio. No se trata de las supersticiones cómicas de una vieja asustada y miserable; en cierta medida son aún más impresionantes, más fatales que el horrendo conjuro, clásico y solemne, que los precede. El contraste mismo entre la invocación literaria y la superstición «costumbrista» acentúa a su manera la nueva conciencia demoníaca de Celestina[3]. An-

---

[3] M. Torner ha observado agudamente esta distinción en un artículo publicado en *El Nacional* (México, D. F., 21 de marzo de 1948): «Si don Juan es satánico, también es satánica Celestina, aunque no con el satanismo pueril que pudieran conferirle sus conjuros, brebajes y filtros. Todo eso es la tramoya ostensible y superficial de otro satanismo más auténtico, cuyos recursos más poderosos no son las retortas y los matraces de la magia, sino la palabra insinuante y viscosa que empieza por inquietar y acaba por persuadir.»

tes de que pudiera forjarse el diálogo de Celestina a solas con Melibea —un diálogo hecho de perverso estoicismo, de sublime valor y de increíble astucia—, era necesario que conociéramos a su protagonista. Rojas se interesa más por el intermediario que por la heroína, precisamente porque la estructura de su obra se apoya en la conciencia hablada, no en la acción. En este sentido, el tremendo y voluntario paso que da Celestina desde el temor hasta la vocación definitiva es más significativo que el dócil enojo y la rendición de Melibea. El monólogo inicial constituye la clave estructural del acto.

Este mismo esquema general se repite en el acto V. Al principio vemos nuevamente a Celestina sola en la calle, dando expresión al perverso júbilo de su triunfo; este estado de ánimo continúa el del soliloquio anterior, pero a la vez es opuesto a él [4]. Luego se repite el encuentro con Sempronio (la primera situación del acto III), aunque los papeles han cambiado de manera significativa. Sempronio ha perdido su cinismo acobardado y está ahora ansioso —casi tan ansioso como su amo— de conocer los resultados de la visita. Celestina lo dice sagazmente: «Ya lo veo en ti, que querrías más estar al sabor que al olor deste negocio». Ella, por su parte, ha sustituido la verbosa jactancia del acto III por una reserva jubilosa y altiva, que la hace negarse a «desflorar mi embaxada comunicándola con muchos». La prisa que tiene de contar todo a Calisto contrasta también con su anterior propósito de dar las nuevas poco a poco, fragmentariamente, a fin de sacar el mayor provecho posible. Este acto, que sigue a la acción, está, pues, dedicado a la conciencia de la victoria. Celestina se da cuenta de que ha quedado confirmada su vocación, y esto le es tanto más placentero cuanto que está arraigado en el temor. Es magistral el último toque de énfasis estructural. Rojas repite brevemente la escena del primer acto en que Celestina y Sempronio esperan ante la puerta de Calisto (todo este acto no quiere ser sino repetición y variación de situaciones pasadas); al oír a Calisto y a Pármeno, Sempronio ruega a Celestina que invente, como antes, un discurso adecuado a ellos. Pero, fiel a su nueva conciencia, Celestina se niega a hacerlo: «Calla, Sempronio, que avnque aya auenturado mi vida, más merece Calisto e su ruego e

---

[4] Para un examen del estilo de este pasaje, véase la última nota al capítulo II.

tuyo, e más mercedes espero yo dél». En cierto sentido, la estructura confirma nuestra idea de que esa Celestina «vocacional» es en último término mucho más siniestra que la avizorada y mañosa Celestina del primer acto o que esa sibila moderna que vimos al final del acto III.

Hasta ahora el arte estructural de Rojas se ha limitado más o menos a repetir —y variar— diversas situaciones, y a una alternancia bien meditada de monólogo y diálogo. En cuanto a esta alternancia, podemos concluir en líneas generales que el monólogo se halla al comienzo del acto cuando el «hablante» principal está a la ofensiva y ha de dominar las situaciones subsiguientes (Celestina en los actos IV y V), y al final del acto cuando el personaje central está a la defensiva y es afectado o transformado por el diálogo (Pármeno en el acto II y Celestina en el acto III). Ahora bien, en el acto VI Rojas nos ofrece un nuevo esquema estructural, basado sólo en el diálogo y formado por una única situación. Es por eso imposible decir cuál de los personajes (Calisto, Celestina, Sempronio, Pármeno) constituye la conciencia central del acto. Como hicimos notar en el ensayo precedente, esto es justamente lo que Rojas quería: un cuarteto dialógico de las conciencias, cada una de las cuales reacciona a su modo ante el relato de la entrevista con Melibea. Es cierto que Celestina, que refiere lo ocurrido, y Calisto, a quien va dirigido el informe, son respectivamente el *yo* y el *tú* principales del acto, pero es sólo en virtud de las necesidades de la narración. El gozoso triunfo de Celestina en su vocación y el astuto despliegue de sí misma, la alterada razón y desenfrenada pasión de Calisto, la brutalidad de Sempronio y su amor un tanto curioso por Melibea, la envidiosa desesperación de Pármeno y su antipatía por Celestina: todas éstas son formas de conciencia reveladas ya en los actos anteriores. Y todas ellas son igualmente significativas. En este acto, el lector y el autor descansan un momento de su fascinante pero terrible viaje por los senderos de la conciencia en la *Celestina*. Y mientras descansan, perciben con mayor agudeza la índole del paisaje que han contemplado.

Por eso, cuando Rojas releyó el acto VI en 1502, quiso acentuar con interpolaciones las diversas actitudes de los personajes. Con triunfante alegría y con calculada exageración —sentimiento y argumento predominantes de ese instante—, Celestina hace una caricatura del enojo de Melibea:

> ...*E empós desto mill amortescimientos e desmayos, mill milagros e espantos, turbado el sentido, bulliendo fuertemente los miembros todos a vna parte e a otra, herida de aquella dorada frecha que del sonido de tu nombre le tocó, retorciendo el cuerpo, las manos enclauijadas como quien se despereza, que parecía que las despedaçaua, mirando con los ojos a todas partes, acoceando con los pies el suelo duro. E yo a todo esto arrinconada, encogida, callando, muy gozosa con su ferocidad. Mientra más vasqueaua, más yo me alegraua, porque más cerca estaua el rendirse e su cayda...* (Aucto VI; vol. I, pp. 213-214) [5].

Así también Calisto interpreta de manera equivocada los ademanes con que Pármeno expresa su odio a Celestina, y esta falsa interpretación acentúa su propia ansiedad desequilibrada y egocéntrica:

> *Mirá, señora, qué fablar trae Pármeno, cómo se viene santiguando de oyr lo que has hecho con tu gran diligencia. Espantado está, por mi fe, señora Celestina. Otra vez se santigua. Sube, sube, sube y asiéntate, señora, que de rodillas quiero escuchar tu suaue respuesta* (Aucto VI; vol. I, pp. 209-210).

Pármeno, por último, reafirma en un aparte la repugnancia que le causa la absurda exaltación de su amo. La mayoría de los apartes de Pármeno en este acto van dirigidos contra la codicia y la perversidad de Celestina, y parece que Rojas creyó necesario retocar esta otra fase de su desesperación:

> *¡O sancta María! ¡Y qué rodeos busca este loco por huyr de nosotros, para poder llorar a su plazer con Celestina de*

---

[5] Quienes critican esta interpolación y la convierten (junto con otras interpolaciones del mismo acto) en una razón para mostrar que las adiciones de 1502 son obra de un autor diferente, no se dan cuenta de que ella contribuye a la estructura del acto en cuanto que constituye un énfasis coral sobre ciertos estados de conciencia ya realizados. No es propiamente un retrato de Melibea, sino un nuevo indicio del orgullo que siente Celestina por haber logrado dominar la situación. La imagen de Melibea como toro herido y de Celestina como «diestra» («bulliendo... los miembros», «herida de aquella...frecha», «acoceando con los pies», «yo...arrinconada, encogida») ya se había anticipado en el texto original:

«CAL.—¿Qué cara te mostró al principio? CEL.—Aquella cara, señor, que suelen los brauos toros mostrar contra los que lançan las agudas frechas en el coso...» (Aucto VI; vol. I, p. 206).

155

> gozo y por descubrirle mill secretos de su liuiano e desua-
> riado apetito, por preguntar y responder seys vezes cada
> cosa, sin que esté presente quien le pueda dezir que es
> prolixo! Pues mándote yo, desatinado, que tras ti vamos
> (Aucto VI; vol. I, p. 209).

El único a quien Rojas no vuelve a acentuar en su papel
dialógico es Sempronio. Para todos los demás, la intención estructural queda confirmada en las interpolaciones.

El acto VII se ocupa nuevamente de Celestina, personaje presente en sus tres situaciones. Volvemos a su
anterior persuasión de Pármeno (con variaciones significativas, como ya hemos visto) y además presenciamos la
seducción de Areusa. Esta segunda situación es paralela
a la de Melibea en el acto IV y pone de manifiesto, no
sólo la perversa semejanza de los dos tipos de reserva
femenina, sino también la habilidad con que Celestina
adapta su dominio a la tensión más relajada de este encuentro. En este acto, que es el último centrado en Celestina, se despliega todo el repertorio de su conciencia
en una serie de variaciones sobre sus anteriores triunfos
y revelaciones de sí misma. Aquí es, por supuesto, donde
penetramos más en su amistad con Claudina y en su per-
vertido pero auténtico sentido del honor. La escena final
(una breve conversación con Elicia al volver Celestina a
casa) ilustra el continuo predominio estructural de la
conciencia hablada sobre la acción (en este caso sobre
la «adquisición» de Areusa por Pármeno). Aquí se nos
enseña la devoción que tiene Celestina a un aspecto particular de su vocación mencionado en el primer acto, al
cual Rojas no había dado aún su lugar en el diálogo: la
tarea de remendar virgos:

> CEL.—...Que la mocedad ociosa acarrea la vejez arrepen-
> tida e trabajosa. Hazíalo yo mejor quando tu abuela, que
> Dios haya, me mostraua este oficio: que a cabo de vn
> año sabía más que ella.
> ELIC.—No me marauillo, que muchas veces, como dizen,
> al maestro sobrepuja el buen discípulo. E no va esto
> sino en la gana con que se aprende. Ninguna sciencia es
> bien empleada en el que no le tiene afición. Yo le tengo
> a este oficio odio; tú mueres tras ello (Aucto VII; vol. I,
> p. 262).

Este «tú mueres tras ello», que sugiere un placer a la vez
obsceno y profesional en Celestina, está en profundo
acuerdo con su deseo de presenciar las relaciones entre

Pármeno y Areusa y con el deleite que le producen los encantos de ésta. A través de variaciones y de irónicos paralelismos llegamos por fin a las profundidades de las exploraciones que Rojas efectuó en eso que Baudelaire llama *la conscience dans le mal*. La trayectoria ha quedado estructuralmente completada. Celestina no volverá a ser la figura dominante de ningún acto.

Como salta a la vista, el acto VIII pertenece a Pármeno, y le conduce a esa identificación con Sempronio que ha de continuar hasta la muerte de ambos. También este acto pone término a una trayectoria de presentación estructural.

El acto IX toma un rumbo totalmente nuevo para encontrar y esbozar su unidad de conciencia hablada. La lista de situaciones parecería indicar que Rojas ha centrado el acto en torno a Sempronio y Pármeno (intervienen en todas las situaciones, exceptuando la última), pero basta leer detenidamente para darse cuenta de que no ocurre eso. Nuestra lista no debe considerarse como una regla infalible de estructura, sino como un medio auxiliar, y en este caso resulta inexacta. En el acto IX no son Pármeno y Sempronio quienes dirigen la conversación, y el acto tiene poco que ver con ellos. Los personajes que dominan son Elicia, Areusa y Lucrecia, con sus respectivos sentimientos y su femineidad. Como en el acto VI, Rojas nos ofrece aquí un esquema de variaciones conscientes, aunque en este caso la estructura es la de una *suite*, no la de un coro de voces simultáneas. No cabe negar, por supuesto, que el marco formal del acto consiste en el perverso banquete, en el cual Celestina preside esa alternancia de orgías y de pleitos. Sin embargo, las circunstancias escénicas y hasta Celestina misma —con sus elogios del vino y sus recuerdos de la prosperidad pasada— no son en realidad sino un punto de partida, un trampolín para llegar a nuevas conciencias de la femineidad, reveladas por primera vez en toda su plenitud. Basta imaginarnos un banquete de ese tipo dentro de una novela picaresca o, quizá, de la obra de Rabelais o de Boccaccio, para darnos cuenta nuevamente del énfasis característico que Rojas pone en la conciencia hablada. La violenta domesticidad de Elicia (en un diálogo con Sempronio que nos recuerda el encuentro de ambos en el primer acto), la estéril independencia de Areusa y las ávidas imaginaciones de Lucrecia constitu-

157

yen las tres columnas en que se apoya el acto y determinan el carácter peculiar de su estructura [6].

La presentación de esas tres jóvenes conciencias femeninas en el acto IX no aspira a ser más que una preparación: anticipa la importante revelación que de sí misma hace Melibea en el acto X. En cuanto al decoro del estilo y de las circunstancias, el contraste entre los dos actos no podía ser más deliberado. Pero por debajo de ese contraste exterior, la revelación interior de Areusa, Elicia y Lucrecia conduce a la de Melibea, en un paralelismo que no por irónico deja de ser fecundo. No sólo ocurre que Melibea es el tema principal de la conversación, la preocupación básica de las prostitutas durante la cena picaresca, sino que ésta prepara sagazmente nuestra aceptación de su rendición al amor. Rojas coloca ese esquema de la femineidad en el lugar justo en que puede cumplir de lleno su función estructural. Lo emplea para construir un amargo, irónico y profundo pórtico por el cual podamos penetrar, por fin, en el templo de la virginidad de Melibea. Esto no quiere decir que Melibea, por el hecho de ser la heroína, el «personaje principal», tenga más importancia dentro de la jerarquía de los personajes que, digamos, Elicia. Por el contrario, parecería que la relación estructural existente entre ambos actos tiene por objeto quitar a Melibea todo prestigio. Sucede

---

[6] Rojas tiene cuidado de afirmar esta estructura en la última escena, cuando Lucrecia y Celestina, abandonando la orgía, se disponen a ir a casa de Melibea. El diálogo parece destinado ante todo a llevar adelante la acción (a preparar al lector para el nuevo estado de ánimo de Melibea), pero Lucrecia descubre sus sentimientos femeninos más íntimos, en un parlamento que ya hemos citado: «Por cierto, ya se me hauía oluidado mi principal demanda e mensaje con la memoria de esse tan alegre tiempo como has contado, e assí me estuuiera vn año sin comer, escuchándote e pensando en aquella vida buena que aquellas moças gozarían, que me parece e semeja que estó yo agora en ella» (Auto IX; vol. II, p. 50). Unas líneas más abajo Lucrecia se indigna por la «falsedad» de Celestina; también esto muestra que su estado de ánimo (en relación consigo misma y con el oyente) es comparable —salvo en sus aspectos puramente femeninos— con el de Pármeno antes del acto VIII. Celestina misma establece esta comparación en el acto X: «Nunca me ha de faltar vn diablo acá e acullá: escapóme Dios de Pármeno, tópome con Lucrecia». Lo que ocurre es que en el arte de Rojas hasta el más utilitario intercambio de ideas tiene que estar escrito en una forma que lo relacione con la estructura de la conciencia que constituye el acto. Estas palabras completan el retrato de Lucrecia, como antes se habían completado el de Elicia y el de Areusa.

que el acto X es el primero en que la trayectoria de su conciencia domina sobre las demás. Hasta ahora, Melibea había vivido en la segunda persona, en un estado de violenta defensa y de retirada, pero en este acto, que comienza como de costumbre con un monólogo, Melibea va a dirigir, no a ser dirigida, y va a hacer una auténtica revelación de su conciencia sentimental. En otras palabras, lo que se prepara en el acto IX no es el personaje en cuanto tal, sino la metamorfosis viva de su conciencia femenina. Vamos a ver a Melibea como un *yo*. Así, la elevación del decoro a un ritual casi cortesano, la plena admisión de la conciencia sentimental en un monólogo puesto en boca de Melibea y no de Celestina, y el toque final, que pone de manifiesto la incipiente astucia femenina [7], adquieren mayor significado por su contraste con el bajo decoro, los violentos sentimientos y la vencida y demasiado experimentada femineidad del banquete. Una vez más, el modo como Rojas aprovecha la estructura para reforzar y desarrollar la conciencia hablada resulta magistral.

El acto XI es menos justificable desde el punto de vista de la estructura. Parece componerse de fragmentos de los actos precedentes, reducidos y acelerados, fragmentos que Rojas no se ha esforzado por henchir de conciencia. El primer parlamento («¡Ay Dios, si llegasse a mi

---

[7] El acto termina con el acostumbrado «toque final», no de acción, sino de conciencia, cuando Alisa se muestra preocupada por la nueva aparición de Celestina: «ALI.—...Guarte, hija, della, que es gran traydora... MELIB.—¿Déssas es? ¡Nunca más! Bien huelgo, señora, de ser auisada, por saber de quién me tengo de guardar» (Aucto X; vol. II, p. 68). Melibea está ahora irrevocablemente perdida. Sin embargo, no debemos interpretar este pasaje como el reconocimiento consciente de un deseo antes subconsciente, que es lo que hace Madariaga: «La escena a solas entre Celestina y Melibea está tan sembrada de maravillas y de atisbos geniales, que para hacerle justicia habría que comentarla línea a línea y palabra a palabra. La correspondencia entre los delicados pensamientos y soterrañas emociones manejados por ambas mujeres y el lenguaje simbólico revelador y encubridor a la vez de lo que pasa en el ser amoroso que la entrometida va gradualmente y no sin sufrimiento abriendo al amor es tan perfecta, tan increíblemente «moderna» en su penetración del subconsciente, que puede considerarse este diálogo como una desfloración psíquica de la doncella, preparatoria de la desfloración carnal» (*Discurso sobre Melibea*, pp. 59-60). A esta interpretación oponemos no sólo la teoría de la caracterización que hemos propuesto anteriormente, sino también la abierta conciencia de Melibea en su monólogo inicial.

casa con mi mucha alegría a cuestas...!») es un brevísimo resumen del monólogo pronunciado por Celestina en el acto V. La reunión de Celestina, Calisto y los dos criados recuerda con breves rasgos el artificio estructural del acto VI, pero no lo iguala en intensidad. Y la escena final con Elicia, al volver Celestina a casa, refleja la misma perversa domesticidad de la escena paralela del acto VII, aunque ya sin alusión a la obscena actividad vocacional. La verdad es que a estas alturas el éxito de la misión de Celestina es casi seguro, la expectación se ha visto satisfecha y ya no puede excitar a Celestina ni a sus oyentes (ni tampoco al lector) como lo pudo antes [8]. Es decir, cada una de esas situaciones es una repetición relajada de algo ya leído. La interrelación del *tú* y del *yo* ha perdido la violencia y tirantez que tenía en los encuentros anteriores. Ahora bien, al principio del acto hay una frase que Rojas sustituyó en 1502 por otra distinta. Es un cambio que muestra hasta qué punto Rojas se dio cuenta de la diferencia existente entre el acto XI y los que lo preceden:

> CEL.—...Pero todo vaya en buena hora, pues tan buen recabdo traygo. *E óyeme, que en pocas palabras te lo diré, que soy corta de razón: a Melibea* dexo a tu servicio (Aucto XI; vol. II, p. 71) [9].

El contraste que se observa entre esta deliberada abreviación de parte de Celestina y los largos preámbulos y descripciones del acto VI hace pensar que la relajación del diálogo se debe precisamente a una intención estructural de Rojas. Es un acto de puro descanso para todos.

Como hemos hecho notar al comienzo de este ensayo, el acto XII es, a primera vista, el más extraño y al parecer el más inexplicable de todos. La misma acumulación

---

[8] Cabe objetar que tanto Sempronio como Pármeno dudan que sea verdad lo que ella dice, pero estas dudas son todavía teóricas. Las nuevas de Celestina en cuanto tales, los detalles de lo ocurrido entre ella y Melibea no tienen en sí mismos interés para ellos. Después del éxito alcanzado en la primera entrevista con Melibea, el informe es menos interesante que la interpretación.

[9] En el texto original decía: «...pues tan buen recabdo traygo, que te traygo muchas buenas palabras de Melibea e la dexo a tu servicio». Aunque es muy posible que el primer motivo para retocar este pasaje fuera la desacertada repetición de la palabra «traygo», no cabe duda de que Rojas aprovechó el cambio para subrayar la deliberada rapidez y brevedad del acto.

de sucesos dificultó la tarea al autor de los «argumentos»:

> Llegando la media noche, Calisto, Sempronio e Pármeno armados van para casa de Melibea. Lucrecia e Melibea están cabe la puerta, aguardando a Calisto. Viene Calisto. Háblale primero Lucrecia. Llama a Melibea. Apártase Lucrecia. Háblanse por entre las puertas Melibea e Calisto. Pármeno e Sempronio de su cabo departen... (Aucto XII; vol. II, p. 81).

Más de cien palabras siguen y, con todo, el argumentista se ve forzado a omitir detalles importantes de los acontecimientos. Este es, en esencia, el mismo problema que se nos presenta a nosotros. ¿Cómo podemos demostrar una intención estructural en un acto que pasa de un punto culminante a otro y entreteje múltiples hebras de movimiento en torno a focos de interés alejados uno de otro? Superficialmente podríamos resolver la cuestión decidiendo cuál de los dos acontecimientos principales —el encuentro de Melibea y el asesinato de Celestina— merece la primacía, para luego tratar de encontrar una relación significativa entre ambos. Podría decirse, por ejemplo, que la cortesana entrevista constituye una elevación irónica que prepara, por contraste, la turbia sordidez de la última escena. En cambio, si el lector concede mayor importancia al amor, la muerte de Celestina podría parecer un descenso despiadado e irónico.

Posiblemente haya algo de verdad en tales suposiciones. Pero no podemos admitirlas plenamente sin traicionar nuestra anterior interpretación del acto como una unidad de conciencia dialógica. Volvamos, pues, a nuestra lista, y veamos si no hay en realidad un personaje que reaparezca en todas las situaciones. De hecho hay, no uno, sino dos: Pármeno y Sempronio, unidos en una trayectoria común desde el acto VIII [10]. Pero este descubrimiento plantea un problema más difícil que el que resuelve. ¿Cómo decir que Pármeno y Sempronio son los personajes centrales del acto, sobre todo teniendo en cuenta que al principio sólo parecen estar presentes como «graciosos» que contemplan y comentan la entrevista de los amantes? La única respuesta posible es la negativa. Sempronio y Pármeno son «graciosos», y la conversación que

---

[10] La única excepción es una breve situación en casa de Melibea, después de que despiertan Pleberio y Alisa en este mismo Aucto XII.

sostienen en la calle, en vez de ser descanso cómico, tiene en sí misma gran importancia estructural. Lo que Rojas está construyendo con su habitual sutileza es justamente la conciencia de los dos personajes. Juntos y en una situación de inminente peligro, deben encararse, por fin, con su bajeza humana, con su falta total de nobleza y de virtud, en una palabra, con la vergüenza y la miseria de su cobardía. Este sentimiento de cobardía se había preparado ya en el acto precedente, tanto en la versión original como en las bien meditadas interpolaciones:

> SEMP.—...Cata, madre, que assí se suelen dar las çaraças en pan embueltas, por que no las sienta el gusto.
> PÁRM.—Nunca te oy dezir mejor cosa. Mucha sospecha me pone el presto conceder de aquella señora... *Pues alahé, madre, con dulces palabras están muchas injurias vengadas...*
> *Assí como corderica mansa que mama su madre e la ajena, ella con su segurar tomará la vengança, de Calisto en todos nosotros, de manera que con la mucha gente que tiene, podrá caçar a padres e hijos en vna nidada, e tú estarte has rascando a tu fuego, diziendo: a saluo no está el que repica* (Aucto XI; vol. II, pp. 75-76).

Pero en el acto XII es donde esta sospecha se convierte en un estado de ánimo, en una conciencia total de sí mismos, capaz de centrar la unidad estructural del conjunto.

No apresuremos nuestro examen de este tema. Ya hemos visto la cómica y bergsoniana identificación de Pármeno con Sempronio en los ademanes de cobardía: ese nervioso mirar y escuchar a todos lados, ese estar apercibido para tomar las de Villadiego al primer ruido que se oiga, ese tener «las faldas en la cinta, la adarga arrollada». Pero éstos no son sino elementos secundarios, producto accesorio de una angustia interna ante el reconocimiento del propio ser; porque cada uno de ellos se ve en sí mismo a través del otro y sabe la verdad, por más que intente hermosearla:

> SEMP.—¡O Pármeno amigo! ¡Quán alegre e prouechosa es la conformidad en los compañeros! Avnque por otra cosa no nos fuera buena Celestina, era harta la vtilidad que por su causa nos ha venido.
> PÁRM.—Ninguno podrá negar lo que por sí se muestra. Manifiesto es que con vergüença el vno del otro, por no ser odiosamente acusado de couarde, esperáramos aquí la muerte con nuestro amo, no siendo más de él merecedor della (Aucto XII; vol. II, p. 87).

162

En casi todas las interpolaciones de este acto Rojas se esfuerza por acentuar el dolor y la inconfesada vergüenza de esta amistad. Así, en 1502 pone en boca de Sempronio una anécdota casi patética sobre pasadas osadías, anécdota que traiciona al narrador por la misma insignificancia de la hazaña. Este es el Sempronio que llevaba piedras en su yelmo para tirarlas a los criados de Pleberio y que más tarde las echaría al suelo para poder correr con más rapidez:

> SEMP.—¿E yo no seruí al cura de Sant Miguel *e al mesonero de la plaça e a Mollejar, el ortelano? E también yo tenía mis qüestiones con los que tirauan piedras a los páxaros, que assentauan en vn álamo grande que tenía, porque dañauan la ortaliza.* Pero guárdete Dios de verte con armas, que aquel es el verdadero temor. No en balde dizen: «cargado de hierro e cargado de miedo»... (Aucto XII; vol. II, p. 96)[11].

Más significativa aún es la interpolación en que, por el solo hecho de emplear la palabra, Pármeno reconoce su cobardía:

> SEMP.—...En sintiendo bullicio, el buen huyr nos ha de valer...
> PÁRM.—Bien hablas, en mi coraçón estás. Assí se haga. Huygamos la muerte, que somos moços. *Que no querer morir ni matar no es couardía, sino buen natural. Estos escuderos de Pleberio son locos: no desean tanto comer ni dormir como qüestiones e ruydos. Pues más locura sería esperar pelea con enemigo que no ama tanto la vitoria e vencimiento como la continua guerra e contienda* (Aucto XII; vol. II, p. 94).

Vemos, pues, que tanto en el texto original como en las interpolaciones, Pármeno y Sempronio no sólo sienten miedo, sino que se dan cuenta de que su miedo es cobardía. Al final de esa larga trayectoria, el sentimiento y la razón confluyen en una consciente definición del pro-

---

[11] Este pasaje se insertó para establecer un paralelo con la anécdota similar contada por Pármeno, y para acentuar nuevamente la identificación de ambos:

> PÁRM.—Tragada tenía ya la muerte, que me parescía que me yuan dando en estas espaldas golpes. En mi vida me acuerdo hauer tan gran temor ni verme en tal afrenta, avnque he andado por casas agenas harto tiempo e en lugares de harto trabajo. Que nueue años seruí a los frayles de Guadalupe, que mill vezes nos apuñeáuamos yo e otros. Pero nunca como esta vez houe miedo de morir. (Aucto XII; vol. II, p. 96).

pio ser. Como las revelaciones de las tres mujeres en el acto IX, lo que justifica este acto es el descubrimiento de esta conciencia final.

¿Pero qué ocurre con Calisto y Melibea? ¿Qué relación puede tener con todo esto su entrevista, llena de vacilaciones y de afectación? Hay que notar en primer lugar que, casi contra su voluntad, Calisto participa de la oscuridad e inseguridad de esa situación que lleva a los criados a darse cuenta de sí mismos. Mejor dicho, participa en ella hasta el momento en que reconoce la voz de Melibea a través de la puerta. Calisto ha aceptado sin más la proposición que le ha hecho Pármeno de armarse por lo que pudiera suceder, y cuando oye la voz de Lucrecia en vez de la de Melibea, recuerda la sospecha de Sempronio: le han armado una trampa. Pero, como hemos visto, su reacción es significativamente distinta: «Cierto soy burlado: no era Melibea la que me habló. ¡Bullicio oygo, perdido soy! Pues viua o muera, que no he de yr de aquí». De este modo, Rojas hace que la valentía del «héroe» acentúe la cobardía de los criados. Invierte estructuralmente la esperada relación entre los dos planos, pues el despliegue de valor por parte de Calisto, valor auténtico en ese momento, está mucho menos desarrollado que el sentimiento negativo de Pármeno y Sempronio. Es evidente que esta inversión del énfasis normal es deliberado, pues Rojas la continúa y sostiene con una frase intercalada más adelante, durante el diálogo amoroso. Calisto se ha jactado de la bravura de sus criados, y Melibea responde:

> Bien empleado es el pan que tan esforçados siruientes comen... *E quando sus osadías e atreuimientos les corregieres, a buelta del castigo mezcla fauor, por que los ánimos esforçados no sean con encogimiento diminutos e yrritados en el osar a sus tiempos* (Aucto XII; vol. II, pp. 97-98).

La intención es clara. Rojas no tenía por qué subrayar de tal modo ese aspecto particular de la primera y trémula reunión de los dos amantes; si lo hizo fue porque quería destacar mejor, por medio de la ironía, la conciencia de los criados. La yuxtaposición de esas dos situaciones da lugar a una viciosa inversión, que, al menos en parte, subordina el acontecimiento principal (principal desde el punto de vista de la «trama» y de la jerarquía) al arte estructural de Rojas. El equilibrio creado entre conciencias y vacilaciones tan dispares es magistral justamente por ser tan precario.

Esto en cuanto a las dos primeras situaciones. Pero aún nos queda un problema importante por resolver. ¿Qué relación existe entre esa plenitud de conciencia en los criados y el segundo gran punto culminante del acto: el asesinato de Celestina? Aquí es donde se pone de manifiesto toda la intención de Rojas en el acto XII. A todo lector le habrá parecido extraño que Celestina (con su cordura y con su dominio de la estrategia y táctica de la guerra dialógica) dejara que su última escaramuza con Pármeno y Sempronio degenerara de manera tan fatal. Hasta cierto punto, podremos explicar esta falla por la avaricia; ya lo auguraba Sempronio en el acto XI, y ahora lo confirma: «No es ésta la primera vez que yo he dicho quánto en los viejos reyna este vicio de cobdicia» (Aucto XII; vol, II, p. 106). Pero el arte de Rojas nunca puede explicarse con razones tan elementales. Los esfuerzos que hace Celestina por resolver la disputa con el ofrecimiento de más mujeres, de vestidos, etc., no logran aplacar a los criados, porque ella ha interpretado de manera radicalmente errónea su estado de ánimo. Cuando Sempronio y Pármeno entran en su casa, fingen haber trabado una reñida batalla. Lo hacen en parte para asustar a Celestina y para justificar su petición de dinero (necesitan componer y sustituir sus maltrechas armas), pero también por un motivo más profundo: es un débil intento de vendar las heridas de su amor propio. Bien visto, hay algo de verdad en la afirmación de Pármeno: «Que cierto te digo que no quería yo topar hombre que paz quisiesse. Mi gloria sería agora hallar en quién vengar la yra que no pude en los que nos la causaron, por su mucho huyr» (Aucto XII; vol. II, p. 102). Pero Celestina no se da cuenta del verdadero sentido de tales bravatas, y pide que le dejen la cadena en premio de su propia osadía: «...dos vezes he puesto... mi vida al tablero». Cuando los criados la amenazan ella firma su propia sentencia de muerte, acusándolos abiertamente de cobardía:

CEL.—¿Qué es esto? ¿Qué quieren dezir tales amenazas en mi casa? ¿Con una oueja mansa tenés vosotros manos e braueza? ¿Con vna gallina atada? ¿Con vna vieja de sesenta años? ¡Allá, allá, con los hombres como vosotros, contra los que ciñen espada, mostrá vuestras yras; no contra mi flaca rueca! *Señal es de gran couardía acometer a los menores e a los que poco pueden...* (Aucto XII; vol II, p. 109).

El asesinato ocurre poco después de estas palabras, porque lo que Sempronio y Pármeno no pueden tolerar es justamente esa acusación, más explícita aún en la interpolación que en el original. Cosa paradójica, la vil experiencia del acto XII era necesaria para que Sempronio y Pármeno pudieran atreverse al intrépido asesinato; una vez más, la «acción dramática» se apoya en la conciencia expresada por el diálogo [12].

Vemos, pues, que a pesar de la continua tensión y de los dos puntos culminantes en el acto XII, Rojas no deja de insistir por medio de interpolaciones, en la dolorosa conciencia de Pármeno y Sempronio. Y no sólo lo hace en los parlamentos de ambos personajes, sino también en los de Calisto, de Celestina y aun de Melibea. Su propósito no es revelar la conciencia del temor, sino acentuarla, relacionándola así estructuralmente con el encuentro de los amantes y el asesinato de Celestina. La primera vez logra crear este efecto por medio de una yuxtaposición paralela, colocando al «héroe» y a la «heroína» en irónico contraste con la bajeza de los criados; haciendo que, al lado de sus asesinos, la víctima parezca privada de conciencia trágica. La muerte de Celestina es, deliberadamente y a pesar de todo el vigor de su personalidad, una muerte cómica e inconsciente. Al menos desde el punto de vista de la estructura, Celestina sirve también de punto de contraste. De esto se deduce que el acto XII, lejos de ser una monstruosidad o un accidente, es quizá el más delicadamente coherente de los veinte actos escritos por Rojas. En él Rojas encuentra y conquista el momento culminante de la acción.

Después de examinar tan a fondo estas once estructuras, diversas pero fieles todas al arte dialógico, no hace falta continuar con un examen detallado. El acto XIII construye la reacción de Calisto ante los abrumadores

---

[12] Aunque tiene poca importancia para la estructura, podemos mencionar otro error fatal que comete Celestina en esta situación. Es la mención de la madre de Pármeno, latigazo que antes había irritado a Pármeno y que ahora acaba por enfurecerlo. Este error muestra una vez más que Celestina no se da cuenta de la profunda crisis de conciencia por que están pasando Sempronio y Pármeno, crisis que constituye el meollo de ese acto. Cada vez que Celestina dice algo así como: «Qué bien sé dónde nasce esto, bien sé e barrunto de qué pie coxqueáys», lo que sigue a estas palabras demuestra hasta qué punto anda equivocada. En la *Celestina* las mujeres suelen ser misteriosas a los ojos de los hombres, pero aquí la más prudente de todas las mujeres fracasa en su comprensión de los hombres.

acontecimientos que lo preceden, y termina con un monólogo de razonada desesperación. Los actos XIV y XIX quedan alterados por la intercalación de los nuevos actos, pero en la *Comedia* la figura central de ellos, lo mismo que del acto XX, es Melibea. El acto XXI quiere ser un epílogo temático; el parlamento de Pleberio, como ha dicho Roberto F. Giusti, «hace las veces del coro en las tragedias de Esquilo» [13]. La conciencia de Pleberio es la de un superviviente, y superviviente contra su voluntad. En sus palabras confluyen todas las rotas perspectivas de sentimiento y razón que le han quedado. Pleberio supera su propio dolor y reemplaza las voces de los muertos con los compases tradicionales de «fortuna», «mundo» y «amor». Al final de la obra, el diálogo queda absorbido estructuralmente por un monólogo trascendental.

Más adelante hemos de insistir en esto, y en la nueva estructura de los actos añadidos. Lo único que aquí nos hemos propuesto demostrar es que la división en actos, lejos de ser arbitraria o descuidada, está hecha para acentuar y unificar el curso general del diálogo. Como la lógica del párrafo y el decoro de la situación, la división en actos tiene por objeto dar forma, sin refrenarlo, al crecimiento vital del genio creador de Rojas. Sin esta sutil disciplina estructural, los «tan crescidos ramos y hojas» de la *Celestina* se hubieran mantenido quizá en estado silvestre, sin dar jamás el «harto fruto» de su arte consumado.

2. DIVISIÓN DE ESCENAS

Todo diálogo de tipo dramático se suele dividir no sólo en un número convencional de actos, sino también en una cantidad variable de escenas aisladas dentro de cada acto. Lo que suele determinar el comienzo de una escena es la entrada o salida de uno de los personajes, o bien un cambio de escenario. En cuanto a la *Celestina*, el primero de esos dos tipos de escena corresponde más o menos a nuestra división del acto en situaciones dialógicas. Pero ¿qué ocurre con el segundo tipo de escenas dramáticas? Según Eduardo Nicol, toda situación vital se basa no sólo en el «quién», sino también en el «dónde»,

---

[13] «Fernando de Rojas, su obra de humanidad española y de arte renacentista», en *Boletín de la Academia Argentina de Letras*, XII, 1943, p. 132.

en el «cuándo» y en otras preguntas pertinentes. Si queremos completar nuestra comprensión de la estructura escénica de la *Celestina*, debemos examinarla también desde este punto de vista. Como todo el arte de Rojas, es radicalmente no-teatral o ateatral, lo más probable es que sus «situaciones» incluyan de manera original elementos de ambos tipos de «escenas», sin adherirse estrictamente a ninguno de ellos.

Desde el momento en que, al volver a casa, Calisto llama a Sempronio y, cuando éste le dice que ha estado cuidando los caballos, responde «Pues, ¿cómo sales de la sala?», sabemos que nos encontramos en el dominio de las habitaciones, de las casas y de las calles que las rodean y enlazan. Después del primer encuentro de Calisto con Melibea, en un «lugar» indefinido (el texto nos dice más tarde que es el huerto de Melibea), no nos perdemos ni por un instante en el mundo de la *Celestina*. El diálogo compensa la falta de «direcciones escénicas», pues cada hablante está preocupado por el lugar en que se encuentra y en que se encuentran los demás con relación a él; esta preocupación es constante en la obra, desde el comienzo hasta el fin. Debemos tener cuidado, por lo tanto, de no tomar por afectación del autor este modo de revelar la escena del diálogo; y tampoco debemos pensar que los fragmentos de diálogo que aluden al lugar son un sustituto consciente de las indicaciones marginales. Como hemos de ver, tales referencias se integran del todo a la situación individual y a los personajes que en ella participan. Los personajes no anuncian al lector: «estamos en casa de Celestina», sino que el hecho de estar en casa de Celestina constituye un aspecto de su conciencia y brota de él con toda naturalidad en el curso de su conversación [14].

Sobre esta base podremos explicar mejor dos de las más asombrosas características del espacio en la *Celestina*: su cualidad tridimensional y la absoluta libertad de movimientos que ella hace posible. En lo tocante a la tri-

[14] Hay que recordar, por supuesto, que Rojas no es el autor de los «argumentos», y que por lo tanto no se debe a él el énfasis puesto en el escenario de la acción. Para Rojas, el lugar era un elemento de la situación misma; en esto continuó rigurosamente la técnica del primer acto. Además, del ejemplo arriba citado, recordemos que en la primera escena en que Celestina y Elicia engañan a Sempronio no llegamos a saber que Crito está escondido en el piso alto sino cuando Sempronio oye que «suenan pasos arriba».

dimensionalidad, Rojas, que aquí como en todo desobedece a Aristóteles (en este caso se desentiende del consejo aristotélico de que el poeta trágico visualice las escenas mientras escribe), no pone a sus personajes en un escenario ficticio. En vez de proyectar a un él o a una ella contra un trasfondo de dos dimensiones, hace que el lector intuya la perspectiva de una calle a través de la conciencia que el hablante mismo tiene de la distancia:

> PÁRM.—¡Señor, señor!
> CAL.—¿Qué quieres, loco?
> PÁRM.—A Sempronio e a Celestina veo venir cerca de casa, haziendo paradillas de rato en rato... (Aucto V; vol. I, p. 200).

Del mismo modo hace Rojas que nos imaginemos los oscurecidos contornos de una habitación:

> LUCR.—Señor, apresúrate mucho si la quieres ver viua, que ni su mal conozco de fuerte ni a ella ya de desfigurada.
> PLEB.—*Vamos presto, anda allá, entra adelante, alça essa antepuerta e abre bien essa ventana, por que le pueda ver el gesto con claridad.* ¿Qué es esto, hija mía? (Aucto XX; vol. II, pp. 203-204).

Este punto de vista subjetivo es lo que convierte el escenario en espacio y lo que, a pesar de la escasez de indicaciones concretas, da tal ilusión de realidad a la ciudad en que tiene lugar la obra. Como ya he hecho notar en otro lugar, «así como la casa de Calisto surge ante nosotros tal como se refleja en los ojos y en la mente de los que viven en ella, así también se presenta una ciudad entera de tamaño natural, una ciudad, por lo visto, tan genuina que los eruditos han intentado muchas veces identificarla históricamente» [15]. Es posible que he exagerado (la casa de Calisto en realidad no «surge ante nosotros»), pero algo hay cierto en ello. Rojas invierte a su manera el enfoque de Shakespeare, haciendo de todo el teatro un mundo (cf. «all the world's a stage»).

La libertad de movimiento, por su parte, es absoluta; como hice notar en el artículo arriba citado, parece «cinematográfica». Al comentar el final del acto II, o sea el pasaje en que Pármeno ensilla un caballo y luego maldice a Calisto mientras éste se aleja calle abajo, hice la siguiente observación:

---

[15] «El tiempo y el género literario en la Celestina», art. cit., pp. 149-150.

No hay en este fragmento de diálogo geometría estática de escena; lo que hay es un cálculo dinámico, pues la acción mueve sus puntos, sin traba alguna, del cuarto de Calisto a la cuadra, luego al portón de un patio, y, por fin, calle abajo. No hay necesidad de cambios formales de escenario o de apartes artificiosos; la conversación viva emerge con una libertad tan natural que no atrae la atención hacia sí misma. Las convenciones dramáticas de escena y acto, el método racional y jerárquico de la presentación del diálogo, pierden su función, pues en la *Celestina* la circunstancia externa emana del diálogo, de las percepciones de los personajes, y no es nunca un agregado adjetivo o formal [16].

Esto no sólo se aplica a los movimientos limitados a través de un cuarto o de una cama, sino también a las largas caminatas por las calles y las plazas. Y cuando Rojas quiere transferir nuestra atención de un diálogo determinado a otro que se realiza en un lugar distinto, lo hace sin el menor temor de que nos perdamos o desconcertemos. La primacía del diálogo es tan total, que puede moverse por el espacio sin las acotaciones marginales [17].

Este carácter tridimensional y la libertad de movimiento que de él resulta parecen dificultar, en cuanto tales, el aprovechamiento estructural del lugar en la *Celestina*. Es casi la misma dificultad con que nos topamos al comenzar a examinar la división en actos, que no correspondía al desarrollo de la trama ni a la subdivisión de la acción. Y debemos resolver el problema de modo muy semejante. Tenemos que reconocer que la escena, en cuanto escenario, no expresa tanto una acción cuanto una conciencia hablada; no *vemos* la escena (ni nos imaginamos que la estamos viendo), sino que nos *damos cuenta* de ella. Esto explica, en primer lugar, el increíble vacío espacial de la obra. Los habitantes de la *Celestina* caminan hacia su casa o se alejan de ella, pero el texto no nos dice que se encuentren con un ser humano, con un lugar determinado o con ninguna otra cosa. Lo mismo cabe decir, en cierta medida, de los interiores de las casas, pues las referencias al mobiliario y a las habitaciones es sumamente escueta. Los personajes están tan concentrados en la situación dialógica (o monológica), tan metidos en el engranaje del *tú* y el *yo* de la conversación humana, que por lo común no notan los artefactos exte-

---

[16] *Ibid.*, p. 149.
[17] Esto, como ya hemos visto, también se aplica a los frecuentes apartes de las primeras ediciones.

riores de la existencia urbana y doméstica. Casi parecería como si el espacio se hubiera purificado, como si hubiera perdido su contenido en ese mundo esquemáticamente limitado a un contorno mínimo. En una forma distinta de la de Racine, Rojas logra crear un escenario tan desnudo como el de la antecámara clásica. Elimina todo aquello que no penetra por su propia cuenta en la conciencia del hablante.

Esto hace que los «objetos» que *sí* se mencionan en la obra adquieran una carga de significado, una importancia que se pierde a menudo en las novelas realistas, o en otras imitaciones de la existencia en el mundo. Cuando los recuerdos llevan a Celestina a detenerse en ciertas escenas de su pasado, los utensilios de la vida diaria que emplea para evocarlas —jarros de vino, dientes de muerto, etc.— llegan a tener un valor casi simbólico. Y lo mismo puede decirse de todos esos cosméticos, vestidos, bagatelas y objetos domésticos que tipifican verbalmente las actividades de los amantes, de las criadas y de otros tipos de seres humanos. En contraste con el inmediato vacío físico del espacio en la *Celestina,* estas imágenes del diálogo transmiten plenamente el ímpetu de su propósito ilustrador. De modo análogo, hay ciertos objetos reales que llegan a tener gran relieve —por ejemplo, el raído manto de Celestina, el arnés de Sempronio, el cordón de Melibea, la blanca cama de Areusa, el aceite serpentino y las barbas de cabrón necesarios para el conjuro—, porque los personajes que participan en la situación les conceden valor especial. Estos objetos, en particular, son importantes para la estructura. Como están rodeados por el vacío, tienden a centrar el diálogo en torno a sí mismos, a convertirse en núcleo de preocupaciones a menudo divergentes. En una escena que expresa una conciencia, esas cosas que no sólo se *ven,* sino que se *notan,* tienen por eso enorme potencia artística. Dejan de ser meros «objetos» para penetrar en la estructura viva de cada situación. Dicho de otro modo, Rojas parece compensar a menudo la ausencia de descripciones de objetos haciendo que éstos intervengan en un juego estructural bien meditado.

No debemos dar por concluída esta materia sin mencionar el papel desempeñado en la *Celestina* por el color y la luz. Deslumbrados quizá por la devota y tradicional descripción del dorado cabello, los colorados labios, los blancos dientes, las rúbeas uñas de Melibea en el primer acto, la mayoría de los lectores no se dan cuenta de la increíble parquedad de las referencias al color en la obra. Aparte de esta descripción y de alguna que otra alusión al color de los siniestros objetos de hechicería que guarda Celestina, unos cuantos toques de negro, blanco y dorado completan la paleta de Rojas [18]. Es evidente la significación de estos tres «colores», pues más que describir un objeto, lo someten a una valoración, a una actitud lingüísticamente prescrita. Así, cuando Celestina ve a Areusa en la cama, exclama con abierta sensualidad:

> ¡Ay, cómo huele toda la ropa en bulléndote! ¡A osadas que está todo a punto! Siempre me pagué de tus cosas e hechos, de tu limpieza e atauío. ¡Fresca que estás! ¡Bendígate Dios! ¡Qué sáuanas e colcha! ¡Qué almohadas! ¡E qué blancura! ¡Tal sea mi vejez qual todo me parece perla de oro! (Aucto VII; vol. I, pp. 248-249).

La palabra «blancura» no sólo se refiere aquí al color de las sábanas, sino también a una vívida conciencia de cualidad. Más que una descripción, forma parte de la exclamación en general. En el giro «perla de oro» (que Celestina usa también en otras ocasiones), el color dorado se

---

[18] Hay algunas excepciones: «vermejas letras» (Aucto III; vol. I, p. 150), «posturas blancas e coloradas» (Aucto VI; vol. I, p. 227), «verdes prados» (Aucto VIII; vol. II, p. 22). «coloradas colores de tu gesto» (Aucto X; vol. II, p. 55), «calças de grana» (Aucto XII; vol. II, p. 106), «rubicundos labios» (Aucto XIV; vol. II, p. 139), «ruuia color» (Aucto XVII; vol. II, p. 167). Comparemos esta parquedad de colorido con las explosiones de policromía en la *Dorotea*: «En tiempo de Claudio (si no miente Plinio) truxeron a Roma vn fénix, y dizen que era de la grandeza y proporción de vn águila; el cuello dorado y resplandeciente, el cuerpo purpúreo, la cola cerúlea, distinta de rosadas plumas, o que en ellas estauan formadas rosas, como en la cola del pauón los ojos, y coronado de diuersos rayos de otras más sutiles de varios cambiantes y tornasoles» (Acto IV, escena I; ed. A. Castro, Madrid, 1913, p. 198). No estamos, pues, de acuerdo con Ramón Sender, que compara la *Celestina* con los «esperpentos» de Valle-Inclán, identificando su tratamiento del color: «La *Celestina* era irrepresentable por las mismas razones que los esperpentos de Valle —no porque fuera demasiado larga o porque acabara demasiado mal o porque su realismo pudiera ser procaz e indecente—; era irrepresentable porque estaba concebida no como una estructura homogénea con sus realidades aparentes y determinantes, sus ruedecillas interdependientes y compleja exactitud, sino como una acumulación de masas de color estáticas y fijas. (En el caso de la *Celestina* el color es un fin también en sí mismo)...» («La gestación literaria en Valle Inclán», *Cuadernos Americanos*, 1952), pp. 270-81.

ha transformado por completo en una exaltada afirmación de valor [19].

Y lo mismo cabe decir del negro, que expresa connotaciones negativas de duelo y de mal: «...los sombrosos árboles del huerto se sequen con vuestra vista, sus flores olorosas se tornen de negra color» (Aucto XV; vol. II, p. 149) [20]. En ese mundo hecho a base de una conciencia hablada, no sólo descrito en el diálogo, el color no se ve: se asimila al espíritu y al habla.

Una vez reconocida la falta de color en la *Celestina*, examinemos el empleo que hace Rojas de la luz y la oscuridad, a menudo de valor estructural. Aparte de los colores asimilados a la conversación, no hay en la obra colores, justamente porque no hay objetos ni superficies a que se pueda aplicar. No hay ni decoraciones de teatro, ni siquiera personajes caracterizados. La ausencia de tales elementos debe afectar también a la luz, pues en esas circunstancias Rojas no puede tener acceso artístico al claroscuro, es decir, no puede aprovechar artísticamente los reflejos de la luz. Sería erróneo por eso concebir la *Celestina* como una obra de blanco y negro. La oscuridad y la luz aparecen en la obra, pero en la medida en que los personajes las perciben conscientemente, en relación con las necesidades dialógicas de cada situación. Así, el acto XII es un acto «oscuro», pero su oscuridad se manifiesta en la nerviosidad, en el continuo estado de alerta de los criados y en la inseguridad del primer encuentro de los amantes. Y cuando la oscuridad del acto queda interrumpida por las antorchas de la gente del alguacil, lo que percibimos no es su resplandor, sino el alivio que sienten los criados y el disgusto de Calisto. Del mismo modo, cuando en las equilibradas escenas del comienzo y del fin del acto VIII se filtra la luz por las ventanas de las oscurecidas habitaciones, lo que se acentúa es la impresión psicológica, no la visual:

---

[19] Esto, por supuesto, es típico del lenguaje popular y aparece a menudo en los romances españoles, lo mismo que en las baladas de otros países europeos. Es tan conocido este uso, que no hace falta citar ejemplos.

[20] He aquí otros ejemplos: «dorada frecha» (Aucto VI; vol I, p. 214), «pan blanco» (Aucto VIII; vol. II, p. 17), «negro traygo el coraçón» (Aucto XV; vol. II, p. 145), «manos como la nieue» (Aucto XIX; vol. II, p. 188) y, como símbolo de vejez, «tus blancos cabellos» (Aucto XXI; vol. II, p. 216). Y aún hay otros ejemplos.

PÁRM.—¿Amanesce o qué es esto, que tanta claridad está en esta cámara?

AREU.—¿Qué amanecer? Duerme, señor, que avn agora nos acostamos. No he yo pegado bien los ojos, ¿ya hauía de ser de día? Abre, por Dios, essa ventana de tu cabecera, e verlo has.

PÁRM.—En mi seso estó yo, señora, que es de día claro, en ver entrar luz entre las puertas. ¡O traydor de mí! ¡En qué gran falta he caydo con mi amo! De mucha pena soy digno. ¡O qué tarde que es! (Aucto VIII; vol. II, p. 7).

Otro tanto ocurre en el acto VII, cuya primera escena tiene lugar en una calle oscura y que después pasa a la iluminada habitación de Areusa. Esta última escena nos deja una impresión de resplandor —de brillante atracción—, justamente porque su luz se ha integrado a la excitación de Celestina, a la timidez de Pármeno y al recato de Areusa. Vemos, pues, que ciertas escenas se construyen estructuralmente a base de la presencia o ausencia de luz, pero que la luz nunca se refleja, nunca llega a ser «visible». Lo que ocurre es que la luz se refracta a través de la conciencia que la primera y la segunda personas tienen de la situación, y se asimila a su diálogo. La impresión de realidad que produce esta ilusión de luz no es una paradoja, como no lo es la que se produce cuando una situación se centra en torno a un objeto. Como experiencia consciente la luz tiene mayor fuerza potencial que como sensación o como impresión.

Volviendo al espacio, que en la *Celestina* constituye una trayectoria de movimiento, no de visión, es de esperarse que Rojas lo aproveche estructuralmente siempre que contribuya, como la luz, a la situación dialógica. Pero la expresión «siempre que» se presta a error: a pesar de lo que suele decirse, Rojas no tiende a malgastar las palabras ni a introducir en el diálogo frases innecesarias. Más bien sospechamos que si en el diálogo se mencionan el lugar y el movimiento es porque tienen una función dialógica —y posiblemente estructural. A primera vista, las abundantes indicaciones de ese tipo parecerían casuales, accesorias, relacionadas sólo con la «acción». Si en el primer acto, por ejemplo, se nos dice que Sempronio está en la sala cuando Calisto llega a casa, es porque ese hecho constituye la chispa inicial que ha de producir la explosión de enojo y desesperación en Calisto. Pero creo que son mucho más frecuentes y más importantes los casos en que el lugar y el movimiento entran directamente en

174

la estructura de la situación. ¿Y cuándo ocurre esto? Precisamente cuando se trata del espacio *entre* los personajes que hablan —el espacio en que se alejan o se acercan unos a otros.

No pretendemos decir con esto que Rojas quisiera crear contrastes tan sutiles de experiencia espacial como los existentes, por ejemplo, entre el tono de una conversación lejana, el cuchicheo de una pareja de amantes que se abrazan y la tranquila charla de dos personas sentadas lado a lado. Tampoco le interesaba lo que podríamos llamar las atmósferas espaciales, o sea las cualidades más o menos indefinibles del espacio: lo frío, lo cálido, lo encerrado, lo pesado, lo cargado, etc. Estos aspectos, que la novela del siglo XIX llevaría al máximo desarrollo, son aún rudimentarios en la *Celestina*, no necesariamente porque la obra tenga un carácter primitivo, sino porque los personajes están demasiado preocupados por el sentimiento y el argumento inmediatos para fijarse en esas cosas [21]. Muy distinto es lo que sucede en las novelas, que

[21] Hay cierto matiz de intimidad en la segunda escena del jardín y quizá en el cuchichear de Pármeno y Sempronio en el acto XII. También podría mencionarse la espasmódica cadencia con que Sempronio se esfuerza por sacarle las nuevas a Celestina mientras ésta corre gozosa a casa de Calisto (acto V). Veamos más de cerca esta escena; los parlamentos de Sempronio son siempre breves, y producen la impresión de que los dice mientras corre tras Celestina. Los de ella, en cambio, son algo más largos y hacen pensar que se detiene a contestarle:

CEL.—...mientras más tardasse, más caro me costasse.
SEMP.—Por amor mío, madre, no passes de aquí sin me lo contar.
CEL.—Sempronio amigo, ni yo me podría parar ni el lugar es aparejado. Vente conmigo. Delante Calisto oyrás marauillas. Que será desflorar mi embaxada comunicándola con muchos. De mi boca quiero que sepa lo que se ha hecho. Que avnque ayas de hauer alguna partizilla de prouecho, quiero yo todas las gracias del trabajo.
SEMP.—¿Partezilla, Celestina? Mal me parece eso que dizes.
CEL.—Calla, loquillo, que parte o partezilla, quanto tú quisieras te daré... (Aucto V; vol. I, pp. 196-197).

En este pasaje podemos percibir los movimientos de Celestina, su voluntad de llevar a término lo que se ha propuesto. Ensaya un argumento rápido y se pone nuevamente en marcha; pero esa precipitación despierta otra duda en Sempronio y le hace formular una nueva pregunta. Celestina vuelve a responder apresuradamente, y así continúa la charla, mientras Sempronio sigue «royéndole las haldas» a Celestina con vanas esperanzas de sa-

175

tienden a describir la atmósfera y la distancia como factores más o menos subconscientes, que contribuyen a la experiencia sin que el sujeto se dé cuenta de ello. Es significativo que fuera justamente Flaubert quien convirtió esa técnica en una de las bases de su arte. En la *Celestina*, tales efectos no existen, o son de orden muy secundario.

En otras palabras, para que el espacio entre los hablantes llegue a tener en la *Celestina* significación estructural, hace falta que afecte más directamente a la conciencia de lo que pueden hacerlo los intangibles elementos que hemos mencionado. El espacio tiene que definirse de manera elemental, y debe constituir una aguda conciencia en todas las personas presentes. Rojas realiza esto en dos tipos de situaciones: en primer lugar, en aquellas en que uno o más hablantes pueden *oír* pero no ver a los demás; en segundo lugar, en aquellas en que uno o más hablantes pueden *ver* pero no oír a los demás. Es decir, desde el punto de vista de la estructura, el espacio constituye en la *Celestin*a o una *barrera* o una *distancia*. Sólo en una de las dos formas afecta directamente a esa compleja unidad de conciencias que hemos llamado situación dialógica, y sólo así puede acentuar la unidad de ese complejo en cuanto elemento básico de la estructura. Como Rojas no quiso separar las escenas dentro de cada acto formal y explícitamente, tuvo que acudir a esa demarcación espacial de las situaciones. O quizá fuera más acertado decir que las barreras y las distancias, por el hecho de penetrar directamente en el conjunto de conciencias, permitieron a Rojas sustituir el concepto teatral de la escena (concebida como mero escenario o lugar de la acción) por una forma más adecuada de su propio arte.

Examinemos ante todo las situaciones en que los personajes pueden oírse pero no verse unos a otros. El ejemplo más importante aparece en el primer acto, en la es-

---

tisfacción. Hasta sentimos cómo la última frase de cada parlamento de Celestina está dicha en el momento en que ella vuelve la espalda para continuar el camino. Vemos, pues, que las «paradillas de rato en rato» que Pármeno observa desde la ventana se expresan en el ritmo peculiar del diálogo. Sin embargo, también aquí lo que interesa a Rojas es el estado de conciencia, la alterada expresión de curiosidad y de impaciencia, y no fundamentalmente el movimiento que lo acompaña (como hubiera ocurrido en una novela).

cena en que Sempronio y Celestina traban una conversación fingida frente a la puerta de Calisto, y a su vez escuchan a Pármeno que, dentro de la casa, previene a su amo contra la estratagema. Parecería que en este caso la barrera no pasa de ser cómica y relativamente simple, y que corresponde a la presentación típica de los cuatro hablantes. Sin embargo, este empleo del espacio establece un esquema de que Rojas habrá de servirse a lo largo de la obra para estructurar las situaciones [22]. Aquí, frente a la puerta de la casa de Calisto, vemos por primera vez vivir y hablar en el espacio a los personajes. Los vemos como vidas, conscientes de sus mutuas relaciones espaciales, esto es, como conciencias «situadas». Y sólo desde esta situación preliminar podemos entender en toda inmediatez los cambios íntimos y los sentires vacilantes del resto del acto. Por otra parte, si la larga descripción que hace Pármeno de Celestina, parece inverosímil en el contexto de la espera delante de la puerta, esto es un indicio de la inseguridad del autor. Todavía no sabe manejar con confianza el «estar» de Celestina, y por eso interrumpe con una larga explicación de su «ser».

En los actos subsiguientes de la *Comedia* Rojas aprende a servirse de la barrera espacial en una forma mucho más sutil (es significativo que en el Acto V no quiera acudir nuevamente al recurso de la puerta), pero sin alterar en esencia el carácter que tiene en el primer acto. Un ejemplo típico es el delicioso diálogo del comienzo del acto IV, cuando Lucrecia anuncia a Alisa la llegada de Celestina, pero sin atreverse a pronunciar el nombre fatal. En el momento de entrar Celestina, los personajes de esta situación están colocados en tres lugares distintos: Celestina en el espacio inmediato a la puerta (puesto que Lucrecia le dice: «entra e espera aquí...»); Lucrecia probablemente a media escalera (puesto que Alisa le pregunta desde lejos: «¿con quién hablas?»); y Alisa en un piso de

---

[22] No es éste el primer ejemplo de estructura espacial en el acto I. El primer diálogo entre Sempronio y Calisto se efectúa fuera del espacio y del tiempo (sólo al principio Calisto dice que Sempronio viene de la sala) y, como hemos visto, más que un encuentro de dos conciencias, es parodia de ciertos tópicos. Pero en la situación siguiente, en casa de Celestina, sí aparece una barrera espacial, el piso bajo y el alto, y aparece para poner de manifiesto y determinar esa astucia femenina que tanto desconcierta a Sempronio. Más adelante, el cuádruple encuentro frente a la puerta de Calisto continúa desarrollando la misma técnica de manera más definida.

arriba (porque dice a Celestina: «sube, tía»). Ahora bien, en vez de subrayar exageradas actitudes de engaño, el espacio sirve para presentar tres tipos de indiscreción y de discreción: el deliberado silencio de Celestina, la fútil locuacidad de Alisa y la diplomacia ridículamente cohibida de Lucrecia. Cada una de estas actitudes constituye una introducción casi indispensable al diálogo que ha de seguir, y éste no podría expresarse con tanta libertad si los hablantes estuvieran frente a frente. En primer lugar, las reacciones espontáneas, tanto la discreta como la indiscreta, son un contrapunto irónico de los ceremoniosos saludos que vienen en seguida. Las barreras que impiden a los personajes verse unos a otros favorecen, pues, la hipocresía social y no, como en el primer acto, el engaño deliberado.

Pero la barrera es importante ante todo porque nos permite ver de cerca cómo Alisa no se da cuenta del peligro (en forma de mujer) que entra en su casa. El notable contraste que existe entre su superficial olvido y la consciente determinación de Celestina en el monólogo precedente no sólo prepara su precipitada salida (que deja a Melibea sola con Celestina), sino que también marca la entrada desde fuera hacia dentro, desde *una* calle hacia *esta* casa. Celestina está ahora en casa de Melibea, y ahí es donde habrán de ponerse en juego, en lo que queda del acto, la vida de la una y el honor de la otra. En otras palabras, si Rojas insiste tanto en el momento de la entrada es porque desea integrar las palabras de todos los personajes en el resto del acto con el lugar en que las dicen. Alisa habla descuidadamente desde el interior de su propia casa y de su propia vida; Celestina no dice nada, porque está fuera de ambas, y Lucrecia balbucea avergonzada desde algún lugar intermedio. A partir de este instante, la escena y el diálogo son —y no pueden menos de serlo— una misma cosa desde el punto de vista de la estructura. Se ha creado la situación dialógica.

Es cierto que en la *Celestina* son pocos los casos en que se aprovecha con tan honda intuición estructural ese recurso de hacer que los personajes dialoguen sin verse. Rojas se contenta a menudo con indicar el lugar por medio de observaciones tan casuales, aunque directas, como:

PARM.—Bien has dicho. Calla, que está abierta la puerta. En casa está» (Aucto IX; vol. II, p. 27). Y con frecuencia aún mayor Rojas hace que el personaje se vea en la lejanía, creando así un marco espacial a la situación individual. Una y otra vez el que habla ve a otro personaje en la calle, mientras se acerca a la próxima escaramuza dialogada o se aleja de ella. La entrada de Celestina en casa de Melibea se introduce así:

> CEL.—...Ni perro me ha ladrado ni aue negra he visto, tordo ni cueruo ni otras noturnas. E lo mejor de todo es que veo a Lucrecia a la puerta de Melibea. Prima es de Élicia: no me será contraria.
> LUCR.—¿Quién es esta vieja que viene haldeando?
> CEL.—Paz sea en esta casa.
> LUCR.—Celestina, madre, seas bienvenida (Aucto IV; vol. I, pp. 158-159).

La conciencia de la distancia pura se convierte aquí en conciencia de una persona en la distancia —de un *tú* con el cual cada hablante ha de entrar en contacto en seguida. En contraste con las barreras, esas distancias que recorre la mirada no acentúan tanto el lugar como el acercamiento espacial de la situación dialógica. No nos hacen pensar en un lugar determinado, sino en el espacio en cuanto elemento necesario para todo encuentro humano. Nos recuerda que las palabras que vamos a escuchar (o que acabamos de escuchar) emanan de seres humanos espacialmente finitos, susceptibles de verse en perspectiva. Como cada situación dialógica es un cruce de distintos puntos de vista vitales, se entiende que Rojas las separara estructuralmente por medio de momentos de perspectiva en el espacio, esto es, momentos en que el punto de vista es físico más que espiritual.

Rojas no sólo suele mostrar a distancia a un personaje determinado, sino que hace que él (o ella) se vea de lejos en una actitud significativa. En nuestro recuerdo de la *Celestina*, ¡qué importante lugar ocupan la escena en que «vemos» a Sempronio descansando con toda frescura a la puerta de Calisto, aquella en que Sosia, desgreñado y llorando, vuelve a casa con la noticia de la ejecución, y aquella otra en que Elicia se tambalea llorosa y enlutada hacia la casa de Areusa! Hasta la manera, cada vez distinta, como camina Celestina por las calles de la ciudad constituye a menudo la mejor transición posible entre la situación pasada y la venidera. Su agitado «haldear» o su paso inseguro, observados visualmente por otros personajes, son punto de partida de la conversación subsiguiente y a la vez indicio seguro de que su estado de conciencia va a pasar de una unidad de diálogo a otra.

El siguiente pasaje, interpolado en el acto V, nos permite apreciar mejor la situación que acabamos de escuchar y al mismo tiempo nos contagia de la ansiedad que siente Calisto por saber qué significa lo que está viendo:

> CEL.—...Andemos presto, que estará loco tu amo con mi mucha tardança.
> SEMP.—E avn sin ella se lo está.
> PÁRM.—¡Señor, señor! [Habla desde la ventana, dentro de casa.]
> CAL.—¿Qué quieres, loco?
> PÁRM.—A Sempronio e a Celestina veo venir cerca de casa, haziendo paradillas de rato en rato *e, quando están quedos, hazen rayas en el suelo con la espada. No sé qué sea.*
> CAL.—¡O desuariado, negligente! Veslos venir; ¿no puedes ir corriendo a abrir la puerta? ¡O alto Dios! ¡O soberana deidad! ¿Con qué vienen? ¿Qué nueuas traen? (Aucto V; vol. I, p. 200).

Estas distraídas y nerviosas manifestaciones con la espada confirman con precisión visual la ansiosa curiosidad de Sempronio —recuérdese su amor a Melibea—, que caracteriza la situación precedente. Al dar término al diálogo que sostienen Sempronio y Celestina con una ojeada desde lejos, Rojas convierte una sucesión más o menos amorfa de parlamentos en una unidad significativa de conciencia. Gracias a esta sola frase de Pármeno, y sobre todo a su interpolación, al finalizar la situación, tenemos entre manos un todo cristalizado, una escena completa de diálogo. El punto de vista físico, la perspectiva en que se nos muestra la actitud reveladora, quedan aquí plenamente integrados a los puntos de vista del diálogo y a las perspectivas vivas de la primera y la segunda personas que lo componen. Así, la «situación dialógica» no es una abstracción crítica, sino una verdadera presencia literaria; el espacio ha quedado estructuralmente integrado a la conciencia hablada.

Después de examinar un ejemplo tan notable, no es preciso insistir en otros más. Pero debemos hacer notar que las súbitas y significativas vislumbres de un personaje no se limitan en modo alguno a los momentos de transición escénica. Muchas veces surgen dentro de una situación, recordando al lector la presencia física de los hablantes. Constituyen entonces ese diálogo de los ademanes y de las expresiones del rostro que, como hemos visto, complementa el diálogo de las palabras y compensa la relativa falta de descripción de rostros y cuerpos [23]. Empleando tales recursos, Rojas nos recuerda constantemente la «escena» que no podemos ver. En vez de traicionar a su diálogo ajustándolo a artificios estructurales de orden no dialógico (instrucciones marginales, intercalaciones descriptivas, etc.), Rojas hace que la situación nos hable, con sus propias palabras, de su dimensionalidad. De este modo nos crea la ilusión (o, en un sentido más profundo, el hecho) de que no estamos leyendo palabras, frases y párrafos escritos, sino el lenguaje hablado.

La lógica exigiría que pasáramos ahora a estudiar el empleo estructural del tiempo. Falta examinar la función que tiene el «cuándo» en la definición de las situaciones, así como hemos estudiado el «dónde» en el empleo del espacio. Pero hacer esto equivaldría a toparnos con la profunda paradoja temporal de la obra: la existencia de dos formas diferentes de tiempo. No podemos detenernos en este aspecto mientras no quepa relacionarlo con el nivel más profundo del arte de Rojas: la temática. Por ahora, baste señalar que Rojas aprovecha a menudo la preocupación inmediata del que habla por la hora del día (lo mismo que por su oscuridad o su luz) para estructurar el flujo de la conversación. En este sentido, el tiempo corresponde a aquellas vislumbres del espacio que acabamos de examinar. Por ejemplo, la última situación del acto XII comienza con una pregunta de Celestina: «¡O locos trauiesos! Entrad, entrad. ¿Cómo venís a tal hora, que ya amanesce?» Hay muchos otros casos de este tipo, que nos muestran cómo la conciencia de la hora tiende a marcar la transición de una situación a otra [24]. Para que

[23] Ahora podemos comprender mejor el «paradójico» hecho de que los personajes tengan ademanes y expresión a pesar de no estar descritos sus rasgos físicos. Así como los personajes de la *Celestina* no ven más que a las personas y cosas que se relacionan directamente con la situación, así también, en este caso, el rostro y el cuerpo se dan por supuestos, pero la actitud que ese rostro y ese cuerpo adoptan en cierto momento, actitud cargada de significado «situacional», se refleja de inmediato en las palabras.

[24] Pueden encontrarse ejemplos análogos en el acto V (situación 2, vol. I, p. 196), Acto VII (situación 2, vol. I, p. 247), Acto VIII (situaciones 1 y 3, vol. II, pp. 7 y 19), Acto IX (situaciones 1 y 2, vol. II, pp. 24 y 28), Acto XII (situación 1, vol. II, p. 81), Acto XIII (situación 1, vol. II, p. 115), Acto XIV (situación 2, vol. II, p. 128).

una situación sea de hecho una situación (y no sólo una conversación sobre un tema dado), tiene que estar integrada, a través de las conciencias vivas de los personajes que en ella participan, tanto con el espacio como en el tiempo.

Los diversos medios empleados por Rojas para establecer la «estructura» de la obra no se excluyen unos a otros. Los hemos enumerado por separado, pero no por eso debe pensarse que se dan aislados. Rojas tiende a reunir la conciencia de la distancia o de la barrera, del objeto o de la luz, de la hora o del lugar, en formas variadas, según el caso. Tomemos dos ejemplos típicos: las dos primeras situaciones del acto XII. El acto comienza con la pregunta de Calisto: «Moços, ¿qué hora da el relox?»; en seguida Calisto menciona la armadura que más tarde, en el mismo acto, habrá de preocupar a los dos criados: «Descuelga, *Pármeno*, mis coraças, *e armáos vosotros, e assí yremos a buen recaudo*». También se sugiere en breves palabras la oscuridad y la desierta perspectiva de la calle, a la vez temible y confortante:

CAL.—Mira tú, Sempronio, si parece alguno por la calle.
SEMP.—Señor, ninguna gente parece, e avnque la houiesse, la mucha escuridad priuaría el viso e conoscimiento a los que nos encontrasen (Aucto XII; vol II. p. 83).

Antes de finalizar la primera situación se menciona una vez más el tiempo y el lugar y se dan significativas vislumbres de Pármeno a través de los ojos de Sempronio («No saltes ni hagas esse bollicio de plazer») y a través de los suyos propios («Calças traygo e avn borzeguíes de essos ligeros que tú dizes, para mejor huyr que otro»). Ahora bien, esta gran variedad de indicaciones referentes a los objetos, al espacio, al tiempo y a los gestos no sólo es posible, sino también estéticamente necesaria, por la naturaleza misma de la situación. Preocupados como están los tres personajes por la peligrosa entrevista que se acerca, su conversación tiene que limitarse a comentarios a media voz —no pocas veces irritados— acerca de las circunstancias inmediatas. La situación es por eso una de las menos «dialógicas» —menos determinadas por el mero encuentro de la primera y la segunda personas— y de las más «situadas» de la *Celestina*.

Lo que marca el comienzo de la segunda situación es sólo el comentario de Sempronio: «Salido deue auer Melibea, que hablan quedito». Porque, como de costumbre,

182

el enlace de las dos situaciones es casi imperceptible. Viene en seguida una combinación novedosa y muy eficaz de la distancia con la barrera; cada elemento contribuye a su modo a la definición del espacio. Sempronio y Pármeno se encuentran en la calle, a cierta distancia de la casa, mientras los amantes, como Píramo y Tisbe, se ven separados por la inflexible puerta. Así, cada pareja, a la vez que conversa por su cuenta, puede escuchar algo de lo que habla la otra (Calisto y Melibea, preocupados uno por el otro, sólo oyen los ruidos de la fuga; los criados, en cambio, parecen escuchar fragmentos enteros del amoroso cuchicheo). En esta forma fragua Rojas irónicamente una situación única con elementos que de otro modo habrían llevado al paralelismo teatral. Pero Rojas no sólo maneja la preocupación espacial, sino también hace que sus dos parejas concentren su atención en los objetos materiales que (en irónico contrapunto) estorban el movimiento: la armadura y la puerta. Finalmente, lo que pone término a la situación son las antorchas del alguacil, ese único resplandor en medio de la total oscuridad. No es que Rojas subraye ese esquema estructural; el lector interesado por lo que allí se dice no suele percibir la delicada geometría del espacio, los objetos y la luz, geometría que pone orden en la dispar conciencia de los que hablan. Sin embargo, en este ejemplo culminante de construcción escénica el sentimiento y el argumento crecen con toda naturalidad en el espaldar de las circunstancias físicas. En contraste con la escena precedente, caracterizada por varias formas de conciencia del tiempo y del espacio, y en contraste con el debate tópico entre Sempronio y Calisto en el primer acto (que por ser «tópico» no está «situado»), tenemos aquí una «escena de conciencia» con cuatro dimensiones. Se ha perfeccionado la libre estructura de la «situación dialógica».

3.   EL ARTE DE LA ESTRUCTURA

Lo que aquí hemos llamado la «estructura» de la *Celestina* parecería relacionarse con el discutido problema del género a que pertenece la obra. Por el hecho mismo de emplear en este capítulo los términos «acto» y «escena», hemos establecido una implícita comparación entre la estructura creada por Rojas y la estructura dramática.

Conviene, sin embargo, evitar por el momento una consideración seria de este problema. Todo género lleva necesariamente en su clasificación de la obra de arte una interpretación de su sentido. La tragedia tiene un sentido trágico, la comedia una visión cómica, la lírica un sentir personal, y la misma «novela dialogada» —término con que suele describirse la *Celestina*— no carece de supuestos parecidos. Así, el género, cuando sobrepasa su significado puramente formal —soneto, cuento, etc.—, no es otra cosa que una descripción en términos generales y eternos de la visión de la vida en una obra literaria. El género, dice Ortega y Gasset, es una clase o tipo de tema vital. Por lo tanto, antes de ahondar en este aspecto de la *Celestina*, tendremos que meditar en el tema y los temas de Fernando de Rojas.

Quedémonos, pues, en la superficie puramente formal del problema genérico. Veamos ahora cómo la estructura de la *Celestina* se distingue, no de la estructura de una tragedia o de una comedia, sino de la de cualquier obra de teatro. Si todavía no nos es lícito penetrar en los problemas últimos del género, podemos, en cambio, hacer comparaciones entre la ordenación del diálogo en la *Celestina* y la del diálogo escrito *para un auditorio*. He ahí el resumen que mejor conviene a nuestro análisis del arte de Rojas desde el punto de vista de la estructura.

Cuando nos enfrentamos a un diálogo dispuesto «teatralmente», solemos concebir la división en actos como una cosa interna, que representa ciertas divisiones naturales del esquema de la acción. Desde el comienzo hasta la resolución final, los actos son los pasos necesarios de la acción. Por su parte, la escena (en la medida en que es escénica) constituye una división externa, un segmento de aquello que Aristóteles llama el «espectáculo». Por lo común el objeto de la escena es adornar y acentuar la acción desde fuera, suministrar un trasfondo y facilitar el movimiento de los actores. En la *Celestina*, en cambio, ese orden de interioridad y exterioridad queda invertido. La escena, en cuanto «situación» (con todas las circunstancias espaciales, temporales y físicas implícitas en la palabra), es lo que se construye desde dentro. Dicho de otro modo, Rojas no representa visualmente a sus personajes proyectándolos sobre un escenario, sino que parece imaginarse y crear la situación como una unidad, cuyas partes se organizan en forma adecuada. Y a su vez, el acto, en contraste nuevamente con la técnica teatral, es un factor externo desde el punto de vista de la estructura. El acto es la reunión de varias situaciones, yuxtapuestas de tal manera que la significación inherente a cada una de ellas quede debidamente subrayada y acentuada. Así, en el acto II hemos visto cómo la yuxtaposición formal de tres situaciones nos permite captar plenamente la intención oculta de cada una de ellas. A no ser por el acto, se habría perdido del todo el sentido de esa silenciosa presencia de Pármeno al comienzo.

Debemos reconocer que esta inversión del método teatral común no constituye un cambio plenamente deliberado por parte de Rojas. Es probable que, aun queriéndolo, Rojas no hubiera podido reducir su arte a una «poética» de desafío a Aristóteles. Como dejamos dicho al comienzo de este ensayo, debe establecerse una distinción entre la conciencia creadora y la conciencia crítica; la prueba más palpable de esto es quizá el hecho de que las situaciones no se delimitan desde fuera. Como Rojas sabe relacionar intuitivamente las circunstancias dimensionales con cada cambio de hablantes, como tiene el don de «situar» la conciencia hablada desde dentro, las «situaciones dialógicas» que crea no necesitan un reconocimiento formal. Son unidades vitales que brotan una de otra de acuerdo con la matriz biológica más profunda de su continuada creación. Recordemos la significativa imagen del Prólogo: «E como sea cierto que toda palabra del hombre sciente está preñada, désta se puede dezir que de muy hinchada y llena quiere rebentar, echando de sí tan crescidos ramos y hojas...»

En la *Celestina* hay, en efecto, una estructura vital interna que consiste en un crecimiento dialógico de situación en situación. Esta estructura, que nada tiene de geométrica, va serpenteando por situaciones análogas con esa extraña confluencia de innovación y repetición que caracteriza a la vida misma. Nos sentimos tentados a comparar esta estructura con la de una espiral, puesto que Rojas rara vez se contenta con presentar una situación única y repite siempre las situaciones pasadas, a fin de crear contrastes y comparaciones vivas. Las dos seducciones de Pármeno, las dos entrevistas con Melibea, los dos informes dados a Calisto y, sobre todo, las dos escenas del jardín, no son sino unos pocos ejemplos de ello. Pero este esquema, por atractivo que parezca, sólo viene a sustituir la geometría sólida por la plana; no alcanza a explicar el sinuoso crecimiento de la obra. Debemos tener cuidado de no presentar como geométricas las simetrías de la vida, que nunca pasan de ser tanteos. Lo único que podemos decir sin temor de equivocación es que Rojas se sirve con sumo arte de ese espaldar de las circunstancias dimensionales y físicas que da sostén al diálogo de la conciencia y que en cierto sentido se funde con él.

La división formal en actos viene a ser complemento de esa estructura vital que integra el diálogo al marco temporal y espacial de la *Celestina*. Insistimos en que los actos no tienen otro objeto que acentuar por medio de una división calculada el sentido inherente a las diversas situaciones que incluyen. Si cada situación se apoya intuitivamente en un espaldar interno de conciencia del lugar y del tiempo, el acto, por su parte, corresponde a la bien meditada organización con que el jardinero coloca las vides en las espalderas para ilustrar este o aquel rasgo de su belleza en crecimiento. Por supuesto, Rojas no poda ni introduce una geometría ficticia; lo que hace es crear una sutil colaboración entre las necesidades internas y las posibilidades externas, colaboración de estructuras que hace posible un crecimiento íntegro y una expresión completa. La vitalidad coincide con el formalismo, la estructura interna con la externa, y las situaciones dialógicas se repiten, se cambian y se combinan entre sí con creciente eficacia. Estamos tan lejos del deliberado desorden del romanticismo (o del salvaje y desenfrenado crecimiento en Rabelais y el Arcipreste de Talavera) como de las artificiales simetrías del neoclasicismo. Hay de hecho algo prodigioso en el acierto y la propiedad de ese arte de la estructura. Sin paralelo genérico ni histórico, Rojas encontró la manera de aplicar al conjunto de la obra una técnica que correspondiera a esa íntima fusión de sentimiento y argumento, de claridad vital y lógica formal, que caracteriza al prodigio «dialógico» de su estilo.

CAPITULO V

EL ARTE DEL TEMA: LA CREACION

Pensado con todo rigor un «arte del tema» es a la vez una imposibilidad y una paradoja. La distinción normal que hacemos entre el tema y la tesis de una obra literaria indica la dificultad. Si una tesis se comprende como la intención que dirige una obra, el tema, por el contrario, vive dentro de ella de una manera más íntima y radical. Como el alma en el cuerpo, penetra y anima la obra, y como consecuencia resiste a todo esfuerzo definitorio. Ni el crítico ni el autor mismo lo pueden conocer cabalmente; sólo se les revelará en forma parcial a la intuición. Pedro Salinas en su estudio sobre Rubén Darío explica el tema como una «preocupación vital», una obsesión duradera, que actúa como la matriz de la creación poética y que evoluciona de poema en poema y de año en año. Así para Salinas sólo una meditación persistente sobre la obra entera de un autor puede sugerir la unidad temática. De acuerdo con esto, Ortega y Gasset ve el tema como una «individual postura ante la vida», y recomienda la indagación estilística como el mejor modo de acercarse a ella. Y por el mismo sendero, mi maestro, Augusto Centeno, nos habla de una «livingness» (vivencia), «a sense of life, deep and intense, arising out of spiritual relationships and to be apprehended only by the intuition»[1]. En cada caso se reconoce el tema como profundamente vital, un «sentido de la vida» mucho más arraigado y profundo que aquellas intenciones, ideologías, o lecciones que, por ser

_____

[1] Pedro Salinas, *La poesía de Rubén Darío*, Buenos Aires, 1948; José Ortega y Gasset, «Ideas sobre Pío Baroja», *Obras*, Madrid, 1946, vol. II; Augusto Centeno, *The intent of the artist*, Princeton, 1941.

concebidas conscientemente, constituyen una tesis[2]. En otras palabras, si aceptamos esta noción del tema, y de hecho la acepto, ¿no hemos traspasado el dominio del arte en cuanto tal? Un «arte de la tesis» parece plausible, pero el tema de la *Celestina,* por su misma naturaleza, no puede estudiarse del mismo modo como hemos estudiado el arte del estilo, de la caracterización y de la estructura.

Desde luego, no hay una respuesta adecuada a esa objeción. No puedo ni debo disimular el proceso de revelación intuitiva que en última instancia hace posible mi comprensión de lo que significa la *Celestina,* es decir, mi comprensión de su tema. Sin esa intuición previa, fruto del amor y de muchas lecturas, me habría sido imposible adivinar lo que yo creo ser el tema de la obra; ni el examen de las interpolaciones ni el estudio de otros elementos del arte de Rojas hubieran bastado para ello. Sin embargo —y es ésta una de las ventajas peculiares que la *Celestina* ofrece a sus críticos—, cabe ilustrar la esencial «postura ante la vida» de la obra por medio del arte dialógico que le dio forma. El tema no sólo hay que intuirlo: después hay que explicarlo racionalmente, y para este objeto pueden resultar útiles nuestros criterios artísticos. No creo que Salinas, Ortega, Centeno o algún otro crítico negarían tal posibilidad.

1. EL ARTE DE LA TESIS

Volviendo a las teorías antes expresadas, es evidente que las definiciones que hemos dado de «tema» y «tesis» no se excluyen la una a la otra. No sólo es posible, sino muy probable que ambas cosas coexistan en cualquier obra literaria. Según el *incipit,* la tesis de la *Celestina* es

---

[2] Salinas dice entre otras cosas: «Sería error grave querer deducir el tema del poeta de los hechos de su biografía y no de los actos de su creación. Tampoco se le debe tomar por las ideas o creencias del escritor; se hallan, sin duda, condicionadas temporalmente por él, pero sin ser él» (p. 49). Con palabras distintas, Centeno dice algo muy parecido: «Porque si existe un *designio total y único* que penetra la obra de arte y condiciona las demás obras del mismo creador o bien otras obras creadas con el mismo estilo, también hay en toda obra gran número de *propósitos particulares.* Estos propósitos pueden realizarse con medios concretos, y una vez realizados, quedan terminados y agotados... Los propósitos son siempre conscientes, mientras que el designio es ante todo, aunque no completamente, inconsciente» (p. 22).

la «reprehensión de los locos enamorados que, vencidos en su desordenado apetito, a sus amigas llaman e dizen ser su dios». Esta intención está claramente presente, no sólo en el primer acto (donde es muy notoria), sino también, de cuando en cuando, en los actos posteriores [3]. Y, sin embargo, por debajo de ese nivel de transgresión ejemplar hay, hasta en el primer acto, una «postura» creadora única, una posesión de la vida que es imposible reducir a fórmulas didácticas. Fernando de Rojas, según sus propias palabras, fue el primer lector de la obra, intuyó esa postura y la describió como «fuerte e claro metal», al que había que dar forma por medio de subsecuentes artes del estilo, de la estructura, de la caracterización y de la tesis [4]. Una vez admitida, pues, la posibilidad de que el tema y la tesis dirijan juntos la creación literaria, podemos suponer que ambas cosas están estrechamente relacionadas. A menudo una de ellas es la expresión consciente de la otra, su reflejo condensado y racionalizado, y, en cuanto tal, puede servir de trampolín desde el cual la intuición del lector salte hacia las profundidades. Si quisiéramos, por ejemplo, captar el tema personal, aunque profundamente barroco, de Calderón, ¿qué mejor método que comenzar por las tesis incluidas en los títulos, como «La vida es sueño» o «El gran teatro del mundo»? En todo caso, para la *Celestina* la mejor manera de explicar conscientemente nuestra intuición del tema es partir del arte de la tesis. La misma insistencia de Rojas en su tesis, tanto en los preliminares como en el último acto, y el evidente desarrollo de la tesis a través de las tres etapas de redacción (primer acto, *Comedia* y *Tragicomedia*) son significativos. Así como en el caso del *Quijote* podemos lograr una comprensión crítica del tema cervan-

[3] Véase, por ejemplo, el siguiente diálogo del acto XI: CAL.—Sí, que Melibea ángel dissimulado es, que viue entre nosotros. SEMP.—¿Todauía te buelues a tus eregías?» (Vol. II, pp. 76-77).
[4] Las conocidas frases con «estilo elegante», «sotil artificio», «auisos e consejos», «lisonjeros e malos siruientes y falsas mugeres hechizeras». Obsérvese lo inadecuado de esta última referencia a la caracterización. Al subrayar la tesis, Rojas hace que Celestina, Pármeno y Sempronio se reduzcan a siluetas de sus propias vidas, vistas en tercera persona, a mera sombra de su existencia en el acto y en la obra. Esto no quiere decir necesariamente que Rojas no tuviera un concepto más hondo de la idiosincrasia y de los logros de su propio arte de la caracterización. Al dirigirse al público tuvo que insistir en la justificación moral de la tesis y llegar así a esa inevitable simplificación. Aquella frase es una amonestación para los críticos futuros.

tino tomando como punto de partida la repetida afirmación de que la extirpación de las novelas caballerescas es su único objeto, así para la *Celestina* resultará provechoso recorrer la trayectoria artística de Rojas.

Al mencionar las declaraciones preliminares en relación con el arte de la tesis en la *Celestina*, no podemos menos de recordar una dificultad inicial que exige solución: la de las innumerables «tesis» secundarias que Rojas encontró en el primer acto y calificó de instructivas y entretenidas. Se trata por supuesto de las «deleytables fontezicas de filosofía» aludidas en la Carta e imitadas y continuadas en la *Comedia* y en la *Tragicomedia*. Debemos reconocer que mucho de lo que se dice en la obra son conocidos tópicos y lugares comunes de la tardía Edad Media. Las observaciones sobre el vino, las mujeres, los clérigos y su inmoralidad, la riqueza y la pobreza, el amor y la herejía, la vejez y la juventud, la servidumbre, la hechicería, la fortuna, la muerte, la amistad y otros asuntos aparecen una y otra vez en gran número de pasajes. De hecho, Castro Guisasola convierte su estudio de las fuentes [5] en una visión de la *Celestina* concebida como breviario de las ideas del siglo xv. Pero la falacia fundamental de tal enumeración de tópicos y préstamos consiste en que los abstrae de su contexto, y si algo hemos aprendido en nuestro estudio del arte de Rojas es que para la *Celestina* es sumamente arriesgado intentar tal abstracción. Aislado del diálogo que le da expresión, del *yo* y del *tú* a que debe su vida, cada tópico tenderá a convertirse en una tesis secundaria, en un mensaje al lector, heredado de determinada fuente. De aquí resultará forzosamente un desmembramiento artístico de la obra. No debemos dejarnos descaminar por la Carta (o por el afán de descubrir nuevas fuentes) ni confundir la «ideología» heredada con las intenciones creadoras; esto equivaldría a no comprender la *Celestina*.

Lo que hemos dicho sobre el arte de la caracterización en Rojas habrá de revelar el modo como se integran en el diálogo los lugares comunes. Casi todos los tópicos incluidos en nuestra enumeración se relacionan con los esquemas de caracterización que, como vimos, emergen de las condiciones elementales del «reparto». Estos límites o fronteras de la vida determinan, por su misma natura-

---

[5] *Observaciones sobre las fuentes de «La Celestina»*, Madrid, 1924.

190

leza, los tópicos de la conversación; en cuanto barreras, atraen y encauzan la atención de los hablantes. Los criados hablan de la servidumbre, Celestina de la vejez, de la riqueza y del alivio que produce el vino; los hombres comentan la naturaleza de las mujeres, las mujeres se preocupan por superar su femineidad; y cada personaje expresa su preocupación con los únicos términos que tiene a su alcance, con los lugares comunes que llenaban la atmósfera y la literatura de la época. Las frases del tipo de «la vejez no es sino mesón de enfermedades, posada de pensamientos» no van pegadas al diálogo, sino que emergen de él y de la vida consciente que él expresa. El hecho mismo —observado por Castro Guisasola— de que Rojas se refiera a menudo a un «index principalium sententiarum», incluido por primera vez en la edición de las *Obras latinas* de Petrarca (Basilea, 1496), revela que hubo adaptación y refundición más que imitación servil. Rojas parece haber buscado materiales adecuados a cada persona y a cada situación.

Si la selección de ciertos lugares comunes se basa en los esquemas de caracterización implícitos en la *Celestina,* otros tópicos parecen ligados a determinados personajes a lo largo de la trayectoria de su vida. Podemos citar a título de ejemplo el tópico de la amistad que Celestina menciona durante su discusión con Pármeno en el primer acto:

> E por tanto, en los infortunios el remedio es a los amigos. E ¿adónde puedes ganar mejor este debdo que donde las tres maneras de amistad concurren, conuiene a saber, por bien e prouecho e deleyte? Por bien: mira la voluntad de Sempronio conforme a la tuya e la gran similitud que tú y él en la virtud tenéys. Por prouecho: en la mano está, si soys concordes. Por deleyte: semejable es, como seáys en edad dispuestos para todo linaje de plazer... (Aucto I; vol. I, pp. 104-105) [6].

Y a medida que Pármeno pasa de una situación a otra, su relación con Sempronio comprueba la eficacia del lugar común. Al principio los criados colaboran a regañadientes y en vista únicamente del «provecho»; después del acto VII el «deleyte» da lugar a un tipo especial de compañerismo, y, finalmente, en el acto XII su amistad queda firme e irónicamente cimentada «por bien». Solos

---

[6] Según Castro Guisasola, esta clasificación tripartita procede de Aristóteles.

en la calle, hablan en tono casi lírico de la «conformidad en los compañeros», sin darse cuenta de que si ahora comparten la cobardía («bien»), más tarde —y a resultas de ello— habrán de compartir la muerte. Así, en cada etapa de la trayectoria de Pármeno se va prolongando el lugar común, y al mismo tiempo se le mina por dentro en virtud de las circunstancias de su expresión. Pármeno y Sempronio no están ligados por una amistad auténtica: la vida es la que los ha aparejado. Ellos mismos se dan cuenta de esto —de su común degradación si no de sus consecuencias—, y, sin embargo, tienen que hablar el lenguaje habitual de la amistad, por la sencilla razón de que no tienen otro lenguaje.

Es necesario insistir en el funcionalismo de esos lugares comunes en la *Celestina*, ante todo para corregir ciertos errores posibles de interpretación. Pero para comprender mejor la peculiar combinación de la tradición con la originalidad en Rojas (según Salinas, esa combinación es esencial dentro de todas las grandes obras literarias del siglo xv), debemos distinguir entre lo que observamos en la *Celestina* y la «revitalización» de los tópicos medievales —principalmente de los relacionados con la muerte— en el teatro isabelino[7]. Rojas no trata de efectuar una transfusión poética; aún más, en la mayoría de los casos los tópicos casi se traducen o se repiten literalmente. Pero en cada situación el contexto de sentimiento o de argumento da una nueva dimensión significativa a cada lugar común (el ejemplo citado es sólo uno de tantos). Es decir, que el precedente general (y no otra cosa son la mayoría de esos tópicos) está siempre en fecundo contrapunto con su aplicación particular y viva. Y aquí está la fuente más profunda de la «distancia» que Rojas estableció entre sí mismo y su creación, esa distancia creadora que Ortega describió como sigue: «Los que viven junto a una catarata no perciben su estruendo; es necesario que pongamos una distancia entre lo que nos rodea inmediatamente y nosotros, para que a nuestros ojos adquiera sentido»[8]. Excluyendo el primer acto, no hay en

[7] Véase Theodore Spencer, *Death and Elizabethan Tragedy*, Cambridge, 1936. Spencer se ocupa ante todo de la revitalización del lenguaje de esos tópicos en la obra de Shakespeare; es una refundición comparable a la realizada por Calderón; en el arte de Rojas no sólo no era necesaria, sino imposible.

[8] *Meditaciones del Quijote*, en *Obras*, Madrid, 1946, vol. I, p. 321.

ese contrapunto una permanente intención cómica o satírica; porque Celestina no traiciona, ni tampoco confirma,
las verdades heredadas que expresa. El efecto de ese contrapunto es más bien irónico, porque lo que se nos presenta es la simultánea visión irónica de dos tipos de verdades, una espontánea, viva y particular, y la otra tradicional, canónica y general. Y como la visión simultánea
de dos aspectos de una situación o de un objeto es en
realidad lo mismo que la perspectiva, creo que podemos
hablar de la separación irónica de Rojas respecto de su
obra como hablamos de la de Cervantes. Es muy posible
que ciertos tipos de lugares comunes tengan en la *Celestina* el mismo papel artístico que las novelas caballerescas —una vez superada la intención satírica— desempeñan en el *Quijote*.

Tendremos que volver sobre este aspecto fundamental
del arte de Rojas en cuanto hayamos establecido las bases necesarias. Por ahora debo limitarme a pedir al lector
que acepte la suposición de que gran parte de los «materiales de tesis» de la *Celestina* no pueden aislarse de la
contextura viva del sentimiento y del argumento. Los tópicos medievales no están ahí para presentar una serie de
lecciones (o de chistes), sino como vehículos de la conciencia. Sólo en unos cuantos casos parecen expresar los personajes una idea de Rojas y no de ellos mismos. Es decir,
debemos tener siempre presente que hay que leer partiendo de la situación, como ocurre con la frase «Apenas
el rubicundo Apolo...», la cual no debe aislarse ni considerarse como un adorno estilístico independiente. En contraste con el *Roman de la Rose* y —de manera distinta—
con el *Libro de buen amor*, la *Celestina* no es un centón
de «fontezicas de filosofía»; lo que ocurre es más bien
que esas «fontezicas» suben a la superficie en bien meditado acuerdo con las corrientes subyacentes del arte
de Rojas[9].

---

[9] Como ya hemos hecho notar, el mismo Juan Ruiz no fue
tan libre como Rojas para dar estructura artística interna y significado interno a los lugares comunes adoptados. Aunque asimiló con su creadora y creada personalidad los esquemas medievales que constituyen la materia prima de su arte, como él mismo es la única vida auténtica, el único «personaje» del *Libro de
buen amor*, no tuvo otros puntos de referencia humanos para dis-
ponerlos. A eso se debe que su arte no sólo invente una autobio-
grafía, sino también que posea en sí mismo ciertas cualidades
de la vida humana: duración y experiencia. Experiencia no del
mundo, sino de fuentes literarias, lugares comunes de todo tipo.

Rechazada la idea de que la tesis de la *Celestina* se encuentra en esa serie de lugares comunes tradicionales que descaminan al lector, ¿dónde hemos de buscarla? Lo más probable es que la hallemos en el desesperado parlamento de despedida de Pleberio en el acto XXI, con su reproche a la fortuna, al mundo y al amor, responsables del suicidio de Melibea. Desde el punto de vista de la tesis, es muy significativo que, a pesar de que su dolor tiene un motivo único, Pleberio mencione la muerte de todos los demás:

> Si amor fuesses, amarías a tus siruientes. Si los amasses, no les darías pena. Si alegres viuiessen, no se matarían, como agora mi amada hija. ¿En qué pararon tus siruientes e sus ministros? La falsa alcahueta Celestina murió a manos de los más fieles compañeros que ella para su seruicio emponçoñado jamás halló. Ellos murieron degollados. Calisto, despeñado. Mi triste hija quiso tomar la misma muerte por seguirle. Esto todo causas (Aucto XXI; vol. II, pp. 225-226).

Vemos, pues, que en ese epílogo de lamentaciones no intervienen lugares comunes relativos a una situación determinada o a cierto estado de conciencia; las palabras de Pleberio conciernen a todos los personajes y al conjunto de la historia. La fortuna, el mundo y el amor determinan la vida de manera aún más radical que los factores que producen los esquemas de caracterización (y que están implícitos en la existencia del «reparto»), porque aquéllos se aplican (al menos según Pleberio) a todas las vidas de la obra. En este sentido bien podemos decir que la fortuna, el mundo y el amor constituyen un resumen, un último y definitivo acuerdo del autor y de los personajes sobre el sentido de lo que ha ocurrido.

Si damos por supuesto que el acto XXI representa una tesis (y esto en forma mucho más desarrollada que las amonestaciones del *incipit* contra la blasfemia), debemos

---

Así, por ejemplo, los distintos experimentos de las serranillas son a la vez experiencias del *Libro* mismo. De igual modo, el *Pamphilus* deja de ser un drama objetivo para convertirse en una pseudoexperiencia. No cabe duda de que cada uno de los tópicos queda integrado en el arte de Juan Ruiz; pero se integra más gracias a una metamorfosis estilística que en virtud de una yuxtaposición irónica. El Arcipreste nunca logra establecer (y esto no equivale a negar su grandeza) esa distancia creadora gracias a la cual Rojas pudo ordenar su conjunto de situaciones vivas, de esquemas y de trayectorias.

enfrentarnos a otro problema importante: la «fortuna fluctuosa», el «mundo falso» y el «amor» ¿en qué medida determinan la obra? ¿En qué medida dependen el estilo, los personajes y la estructura de esos factores explícitos y trascendentales? Dicho de otro modo, ¿hasta qué punto es la tesis artísticamente eficaz? No podremos dar siquiera una respuesta provisional a tales dudas mientras no nos demos cuenta cabal de que ninguno de los citados factores hostiles a la «vida feliz» (factores heredados principalmente de Petrarca) constituye una entidad aislada ni opera en una dirección única. Los tres elementos son de naturaleza doble y funcionan en dos ámbitos distintos. Por una parte son fuerzas cósmicas que acosan al hombre desde fuera, atormentándolo y destruyéndolo con la fatalidad de la némesis; por otra, son expresión de una serie de valoraciones (de falsas valoraciones), de las cuales cada individuo es moral y subjetivamente responsable. La fortuna es una figura alegórica que da vueltas a una rueda inexorable, y al mismo tiempo es un modo equivocado de dirigir la conducta. En este último sentido podemos decir que la fortuna equivale a confiar en la suerte o a fiarse demasiado en uno mismo. Por su parte, el mundo es —aunque de manera diferente— el ámbito del tiempo, del espacio, de los objetos y de la sociedad humana, que rodea y limita al hombre, y al propio tiempo son las valoraciones falsas, el honor, la riqueza, el rango social, etc., que le dan importancia. Por último, el amor es un diosecillo, el tirano de la mitología, y también un sentimiento o descubrimiento de valor en el ser amado. Y cuando Rojas copia a Juan de Mena en los acrósticos —«A otro que amores dad vuestros cuydados»—, expresa la creencia de que, en cuanto sentimiento interno, el amor puede ser gobernado por la voluntad.

Si insistimos tanto en el dualismo de esos lugares comunes es porque su división interna está en relación con la división estilística (o dialógica) entre el sentimiento y el argumento. Así como Areusa pudo aducir el tópico de la servidumbre y la libertad para expresar una valoración auténtica de su propia posición, y, así como Celestina pudo emplear ese mismo tópico para persuadir a Pármeno a obrar de cierto modo, así también la fortuna, el mundo y el amor pueden ser impuestos al hombre en segunda persona, o bien él puede adoptarlos a sus fines en la primera. Si tenemos presente esto, queda patente por qué la exégesis de Pleberio está al final de la obra. Una vez terminada la acción y extinguida la conciencia, al menos dos de las tres fuerzas se ven sólo desde fuera, sólo como enemigos personificados de la vida humana, temibles y censurables. En cuanto al mundo, a pesar de que Pleberio se refiere ante todo a sus falsas valoraciones («Céuasnos... con el manjar de tus deleytes»), el retrato está más o menos objetivado:

> Yo pensaua en mi más tierna edad que eras y eran tus hechos regidos por alguna orden; agora, visto el pro e la contra de tus bienandanças, me pareces vn laberinto de errores, vn desierto espantable, vna morada de fieras, juego de hombres que andan en corro, laguna llena de cieno, región llena de espinas... (Aucto XXI; vol. II, p. 219).

Es decir, que el acto XXI consiste en un planteamiento de la tesis, precisamente porque se limita al aspecto del argumento; y no pasa de ser un planteamiento de la tesis, puesto que por su misma naturaleza no puede abarcar el complejo de sentimientos y argumentos que expresan la vida consciente de la obra. En cuanto tesis de la *Celestina*, es evidentemente incompleto.

Los veinte actos que anteceden al último deberán confirmar o destruir nuestra hipótesis sobre esa falta de eficacia de la tesis. A primera vista esta negación parece insostenible, al menos en lo tocante a la fortuna y al amor. Hay una serie de razones obvias que dan apoyo a la interpretación de Pleberio. Si buscamos una única fuerza motivadora que actúe sobre los habitantes de la *Celestina*, diremos que esa fuerza no puede ser sino el amor. Y no sólo cabe decir esto de Calisto y Melibea, sino también de los criados y aun de Celestina, la cual ejerce el ministerio del amor para todos ellos. También intervienen otros motivos (como la codicia o la vanidad, que corresponden al «mundo»), pero quedan muy por debajo del impulso erótico que domina la obra. Tenemos además el testimonio de los preliminares, que demuestran una y otra vez que lo que Rojas quería era suministrar una «armadura» defensiva contra las flechas del amor.

En cuanto a la fortuna, es sin duda la principal limi-

---

[10] Así, en las observaciones que hace Celestina sobre la muerte (acto IV): «Tan presto, señora, se va el cordero como el carnero», y en las palabras de Sempronio sobre el carácter temporal y transitorio de las preocupaciones humanas (acto III): «Todo es así, todo pasa de esta manera...».

tación de la vida humana, y queda mucho más acentuada que sus concomitantes tradicionales, el tiempo y la muerte, no mencionados por Pleberio pero siempre presentes en el texto [10]. No sólo ocurre que los protagonistas acusan repetidamente a la fortuna de ser la causa de sus males [11], sino que la fortuna corresponde también al carácter de la catástrofe (artísticamente inevitable, pero metafísicamente casual). La caída que contribuye a la muerte de Pármeno y de Sempronio, lo mismo que a la de Calisto y Melibea, refleja, como veremos, un caer desde la rueda de la fortuna. Y si a esto añadimos el hecho de que la fuente principal de tantos tópicos del texto (y del Prólogo) es el *De remediis utriusque fortunae*, parecería quedar confirmada la interpretación de Pleberio. La acción conjunta del amor y la fortuna para aniquilar al vulnerable individuo tiene todo el aspecto de una tesis horrorosamente eficaz.

He ahí los argumentos evidentemente contundentes que podrían aducirse para probar que la *Celestina* es una obra decisivamente gobernada por su tesis [12]. Pero si nos damos cuenta de que admitir la validez creadora de esa tesis equivale a identificar el arte de Rojas con una tradición que se remonta a la novela alejandrina, recorre toda la Edad Media y llega hasta el siglo XVII [13], volvere-

---

[11] Calisto exclama en el acto XIII: «¡O fortuna, quánto e por quántas partes me has combatido...!» Y aun Celestina reconoce, en el acto XII, el poder que la fortuna tiene sobre ella «La ley es de fortuna que ninguna cosa en un ser mucho tiempo permanesce...».

[12] Es mucho más difícil justificar el papel que desempeña el «mundo» en la obra; se trata precisamente de uno de los grandes problemas a que tienen que enfrentarse quienes se empeñan en explicar de ese modo las intenciones de Rojas. Como hemos de ver más adelante, en el acto XXI Rojas insistió en el mundo (tema tomado de Petrarca, como los otros), porque evidentemente la fortuna y el amor no le parecieron suficiente explicación de su obra. Es un lugar común que abarca a todos los demás, y por lo tanto hacía posible gran número de omisiones.

[13] En su libro *The Goddess Fortuna* (Cambridge, Mass., 1927), H. R. Patch estudia minuciosamente la afinidad de la Edad Media con el siglo XVII. La referencia a la novela alejandrina queda confirmada en H. O. Taylor, *The Classical Heritage of the Middle Ages* (Nueva York, 1911). Taylor hace notar la temprana aparición de la fortuna en ese tipo de novelas, en contraste con el destino —integrado al carácter— de la tragedia griega. Por ser una fuerza absoluta y un azar ciego, produce una serie de títeres enamorados que divagan sin resistencia por las costas mediterráneas. En el siglo XVII el amor y la fortuna parecen haber agotado su

mos instintivamente a nuestra negación previa. Nuestra misma experiencia de lectores no nos permitirá equiparar la *Celestina* con obras como el *Remède de Fortune* de Machaut o con los episodios correspondientes del *De casibus;* ni siquiera con el *Troylus and Criseyde* de Chaucer. Aunque en todas estas obras el amor y la fortuna son los primeros motores, ambos parecen tener un carácter algo distinto, dimensionalmente alejado, del amor y la fortuna tal como los vemos en la *Celestina*. Lo que ha ocurrido (como espero poder demostrar) es que, de acuerdo con el arte de Rojas, el amor y la fortuna han dejado de ser tesis para convertirse en tema, y en esa transferencia han sufrido profundas e inevitables metamorfosis.

Una breve comparación con el *Troylus and Criseyde* de Chaucer ilustrará ese problema. A pesar de la delicadeza y penetración «psicológica» de su diálogo, Chaucer sitúa dentro de la fortuna predestinada de Troya el necesario fracaso del amor de un príncipe (amor impuesto desde fuera) ante la acción de la diosa. Una y otra vez Chaucer ejerce sus privilegios de narrador; interviene en la obra y, acentuando lo desesperado de la situación de Troilo, contradice el alcahuete, Pándaro, que débilmente defiende la libertad de la voluntad y de la acción. Para Chaucer, la fortuna se ha convertido en una especie de destino, en un destino que él se siente llamado a defender, a pesar de que, como ha hecho notar Farnham, «cuanta más vida tienen Troilo y Criseida, tanto más actúan como si no estuvieran totalmente encadenados por una fatalidad externa» [14]. Así, pues, la trascendente fortuna, la diosa Fortuna, constituye una constante tentación a exponer una tesis, a pesar de que Chaucer «llega a destilar su propia experiencia de la vida en este... poema», y a pesar de que es capaz de hacer que sus personajes «actúen vitalmente, esto es, deliberadamente y llenos de esperanza» [15].

ímpetu de significación. E. J. Webber no vacila en identificar la *Celestina* con esta tradición («Tragedy and Comedy in the *Celestina*», *Hispania*, 1952). Webber observa la coincidencia de la caída de Calisto y los demás con la doctrinaria caída «from happy estate», pero no se da cuenta de la radical diferencia que entre ambos existe. Llega a la conclusión de que en la *Celestina* hay una amalgama de dos estilos diferentes: una serie de caídas trágicas dentro de la «romantic obliviousness» de la comedia.

[14] W. Farnham, *The Medieval heritage of Elizabeth tragedy*, Berkeley, Cal., 1936, p. 157.

[15] *Loc. cit.*

Y otro tanto cabría decir del papel desempeñado en la obra por el amor [16]. En la *Celestina*, obra desprovista de interlocutores alegóricos, en cambio, la forma dialógica descarta por sí misma este tipo de intervenciones. La fortuna y el amor pueden ser o no ser fuerzas trascendentales e irresistibles, pero quedan subordinados a la situación del diálogo en cada momento, a su complejo de sentimientos y argumentos entrelazados. Y cuando los personajes mencionan explícitamente a la fortuna o al amor, ambos sirven, lo mismo que los demás tópicos, para transmitir experiencias o deseos particulares. Quedan integrados a la vida consciente, en vez de oponerse a ella.

Así el arte de la tesis en Rojas es a todas luces un arte *a posteriori*, un arte de prólogo y epílogo. Al meditar en el conjunto de la obra, Rojas, como muchos de sus lectores, puede haber descubierto en ella el eficaz dominio de un concepto tradicional del amor y de un concepto tradicional de la fortuna [17], pero en la secuencia de las si-

---

[16] Citemos, como ejemplo típico, el siguiente pasaje del comienzo del poema. Troilo, que aún no conoce el amor, censura la locura de los amadores:

> «O veray fooles! nyce and blynde be ye.
> Ther nys nat oon kan war by other be».
> And with that word he gan caste up the browe
> Ascaunces, «loo! is this nat wisely spoken?»
> At which the god of love gan loken rowe
> Right for despit, and shop for to be wroken.
> He kidde anon his bowe nas nat broken,
> For sodeynly he hitte hym atte fulle,
> And yet as proud a pekok kan he pulle.
>
> O blynde world, O blynde entencioun...

(*The Book of Troilus and Criseyde*, ed. R. K. Root, Princeton. 1926, versos 202-211). La fuerza externa del amor, del dios, más que del sentimiento, puede, como la fortuna, tentar al autor a presentar una tesis. Chaucer ciertamente no quiere que tomemos las palabras en sentido literal, como se ve después por la sutil presentación de la pasión interior de Troilo. Y, sin embargo, por el solo hecho de emplear la imagen, Chaucer está proponiendo la tesis. Dicho de otro modo, Chaucer quiere pero no consigue convertir su tesis en tema.

[17] También el impresor que escribió el «Argumento de toda la obra» hizo esa interpretación: «...vinieron los amantes... en amargo y desastrado fin. Para comienço de lo cual dispuso el aduersa fortuna lugar oportuno, donde a la presencia de Calisto se presentó la desseada Melibea».

tuaciones particulares, en los diálogos que integran ese conjunto, la tradición cede ante la innovación artística. Para terminar, citemos un ejemplo más. Cuando Celestina recuerda en el acto IX su pasada prosperidad, se lamenta:

> Yo vi, mi amor, a esta mesa, donde agora están tus primas assentadas, nueue moças de tus días, que la mayor no passaua de dieziocho años e ninguna hauía menor de quatorze. Mundo es, passe, ande su rueda, rodee sus alcaduzes, vnos llenos, otros vazíos. La ley es de fortuna que ninguna cosa en vn ser mucho tiempo permanesce: su orden es mudanças. No puedo dezir sin lágrimas la mucha honra que entonces tenía... (Aucto IX; vol. II, p. 45).

Aparte del irónico contraste ya señalado entre los lugares comunes y el contexto (contraste que aquí se debe tanto o más a la mención de la honra que a la de la fortuna), podemos ver cómo Celestina sólo alude de pasada a la fortuna y que lo hace a causa de la tristeza y resignación del momento. Rojas no subraya la idea, no pone en boca de Celestina ninguna aseveración que pudiera compararse con la frase, «la vida es sueño - y los sueños sueños son», que Calderón hace decir a Segismundo. Y no hay nada que nos lleve a creer que el autor está de acuerdo con su personaje, como ocurre en el acto XXI y en la crítica de Sempronio al estilo ornado en el acto VIII.

Una vez relegado el arte de la tesis a un papel tan secundario, tenemos que enfrentarnos a este problema: ¿en qué forma actúan dentro de la *Celestina* la fortuna y el amor? Es indudable que ambos están presentes en la obra, aun cuando no puedan identificarse con las casuales menciones que de ellos hacen los hablantes. Y si están ahí, si la fortuna y el amor tienen positiva significación temática, ¿cómo la tienen y en qué nueva forma?

2.   DE LA TESIS AL TEMA: LA FORTUNA

Nuestra sospecha de que en la *Celestina* la fortuna y el amor no son divinidades convencionales ni reales, que la diosa de la rueda y el dios del arco han quedado superados artísticamente, nos invita a examinar nuevamente el texto. Comencemos por la fortuna y tratemos de ver, no lo que de ella *se dice* (ya hemos rechazado este enfoque), sino el modo como actúa, como determina o limita las vidas de la obra. En este sentido la muerte de Calisto será de importancia decisiva. Los preliminares (sobre todo el *incipit* con su «reprehensión» moral y ciertos presagios incluidos en el primer acto llevan al lector a prever la muerte de Calisto. Así, Sempronio predice el castigo a que se expone su amo: «Lee los ystoriales, estudia los filósofos, mira los poetas. Llenos están los libros de sus viles e malos exemplos e de las caydas que leuaron los que en algo, como tú, las reputaron» (Aucto I; vol. I, p. 47). Sin embargo, Rojas no presenta en realidad la muerte de Calisto como un castigo, sino como un accidente, como un mero azar, desprovisto de todo propósito moral. Rojas hace que Calisto dé un paso en falso al bajar por la escala; y en la *Tragicomedia* acentúa aún más la falta de propósito moral, porque en los actos añadidos parece evitar deliberadamente la violenta venganza planeada por Areusa. Aquí Rojas complica la muerte de Calisto con una nueva cadena de circunstancias y de ese modo pone aún más de manifiesto sus antecedentes accidentales, la ausencia de la fatalidad. Las «caídas» de que hablaba Sempronio, resultado tradicional del orgullo y de «alta» posición (por ejemplo, Alejandro y Nemrod, con su *hybris* medieval, comparados ambos con Calisto en una misma frase del acto I), se convierten así en una noche oscura, una alta escalera y un momento de descuido. La caída alegórica desde la rueda de la fortuna pasa a ser una caída verdadera, en la cual la fuerza de gravedad desempeña el papel principal, mientras que la fortuna se ve reducida a la categoría del azar fatal a que está sujeta la existencia del hombre en el espacio «ajeno». La tesis es reemplazada por el tema, y la muerte se emancipa así de la transgresión [18].

Si sustituimos provisionalmente la palabra «fortuna»

---

[18] H. Warner Allen estudia este mismo problema en su introducción y en su apéndice a la traducción de Mabbe *(Celestina, Broadway Translations,* Londres, 1924). Dice que la intención de Rojas era censurar «la pasión que abandona el suelo para perderse en el cielo», y que por lo tanto la *Comedia* adolece de un defecto, pues «la catástrofe no se explica realmente por lo que precede». Este defecto, según Allen, se corrige en la *Tragicomedia,* «aunque Centurio no tuviera la intención de provocar un final trágico». Rojas muestra que la muerte podría ser un castigo deliberado, pero luego él mismo impide que lo sea. Y en mi opinión este hecho pone de manifiesto su propósito de acentuar el carácter accidental de la muerte. Al forjar una trama de venganza, ineficaz y sin sentido, subraya con contraste irónico la ausencia de una tesis en su obra.

por «espacio» (teniendo presente, sin embargo, que los hablantes individuales no parecen confirmar esa sustitución en su empleo de los lugares comunes), veremos que la obra se ilumina desde dentro. Nuestras observaciones preliminares sobre la naturaleza del tema comienzan a verse justificadas, puesto que hay que examinar y comentar a un mismo tiempo toda clase de aspectos diferentes. Pero por lo pronto será mejor no dejar de lado la idea de la caída, que sirve de puente para unir ambos conceptos y que sin duda es una de las claves para explicar la singularidad de la obra. Las cuatro muertes por caída (pues aunque los criados mueren ejecutados, es significativo que Rojas decidiera hacer de la caída la causa eficiente de su muerte) se preparan con una continua preocupación por los dos niveles de sentido implícitos en la palabra. El empleo tradicional y semialegórico de «cayda» en boca de Sempronio reaparece en media docena de contextos irónicos; así, las palabras de Pármeno: «Riqueza desseo; pero quien torpemente sube a lo alto, más ayna cae que subió» (Aucto I; vol. I, p. 103); las de Celestina: «No sé cómo puedo viuir, cayendo de tal estado» (Aucto IX; vol. II, p. 49); o la advertencia que Sosia hace a Calisto: «Recuerda e leuanta, que si tú no buelues por los tuyos, de cayda vamos» (Aucto XIII; vol. II, p. 117). En estas frases la caída en el espacio queda semánticamente absorbida por el tópico de la fortuna: el hombre pasa fatalmente de un estado «alto» a uno «bajo».

Pero en las palabras de Sempronio: «que primero que cayga del todo, dará señal, como casa que se acuesta» (Aucto III; vol. I, p. 129) el contenido alegórico queda vigorizado por una imagen que sugiere la fuerza de gravedad y la aceleración. El espacio y la desintegración espacial —«casa que se acuesta»— se han introducido inconscientemente en la jerarquía moral de la fortuna. Pero fuera de esto, debemos notar la preocupación puramente física por la caída, que aparece una y otra vez a lo largo de la obra. Elicia amonesta a Celestina: «¿Cómo vienes tan tarde? No lo deues hazer, que eres vieja; tropeçaras donde caygas e mueras». Pero Celestina es tan maestra del espacio como del alma humana, y responde:

No temo esso, que de día me auiso por dónde venga de noche. *Que jamás me subo por poyo ni calçada, sino por medio de la calle. Porque, como dizen: no da passo seguro quien corre por el muro, e que aquel va más sano que anda por llano* (Aucto XI; vol. II, p. 78).

O bien, cuando Melibea, en espera de Calisto, imagina los peligros de la noche hostil, menciona entre ellos el siguiente: «*¿O si ha caydo en alguna calçada o hoyo, donde algún daño le viniesse?*» (Aucto XIV; vol. II, p. 124). Esos dos vértigos, unidos en una sola palabra, ilustran, pues, el paso de la tesis al tema, de la fortuna al espacio. Las limitaciones morales del *hombre*, han quedado sustituidas por las limitaciones fundamentales de la *vida humana* [19]. Sólo estas últimas limitaciones son ahora capaces de producir una catástrofe.

Dada la importancia de la caída como testimonio de la metamorfosis temática de la fortuna, sería de esperarse que hubiera alguna referencia a ella en los preliminares, al lado de los intentos de exponer la tesis. En efecto, en los acrósticos figura el nombre de Dédalo: «No hizo Dédalo cierto a mi ver / alguna más prima entretalladura», y en el Prólogo hay una mención de la fabulosa ave de las *Mil y una noches*:

> De vna aue llamada rocho, que nace en el índico mar de Oriente, se dize ser de grandeza jamás oyda e que lleva sobre su pico fasta las nuves no sólo vn hombre o diez, pero vn nauío cargado de todas sus xarcias e gente. E como los míseros navegantes estén assí suspensos en el ayre, con el meneo de su buelo caen e reciben crueles muertes (vol. I, p. 22) [20].

---

[19] Cuando los personajes hablan de la fortuna y de la caída desde ella, lo hacen con la misma ironía con que aluden a cualquier otro lugar común. Así, las palabras de Sempronio sobre Celestina, no citadas hasta ahora: «Que quien con modo torpe sube en lo alto, más presto cae que sube», ligan esta verdad a la bellaquería de su fuente. Y lo mismo ocurre en la mayoría de los casos (incluyendo el de Sosia, que al decir «de cayda vamos» no tiene en cuenta que ya ha sucedido lo peor que podía suceder). Desde el punto de vista de un moralista de la fortuna como Petrarca, Sempronio y Sosia temen sus respectivas caídas sin hacerse cargo de que ya han caído. La única alusión enteramente desprovista de ironía es, quizá, la que hace Pármeno acerca de Calisto, cuando éste se arrodilla ante Celestina: «Deshecho es, vencido es, caydo es; no es capaz de ninguna redención, ni consejo, ni esfuerço» (Aucto I; vol. I, p. 92).

[20] Esta alusión, como casi todo el Prólogo, está tomada del *De remediis*. Sin embargo, como Rojas —ya lo hemos visto— rechazó del prólogo de Petrarca mucho más de lo que tradujo, es significativo que conservara y subrayara este motivo. Y digo «subrayara», porque incluye detalles como «cargado de todas sus xarcias» y «con el meneo de su buelo caen», que no figuran en el original.

Sería por supuesto desatinado pretender que en alguno de estos casos Rojas quería referirse a su tema, pero tanto Dédalo como el «rocho» expresan quizá esa misma preocupación, que posiblemente continuara en Rojas aún más allá del proceso propiamente dicho de la creación. Por otra parte, es significativo que ambas referencias eleven la caída al nivel del ejemplo mitológico (dándole así un sentido definitivo que no podía lograrse dentro de las catástrofes particulares del texto) y que las dos caídas sean consecuencia del vuelo. Esta coincidencia nos recuerda la comparación que establece Rojas entre su propio acto creador y la hormiga que con sus nuevas alas se lanza al aire y es devorada por las aves. La frase «el ayre... ageno y estraño» es expresión de ese azaroso espacio temático que rodea y destruye al individuo con sus «alas... nublosas... nacidas de ogaño» [21]. Una vez más, el espacio, en su pura dimensionalidad, hace resaltar la insignificancia y vulnerabilidad de sus habitantes.

[21] Quizá una de las posibilidades no desarrolladas de la *Celestina* sea la insistencia al principio de la obra en el vuelo del halcón por el espacio y su imprevisible caída en el huerto de Melibea. Cuando llegue a hacerse la gran película que la obra exige, sería acertado comenzarla con ese vuelo en espiral y mostrar de paso las diversas elevaciones que más tarde habrán de ser funestas.

En su artículo «Éléments d'une critique constructive» *(Trivium*, 1953), Theophil Spoerri confirma —aunque sin referirse particularmente a la *Celestina*— la posibilidad de que la altura y la distancia espaciales sean un tema literario:

> *L'espace apparaît dans l'oeuvre d'art non comme une catégorie mais comme une structure vivante et dialectique: comme extension et limitation, comme infinitude et finitude. Il peut être une immensité vide dans laquelle on se perd, une prison où l'on étouffe, une grande maison où l'on se sent à l'abri, une contrée pleine d'embûches où s'ouvre à chaque pas un abîme. Chacune de ces structures peut servir de modèle à un projet de monde.*

Esta última frase, *projet de monde*, parece significar aproximadamente lo mismo que nuestra «visión temática». Para Spoerri el mundo representa dentro de la literatura una cualidad o una intención que hay que analizar estructuralmente; y esto es más o menos lo que yo he tratado de hacer aquí. Es muy significativo para la *Celestina* lo que Spoerri dice a continuación:

> *Nous sommes loin d'avoir épuisé les catégories de l'espace. Il faudrait évoquer tout ce qui se rapporte à la dialectique du stable et de l'instable basée sur l'instinct de securité, sur le sens de l'équilibre et faisant naître le vertige, la hantise du gouffre...*

Este aspecto del tema de la *Celestina* nos hace pensar en el conocido cuadro de Brueghel *Dédalo e Ícaro*, otro ejemplo del desinterés del universo espacial por la caída del hombre. Brueghel y Rojas, que son más o menos contemporáneos, parecen coincidir en su amargo reconocimiento de un mundo más allá de los límites humanos, que se convierte temáticamente en causante decisivo de la fragilidad de la vida. Así, las derretidas alas de Ícaro a lo lejos y los sesos de Calisto desparramados sobre los «cantos» son ambos resultado de la metamorfosis de la fortuna. Ciertas circunstancias de la muerte de Melibea parecen confirmar la posible semejanza temática con el cuadro de Brueghel. Sin revelar a Pleberio su propósito de suicidarse, Melibea explica así su deseo de subir a la azotea: «Subamos, señor, al açotea alta, porque desde allí goze de la deleytosa vista de los nauíos...» (Aucto XX; vol. II, pp. 205-206). Esta frase parece indicar que la azotea no es sólo un instrumento de muerte, sino también un punto de vista (en el sentido elemental de la expresión), que permite amplias perspectivas sobre la tierra y el mar. La mención de los navíos, desconcertante problema para quienes han querido identificar la «ciudad» de la *Celestina* [22], queda particularmente aclarada en virtud del cuadro. Para Brueghel y otros pintores de la época el mar y los barcos, el paisaje marino visto desde la tierra, constituye un trasfondo habitual; retrata en forma canónica las inseguridades y atracciones de la distancia, la extraña fascinación del espacio. La figura alegórica o emblema de la «fortuna de los mares» estudiada por Patch [23]

---

[22] Uno de los esfuerzos más recientes de identificación es la monografía de José Ramos Díaz intitulada *Algo más que tenerías* (Salamanca, 1950). El autor sostiene que la ciudad de la *Celestina* es Salamanca. Para explicar la presencia de los navíos dice que es incorrecto aislar los datos geográficos del «espíritu que mueve la obra toda», es decir, del tema. En este caso, el «idealismo» de Melibea (opuesto al «realismo» de Celestina), que en el acto XX es reforzado por la pasión, hace que las barquichuelas del Tormes se le figuren barcos. El autor compara este proceso con el del *Quijote*. El punto de partida de Ramos Díaz (esto es, la importancia primordial del tema para todos los problemas críticos) es totalmente acertado, pero el dividir a los personajes de este modo constituye una simplificación. Como he tratado de demostrar en un capítulo anterior, lo que Rojas quiere es entremezclar e igualar a sus personajes, no dividirlos en categorías. Cada vida de la *Celestina* tiene su propia y única idealización de la realidad y su propia (y vencida) «realización» de la «idealidad».

[23] En el libro antes mencionado, Patch habla de la «fortuna

ha sido reemplazada en cierto sentido por extensas superficies de mar en que flotan solitarios unos barcos. Es por eso significativo que Rojas presente un cuadro parecido en el momento de la caída de Melibea. Como en la descripción del falso suicidio de Gloucester en *King Lear*, tanto Brueghel como Rojas representan la nueva dimensionalidad de la fortuna por medio de una caída y del espectáculo de buques lejanos, esto es, juntando la altura a la distancia. Melibea menciona los navíos de acuerdo con el lenguaje plástico de su época, así como ensarta precedentes clásicos ateniéndose al lenguaje literario coetáneo [24].

El espacio temático de la *Celestina* es, pues, plenamente dimensional; en el sentido horizontal y en el vertical es «ageno y estraño» a la vida y a sus preocupaciones. De ahí que su función no pueda limitarse a las caídas culminantes; como ya hemos visto al hablar de la estructura, la mayoría de las «situaciones dialógicas» se definen y adquieren pleno significado gracias a la determinación espacial. El espacio es una condición constante y efectiva de la vida, así como es una causa de la muerte. La delimitación estructural se convierte a la vez en delimitación temática.

de los mares» como de una especie típica del gran lugar común. Menciona como ejemplo una ilustración tomada del *Traité d'iconographie chrétienne* de Barbier de Montault (París, 1890): «En una de las pinturas del Vaticano se la representa en el mar, con un buque, una vela y un remo, *car la fortune vient du commerce maritime*» (p. 37).

[24] Es interesante notar que Lope de Vega continúa en la *Dorotea* el tema de la caída, pues Gerarda muere de ese modo. Aún más, Lope relaciona explícitamente la caída física con la de la fortuna: «FELIPA.—¡Cómo han quedado aquellas honradas tocas! CELIA.—Las tocas sanas: ¡assí lo estuuiera la cabeça! Pero puédese consolar, que murió cayendo, como aquellos a quien leuanta la fortuna» (Acto V, esc. XII; ed. A. Castro, Madrid, 1913, p. 303). Pero Lope maneja esta coincidencia de sentido como mero juego de palabras, de acuerdo con el ingenio semiburlesco de toda la escena. La profunda preocupación temática de Rojas se ha reducido a un ingenioso aparte apenas distinto de la sustitución de «dulce» por «salada» en el pasaje precedente. Observemos también que Lope une a esa caída fatal uno de los tópicos que Rojas atribuye a Celestina: el amor al vino. Porque, por una ironía del destino (comentada largamente en el diálogo), Gerarda muere al desmayarse y caerse en la cueva cuando va en busca de agua para reanimar a Dorotea. Así, vemos que en la *Dorotea* sale a la superficie un aspecto del tema de la *Celestina*, gracias a la intuición literaria de Lope, y que reaparece ahí adaptado a un arte enteramente distinto.

Esto se advierte ante todo en esa preocupación espacial que está por debajo de la superficie de los lugares comunes escogidos y que brota de pronto en los contextos más inesperados y en las observaciones más casuales. Así, en el primer acto Sempronio define en una frase significativamente improvisada el carácter de la percepción espacial: «La vista a quien objeto no se antepone cansa. E quando aquél es cerca agúzase» (Aucto I; vol. I, p. 38). Es decir, que no es el espacio, en cuanto tal, lo que constituye la circunstancia de la conciencia, sino la barrera y la distancia, exactamente como ocurre con el arte de la estructura. El espacio es el medio dentro del cual tienen lugar el movimiento y la percepción visual, y por lo tanto está en relación directa con los sentimientos y motivos, con el temor, el amor, el orgullo y muchos otros. El espacio es el árbitro definitivo de la posibilidad y de la imposibilidad. En este sentido, las observaciones de Celestina sobre la astucia de las mujeres en el amor dan un carácter casi coral a esa íntima lucha entre sentimiento y espacio:

> Catíuanse del primer abraço, ruegan a quien rogó, penan por el penado, házense sieruas de quien eran señoras, dexan el mando e son mandadas, rompen paredes, abren ventanas, fingen enfermedades, a los cherriadores quicios de las puertas hazen con azeytes vsar su oficio sin ruydo (Aucto III; vol. I, p. 138).

La idea de la barrera sobrepasa aquí las barreras particulares de la acción, y en un estilo que casi llega a ser poético abarca la generalidad del tema. Por su importancia temática, las puertas, las paredes y las ventanas dejan de ser meros elementos de la estructura, para convertirse en motivos poéticos, válidos por sí mismos.

En otros pasajes la ausencia misma de barreras, el carácter asequible de la distancia produce una expresividad análoga. Así, para Celestina la libertad de movimiento es una cosa sobrenatural:

> Quatro hombres que he topado, a los tres llaman Juanes e los dos son cornudos. La primera palabra que oy por la calle fue de achaque de amores. Nunca he tropeçado como otras vezes. *Las piedras parece que se apartan e me fazen lugar que passe. Ni me estoruan las haldas ni siento cansancio en andar. Todos me saludan.* Ni perro me ha ladrado, ni aue negra he visto... (Aucto IV; vol. I, pp. 156-158).

La diferencia que se observa entre la hábil interpolación que expresa un momento de conciencia y la frase que sigue («E lo mejor de todo es que veo a Lucrecia a la puerta de Melibea») es justamente la diferencia que existe entre el aprovechamiento sólo estructural del espacio y su exaltación temática. En un caso hay transición y evidente preparación de la «escena», en el otro comprensión consciente y verbal del movimiento liberado. Como hemos dicho anteriormente, el espacio es aquí el «compañero» temático de la vocación de Celestina, y también él está descrito en forma casi poética. La *Celestina* abunda en esas correlaciones directas, aunque casuales, entre la libertad (o el impedimento) espacial y la conciencia, y no hace falta acumular ejemplos. Los desnudos espíritus de los personajes se enfrentan a un mundo desnudo, a un mundo de alturas vertiginosas, de lejanas perspectivas y de obstáculos vistos en silueta. Para vivir en ese espacio ajeno lleno de «dañosos y hondos barrancos» hace falta un máximo de sagacidad, porque como dice Celestina (que «de día se auisa por dónde venga de noche»): «Quien no tiene sino vn ojo, ¡mira a quánto peligro anda!» (Aucto VII; vol. I, p. 255). Pero la simple vida animal, con su incesante cálculo de las perspectivas, no es suficiente; ya hemos visto, y volveremos a ver, que la tarea desesperada de los seres que viven dentro de ese mundo tan radicalmente inhospitalario es crear valores humanos y encontrar consuelo humano, es decir, luchar contra ese mundo con sus vidas espirituales.

3. DE LA TESIS AL TEMA: LA MUERTE Y EL TIEMPO

Una vez reconocido el hecho de que la importancia del espacio en la estructura escénica de la *Celestina* se debe quizá a que el espacio vino a sustituir temáticamente a la fortuna, no podemos menos de pensar en otro factor dimensional de la situación dialógica: el tiempo. Y el tiempo, a su vez, nos hace pensar en la muerte, en esa misma muerte que va siempre al lado del tiempo y de la fortuna en la literatura didáctica de la tardía Edad Media. Pedro Salinas ha dicho lo siguiente a este propósito:

> Ya están completos los tres sirvientes más fieles de esa empresa de menosprecio del mundo, los tres incansables. Porque si el tiempo no para, si la muerte no descansa,

tampoco se está quieta un segundo la rueda de la Fortuna. De seguro que en algunas atribuladas imaginaciones de la Edad Media, atormentadas por la cogitación sobre el destino humano, esas tres grandes figuras simbólicas de otras tantas tremendas realidades debieron de aparecer al modo de tres gigantescos pastores, que empujaban a la grey de los humanos hacia el desengaño de todo lo terrenal; tres fantasmas, invisibles y siempre al lado, cuya voz se sentía amenazadora, aun en los momentos esos en que las apariencias del mundo fingen las formas más engañosas de la alegría y la confianza[25].

Está claro, pues, que tenemos que enfrentarnos a dos problemas: no sólo a la posible función temática del tiempo dentro de la *Celestina*, sino también al destino tanto del tiempo como de la muerte en cuanto tesis, en cuanto tópicos didácticos situados en el mismo plano trascendental de la fortuna. Pero, como veremos, estos problemas convergen en una solución única.

En primer lugar, la muerte parece haber perdido en la *Celestina* gran parte del significado descrito por Salinas. Resulta que casi se ha reducido a un mero final de la vida, a un «dejar de existir», para emplear el giro periodístico. Una de las señales más convincentes de este cambio es el desinterés de Rojas por la tesis tradicional de la *Danza de la muerte*. Nunca se detiene en subrayar —y esto parece deliberado— la llamada muerte «democrática», corriente en su tiempo, la implacable equiparación del rico con el pobre, del orgulloso con el humilde, del necio con el prudente, etc.[26]. Aún más, en la lamentación

---

[25] *Jorge Manrique o tradición y originalidad*, Buenos Aires, 1947, pp. 97-98.
[26] No cabe duda de que Rojas conocía esa tesis, que todavía tuvo validez artística para Gil Vicente y para otros. De hecho la incluye en su obra, pero en forma descuidada y sin la menor convicción: «Elic.—Por Dios, dexemos enojo e al tiempo el consejo. Ayamos mucho plazer. Mientra oy touiéremos de comer, no pensemos en mañana. Tan bien se muere el que mucho allega como el que pobremente viue, e el doctor como el pastor e el papa como el sacristán e el señor como el sieruo e el de alto linaje como el baxo e tú con oficio como yo sin ninguno. No hauemos de viuir para siempre. Gozemos e holguemos, que la vejez pocos la veen e de los que la veen ninguno murió de hambre» (Aucto VII; vol. I, p. 262). El contexto de estas observaciones demuestra, como siempre, la intención irónica que Rojas pone en ellas, su repugnancia «cervantina» a hacer que sus personajes defiendan una tesis. Así como Sancho se sirve del tópico ascético de la muerte en su propio provecho y desde su propio punto de vista (*Quijote* II, xx), así también Elicia pone la fatal igualación de la muerte al servicio de su pereza. Sería muy difícil —mucho

de Pleberio, en vez de una personificación y de una censura de la muerte (como la de la fortuna, del amor y del mundo), encontramos lo siguiente:

> ...yo no lloro triste a ella muerta, pero la causa desastrada de su morir. Agora perderé contigo, mi desdichada hija, los miedos e temores que cada día me espauorecían: sola tu muerte es la que a mí me haze seguro de sospecha.
> ¿Qué haré, quando entre en tu cámara e retraymiento e la halle sola? ¿Qué haré de que no me respondas, si te llamo? (Aucto XXI; vol. II, p. 223).

Así, lo que desconsuela a Pleberio no es la muerte misma, sino sus causas y sus consecuencias en la vida. En la *Celestina*, a diferencia del *Libro de buen amor*, la muerte ya no se alegoriza.

Podremos comprender mejor esta pérdida de validez si nos volvemos nuevamente a la metamorfosis temática de la fortuna. En los siglos precedentes la fortuna y su caída eran un aspecto de la condición humana o, como ha dicho Salinas, del «destino humano». Pero en la *Celestina* las caídas no son genéricas, sino personales; no son resultado de la condición del hombre en cuanto hombre, sino de la existencia solitaria y forzosa de cada vida en el espacio. El individuo se siente preocupado por la fortuna porque es un hombre y está sujeto a la debilidad hu-

---

más difícil aún que en el caso de la fortuna— probar que en la *Celestina* la muerte constituye una tesis.

[27] En un artículo reciente («Nota sobre la *Celestina*», *Clavileño*, 1950), Marcial José Bayo observa que Rojas presenta la muerte de manera muy distinta de la *Danza de la muerte*. Pero explica esa diferencia por la «resonancia» de las *Coplas* de Jorge Manrique, resonancia evidente sobre todo en el último acto. En las *Coplas*, dice, «la muerte es paso y no acabamiento», y por lo tanto pierde su carácter de venganza, «el resentimiento del individuo anónimo». Y en la *Celestina*, a pesar de su «posición agnóstica», hay al menos un pasaje que sugiere que la fama puede ser antídoto de la muerte: «Ninguno perdió lo que yo el día de oy, avnque algo conforme parescía la fuerte animosidad de Lambas de Auria, duque de los ginoveses, que a su hijo herido con sus braços desde la nao echó en la mar. Porque todas éstas son muertes que, si roban la vida, es forçado de complir con la fama» (Aucto XXI; vol. II, pp. 223-224). Es muy interesante esta interpretación; sin embargo, no tiene en cuenta el hecho de que en la *Celestina* la «desvaloración» de la muerte en cuanto tópico tradicional es mucho más radical aún que en las *Coplas*. Si Manrique propone antídotos para la muerte, Rojas, como veremos, quita a ésta toda importancia positiva, todo significado moral. En el mundo de Rojas la muerte ha pasado a ser un mero azar sin sentido alguno.

mana; si le preocupa el espacio es porque él personalmente está vivo. Es decir, que la amenaza dilatada y personificada de un castigo futuro se ha sustituído por una continua presencia dimensional, por un enemigo de la vida a quien nada importan los errores humanos. Pero la muerte, en contraste con la fortuna, no puede hacerse objeto de esa particularización. No puede dejar de ser una condición del género humano ni convertirse en condición de la vida individual, precisamente por ser la negación de la vida. La muerte puede cernerse sobre el hombre en la figura del horrendo segador, digno compañero de la perversa fortuna, pero desde dentro de la vida misma es tan extraña que casi no es posible imaginarla [28]. Y aun cuando la muerte baja a la tierra y hace que en un instante desaparezca la vida, lo único que queda es un incidente y una ausencia. Sempronio confirma cínicamente esa pérdida de sentido, evidente en la lamentación de Pleberio, cuando incluye «muerto es tu padre» e «Ynés se ahorcó» en la lista de incidentes fáciles de olvidar. La vida continúa, y también las atroces muertes del acto XII habrán de olvidarse; la primera en olvidarlas es Areusa («...verás con quánta paciencia lo çufro y passo»); después viene Elicia. En la *Celestina* hay, pues, cinco «accidentes» y ninguna «muerte» en el sentido tradicional de la palabra. La muerte no puede existir dentro de la conciencia viva del diálogo auténtico.

Alguno podría sentirse tentado a aducir las obras de Quevedo y de Heidegger para refutar las anteriores consideraciones [29]. Pero en realidad ambos autores descubren y describen la presencia de la muerte en la vida por un proceso de interpolación lógica extraño al sentimiento del yo. En todo caso, ya sea que se trate de un asceta, y de un conceptista, ya de un existencialista, sólo adquirimos una conciencia del «crecimiento hacia la muerte» cuando vivimos el envejecimiento y la enfermedad, y ninguno de estos factores es temáticamente eficaz en la *Celestina*. La muerte aquí nunca es lenta, sino siempre repentina y

[28] Como en el caso de la breve «danza de la muerte» de Elicia, las alusiones a la muerte aparecen por lo común ligadas a alguna receta para la buena vida. Cuando Celestina insinúa a Melibea que «tan presto, señora, se va el cordero como el carnero...» (Aucto IV; vol. I, p. 170), no lo dice más que para hacerle parecer más deseable la rendición al amor.

[29] El primero que propuso esa comparación fue Laín Entralgo, en un artículo que por desgracia no he logrado obtener.

211

violenta: «¡O muerte, muerte! ...Por vno que comes con tiempo, cortas mil en agraz» (Aucto III; vol. I, p. 135). Es significativo que cuando Celestina describe en detalle la muerte quizá no sea tan radicalmente inconcebible desmentos —«...aquel hundimiento de boca, aquel caer de dientes, aquel carecer de fuerça...»— que Quevedo habría aprovechado de buena gana, comienza por decir «todo por viuir» (Aucto IV; vol. I, p. 165). Es decir, que aunque la muerte quizá no sea tan radicalmente inconcebible desde el punto de vista de la vida como suele afirmarse, dentro de la *Celestina* y de su visión temática es significativa la oposición de ambas fuerzas. De ahí que la ausencia misma de los tópicos de la muerte pueda considerarse como un aspecto del tema [30].

El tiempo no presenta tales obstáculos a la contribución temática. Si el tiempo preocupa al hombre es ante todo porque él está vivo y por lo tanto no tiene supuestos concretamente morales. Sin que sea necesario un nuevo «descubrimiento», como ocurre con el espacio, el tiempo constituye una condición inmediata de toda vida. Petrarca podrá negar que el concepto de la fortuna se aplique al mundo animal; la doctrina podrá afirmar que la muerte de los animales es distinta de la de los hombres (como dice Calisto, «si el purgatorio es tal, más querría que mi espíritu fuese con los de los brutos animales»); pero por el solo hecho de vivir, los animales comparten con el hombre el espacio, y, ante todo, el tiempo. A esto se debe que el tiempo pueda dejar de ser tesis tradicional

---

[30] La muerte concebida como transición (no como la macabra destrucción de la *Danza)* no aparece en la *Celestina*. A diferencia de Chaucer, Rojas no piensa en el momento que sigue a la muerte. Nada dice acerca del destino del alma, como nada dice del valor definitivo de cada vida, y si tanto Calisto como Celestina piden confesión al momento de morir, el hecho de que no la reciban no trae consigo ninguna consecuencia moral. Podemos suponer que ambos son condenados irremediablemente, pero fuera de que en el primer acto Pármeno advierte a Calisto que perderá su alma, el texto no confirma tal suposición. Obsérvese también el significativo desinterés de Pleberio por el «futuro» de su hija. Así, en la *Celestina* la falta de confesión no supone un castigo moral. Sólo refleja la ausencia temática de una muerte «oficial». La muerte es sólo el punto final de la vida, la conclusión del significado, y no tiene en sí misma un sentido positivo o negativo. Menéndez Pelayo y otros críticos han observado ese desinterés de Rojas por las consecuencias de la muerte (sobre todo el suicidio), y lo han relacionado con su judaísmo. Para nosotros tiene más interés ahora el aspecto temático de la cuestión.

para convertirse en preocupación temática —ya no personificación maligna, sino azarosa dimensión— sin la menor dificultad y sin una metamorfosis espectacular. El discurso de Sempronio sobre la vanidad de las preocupaciones humanas (discurso que Madariaga considera el más significativo de toda la obra), renueva el antiquísimo lugar común con reminiscencias contemporáneas, pero sin cambiarlo básicamente:

Que no ay cosa tan difícile de çofrir en sus principios, que el tiempo no la ablande e faga comportable. Ninguna llaga tanto que se sintió que por luengo tiempo no afloxase su tormento, ni plazer tan alegre fué, que no le amengüe su antigüedad. El mal e el bien, la prosperidad e aduersidad, la gloria e pena, todo pierde con el tiempo la fuerça de su acelerado principio. Pues los casos de admiración e venidos con gran desseo, tan presto como passados, oluidados. Cada día vemos nouedades, e las oymos e las passamos e dexamos atrás. Diminúyelas el tiempo, házelas contingibles. ¿Qué tanto te marauillarías si dixesen: la tierra tembló, o otra semejante cosa, que no oluidases luego? Assí como: elado está el río, el ciego vee ya, muerto es tu padre, vn rayo cayó, ganada es Granada, el Rey entra oy, el turco es vencido, eclipse ay mañana, la puente es lleuada, aquél es ya obispo, a Pedro robaron... [Cristóbal fué borracho]. ¿Qué me dirás, sino que a tres días passados o a la segunda vista no ay quien dello se marauille? Todo es assí, todo passa desta manera, todo se oluida, todo queda atrás... *Que la costumbre luenga amansa los dolores, afloxa e deshaze los deleytes, desmengua las marauillas.* Procuremos prouecho, mientra pendiere la contienda (Aucto III; vol. I, pp. 129-132).

Hay sólo una diferencia significativa entre esta presentación del tiempo y la del tópico medieval *ubi sunt*: en este último el tiempo pasa al lado de los objetos, las atmósferas y los hombres, mientras que para Sempronio el tiempo se une a la vida desde *dentro*, haciendo que el individuo olvide las valoraciones y emociones pasadas. La preocupación por el tiempo viene a unirse a la preocupación por el espacio en las raíces mismas de la conciencia de estar vivo. Fuera de esto, el pasaje citado es muy semejante a las descripciones que del Padre Tiempo se hicieron en la centuria anterior.

Era necesario citar nuevamente ese pasaje, no sólo porque constituye un testimonio clave de la función temática del tiempo, sino también porque en cuanto tópico nos hace sospechar que está dicho con ironía. Sin embargo, es evidente que Rojas no quiere subrayar aquí, como en otras partes, el contrapunto del contexto vital con las doctrinas tradicionales. La conclusión de Sempronio: «assí será este amor de mi amo», y las medidas que propone: «procuraremos prouecho», no están quizá a la altura de su doctrina, y hasta pueden aparecer artísticamente desequilibradas junto al largo discurso que las precede. Pero el cinismo de esta conclusión está en esencial armonía con el concepto corrosivo que Sempronio tiene del tiempo. La fugacidad de las cosas humanas le produce un goce perverso, en vez de entristecerlo o de hacerlo más sabio. Su meditación lo lleva, no al «menosprecio del mundo», sino al menosprecio de la persona, de esa misma persona sujeta temáticamente a la dimensionalidad [31]. Podemos decir, pues, a título provisional, que, ironía aparte, el espacio y el tiempo tienen funciones temáticas equivalentes, puesto que ambos son dimensiones. La destrucción producida por una caída o por el paso de días y años son grandes azares de la vida en un universo ante el cual ya no se reacciona moralmente con el menosprecio, un universo «ageno y estraño» al cuerpo y al espíritu. Comenzamos a ver cuál es la innovación temática de Rojas: la fortuna, antes personificación alegórica, se ha reducido a los medios temporales y espaciales de la actuación. De este modo, el enfoque didáctico y ejemplar del hombre en la literatura anterior ha quedado sustituído por vidas humanas.

Este cambio temático de la visión tiene un curioso corolario: la nueva manera como Rojas ilustra los fenómenos humanos con ejemplos de la vida animal. A lo largo del argumento continuo de la *Celestina* los personajes citan precedentes, no sólo de la antigüedad, sino también del mundo de los animales. Recordemos con qué calculada pedantería se esfuerza Celestina por hacer que Pármeno tolere el amor de su amo:

---

[31] En general, las alusiones a la fugacidad de la vida humana no se presentan en la *Celestina* con la misma ironía que otros lugares comunes. Cuando Pleberio nos hace recordar a Jorge Manrique con su observación «Alisa, amiga, el tiempo, según me parece, se nos va, como dizen, entre las manos. Corren los días como agua de río...» (Aucto XVI; vol. II, p. 155), la ironía es puramente dramática y no se debe, como en otros casos, a la yuxtaposición de la intención del hablante con el lugar común que expresa. El efecto irónico se produce porque nosotros sabemos lo que Pleberio no sabe: que ya es tarde para planear el casamiento de Melibea, que debieron haberlo hecho un mes antes.

...el que verdaderamente ama es necessario que se turbe con la dulçura del soberano deleyte que por el hazedor de las cosas fue puesto por que el linaje de los hombres perpetuase, sin lo qual peresçería. E no sólo en la humana especie; mas en los pesces, en las bestias, en las aues, en las reptilias; y en lo vegetatiuo algunas plantas han este respeto, si sin interposición de otra cosa en poca distancia de tierra están puestas, en que ay determinación de heruolarios e agricultores ser machos e hembras (Aucto I; vol. I, p. 95).

Más tarde Celestina habla a Melibea de la piedad de los «brutos animales», con nuevas lecciones de historia natural; hay además otros ejemplos, aparte de los del Prólogo. La significación de tales excursiones fuera del mundo de los hombres radica en que Rojas trata a los animales como animales, como seres que tienen a su manera, ciertos rasgos en común con la vida humana. A diferencia de Trotaconventos, Celestina no se interesa por los animales que son copia de los hombres; rechaza la fábula, la encarnación de características humanas en leones, zorras y ratones ejemplares. Después de todo, la fábula deduce su tesis de la conducta del hombre, mientras que Rojas, preocupado temáticamente por las dimensiones que condicionan la vida, puede ir más allá de la «humana especie» e introducir las vidas y hábitos de otros órdenes de la creación [32].

Si Rojas no es antropomorfo en sus ejemplos de la vida animal, es en cambio plena y deliberadamente antropocéntrico. Las vidas de los animales sólo sirven de referencia fugaz o pintoresca a las vidas de los hombres, vidas que poseen la facultad casi divina de tener conciencia de sí mismas. Esto nos recuerda la definición que da Celestina del deleite y su despectiva conclusión: «lo ál mejor lo fazen los asnos en el prado». Pero lo que el individuo transforma e intensifica con la conciencia y el habla no es sólo «lo ál», sino también el espacio y el tiempo. Ligado a esta conciencia, y a la vez en íntima lucha con ella,

---

[32] Hay en la *Celestina* ciertos pasajes que casi podrían interpretarse como fábulas al revés, puesto que en ellos los rasgos animales se convierten en imagen de los humanos. La comparación implícita de la ira de Melibea con la de un toro es el ejemplo más conocido. Aunque esta técnica es frecuente en la sátira (y aun en Balzac), Rojas no parece haber tenido una intención satírica. A los ojos de Celestina la pasión de Melibea es tan tremenda que invita a una expansión estilística más allá de la limitada esfera del hombre.

el espacio recibe toda su carga temática, y otro tanto cabe decir del tiempo. Ya en el discurso de Sempronio pudimos observar ese paso desde el transcurso exterior del tiempo hasta sus efectos interiores sobre la conciencia. Pero ese parlamento sigue siendo de tipo doctrinal, y el tiempo que presenta es aún una abstracción, un recurso del argumento. No es sino el punto de partida de la elaboración que efectuará Rojas con el tiempo, acercándolo temáticamente a la vida humana, a la vida consciente. Sempronio se ha referido ante todo a la oposición entre el tiempo y el amor, al modo como la pasión se va desvaneciendo a medida que retrocede hacia el pasado. Ahora bien, si examinamos otros encuentros más vitales de esas dos fuerzas opuestas podremos apreciar plenamente el sentido del tiempo en cuanto elemento temático. Si en ciertas situaciones el sentimiento de amor agudiza la conciencia espacial, lo mismo ocurre con el tiempo. En tales situaciones es justamente donde se desarrolla ese aspecto del tema.

Celestina nos dice en varias ocasiones que el amor, con su ímpetu apasionado altera el paso inexorable del tiempo haciendo que unas veces se acelere y otras se detenga. El amante que espera al ser amado es el más impaciente de los mortales: «No es cosa más propia del que ama que la impaciencia. Toda tardança les es tormento. Ninguna dilación les agrada. En vn momento querrían poner en efecto sus cogitaciones» (Aucto III; vol. I, p. 128). Cuando él está con ella (o ella con él), desea que los inconsiderados minutos se conviertan en horas: «Si de noche caminan, nunca querrían que amaneciesse: maldizen los gallos porque anuncian el día e el relox porque da tan apriessa» (Aucto III, vol. I, p. 138). Si algo hay aún de doctrina en estas afirmaciones, la vida no tarda en confirmarlas. Así, cuando Calisto ve a Celestina, que se dirige a su casa después de la primera entrevista con Melibea, se queja angustiado:

¡Oh!, ¡si en sueño se pasasse este poco tiempo hasta ver el pincipio e fin de su habla! Agora tengo por cierto que es más penoso al delinqüente esperar la cruda e capital sentencia que el acto de la ya sabida muerte. ¡O espacioso Pármeno, manos de muerto! Quita ya essa enojosa aldaua: entrará essa honrrada dueña, en cuya lengua está mi vida (Aucto V; vol. I, p. 201).

Aparte de que este pasaje parece confirmar que la muerte ha perdido su validez en la *Celestina,* el deseo de dormir y la comparación con un condenado a muerte ponen de manifiesto una conciencia herida por el roce del tiempo, una conciencia presa de aguda crisis temática.

El conflicto opuesto se expresa en uno de los últimos parlamentos de Calisto, que trasluce satisfacción erótica: «Jamás querría, señora, que amaneciesse, según la gloria e descanso que mi sentido recibe de la noble conuersación de tus delicados miembros» (Aucto XIX; vol. II, p. 197). Sempronio había contemplado el amor desde el punto de vista del tiempo y había visto cómo sucumbe a la erosión espiritual y al olvido [33]; Calisto, en cambio, ve el tiempo desde el punto de vista del amor, y esto hace que el tiempo, en vez de disminuir la conciencia, la agudice. Como la puerta cerrada que se interpone en el espacio, el mismo desinterés del tiempo por el amor es un estímulo para la conciencia. De ahí la preocupación por los relojes y las horas, que pone en evidencia este aspecto del tema a lo largo de la *Celestina.* Probablemente no hay en la literatura occidental un conjunto de personajes más consciente, no del tiempo en cuanto funesto cómplice de la fortuna y de la muerte, sino de la hora particular de la noche o del día. De ahí también la utilidad estructural de ese tiempo para la definición interna de las «escenas». En ellas el tiempo y el espacio (a menudo unidos visualmente en forma de luz y oscuridad) colaboran para mantener un diálogo auténtico y una conciencia auténtica. Y cuando uno y otro faltan, como ocurre en ciertos pasajes del primer acto, hay una tendencia fatal a la con-

---

[33] Este punto de vista se manifiesta también en los pasajes en que Calisto y Melibea, preocupados por las consecuencias de su amor (para él, la pérdida del honor; para ella, la de la virginidad), hablan del «breue deleyte» (Aucto XIV; vol. II, pp. 128 y 133). Pero a pesar de este transitorio cambio de enfoque, lo común es que ambos se sitúen dentro del deleite, elevado a la categoría de una «gloria» intemporal e inespacial. Desde ahí pueden censurar la dimensionalidad o bien desentenderse de ella. En viva oposición con esta actitud está la de Elicia, que, como hemos visto, reduce todas las cosas, y sobre todo el amor, al instante: «Son passadas quatro horas *después,* ¿e hauíasme de acordar desso?» (Aucto XI; vol. II, p. 79). Elicia acepta la «brevedad del deleite» como cosa natural, y por eso mismo no puede percibir plenamente el carácter «ajeno» del tiempo hasta que Celestina muere. En este sentido sirve de contraste temático a Calisto y Melibea.

versación cómica o a expansiones de estilo análogas a las del *Corbacho* [34].

La rivalidad entre el tiempo y el amor no se limita, sin embargo, a pesimistas predicciones de la victoria final del tiempo ni a momentos de agudizada conciencia, en que el conflicto llega a su culminación. En ocasiones Rojas hace que el amor salga vencedor, aunque sólo sea por breves instantes. En los momentos de satisfacción amorosa o en las largas horas de desesperación, el amor es a menudo capaz de excluir el tiempo y el espacio, ofreciendo un ilusorio antídoto a la conciencia de las dimensiones. Ya hemos mencionado cómo Rojas supo equilibrar la primera y la última situación del acto VIII con un paralelo abrir de ventanas que deja entrar la luz; en esas dos situaciones es donde se subrayan más vigorosamente las defensas del amor contra los embates del tiempo:

> PAR.—¿Amanesce o qué es esto, que tanta claridad está en esta cámara?

> AREU.—¿Qué amanecer? Duerme, señor, que avn agora nos acostamos. No he yo pegado bien los ojos, ¿ya hauía de ser de día? (vol. II, p. 7).

> CAL.—¿Es muy noche? ¿Es hora de acostar?
> PÁRM.—¡Mas ya es, señor, tarde para leuantar!
> CAL.—¿Qué dizes, loco? ¿Toda la noche es passada?
> PÁRM.—E avn harta parte del día (vol. II, p. 19).

Después de haber estado sumidos, respectivamente, en el goce y en el mórbido placer de la desesperación («Coraçón, bien se te emplea que penes e viuas triste...»), ni Areusa ni Calisto pueden creer que haya amanecido. Cuando cada uno de ellos regresa al espacio y al tiempo, hay algo de caricatura —de deliberada exageración y distorsión— en su ceguera anterior. La independencia del tiempo es una ilusión más que una posibilidad; es una falta

---

[34] El tiempo no sólo está presente en el nivel de la estructura y de la situación, donde a menudo aparece como preocupación por el retraso (recuérdense las nerviosas ojeadas de Calisto al reloj mientras espera la llegada de la media noche), sino que también, como corresponde al tema, está íntimamente fundido con el estilo. Una de las imágenes más certeras de la *Celestina* figura en una observación de Pármeno, que critica el indecoroso elogio que su amo hace de Melibea: «Ya escurre eslauones el perdido. Ya se desconciertan sus badajadas. Nunca da menos de doze; siempre está hecho relox de mediodía» (Aucto VI; vol. I, página 210).

de conciencia más que un nuevo tipo de conciencia. Pero en todo caso, la simetría deliberada de la estructura ilustra la progresiva exploración que Rojas hizo del choque del tiempo con el amor. Parece estar a punto de descubrir un tipo de tiempo que, como hemos de ver, ya ha conocido intuitivamente desde el comienzo de la obra: el tiempo «psicológico» o «duración».

El gran monólogo de Calisto en el acto XIV pone término a la alternancia de victorias y derrotas del tiempo. Fue añadido en 1502, y parece mostrar que Rojas había llegado a una plena posesión de este aspecto de su tema; por eso servirá también de conclusión a estos comentarios. Calisto comienza por recordar la tradicional relación entre el tiempo y la vida humana:

> ¡O mísera suauidad desta breuíssima vida! ¿Quién es de ti tan cobdicioso que no quiera más morir luego que gozar vn año de vida denostado e prorogarle con deshonrra, corrompiendo la buena fama de los passados? Mayormente que no ay hora cierta ni limitada, ni avn un solo momento. Deudores somos sin tiempo, contino estamos obligados a pagar luego... ¡O breue deleyte mundano! ¡Cómo duran poco e cuestan mucho tus dulçores! (Aucto XIV; vol. II, p. 133).

El tiempo, en cuanto lugar común, gana la primera partida por falta de contrincante, pero unos momentos más tarde regresa el amor para aguijar a Calisto, que reanuda la batalla con angustiada conciencia. Olvidando el honor, se muestra impaciente por reunirse nuevamente con Melibea:

> ¡O luziente Febo, date priessa a tu acostumbrado camino! ¡O deleytosas estrellas, aparecéos ante de la continua orden! ¡O espacioso relox, avn te vea yo arder en biuo fuego de amor! Que si tú esperasses lo que yo, quando des doze, jamás estarías arrendado a la voluntad del maestro que te compuso (Aucto XIV; vol. II, p. 138).

Después de esta culminación de la angustia y de su peculiar versión temática de la «Pathetic Fallacy», Calisto considera el amor como un descargo de la lucha con el tiempo:

> Pues ¡vosotros, inuernales meses, que agora estáys escondidos! Viniéssedes con vuestras muy complidas noches a trocarlas por estos prolixos días! Ya me paresce hauer vn año que no he visto aquel suaue descanso, aquel deleytoso refrigerio de mis trabajos (Aucto XIV; vol. II, p. 138).

Aunque Calisto piense que el amor puede liberarlo de la dimensionalidad (como ocurrió con Pármeno y Areusa), el tiempo vuelve, no como tópico ni como odioso reloj, sino con todo el prestigio de su ordenación universal:

> Pero ¿qué es lo que demando? ¿Qué pido, loco, sin sufrimiento? Lo que jamás fue ni puede ser. No aprenden los cursos naturales a rodearse sin orden, que a todos es vn ygual curso, a todos vn mesmo espacio para muerte y vida, un limitado término a los secretos mouimientos del alto firmamento celestial de los planetas, y norte de los crescimientos e mengua de la menstrua luna. Todo se rige con vn freno ygual, todo se mueue con igual espuela: cielo, tierra, mar, fuego, viento, calor, frío. ¿Qué me aprouecha a mí que dé doze horas el relox de hierro, si no las ha dado el del cielo? Pues por mucho que madrugue, no amanesce más ayna (Aucto XIV; vol. II, pp. 138-139).

El tiempo viene, pues, a unirse explícitamente al espacio «ajeno», su hermano gemelo. Al final de su evolución temática (y podemos ver que el monólogo recorre toda la trayectoria de la evolución), el tiempo cobra categoría dimensional. Es un «ygual curso», una condición de la vida a la vez «agena y estraña», como lo revela el proverbio final. Hemos llegado a la total transformación temática de la fortuna trascendental en sus medios dimensionales. Podemos preguntarnos si el énfasis peculiar que en el acto XXI pone Pleberio en el «mundo» en cuanto causa *activa* de la derrota de la vida no corresponde en cierto modo al tiempo y al espacio del tema. Después de todo, el tiempo y el espacio son a la vez las dimensiones y la única realidad eficiente de la versión que Rojas da de «hac lachrymarum valle».

Pero volviendo al tiempo tal como se presenta en el monólogo de Calisto, parecería que su victoria es ahora definitiva . ¿Qué puede oponer Calisto o cualquiera de los personajes a un rival a la vez tan diferente y tan cósmico? El párrafo final nos da una posible respuesta: «Pero tú, dulce ymaginación, tú que puedes, me acorre...». Sin embargo, para comprender plenamente el sentido de esa réplica al tiempo, debemos captar mejor la naturaleza del amor en la *Celestina*. Si en manos de Rojas la fortuna se ha convertido en las dimensiones tiempo y espacio, ¿qué ocurrirá con la bendición o la maldición del amor?

4. DE LA TESIS AL TEMA: EL AMOR

Cuando los personajes de la *Celestina* hablan de amor, lo hacen a menudo en el lenguaje de la mitología, presentándose a sí mismos como víctimas desnudas e indefensas de las doradas flechas del dios del amor. Calisto dice a Pármeno en el segundo acto: «Si tú sintiesses mi dolor, con otra agua rociarías aquella ardiente llaga que la cruel flecha de Cupido me ha causado» (Aucto II; vol. I, p. 122). Como hemos visto, el acto X está construido en torno a la herida de Melibea y del tratamiento quirúrgico de Celestina. Hasta la justificación moral de la obra en la Carta («defensiuas armas para resistir sus fuegos») parece confirmar esta interpretación del amor. Una y otra vez se dice que el amor es causado por una flecha y que va acompañado de un intolerable fuego del espíritu [35]. Menéndez Pelayo encuentra abundantes pruebas de que el amor «es para Rojas una deidad misteriosa y terrible, cuyo influjo emponzoña y corrompe la vida humana» [36]. Por supuesto, dice esto en sentido figurado; no hay en la *Celestina* personificación alegórica (como en el *Roman de la Rose)*, del amor. Pero a pesar de esto, si hemos de creer a Menéndez Pelayo, que a su vez da crédito a Calisto, a Melibea y sobre todo a Pleberio, deberemos concluir que el amor es un poder trascendental impuesto a la intimidad del hombre, una pasión fatal a la cual tiene que someterse cueste lo que cueste. Pertenece a la misma categoría que la diosa Fortuna, y aunque no llegue a personificarse, bien podría haberlo estado.

Sin embargo, hemos estudiado el arte del tema de Rojas lo bastante para darnos cuenta de que es muy arriesgado tomar al pie de la letra tales afirmaciones de los personajes. Aunque Calisto y Melibea se sientan a sí mismos presa de pasiones ejemplares y ofuscadoras, aunque Celestina invoque a las fuerzas demoníacas para que le ayuden a despertar la pasión, y aunque Pleberio

[35] En la siguiente definición del amor, copiada de Petrarca: «Es vn fuego escondido, vna agradable llaga, vn sabroso veneno, vna dulce amargura, vna delectable dolencia, vn alegre tormento, vna dulce e fiera herida, vna blanda muerte» (Aucto X; vol. II, pp. 62-63), la frase «dulce e fiera herida» es de Rojas.

[36] *Orígenes de la novela*, Santander, 1943, vol. III, p. 381.

acuse de la catástrofe al amor, es lícito preguntarnos en qué medida incorporó Rojas a la *Celestina* esa interpretación tradicional del amor. Una vez más nos formulamos esta pregunta: ¿cabe asociar la tesis de esta obra a la del *Troilus* de Chaucer y de mil y una obras que celebran o censuran el amor como una pasión ingobernable? Nuestra respuesta ya ha quedado formulada; en la *Celestina* el amor supera el concepto de la pasión enceguecedora para convertirse en un tipo de conciencia, en la conciencia dialógica y sentimental. Así como la fortuna queda reducida a una conciencia agudizada por las condiciones dimensionales de la vida, así el amor deja de ser un poder mitológico fatal y pasa a ser ese íntimo «percibir sentimental» que ha descrito Max Scheler. En esta forma, el amor adquiere prioridad temática sobre toda la serie de sentimientos que dan al diálogo de la *Celestina* su autenticidad inherente. Más que el odio, el deseo, el temor, la ira, etc., lo que une a los personajes con mutua conciencia es el sentimiento del amor. De ahí que el amor deje de ser una tesis ejemplar para convertirse en un aspecto fundamental del tema.

Para darnos cuenta cabal de la diferencia existente entre el amor apasionado y el sentimental no hace falta releer a Scheler ni interpretar definiciones como la siguiente: «El acto de amor... juega el papel de auténtico *descubridor* en nuestra aprehensión del valor —y solamente él representa ese papel; igualmente representa un *movimiento* en cuyo *proceso* irradian y se iluminan para el ser respectivos valores hasta entonces totalmente desconocidos» [37]. No hace falta, porque la *Celestina* nos presenta el asunto a su manera, en forma clara e inconfundible. Ya hemos visto la impresionante explicación que da Celestina del «deleyte» como conciencia dialógica, y podremos detenernos ahora en un nivel superior al de esa concepción, que dentro de la jerarquía sentimental del amor ocupa el escalón más bajo.

En el primer acto Sempronio describe la pasión como una forma de inconsciencia:

> ¡O soberano Dios, quán altos son tus misterios! ¡Quánta premia pusiste en el amor, que es necessaria turbación en el amante!... Todos passan, todos rompen, pungidos e esgarrochados como ligeros toros. Sin freno saltan por las

---

[37] *Ética*, Madrid, 1942, vol. II, p. 33. Las cursivas están en el original.

barreras. Mandaste al hombre por la muger dexar el padre e la madre; agora no sólo aquello, más a ti e a tu ley desamparan, como agora Calisto. Del qual no me marauillo, pues los sabios, los santos, los profetas por él te oluidaron (Aucto I; vol. I, pp. 42-43).

El ímpetu ciego, el apremio que viene desde fuera, el peligro impredecible hasta para el hombre más sabio, todo ello caracteriza la tesis del amor como una pasión embrutecedora. Pero cuando mucho más adelante Calisto oye cantar a Melibea, su reacción no es la de una persona (o una bestia) impulsada fatalmente por fuerzas elementales:

> Vencido me tiene el dulçor de tu suaue canto; no puedo más suffrir tu penado esperar. ¡O mi señora e mi bien todo! ¿Quál muger podía auer nascida que despriuasse tu gran merecimiento? ¡O salteada melodía! ¡O gozoso rato! ¡O coraçón mío! ¿E cómo no podiste más tiempo sufrir sin interrumper tu gozo e complir el desseo de entrambos? (Aucto XIX; vol. II, pp. 193-194).

El amor no es intemporal ni elemental y ciego, sino que existe dentro de un «gozoso rato» de la conciencia, un rato que agudiza casi intolerablemente la apreciación que Calisto tiene de su amada. Es un sentimiento en climax sentimental, una introducción adecuada a la plenitud de conciencia de la segunda escena en el huerto [38].

---

[38] Por supuesto, esta distinción no tiene nada que ver con la distinción popular entre el amor sentimental (esto es, superficialmente emocional) y el apasionado (profundo, sincero y duradero). Aquí no nos interesa tanto medir el amor cuantitativamente como establecer puntos de vista. Quienes aún duden de la eficacia de nuestra terminología podrán encontrar en Jean Maisonneuve (*Les sentiments*, París, 1948, p. 26) una acertada distinción entre sentimientos y emociones:

> *On distinguerait ainsi des joies et des tristesses, des craintes et des désirs de caractère émotif, et des attitudes dé signées par les mêmes termes, mais dépourvues de cette espèce d'affolement, de déroutement qui caractérise les émotions. Et il semble qu'ici précisément, le terme de sentiment serait précieux... L'amour peut comporter des états de crises: attente, jalousie, volupté, d'ordre émotif; on ne saurait dire que l'amour, en soi, est une émotion. La peur elle-même n'est pas nécessairement émotive, dans la mesure où elle inspire seulement des réactions contrôlées de précautions ou de défense. Tous ces exemples nous conduisent à voir dans les émotions des phénomènes affectifs au cours desquels l'individu se trouve en quelque sort «désadapté» en présence d'une situation; tandis que les phénomènes*

223

Como ya hemos hecho notar, el valor temático del amor sentimental no elimina en modo alguno una interpretación opuesta en el diálogo. Así, los personajes suelen hablar del amor (lo mismo que de la fortuna, el espacio y el tiempo) como de una pasión tradicional, pero lo viven como sentimiento, o, para decirlo en forma más acertada, como una serie de sentimientos posibles, que van ascendiendo, en graduación imperceptible, desde el «deleyte» hasta la «gloria». Casi podríamos afirmar que para Calisto el amor comienza por ser pasión (en sus largos lamentos) y desemboca en el sentimiento, mientras que para Melibea es primero un sentimiento, que va creciendo lentamente y acaba en pasión. La culminación del amor de Melibea, el heroísmo de su suicidio, es resultado de muchos meses de evolución sentimental y va acompañada de una exaltación oratoria que contrasta adecuadamente con su reticencia previa.

Sobre esta base podemos preguntarnos hasta qué punto es auténtica la pasión de ambos personajes, sobre todo la de Calisto. Ya el autor del primer acto tuvo cuidado en poner de relieve que, a pesar de la angustia expresada en sus palabras, el amor no lleva a Calisto ni a la acción heroica ni a la desesperación. A diferencia de Leriano, el «héroe» de la *Cárcel de amor*, Calisto nos lleva a sospechar que, en otras circunstancias, hubieran podido resultar certeras las predicciones de Sempronio sobre el efecto destructor del tiempo. Como hemos de ver, Calisto sólo

---

auxquels nous réservons le nom de sentiments seraient des attitudes adaptées aux circonstances variées de notre éxistence. Le sentiment serait donc comme le résultat d'une osmose entre le moi et le monde, état subjectif certes, mais en contact avec le non-moi, et partiellement déterminé de l'extérieur.

Si se puede decir que el amor apasionado parece partir de ese *non-moi extérieur* (el dios ciego es una invención de la conciencia racional), el amor emocional, por su parte, es patentemente transitorio y subjetivo. Las emociones acompañan al sentimiento, pero carecen de la duración que caracteriza a éste y de su forma especial de conciencia. Así, el rapto amoroso de Calisto frente al muro del huerto no puede adjudicarse a un exceso de emoción; se trata más bien de un momento en que se expresa la plena experiencia de su amor y que le permite llegar al *non-moi*, a la música, al paisaje, a la belleza física y ante todo al incomparable valor de Melibea en cuanto persona. Por otra parte, hemos de ver que los personajes de la *Celestina* interpretan a menudo sus estados emocionales como grandes pasiones de las cuales no se sienten responsables.

se convierte en personaje temáticamente central en la *Celestina* después del éxito amoroso y desde dentro del sentimiento que ese éxito engendra. En los primeros actos, su llamada «pasión» es a tal grado ineficaz que se hace blanco de las burlas de cuantos la presencian. Es mero exceso de emoción, testimonio no sólo de debilidad, sino también de insignificancia.

¿Y en cuanto a Melibea? Sin duda su *Liebestod* es lo bastante desesperado y heroico para poder decir que el amor apasionado constituye uno de los elementos principales del tema (o de la tesis) en la obra. En los parlamentos de Melibea, como en el de Pleberio, la pasión se hace explícita; en el suicidio muestra su sinceridad. Y, sin embargo, como ya ha observado el mismo Menéndez Pelayo, el final de la *Celestina* no puede identificarse con el del *Tristán*. No cabe decir que la muerte de Melibea, sea una «verdadera y triunfante apoteosis del amor libre». Al caer Calisto exclama ella: «¿Qué es esto? ¿Qué oygo? ¡Amarga de mí!»; estas palabras determinaron el tono de lo que ha de seguir. Melibea llorará, no tanto por la muerte de su amado como por el gozo que ella misma ha perdido. Notemos cómo predomina la primera persona en estos pasajes típicos:

> ¡O desconsolada de mí! ¿Qué es esto?... ¡Mi bien e plazer todo es ydo en humo! ¡Mi alegría es perdida! ¡Consumióse mi gloria!
>
> ¡O la más de las tristes triste! ¡Tan tarde alcançado el plazer, tan presto venido el dolor!
>
> ¿Oyes lo que aquellos moços van hablando? ¿Oyes sus tristes cantares? ¡Rezando lleuan con responso mi bien todo! ¡Muerta lleuan mi alegría! ¡No es tiempo de yo biuir! ¿Cómo no gozé más del gozo? ¿Cómo tuue en tan poco la gloria que entre mis manos toué? ¡O ingratos mortales! ¡Jamás conocés vuestros bienes, sino quando dellos carescéys! (Aucto XIX; vol. II, pp. 199-201).

Hay evidentemente una emoción fuerte expresada en esta secuencia de exclamaciones, pero la autenticidad misma de la reacción revela hasta qué punto lo que lamenta Melibea es no gozar suficientemente el amor. Es decir, de no poder sumergirse más en los «gozosos ratos» de mutua conciencia amorosa que tanto habían consolado a Calisto. Para ella como para él, el amor no era pasión ciega sino conciencia salvada.

Ahora bien, cuando empieza a justificar lo que ha pasado a Dios, sí atribuye su decisión de autodestrucción a una pasión arrolladora:

> Tú, Señor, que de mi habla eres testigo, ves mi poco poder, ves quán catiua tengo mi libertad, quán presos mis sentidos de tan poderoso amor del muerto cauallero, que priua al que tengo con los viuos padres (Aucto XX; vol. II, pp. 209-210).

Este mismo argumento se repite como advertencia en las últimas palabras que Melibea dirige a Pleberio: «Porque quando el coraçón está embargado de passión... las frutuosas palabras en lugar de amansar acrecientan la saña». Parece ser que la necesidad de explicarse, de encontrar argumentos, le hace recurrir a la pasión como motivo admisible y convencional. O sea, dicho en esta forma, su supuesta pasión es tan literaria e inauténtica como la mención de Bursia, rey de Bitinia. Todo el discurso es artificioso y corresponde a un esfuerzo de comunicar lo indecible de su pérdida en términos comprensibles. A nadie se le ocurriría criticar los pasajes análogos de *Fiammetta* y de las «novelas sentimentales» en ella inspiradas. Pero Melibea habla desde dentro de su amor, y el estilo elevado de apasionada apoteosis más que «irreal», parece «extraño». Ella misma lo dice poco después: «Algunas consolatorias palabras te diría..., sino que ya la dañada memoria con la gran turbación me las ha perdido...».

¿Y su muerte? Es evidente que Melibea siente que la vida no vale la pena de vivirse sin esa posibilidad de gozo, esa a la vez mística y carnal satisfacción sentimental, que le proporcionaba Calisto. Pero sus últimas palabras indican todo menos la complacencia en el «Liebestod» que encontramos en el *Tristán*. El amor por el amor con su fatal culto a la muerte cede aquí a una especie de proyecto personal de inmortalidad *acompañada:* «¡O mi amor y señor Calisto! Espérame, ya voy...» Sólo Pleberio en su explicación retrospectiva de la tesis parece dar la razón a Denis de Rougemont al hacer eco de la frase, «amour par force nous demène» [39]. Los que han vivido el amor «temáticamente» lo conocen en otra forma, como una forma superior de la conciencia. De la tumba de Calisto y Melibea no saldrá un rosal folklórico.

Una vez reconocido este paso temático de la pasión

---

[39] *L'amour et l'Occident*, París, 1939.

tradicional al sentimiento personal, podemos volver al soliloquio de Calisto y examinar la respuesta que intenta dar a la influencia del tiempo y del espacio sobre la vida. Después de comprender la tremenda fatalidad del universo físico, Calisto reacciona en una forma que pone de manifiesto el fundamental conflicto temático de la *Celestina*:

> Pero tú, dulce ymaginación, tú que puedes, me acorre. Trae a mi fantasía la presencia angélica de aquella ymagen luziente; buelue a mis oydos el suaue son de sus palabras, aquellos desuíos sin gana, aquel «apártate allá, señor, no llegues a mí»; aquel «no seas descortés», que con sus rubicundos labrios veía sonar; aquel «no quieras mi perdición», que de rato en rato proponía; aquellos amorosos abraços entre palabra e palabra, aquel soltarme e prenderme, aquel huyr e llegarse, aquellos açucarados besos, aquella final salutación con que se me despidió. ¡Con quánta pena salió por su boca! ¡Con quántos desperezos! ¡Con quántas lágrimas, que parescían granos de aljófar, que sin sentir se le cayan de aquellos claros e resplandecientes ojos! (Aucto XIV; vol. II, p. 139).

En esta breve *recherche du temps perdu*, Calisto —como Proust con Albertina— recrea, por medio de la memoria y de la imaginación, un segmento de la existencia más grato que esa angustia por la que acaba de pasar al sentirse expuesto a las dimensiones. El amor, en cuanto sentimiento, ha ofrecido a Calisto su propia duración, y esta duración le sirve de refugio contra las desiertas perspectivas del cosmos. La respuesta queda clara: si, por una parte, el espacio y el tiempo físicos son condiciones de la vida humana, por otra, esta misma vida tiene su propio tipo de tiempo y de espacio, un tiempo y un espacio que no son ajenos ni extraños a las preocupaciones de Calisto. Además, el individuo es sentimentalmente consciente de esta forma del espacio y del tiempo (en realidad, del espacio-tiempo), porque está llena no de hechos, sino de valor puro. Bien puede identificarse con la *durée* de Bergson [40].

---

[40] La aplicación de términos modernos a una creación de otros tiempos es tarea azarosa y delicada. Trae consigo el peligro de una distorsión de ambos elementos, puesto que sugiere una equiparación de perspectivas dispares y anacrónicas. En este caso he escogido conceptos heredados de Scheler, Guyau y Bergson (aparte su rigor sistemático) para tratar de describir un aspecto del tema de Rojas. En cuanto descripción, puede ser anacrónica e inexacta; pero, si nos permite comprender mejor la evasión

En cuanto al estilo del pasaje citado, notaremos su fundamental parecido con un estilo que ya hemos llamado «sentimental»: con el pasaje en que Areusa da expresión imaginativa a la experiencia de la libertad y de la servidumbre. Hay en las palabras de Calisto la misma falta de secuencia lógica y la misma substitución de esa secuencia por un ordenamiento valorativo, por un ascenso del sentimiento hacia su propia culminación. Aún se observa un aprovechamiento análogo de fragmentos de un diálogo imaginario y un modo muy semejante de multiplicar repitiéndolas las diferencias aisladas. Pero entre ambos pasajes hay una diferencia de peso: cuando Areusa se imagina las dos formas de existencia, emplea el presente, mientras que Calisto recuerda su experiencia en el imperfecto, el clásico tiempo de la duración. La entrevista con Melibea no se da en un pasado irrevocable ni en un presente imaginario sino en el tiempo de la experiencia, en el tiempo que es a la vez presente y pasado sin ser ninguno de los dos. Como dice Proust en su admirable examen del estilo de Flaubert:

> Ese imperfecto, tan nuevo en la literatura, cambia por completo el aspecto de las cosas y de los seres... Ese imperfecto permite reproducir no sólo las palabras, sino toda la vida de los hombres. *L'education sentimentale* es una larga relación de toda una vida, pero, por decir así, los personajes no toman parte activa en la acción [41].

Lo que Calisto opone a las dimensiones no es el amor en sí mismo, sino el amor con sentimiento y como auténtica experiencia dentro de su propia duración. Por ser el principal sentimiento en la obra, la experiencia fundamental de casi todos los personajes, el amor puede crear sus propias defensas contra una fortuna que se ha convertido en tiempo y espacio. De ahí que, aunque la *Celestina* sea más una *catastrophe sentimentale* que una *éducation sentimentale* o anti-sentimental, Calisto y los demás personajes pueden refugiarse a veces en un imperfecto comparable con el de Flaubert y de Proust [42].

---

sentimental de Calisto respecto del tiempo y del espacio, creo que ambos defectos son perdonables.

[41] Este ensayo, originalmente publicado en *La nouvelle revue française,* fue reimpreso por Thibaudet en sus *Refléxions sur la critique,* París, 1939.

[42] Claro está que al establecer esta comparación no queremos decir que Rojas haya influido en Flaubert o en Proust. Después

Resumiendo, en la *Celestina* la importancia temática del amor tiene una justificación no sólo cuantitativa, sino también cualitativa. En cuanto sentimiento, el amor da a la vida individual algo más que la transitoria e insustancial violencia que acompaña las explosiones de Elicia y de Areusa. Al menos para Calisto y Melibea, el amor posee además la autenticidad de la experiencia, de una experiencia no racionalizada ni imaginaria, sino profundamente vivida. Pero debo apresurarme a añadir que no sólo Calisto y Melibea oponen a las dimensiones la duración de la conciencia sentimental. El monólogo de Calisto sólo hace explícita una oposición temática fundamental que está implícita en toda la obra. De los personajes principales, Celestina es la que más vive en presencia del pasado. Es característico que aproveche su memoria no tanto para las reminiscencias como para un recuerdo valorativo; más que prolongar las escenas o aventuras aisladas, a la manera de los ancianos, lo que quiere es recorrer todo un tipo de experiencias sentimentales. Obsérvese la semejanza interna que guarda la siguiente evocación de Claudina con la evocación sentimental de Melibea por Calisto:

> SEMP.—¿Tantos días ha que le conosces, madre?
> CEL.—Aquí está Celestina, que le vido nascer e le ayudó a criar. Su madre e yo, vña e carne. Della aprendí todo lo mejor que sé de mi oficio. Juntas comíamos, juntas dormíamos, juntas auíamos nuestros solazes, nuestros plazeres, nuestros consejos e conciertos. En casa e fuera como dos hermanas. Nunca blanca gané en que no touiesse su meytad. Pero no viuía yo engañada, si mi fortuna quisiera que ella me durara...

Y la semejanza es aún más evidente en la siguiente interpolación (ya estudiada desde un punto de vista distinto):

> *Que jamás me dexó hazer cosa en mi cabo, estando ella presente. Si yo traya el pan, ella la carne. Si yo ponía la mesa, ella los manteles. No loca, no fantástica ni presumptuosa, como las de agora. En mi ánima, descubierta se yua hasta el cabo de la ciudad con su jarro en la mano, que en todo el camino no oya peor de: «Señora Claudina». E aosadas que otra conoscía peor el vino e qualquier mercaduría. Quando pensaua que no era llegada, era de buelta.*

---

de todo, la aludida semejanza estilística es sólo parcial y además es remota. En su primera exploración temática de la vida humana en cuanto tal, Rojas no podía sino llegar a aspectos de esas preocupaciones que siglos más tarde habrían de afectar a quienes continuarían esa gran tarea.

Allá la combidauan, según el amor todos le tenían... Si tal fuese *agora* su hijo, a mi cargo que tu amo quedasse sin pluma e nosotros sin quexa (Aucto III; vol. I, pp. 134-136).

Ironía aparte, la evocación de Claudina se hace en el mismo tiempo imperfecto, con el mismo empleo del plural y con la misma duración consoladora que la de Melibea. Al sentimiento de la amistad (perverso en este caso, pero parecido al amor) una auténtica experiencia ha dado una resonancia especial, una densidad de vida que es fundamental para el sentido todo de la obra. Una vez más la vida individual resulta ser, por su duración, mucho más amplia que su configuración en el presente externo, más amplia de lo que sería la vida momentánea de una repelente anciana llamada Celestina consagrada a la alcahuetería y dotada de la necesaria astucia. El *yo* pasado ha inundado de recuerdos el *tú* actual conocido por Sempronio. Pero al decir esto no debemos olvidar que —como en el caso de Calisto— las dos modalidades de tiempo son interdependientes. Sólo una Celestina así podía ser tan consciente del tiempo que pasa y también de la necesidad de dominar con maña el espacio que atraviesa. Porque lo que une el durativo espacio-tiempo de la evocación sentimental al otro espacio y tiempo que condicionan la vida desde fuera es la conciencia misma. Aún más, ambos elementos *crean* la conciencia, gracias a su implacable oposición. Al comienzo y al final del pasaje citado hay significativas alusiones al pasado, al presente y a la fortuna; y es significativa ante todo esa desvaloración del «agora» que emerge inevitablemente de los valores del «entonces». No todos los ejemplos serán tan ilustradores como éste, pero no por ello deja de ser cierto que cada personaje de la *Celestina* vive conscientemente dentro de su propia coyuntura de duración y dimensión, de recuerdo y reacción, de sentimiento y accidente, de experiencia y necesidad. He aquí el núcleo mismo de la «postura vital» de Rojas.

Una curiosa circunstancia, que revela este conflicto central, es la incapacidad que tiene Rojas de equilibrar la duración de la vida individual con el tiempo exterior, con lo que Thibaudet llama *durée commune*, medida por los anocheceres y las campanas mencionadas en el diálogo [43]. Ya en el acto II, cuando la noche no ha venido

[43] Véase el ensayo sobre Flaubert en la obra mencionada *supra*, nota 41. En mi ensayo sobre «El tiempo y el género literario en la *Celestina*» (citado *supra* Capítulo III nota 15) podrá

aún a interrumpir la secuencia del discurso y de los acontecimientos, Pármeno dice que el encuentro de Calisto con Melibea ha ocurrido «el otro día» [44]. Y en el acto X, a pesar de que hasta ese momento la acción ha transcurrido en un solo día, Melibea dice que han pasado «muchos e muchos días» desde que «esse noble cauallero me habló de amor». Así como Calisto, en su monólogo, convierte las escasas frases de Melibea que nos transcribe el diálogo del acto XIV en una duración casi ilimitada de deliciosas vacilaciones, así también lo ocurrido en poco más de veinticuatro horas puede corresponder a una experiencia tan intemporal que parezca haber durado muchos días. Hay otros ejemplos, y (como traté de hacer notar en el ensayo citado) casi todos ellos se refieren a los amantes y al intervalo transcurrido entre su encuentro y la satisfacción de su amor. Pese a todos los relojes que en el mundo hay, el amor, en cuanto experiencia sentimental, requiere y a la vez hace posible su propia duración independiente. Es cierto que en este caso Rojas no se hizo cargo del conflicto temático; esas anomalías se dan precisamente porque el tema no ha llegado aún al nivel del arte consciente. Se trata de un repetido error de composición, y este hecho lo hace tanto más significativo [45].

verse con más detalle la paradoja temporal de la obra. En ese artículo traté de relacionar directamente la existencia de dos formas de tiempo con los problemas del género; ese intento presuponía un incompleto dominio del tema. Podemos hablar de la fusión de novela y teatro en la obra, pero sólo con criterios anacrónicos, desde el punto de vista artístico caemos, al hacerlo, en el riesgo de prescindir de la unidad creadora fundamental y de interpretar mal aquello que aquí llamaremos su carácter «protogenérico». Para poder estudiar el género de la obra es indispensable una certera intuición del tema. Manuel Asensio ha hecho otro intento de resolver la paradoja temporal («El tiempo en la *Celestina*», *Hispanic Review*, XX, 1952). Su idea de que entre la primera y la segunda situaciones del acto I transcurre un lapso indeterminado de tiempo me parece totalmente injustificada; Asensio tiende a identificar los requisitos de la literatura con los de la vida. En un número posterior de la misma revista podrá verse la detallada réplica que hice a esas conclusiones.

[44] En la comedia del Siglo de Oro la frase «el otro día» equivale frecuentemente a «ayer», y es de suponerse que eso es lo que quiso decir Rojas en este pasaje.

[45] En los actos añadidos, al llegar el tema a las fronteras del arte consciente, Rojas inserta un mes entre los actos XV y XVI, a fin de dar tiempo a la experiencia del amor cumplido. Pero

Vemos, pues, que el amor, como la fortuna, se ha reducido, temáticamente ha dejado de ser una pasión en disfraz alegórico para convertirse en un sentimiento íntimamente consciente. La tradicional presentación del amor y de la fortuna en pugna mitológica con el hombre, ha pasado a ser la oposición interna entre el tiempo y el espacio que condicionan la vida y el tiempo y el espacio de la experiencia sentimental. Estos dos elementos, que también suelen llamarse duración y dimensión, desempeñan el mismo papel que sus predecesores, pero en forma nueva y de acuerdo con una nueva definición del ser humano. Cuando una tesis tradicional queda sustituída por un tema personal (personal para Rojas) hay una metamorfosis correspondiente de sus miembros. El amor se metamorfosea, deja de ser pasión ciega para convertirse en sentimiento. Ser víctima de la pasión es destino del hombre en general; en cambio, la experiencia amorosa es el peligroso privilegio de la existencia puramente personal. Es peligroso —más aún que la flecha de Cupido— porque

la existencia de «muchos e muchos días» de duración sentimental, al lado de los dos días de diálogo de la *Comedia*, revela aún con mayor eficacia la misma pugna irresoluble entre el sentimiento y la dimensión temporal que, en el nivel de la acción, habrá de culminar en la violenta salida de los amantes al mundo ajeno de la perspectiva, después del intemporal e inespacial idilio de su «gloria». No sabemos si Rojas tuvo o no conciencia de ello; el caso es que este tema da lugar a dos tiempos, que difieren no sólo en su extensión, sino también en su esencia, casi como difieren, y aun se oponen, en cuanto variedades del espacio, el huerto y la azotea. Es necesario que distingamos estas dos corrientes de tiempo temático de otros casos sólo en apariencia análogos. En el *Troylus and Crisseyde*, por ejemplo, el tiempo de la acción es aproximadamente de tres años; pero por encima de este lapso de tiempo hay lo que podríamos llamar un tiempo de metáfora, basado en imágenes derivadas del cambio de las estaciones. En este nivel los cambiantes estados de ánimo dan lugar a una especie de año poético, que comienza al principio de la primavera y termina en el invierno de la traición de Criseida y la muerte de Troilo. Es decir, que una corriente de tiempo es vertical y pertenece al ámbito de los lugares comunes medievales (con sus énfasis en el destino cíclico), mientras que la otra es horizontal y acompaña los movimientos dramáticos de los personajes. Si la *Celestina* se caracteriza por una discrepancia entre lo interior y lo exterior, en el *Troylus* la división es entre la inmanencia y la trascendencia. A pesar de esto, ambos dualismos se dan en un mundo artístico y en virtud de razones profundamente artísticas, y ambos nos muestran una vez más que es absurda toda explicación fundada en la equiparación del arte con la vida. Véase H. W. Sams, «The dual time scheme in Chaucer's *Troylus*», en *Modern Languagé Notes*, LVI, 1941.

232

en su inevitable lucha con el universo ajeno hace que el individuo llegue a una aguda conciencia de sí mismo.

5. DEFINICIÓN DEL TEMA

La fundamental oposición temática entre la duración y la dimensión, que acabamos de esbozar, nos recuerda el dualismo que hemos observado en el arte del diálogo de Rojas. En el capítulo relativo al estilo y en los que le siguen hemos visto que cada una de las vidas de la *Celestina* constituye un complejo de modalidades de la primera y la segunda personas, de un *tú* y un *yo* inextricablemente entrelazados a lo largo de sucesivas situaciones. Este hecho nos permitirá relacionar el tema con otros niveles del arte de Rojas. La experiencia sentimental y su duración son, por supuesto, las facultades de la vida en cuanto *yo* autónomo, y un *yo* que, según Unamuno, se esfuerza por encerrar el mundo en sí mismo. En cambio el espacio y el tiempo ajenos condicionan la vida en cuanto *tú*, en cuanto víctima fatalmente sujeta al mundo y al momento. En la segunda persona la conciencia es necesariamente receptiva, depende de la voluntad de los demás, es llamada, persuadida, convencida, dominada sucesivamente por distintas opiniones. De ahí que las dimensiones se valgan de la segunda persona para oprimir y destruir a los habitantes de la *Celestina*. En su sentido más profundo, el tema de Rojas, como su estilo, su creación de personajes y su estructura, es «dialógico», es el diálogo temático de la vida misma.

Podrá objetarse que el tiempo y el espacio no pueden hablar, aún más, que los personajes sólo pueden darse cuenta cabal de su poder no vital, inorgánico, en los momentos de soledad. ¿Acaso el tiempo y el espacio no son los criterios definitivos de la soledad de la vida, los vencedores del diálogo? Sí, pero ya hemos visto que aun en el momento de suprema decisión, cuando el solitario Calisto se da cuenta al fin de sus condiciones dimensionales, lo hace forzosamente desde un punto de vista exterior a sí mismo. Tiene que discutir consigo mismo desde fuera, en cuanto *tú*. Después de todo, la segunda persona, explícita o tácita, es la base del soliloquio trágico.

Pero Celestina es quien demuestra que la agresión del tiempo tiene que darse forzosamente en la segunda persona:

Señora, ten tú el tiempo que no ande; terné yo mi forma que no se mude. ¿No has leydo que dizen: verná el día que en el espejo no te conozcas? Pero también yo encanecí temprano e parezco de doblada edad. Que assí goze desta alma pecadora e tú desse cuerpo gracioso, que de quatro hijas, que parió mi madre, yo fui la menor. Mira cómo no soy vieja, como me juzgan (Aucto IV; vol. I, pp. 171-172).

Los efectos del tiempo sobre la vida se definen claramente como efectos reflejados en un espejo, que sólo pueden observarse cuando el *yo* se pone en segunda persona. A pesar de su inteligencia, Celestina misma no puede aceptar la condición temporal de su edad en la primera persona: «...como no soy vieja». Así como al pensar en nuestra muerte nos imaginamos a nosotros mismos como otra persona, así también el tiempo y el espacio en su guerra contra nuestra vida hacen que ésta nos parezca ajena.

Por supuesto, dentro de la *Celestina* ese rígido dualismo no pasa de ser una abstracción; las modalidades expresivas del *yo* y del *tú* están demasiado entremezcladas en cada vida y en todas las vidas para que pueda haber una separación esquemática. Pero nuestra identificación de la metamorfosis del amor y de la fortuna con el arte dialógico de Rojas nos permite captar el tema como conjunto e integrar sus diversos aspectos en un ensayo de definición. Sería lamentablemente insuficiente decir que la batalla entre la duración y la dimensión es *el* tema de la obra; pero por lo menos ahora estamos en la posibilidad de comprender que ambos elementos constituyen el eje de la gran pugna dialógica de la vida consciente, que lucha por afirmar su poder, sus deseos y sus valores sobre todas las limitaciones, argumentos y hechos impuestos desde fuera. A este propósito tengo que volver a subrayar que a Rojas no le interesa persuadir a su lector de que «la vida es una lucha» en el mismo sentido en que Calderón y Strindberg quieren persuadirlo de que la vida es sueño. Tampoco nos habla —como Cernuda— de «la realidad y el deseo». Ajeno a toda verdad trillada y a toda tesis, crea partiendo de una intuición temática de la vida, y por eso se detiene más en las fases de su lucha que en el hecho mismo de esa lucha. El campo de batalla es la conciencia hablada, y a través del diálogo se agitan, como hemos visto, múltiples antagonistas: valores y argumentos, sentimientos y desiertas perspectivas, emociones de deseo o temor y barreras físicas que frenan su expresión. La primera y la segunda personas, que juntas constituyen

la vida consciente, impiden la imposición de una dirección
única —como en Juan Ruiz o en Rabelais— y dan lugar
al no definido pero inherente tema de la lucha.

Esta combinación, por lo demás frecuente, de la fidelidad intuitiva del autor al tema con la ausencia de
una definición formal y consciente, se ve sobre todo en el
Prólogo. Por ser probablemente la última contribución
de Rojas a la *Celestina*, debemos suponer que el Prólogo
fuese escrito con un máximo de perspectiva crítica [46]. De
ahí que el aprovechamiento del segundo prólogo del *De
remediis* sea muy significativo. Las primeras líneas confirman lo que hemos dicho acerca del tema de la lucha:

> Todas las cosas ser criadas a. manera de contienda o
> batalla dice aquel gran sabio Eráclito... E como sea cierto
> que toda palabra del hombre sciente está preñada, désta
> se puede decir que de muy hinchada y llena quiere re-
> bentar, echando de sí tan crescidos ramos y hojas, que del
> menor pimpollo se sacaría harto fruto entre personas dis-
> cretas (vol. I, pp. 15-17).

Después de citar las palabras de Heráclito, aludiendo claramente a la contienda como esencia misma de la vida
(«ser criadas»), Rojas alude tácitamente a su función temática. La noción de «contienda» («palabra del hombre
sciente») dice Rojas que penetra la misma creación. Ya
hemos mencionado esta metáfora a propósito de la aclaración estilística que Rojas hace de la *Comedia* [47]; ahora
podemos relacionarla con la «aclaración» temática y más
profunda. Rojas nos sugiere cómo una idea germen se

---

[46] A pesar de los argumentos y de los azares dimensionales del
texto, la lucha nunca se menciona directamente. En su creación
Rojas se interesa mucho más por los árboles que por la configuración total del bosque; de ahí que el estudio del tema deba
hacerse con gran cuidado. Entre las escasas alusiones indirectas
está la respuesta que da Celestina a Areusa cuando ésta se queja
de que lo único que gusta a las señoras es reñir a sus sirvientas:
«Que los sabios dizen que más vale vna migaja de pan con paz
que toda la casa llena de viandas con renzilla» (Aucto IX; vol. II,
pp. 44-45). Hay otra típica alusión fugaz al tema en el pasaje
interpolado en que Pármeno justifica su cobardía:

> Que no querer morir ni matar no es couardía, sino buen
> natural. Estos escuderos de Pleberio son locos: no desean
> tanto comer ni dormir como qüestiones e ruydos. Pues
> más locura sería esperar con enemigo que no ama
> tanto la vitoria e vencimiento como la continua guerra e
> contienda (Aucto XII; vol. II, pp. 94-95).

[47] Cf. *supra*, pp. 21-22.

desarrolla hasta dar lugar a la creación definitiva. En seguida, después de aludir a la pugna entre los elementos inorgánicos del universo y a la lucha del reino animal, Rojas continúa:

> ¿Pues qué diremos entre los hombres a quien todo lo sobredicho es subjeto? ¿Quién explanará sus guerras, sus enemistades, sus embidias, sus aceleramientos e mouimientos e descontentamientos, aquel mudar de trajes, aquel derribar e renouar edificios, e otros muchos affectos diuersos e variedades que desta nuestra flaca humanidad nos prouienen? (vol. I, p. 22).

Tal es en efecto el mundo de la *Celestina* con sus múltiples e íntimas «guerras, embidias, aceleramientos», consecuencia de la vida en el tiempo. En cuanto al espacio, Rojas se ha referido a él en el párrafo anterior, al citar el ejemplo de la «ave llamada rocho».

Lo curioso es que Rojas no proceda a aplicar esa noción de la guerra universal y humana a la lucha dialógica de la obra que acaba de terminar. Toda su adaptación de Petrarca, su cuidadosa secuencia de materiales ilustrativos[48] sólo conduce a una discusión de las reacciones disidentes provocadas por la *Comedia*:

> E pues es antigua querella e uisitada de largos tiempos, no quiero marauillarme si esta presente obra ha seydo instrumento de lid o contienda a sus lectores para ponerlos en differencias, dando cada vno sentencia sobre ella a sabor de su voluntad (vol. I, pp. 22-23).

Es decir, que al «escoger» esta «sentencia» para su prólogo, Rojas revela su postura temática ante la vida, pero sin hacerla explícita[49]. Tal parece como si hubiera estado

---

[48] Véase el Capítulo II, n. 32.

[49] El hecho de que Rojas imitara el prólogo de Petrarca no priva a su propio Prólogo de significación temática. Toda acusación de plagio es, por supuesto, anacrónica y tanto más injustificada cuanto que, como sabemos, Rojas se identificó con su fuente y la reelaboró sustancialmente. Como veremos, Rojas escogió el segundo prólogo del *De remediis* porque le interesaba profundamente, porque daba expresión a su propia intuición. Menos fácil es responder a la acusación de Cejador, quien reprocha a Rojas la desproporción del prólogo. Rojas describe la pugna universal con el solo objeto de explicar las divergentes opiniones sobre la *Comedia*. Esta falta de proporción es un hecho (aunque no necesariamente prueba que Rojas no fue el autor de la *Tragicomedia*) y debe tenerse presente al relacionar el Prólogo con el tema.

a punto de formular el tema de su obra y luego renunció a hacerlo y se negó a llevar a término su pensamiento. Como ocurre en muchos prólogos y ensayos de autocrítica (incluyendo los de Cervantes), el lector se queda con una sensación de insatisfacción intelectual. Una ojeada breve e incompletamente enfocada del tema lo ha dejado tanto más inseguro de la posibilidad de formularlo y de su significación.

Nuestro intento de definir el tema basándonos en el Prólogo se justifica ante todo porque la definición parece ser válida. Como Rojas no nos da el apoyo de su autoridad, tenemos que consolarnos con el hecho de que la cita de Heráclito nos invita a volver sobre el texto en el último intento de resumir e integrar los diversos aspectos del arte temático que hemos examinado. En primer lugar, los principales enemigos son el universo ajeno, que limita y destruye a la vida, y el sentimiento de amor que trata de crear desde la vida un significado autónomo. Como hemos visto, dentro de la conciencia las impasibles dimensiones externas del tiempo y el espacio luchan contra la duración, espacio-tiempo no dimensional que el individuo vive e impregna de valor. Por supuesto, esta batalla es, a su manera, continuación de la lucha de los lugares comunes (de la Fortuna, el Tiempo, la Muerte y el Amor) contra el hombre. Los antiguos aliados no están ya todos en el mismo campo, y los litigantes han perdido su armadura mitológica, pero es evidente que las tradiciones de una vieja enemistad contribuyen al implacable desarrollo y término de la batalla. Como los principales antagonistas son la dimensión y la duración, es natural que ellos sean los que dirigen el curso de la acción desde el encuentro inicial hasta la catástrofe final. Y que la lucha entre ambos constituya el fondo de las innumerables ofensivas y escaramuzas del diálogo.

En segundo lugar, hay lo que podemos llamar el orden estratégico de la batalla. No basta decir que el campo de batalla es la conciencia hablada; debemos recordar también que se trata de la conciencia hablada de individuos que se encuentran condicionados no sólo por su existencia en el tiempo y el espacio, sino también por su juventud o su edad avanzada, por su riqueza o pobreza, por el hecho de ser hombres o mujeres. Estas condiciones inferiores de la vida dan lugar a esquemas de pugna, coexistentes, que dan cauce, en términos personales, a la profunda oposición temática. En cierto sentido podríamos decir que son temas subsidiarios. En todo caso, éste es el nivel en que queda determinado el conjunto de los personajes y en que el acto y la situación se integran a la acción como conjunto. De no existir ese nivel, la batalla no habría podido tener lugar. A pesar de su lucha sentimental contra el tiempo y el espacio, la vida habría sido en último término tan impersonal como lo fue para Berceo. Hombre o mujer, rico o pobre, joven o viejo, cada individuo vive la batalla de acuerdo con sus propias condiciones preestablecidas y contribuye con su tipo peculiar de campo de batalla.

En tercer lugar, podemos llamar la atención, ya no sobre el resultado fatal o sobre el orden de la batalla temática, sino sobre el continuo e íntimo combate dentro de sucesivas situaciones. La contextura de la obra es de contiendas, disputas y discusiones sobre toda clase de temas que derivan, más o menos remotamente, del dilema central. Los deseos, emociones y actitudes momentáneos se ven constantemente refrenados por argumentos, precedentes y razonamientos persuasivos. O, enfocando la cosa de otro modo, los valores tradicionales, expresados en forma de lugares comunes, se enfrentan, en continuas escaramuzas, al terreno de los valores personalmente vividos y descubiertos. La amistad, el honor, la caridad, la paz, la libertad, etc. se segmentan en irónicas dicotomías. En cuanto valores provocan sucesivos momentos de conciencia en el individuo, pero no dan lugar a una salvación «humanística». De un modo o de otro todos estos valores están condenados por ser radicados en el suelo de la existencia humana. En una palabra, la *Celestina,* por el hecho de ser lo que es, integra su gran conflicto temático en una serie de encuentros y peleas de menor monta. En ese nivel, muy por debajo de la culminación y de la catástrofe, el diálogo va tejiendo la radical anomalía de la vida en sucesivas fases de conciencia. En este nivel, además, la comedia puede coexistir con la tragedia.

Por último, e independientemente de la lucha inmediata de la vida, la *Celestina* ofrece a menudo vistas panorámicas de desacuerdo y decadencia sociales. Estos panoramas constituyen una especie de trasfondo de la guerra, en la medida en que el individuo proyecta su vida contra ellos y la interpreta de acuerdo con ellos. Hablo no sólo de la sardónica enumeración que Sempronio hace de los cataclismos naturales, de los acontecimientos históricos y de chismes locales (enumeración paralela a la del Prólogo), sino también de las alusiones a la corrupción del clero, a la irresponsabilidad y egoísmo de la nobleza, a la deslealtad y bestialidad de las clases inferiores. Es un amplio trasfondo temático que nos hace pensar en la animada evocación que ha hecho Menéndez Pelayo del *Cuadro de la cultura en la corte de don Juan II*.

En realidad, Rojas parece anticuado, parece poco atraído por ese renacimiento espiritual que, guiado y estimulado por Isabel la Católica, llevó a tanta reconquista y nueva conquista. Rojas prefirió subrayar el gradual decaimiento de la comunidad medieval, aunque no fuera sino porque ese decaimiento correspondía a su visión temática [50]. Por definición, una sociedad en estado de desintegración no puede producir formas estables de existencia en la tercera persona, en cuanto sirviente, en cuanto amo, en cuanto héroe, o, en último término, en cuanto «hombre». Por lo contrario, el individuo que vive en una sociedad de ese tipo va adquiriendo una conciencia cada vez mayor de sí mismo en la primera y la segunda personas del singular, en la intimidad de su propia vida y en la lucha de esa vida con otras [51]. Así, el estar expuesto al cosmos, la reducción del personaje al mínimo de determinación previa y la crónica desvaloración de los valores tradicionales poseen una dimensión social e histórica, que Rojas presenta continuamente como corolario de su tema, de la pugna vital.

En conclusión, notaremos que la transición temática del hombre a la vida es más útil para comprender la *Celestina* que la clásica definición del individualismo renacentista dada por Burckhardt:

Durante los tiempos medievales, ambas caras de la conciencia —la que se enfrenta al mundo y la que se enfrenta

---

[50] Esta *Weltanschauung* bien puede relacionarse con el judaísmo de Rojas, como espero ahora haber mostrado en *The Spain of Fernando de Rojas*.

[51] Más aún que la tercera persona singular (esto es, un papel definido) queda descartada la manera de vivir socialmente en la primera persona del plural: el *nosotros* de la comunidad medieval. Esta posibilidad social, propuesta por Martin Buber (cf. *supra*, Capítulo II, nota 5), es por supuesto la primera que desaparece en un estado de desintegración. Lo significativo es el modo como Rojas supera esta etapa y llega hasta el colapso de la definición individual.

a la intimidad del hombre mismo— permanecían, soñando o semidespiertas, como cubiertas por un velo común. Este velo estaba tejido de fe, cortedad infantil e ilusión; el mundo y la historia aparecían a través de él maravillosamente coloreados y el hombre se reconocía a sí mismo sólo como raza, pueblo, partido, corporación, familia u otra forma cualquiera de lo general. Es en Italia donde por vez primera se desvanece en el aire este velo. Despierta una consideración *objetiva* del mundo y con ella un manejo objetivo de las cosas del Estado y de todas las cosas del mundo en general. Y al lado de esto, se yergue, con pleno poder, lo *subjetivo*: el hombre se convierte en *individuo* espiritual y como tal se reconoce [52].

Esta oposición entre el individuo y las categorías humanas (el partido, la familia o la corporación) tiende a poner a la Edad Media en posición desventajosa. Interpretado de este modo, el hombre medieval parece estar en un estado de semiconciencia, es un hombre que ni siquiera ha empezado a darse cuenta de las múltiples posibilidades creadoras de su existencia en la tierra. De hecho Burckhardt parece identificarse a tal grado con el período y la tradición que estudia que juzga ingenuo y graciosamente infantil cuanto los precede. Pero la *Celestina*, a pesar de su madurez y de su preocupación temática por la conciencia, no favorece en modo alguno esa interpretación. Recordemos que Rojas no sólo invoca a la conciencia, sino a un nuevo tipo de conciencia, una desesperada conciencia hablada que está justamente en la línea de batalla de las dimensiones externas con el sentimiento interior. No es que el individuo se haya despertado al mundo, sino que el mundo se ha despertado a él y ha procedido a bloquear todas sus posibilidades de evasión. La confiada conciencia medieval de los trabajos y de la salvación del hombre se ha convertido en una cáustica y desesperada conciencia, no de la potente individualidad, sino de una vida solitaria en un mundo deshumanizado. O mejor dicho —para la *Celestina*— desdivinizado.

Hay que reconocer, claro está, que la conciencia que cada vida llega a tener de sí misma en cuanto se afana por dominar sus necesidades dimensionales, sociales y corporales corresponde a una mayor individualización. En la libertad de su vida sentimental Areusa no es ya mera copia de Elicia; ni siquiera es igual a sí misma a través de todas las situaciones. Pero esta individualidad

---

[52] *La cultura del Renacimiento en Italia*, II, 1.

no es sino un resultado adyacente del tema. A la larga, Rojas está más interesado en estructurar las ofensivas (y derrotas) de las vidas de sus personajes que en subrayar las diferencias individuales. De ahí la falta de un estilo especial para cada hablante y el empleo de nombres impersonales. Y en esto yace la principal diferencia entre los hombres renacentistas tal como los concibe Burckhardt y las entidades ficticias de la *Celestina:* los primeros, sujetos a las reglas del progreso histórico, despiertan y proceden a conquistar el mundo y a conquistarse a sí mismos en cuanto individuos, mientras que los personajes de Fernando de Rojas se ven apresados dentro de una terrible pesadilla dialógica.

Es importante recordar que la substitución de «vida» por el «hombre» en la *Celestina* no corresponde a la evolución histórica, sino a una metamorfosis del tema; tiene seguramente un trasfondo histórico, pero, tal como la conocemos dentro del texto, no es histórica en sí misma. Por ello la *Celestina* no refleja un repentino descubrimiento optimista del sentido de la individualidad, sino que representa el paso artístico de Rojas del tema del destino del hombre (por ejemplo las *Coplas* de Manrique con su fortuna, su tiempo, su muerte, y su posibilidad de salvación) al tema de la rebelión consciente de la vida contra sus condiciones. Y en último término esa conciencia, en vez de aspirar al cielo, está condenada. Es una conciencia de la perdición total y definitiva [53].

---

[53] Claro está que esto no es lo mismo que la rebelión de Espronceda ni que la interpretación romántica de la *Celestina* recientemente hecha por J. M. Gutiérrez Mora («Lo romántico en la *Celestina*», *Et Caetera*, 1950). Será mejor proponer una nueva forma de conciencia, dentro de la cual puedan entrar el Renacimiento de Burckhardt, el romanticismo, el neo-clasicismo, el barroco, etc. y que en la *Celestina* tiene características exclusivamente celestinescas.

CAPITULO VI
EL ARTE DEL TEMA: LA TRADICION

1. EL «DE REMEDIIS UTRIUSQUE FORTUNAE»

La relación —expresada hasta ahora con tantas vacilaciones— entre el tema de Rojas y la época en que vivió es significativa sólo en la medida en que la *Celestina* presenta, desde dentro, su propia interpretación de la historia. Desde el punto de vista de la literatura, el período histórico es un aspecto del tema, y no viceversa. Es necesario tener cuidado de no sucumbir a la tentación de atribuir el origen de todos los fenómenos a conceptos como el de «Prerrenacimiento». Hay obras, como el *Laberinto* de Juan de Mena, la *Crónica* de don Alvaro de Luna, las *Coplas* satíricas de Mingo Revulgo y aun la *Cárcel de amor*, que tienen sus fundamentos en esa España situada entre la Edad Media y el Renacimiento. Y, sin embargo, cada una de esas obras tiene su propia visión de la historia, reflejan su época de acuerdo con su propio tema o tesis; mejor dicho, más que reflejarla, la crean.

Es necesario insistir una vez más en esta idea de la prioridad temática, no sólo porque aún existe la superstición de «race, milieu et moment», sino también por la necesidad de colocar la *Celestina* en un cuadro más amplio. Después de tratar de definir mi intuición del tema, será bueno enfocarlo ahora, no ya desde dentro, sino desde fuera, considerarlo no sólo como matriz de la creación artística, sino como una preocupación humana posible en España a fines del siglo xv. ¿Cómo pudo producirse esa metamorfosis temática? ¿En qué forma se relaciona la *Celestina* temáticamente con la literatura europea de la época? Estas preguntas se plantean solas, fatalmente, y al mismo tiempo nos ponen en guardia contra el concepto de los períodos históricos y contra el testimonio de las fuentes y de las influencias.

El famoso ensayo de T. S. Eliot intitulado *Tradition and the Individual Talent*, que en 1917 inició lo que casi podría llamarse una revolución crítica en la comprensión de las relaciones literarias, nos sugiere un enfoque del problema. Me refiero a la idea de la tradición literaria que Pedro Salinas desarrolló y aplicó a la literatura española en su libro sobre Manrique. Como ha dicho Salinas, hay que sustituir la causalidad histórica y literaria por un *habitat* poético, esto es, por el *habitat* de la poesía dentro del cual vive y respira espiritualmente el poeta. Así como el *Quijote* sería artísticamente inconcebible sin el *Lazarillo*, la *Celestina* y el *Orlando furioso*, así la *Celestina* emerge a su vez del *Libro de buen amor*, del *Corbacho*, y de la *Historia de dos amadores* y de otras obras. Estos libros no son fuentes ni tampoco son expresiones análogas de una épica histórica, sino que constituyen la historia literaria viva, la tradición vivida, que contribuye a la originalidad de ambas obras maestras. Hace falta partir de ellos para acercarnos al arte de Rojas desde fuera.

Sin embargo, el problema a que nos enfrentamos aquí es ligeramente diferente del que se presentó a Salinas en sus ensayos sobre las *Coplas*. El tema de la *Celestina*, en contraste con el de cualquier poema, sufre una serie de cambios y aclaraciones graduales, desde el primer acto hasta las adiciones de 1502, pasando por los quince actos añadidos en la *Comedia*. Es una preocupación que se va definiendo cada vez más (en cierto sentido, se va aislando, y por tanto haciéndose más «visible»), a medida que Rojas se decide por ciertos senderos y rechaza otros, a medida que supera las tesis iniciales y lleva a su madurez la estructura definitiva en veintiún actos. La inspiración y la contemplación, «la crítica y la creación» (como dijo Diderot) se ayudan una a la otra en el proceso de la elaboración artística. De ahí que en cada una de las tres etapas de la *Celestina* podamos observar una creciente profundidad en la comprensión temática, una perspectiva más agudizada de su naturaleza artística, lo mismo que nuevas honduras de creación pura. Si aplicamos la idea de Diderot al arte del tema en Rojas, resultará, pues, que la tradición aparece como una incesante autocrítica y meditación temática. Aquí es donde el arte de Rojas viene a unirse a la vida espiritual de su tiempo, al «*habitat* de la poesía», que da forma a su autocomprensión. Dicho de otro modo, el tema, que por una parte constituye una postura radicalmente personal ante la vida, *sólo* puede ser expresado o conocido por un autor de acuerdo con una tradición. Precisamente por ser tan personal y auténtico, el tema sólo puede comprenderse críticamente si el poeta ha explorado su tradición. Únicamente puede «verse» a través del espejo de otras obras. En todo caso, la *Celestina* se va haciendo gradualmente más única, más «celestinesca», y este proceso se debe a una creciente comprensión de su propia tradición, de una tradición que le da palabras para comprenderse a sí misma. En un caso como éste la «tradición y originalidad» de Salinas llega a significar algo muy parecido a la «crítica y creación» de Diderot [1].

Como hemos visto, en el Prólogo presenta Rojas el *De remediis* de Petrarca como la obra que más ha contribuido a plasmar su propio tema y, a través de Petrarca, a Heráclito [2]. Pero no sólo ocurre que el profundo acuerdo de las ideas de Petrarca con el tema mismo del diálogo de Rojas dio fuerza a la adaptación del *De remediis*, sino que, dentro de ese diálogo, el latín de Petrarca es una de las fuentes principales. Como ha mostrado Castro Guisasola, muchos pasajes proceden del *De remediis*, del *Rerum memorandum*, de las *Epistolae* y de

---

[1] Por supuesto, es posible definir la tradición de la *Celestina* no sólo a base de la evolución de su «arte del tema», sino incluyendo todo el trasfondo literario de su autor. Menéndez Pelayo ha realizado admirablemente esta tarea, anticipándose como siempre a los intereses de su tiempo. Pero, por desgracia, esa amplia visión de la naturaleza de la tradición lo llevó a subestimar, si no a pasar por alto, la contribución temática de Petrarca. No se dio cuenta de que un autor recurre a una *tradición eficiente* a fin de «comprender» su tema. Como hemos de ver, esto es cosa muy distinta de la mera similación de una atmósfera literaria o de materiales literarios. Para un estudio del mencionado aspecto de la estética de Diderot, véase J. Doolittle, «Criticism as creation in the work of Diderot», *Yale French Studies*, II, 1949.

[2] La mención de Heráclito se tomó al pie de la letra del *De remediis*, a pesar de que Rojas afirma haber encontrado «esta sentencia *corroborada* por aquel gran orador e poeta laureado Francisco Petrarcha...» Podrá acusarse a Rojas de haber fingido una falsa erudición personal, pero el hecho, en sí mismo, tiene escasa importancia para el arte del tema y también para el problema de la paternidad.

otras obras de Petrarca; los cambios hechos en ellos son insignificantes [3]. Es cierto que la mera identificación de estos préstamos (citas eruditas, máximas y lugares comunes) no permitiría por sí misma considerar a Petrarca como fuente temática de la obra. Ya hemos visto cómo esos lugares comunes adquieren nuevo sentido dentro de su contexto literario. Sin embargo, la abundancia misma de las citas y de la revaloración de Petrarca muestra un constante interés por su manera de retratar la vida humana. Parece como si Rojas se hubiera dado cuenta que Petrarca convenía especialmente a su propio arte temático. Aunque el concepto del heroísmo en Cervantes es mucho más profundo que el altisonante heroísmo de las novelas caballerescas, en el *Quijote* las referencias a la caballería no sólo son amenas, sino continuamente necesarias a la creación de la obra. Lo que ahora me propongo hacer es precisamente demostrar lo que acabo de insinuar: que entre el *De remediis* y la *Celestina* existe una relación análoga a la que ligaría al *Quijote* con las novelas de caballerías.

A pesar del Prólogo y a pesar de que en el diálogo aparecen, rejuvenecidos, los tópicos estoicos del *De remediis*, la mayoría de los críticos ha pasado por alto o ha negado la contribución temática de Petrarca. Menéndez Pelayo lo dice claramente:

> A los grandes escritores suele resistírseles más la correspondencia familiar o la redacción de un documento de oficio, que la composición de un libro entero. Una de esos apuros debió de pasar el bachiller Fernando de Rojas, y para salir de él apeló al extravagante recurso de echar mano del primer libro que sobre la mesa tenía y traducir de él unas cuantas páginas, que lo mismo podían servir de introducción a cualquier libro que a la *Celestina*.

> Por los trozos trascriptos se ve claro que la lectura del Petrarca no sirvió al bachiller Rojas para nada bueno, sino para alardear de un saber pedantesco; pero valga lo que valiere, esta influencia es de las que pueden documentarse de un modo más auténtico e irrefutable [4].

Y Menéndez Pelayo no es el único que cree tal cosa. Sólo Farinelli, al referirse al Prólogo en su obra *Sulla fortuna*

---

[3] Castro Guisasola parece haber enumerado sólo los más evidentes. En la nota 31 se podrá ver una sutil reminiscencia del *De remediis* no notada por él. Hay otras probablemente.

[4] *Orígenes, op. cit.*, pp. 340 y 344.

del Petrarca in Ispagna nel Quattrocento, parece haber adivinado la importancia que Petrarca tuvo para la Celestina:

> Y en el *De remediis* —¿quién lo creería?— hay un primer germen del drama humano que, en los últimos años del cuatrocientos, se exponía, trágica y originalísimamente, en la historia del amor y de la muerte de dos jóvenes amantes: *La Celestina*. Su autor hubiera podido poner a la cabeza del drama, la sentencia de Job: Militia est (vita) hominis super terram; pero de mayor peso le pareció la frase análoga expresada por Petrarca en su trabajo moral, en la cual la naturaleza entera se considera como un campo de continuos trabajos y pugnas y se dice que la ardua lucha se extiende desde el punto más elevado del cielo hasta el ínfimo centro de la tierra [5].

Por desgracia, Farinelli no elaboró más esta intuición temática, impedido quizá por el empleo de la palabra «fortuna» en el título, con todo lo que ella supone de influencia. En todo caso, sus observaciones quedaron aisladas, y son fácil blanco de objeciones para quienes insistan en que la imitación de Petrarca en el Prólogo no tiene nada que ver con el tema de Rojas [6].

En resumen, Menéndez Pelayo, desconcertado evidentemente por la amplitud del préstamo, trata de proteger la originalidad de Rojas estableciendo una separación entre la creación personal y el «saber pedantesco» añadido a posteriori. Farinelli, demasiado afanoso quizá por documentar la importancia de Petrarca en España no fue más allá del concepto de la influencia. Ninguno de los dos críticos reexaminó las suposiciones de su crítica ateniéndose a la obra literaria que tenía enfrente; por eso ninguno de ellos es plenamente convincente. Consciente de la enorme ventaja que constituye escribir a mediados y no a comienzos de este siglo, propongo, por mi parte, invertir los términos del problema: preguntar no *en qué medida* influyó Petrarca en Rojas, sino *por qué y cómo* se interesó Rojas por Petrarca. Castro Guisasola ha registrado los pasajes y elementos tomados del *De remediis* y de otros tratados; hace falta ahora investigar el sentido

[5] *Giornale Storico della Letteratura Italiana*, XLIV, 1904, páginas 313-314.

[6] Castro Guisasola, por ejemplo, niega la posibilidad de que el Prólogo fuera exposición de una «tesis» e insiste en que el objeto de Rojas fue «únicamente justificar algunas modificaciones introducidas en la primitiva Comedia» (*Observaciones*, p. 136).

del préstamo, los supuestos de la interpretación y el aprovechamiento.

Como aquí nos ocupamos exclusivamente de la *Celestina*, no hace falta embarcarnos en un examen general de la obra de Petrarca. Bastará detenernos en el *De remediis*, con su prólogo adaptado y adaptable y con los tópicos que de él tomó Rojas. Por ser el compendio de las ideas de Petrarca que más amplia difusión alcanzó (en latín y en muchas traducciones)[7], la peculiar importancia que tuvo para Rojas es parte de un problema de mayor envergadura: la importancia general que la obra tuvo dentro de la Europa de los siglos XV y XVI. En otras palabras, el papel que desempeña el *De remediis* en la *Celestina* —su cristalización de una preocupación temática previa— depende en cierta medida de la circunstancia de que la obra de Petrarca fue aceptada por hombres que, como Rojas y sus personajes, vivían en el siglo XV. Para llegar a captar el arte del tema en Rojas, debemos comenzar por comprender el *De remediis*, en cuanto exposición del «tema de su tiempo» o, para decirlo con Menéndez Pelayo, en cuanto «breviario moral del siglo XV»[8].

_____

[7] Véase F. Simone, «Note sulla fortuna del Petrarca en Francia nella prima meta del Cinquecento», *Giornale Storico della Letteratura Italiana*, CXXVI, 1950. También W. Fiske, *Bibliographical Notices*, III, Florencia, 1888.

[8] Es evidente que un estudio completo de la importancia que el *De remediis* tuvo para su época debería incluir pruebas no sólo de su amplia difusión y frecuentes traducciones, sino también de la asimilación de su visión y de sus ideas en la literatura Esto no quiere decir que necesariamente se diera siempre un aprovechamiento temático tan completo como en la *Celestina*. No conozco casos análogos, excepto la *Fiammetta* de Boccaccio, que (junto con *Tamburlaine* de Marlowe) estudiaremos más adelante en este capítulo. Lo que hay que estudiar es la «influencia» directa del *De Remediis*. F. Simone presenta en el artículo citado valiosas indicaciones a este respecto, pero su obra es incompleta, tanto por el terreno abarcado como por su intención. Debe de haber una serie de ejemplos comparables con los versos de Jean Meschinot citados por Huizinga *(El otoño de la Edad Media*, capítulo II):

> *O miserable et tres dolente vie!*
>
> ....
>
> *La guerre avons, mortalité, famine;*
> *le froid, le chaud, le jour, la nuit nous mine;*
> *puces, cirons et tant d'autre vermine*
> *nous guerroyent. Bref, miserere domine*
> *noz mechans corps, dont la vie est tres court.*

Pero antes que nada tenemos que dejar de lado a Menéndez Pelayo y su negativo juicio sobre el *De remediis:* «Aunque hoy nos parezca tan vulgar el contraste entre una y otra fortuna... nuestro siglo xv... aplicaba a todos los momentos de la vida sus pocos originales sentencias diluidas en un mar de palabrería ociosa»[9]. La espléndida defensa que ha hecho Pedro Salinas del lugar común en el *Secretum meum* permite, si no salvar literariamente el *De remediis,* al menos llegar a una nueva comprensión de su olvidada vitalidad:

> Para nuestro objeto [la tradición y la originalidad de las *Coplas* de Manrique], el valor del *Secretum* es altísimo... La oposición entre sensualidad y ascetismo, entre valores del mundo y valor del trasmundo, el consejo incesante de la doctrina cristiana de despreciar los unos por el otro, no eran un texto muerto, fórmula repetida de púlpito en púlpito, de tratado en tratado; eran vida pura. En ese conflicto el hombre vivía trágicamente... Y es que las verdades existen, como la materia, en muchas formas: petrificadas inermes, en el mineral; fluídas y corredoras, como en el arroyo; o invisibles, como el aire que se nos entra por los pulmones y da respiro, más allá del cuerpo, a las potencias del alma[10].

Así, Salinas nos aconseja no guiarnos por el equívoco criterio de la originalidad romántica, sino admitir una vez más que los lugares comunes sean una verdad vital, que está más allá de la invención personal. También Farnham se muestra descontento con el precipitado rechazo del *Secretum* y del *De remediis* por las sensibilidades posrománticas. Ve en la primera obra esa yuxtaposición vital del amor con el desprecio que habría de caracterizar la actitud ante el mundo todavía en tiempos

Cosa curiosa, Huizinga identifica esta sensibilidad evidente petrarquista con el pesimismo de Deschamps, tal como se expresa en «Temps de douleur et de temptation, / ages de plour, d'envie et de tourment...», versos escritos «unos setenta y cinco años antes». Lo que parece haber ocurrido es que el pesimismo difuso y general de la tardía Edad Media —ilustrado por Deschamps— ha cristalizado en forma lírica gracias al tema estoico de la lucha entre el mundo interior y el exterior, la lucha del *De remediis.* Según Dilthey, ésta fue precisamente la ambición de Petrarca: «Er wolte der originale Lebensphilosoph seiner Zeit sein». Dilthey estudia en detalle las pretensiones filosóficas de Petrarca en su obra *Auffassung und Analyse des Menschen im 15. und 16. Jahrhundert.*

[9] *Orígenes,* p. 341.
[10] *Jorge Manrique,* p. 86.

muy posteriores a los de Petrarca [11]. Ambos críticos se han dado cuenta de que para estudiar los temas de otras épocas hace falta volver a captar (como prescribe Dilthey) su urgencia vital. En este sentido, la obra de Salinas y la de Farnham son gran estímulo para nosotros.

No es tan fácil defender el *De remediis* como el *Secretum*. Aunque los dos participan en el «desprecio del mundo» y aunque los dos proponen la habitual «meditación en la muerte» como antídoto contra los valores falsos, el *De remediis* no presenta ciertamente el drama de la salvación vivida personalmente por Petrarca. Renunciando al atractivo de las referencias autobiográficas, se ocupa de la doctrina, de la relación existente entre la vida humana y aquella causalidad externa conocida con el nombre de fortuna. El debate con San Agustín en el *Secretum* (según Farnham, debate de Petrarca con su segundo yo) se centra en torno al dilema inmediato y a la inmediata necesidad de escoger entre mundo y cielo. Pero en el *De remediis* el tema de la fortuna —favorable o adversa a todos los hombres— dirige la atención hacia las condiciones previas del mismo dilema. Es un tratado, no una confesión íntima; son preceptos doctrinales, no «secretos». Este hecho, que motivó el rechazo de las generaciones postrománticas, hizo que la obra gustara aún más a una época preocupada por las certidumbres doctrinales. Por otra parte, como Huizinga y muchos otros han hecho notar, al final de la Edad Media la fortuna se describía y se pintaba, se negaba y se invocaba con creciente fervor [12]. Éste parece haber correspondido a un agudizado interés por la vida en el mundo y por sus corolarios: los sucesos incontrolables, el azar y el destino inexplicable. Pese a Boecio, a Santo Tomás y a Dante, el nombre y

---

[11] *The Mediaeval Heritage*, pp. 47-50. Farnham concede especial atención al *De casibus* de Boccaccio y sólo habla brevemente del *De remediis*. Lo que le interesa es, ante todo, estudiar los antecedentes de la historia trágica —la catástrofe y sus enigmáticas causas— en Shakespeare y Marlowe. Desde este punto de vista, Petrarca no parece venir al caso.

[12] Así, E. Hoepfner observa en su introducción al vol. II de las *Oeuvres de Guillaume Machaut* (París, 1911): «L'auteur anonyme des *Règles de seconde rhétorique* fait remarquer à propos de Fortune que «plusieurs poetes ont closé sur ceste matiere pour ce que tousjours ara son cours». Et, en effet, les poèmes et les traités à ce sujet pullulent littéralement surtout depuis la fin du xiiime siècle dans la littérature francaise parmi les contemporains plus ou moins rapprochés de Machaut».

la imagen de la fortuna, junto con el poco preciso concepto que representaban, se empleaban y requerían cada vez más. El éxito logrado por el *De remediis* tiene que comprenderse, sin duda alguna, dentro del marco de su tiempo, de su enfoque y de su asunto.

Admitidas estas generalizaciones históricas, es evidente que Petrarca no pudo menos de presentar la fortuna y sus antídotos de una manera especial, particularmente apropiada a la conciencia de sus contemporáneos. Si es innegable que en el *De remediis* hay pocas ideas que no provengan de Séneca, de Boecio o de sus predecesores más tardíos, la estructura y la sensibilidad de aquello que Petrarca tenía que decir debe de haber sido especialmente grato a sus lectores. Por lo común la larga trayectoria de la fortuna desde la antigüedad hasta los tiempos modernos se ha visto como parte de la historia de las ideas o de los temas. De ahí que parezca cada vez más desgastada —deslustrada y corroída como una moneda usada durante muchos siglos— a medida que un escritor tras otro tratan el tema. Sin embargo, por debajo de la idea tradicional o del emblema adecuado, el tema de la fortuna es también una intuición de la naturaleza de la vida, un medio de expresar esos aspectos arbitrarios y misteriosos del éxito y del fracaso que cada generación, sociedad e individuo tiene que aprender a explicar por su propia cuenta. Y fue Petrarca quien —a pesar de su falta de originalidad— halló una forma doctrinal y una expresión lírica para la intuición que de la fortuna tuvieron su propia generación y las generaciones subsiguientes. Acuñó nuevamente la desgastada moneda, dando contornos precisos y nuevo brillo al metal heredado. En esta forma recibió Rojas el tema de la fortuna.

La estructura del *De remediis* constituye su innovación más evidente [13]. En la Edad Media el diálogo doctrinal solía ser vertical, era un diálogo entre el narrador y un personaje alegórico que había bajado desde arriba y que le instruía sobre una base de reconocida infalibilidad. Este personaje podía ser la Filosofía (en la *Philosophiae consolationis*, prototipo de verticalidad doctrinal), la Esperanza (en el *Rémède de la fortune* de Machaut), la Razón (en el *Roman de la rose*) o algunas de las muchas otras figuras alegóricas. Pero a pesar de la boga de este

---

[13] También el estilo parece haber constituido una atractiva novedad por su adopción de las antítesis senequianas.

esquema, Petrarca supo rechazarlo y encontrar en el *De remediis fortuitorum* de Séneca [14] una estructura que, en contraste con la de Boecio, podemos llamar «horizontal». El diálogo es entre dos partes del alma, entre la razón y las cuatro pasiones tradicionales: el Gozo, la Esperanza, el Dolor y el Temor. Por primera vez el discurso emerge de un punto de vista y en vez de ser verboso y didáctico es rápido y tajante. Como el *Secretum* (aun cuando respeta el patrón vertical), el *De remediis* no insiste en la abrumadora superioridad didáctica de uno de los hablantes sobre el otro, y de este modo evita los interminables monólogos de instrucción y persuasión [15]. A pesar de que la Razón tiene por lo común la última palabra, hay un convincente simulacro de discusión, una dirección dialógica del estilo (del yo al tú) de un tópico al otro.

Tomemos como ejemplo uno de los diálogos (y no son poco frecuentes) en los que la razón se ve obligada a hacer concesiones, al menos verbales, a sus interlocutores:

> Temor.—Temo mucho el terremoto.
> Razón.—Yo te digo que el temblor de la tierra es un gran daño de la natura nuestra madre y no sin causa temido de nuestros passados más que otra cosa alguna. Porque cierto es más grave que todos los otros daños. Verdad es que acaece menos veces y esto parece alguna manera de remedio. Muchas veces la tristeza del aire y su oscuridad os anuncian que quiere atronar. Mas el terremoto ninguna señal da de sí antes que venga...
> Temor.—No me das remedio como sueles; antes me haces mayor peligro.
> Razón.—Ya yo pensaba que esto te había de parecer y en la verdad es así... esto de que hablamos; es de calidad que con su fuerza desecha y sacude todos los argumentos de palabras que los hombres pueden hacer. Sólo un consuelo tiene... que este mal acaece pocas veces *(De terremotu*, F. Madrid, fol. cxxx).

¡Cuánto más atractiva debió de parecer a Rojas y a los hombres como él esta animada dialéctica que las largas disquisiciones verticales del esquema medieval! Al tomar

---

[14] Petrarca creía que Séneca era el autor de ese tratado. La atribución se ha rechazado modernamente.

[15] Esta comparación no hace plena justicia a la *Consolatio*. Las réplicas de Boecio no son tan violentas ni tan divertidamente infantiles como las de Juan Ruiz, cuando se enoja con Don Amor, pero Boecio se revela a sí mismo en forma muy interesante. Sólo al final se rinde plenamente a la dialéctica de la Filosofía.

el *De remediis fortuitorum* como modelo, Petrarca dio a la antigua doctrina una innovación estructural, un cambio de ritmo y una convicción dialógica que, a pesar de no poder compararse con la de la *Celestina*, fue de gran eficacia. Esa innovación hace que las conclusiones de Petrarca no parezcan artificialmente impuestas ni predeterminadas.

Sin embargo, Petrarca hizo algo más que adoptar una estructura y un estilo que le convenían. Comprendiendo evidentemente las ventajas inherentes a la estructura horizontal, no sólo la continuó, sino que además la amplió. Porque su *De remediis* (dos libros que son ambos más largos que su modelo) no limita su discusión a los habituales premios y castigos de una confianza en la diosa: tesoros, joyas, pobreza, catástrofes y glorias fugitivas. En vez de este tradicional resumen de los dones de la fortuna, Petrarca presenta un panorama brillante y al mismo tiempo específico de la mundanidad en todos sus aspectos. Se detiene, a menudo con fruición lírica, en la belleza de las mujeres, en los deleites del amor, en el triunfo militar, en el baile y la música, en los muebles, las pinturas, las bibliotecas, en los caballos de pura casta y, en un pasaje espléndido, en el goce del paisaje, perdido con la ceguera [16]. Petrarca da al mundo las armas más eficaces para luchar contra la razón, lo presenta como un conjunto de circunstancias inmensamente atractivas para la vida. Los bienes mundanos ya no se describen como cosa engañosa y vacía; las cuatro pasiones nuevamente despliegan ante nuestros ojos un mundo admirablemente heterogéneo, y, en un capítulo tras otro, parecen gozar voluptuosamente de los valores recién descubiertos, valores que son de orden estético, vital y aun espiritual. Por su misma intensidad, por la misma fuerza de su atracción, esas pasiones dan al debate del *De remediis* algo de esa cualidad de «fluidez» vital que Salinas ha descubierto en el *Secretum*. Así, la estructura horizontal hizo que Petrarca pudiera oponer la razón, la virtud y el desprecio del mundo a rivales dignos de ellos y dar de ese modo renovado interés al debate doctrinal [17].

---

[16] A tal punto es cierto esto que, a pesar de Farnham, quien opina que los títulos de capítulos en la traducción de Twyne («The flourishing years», «The goodlie beauties of the body», etc.) son «isabelinos», éstos son en realidad traducciones más o menos fieles del texto original.

[17] Nada importa que califiquemos o no esas innovaciones de

253

Este resurgimiento del estoicismo «senequista» , junto con su rejuvenecimiento del diálogo, no podía menos de dar nuevo carácter al papel desempeñado por la fortuna en los asuntos de los hombres. Por principio de cuentas, Petrarca ya no tiene que fingir la existencia de una fortuna convencionalmente antropomórfica. La Diosa Fortuna siempre había sido una ficción más o menos adecuada para convertirse en blanco de las censuras alegóricas de figuras como la Filosofía o la Razón, tan emblemáticas como ella. Sin embargo, como ha observado salinas [18], esa misma representación correspondía a una creencia (negada con sospechosa frecuencia): que la fortuna, como el tiempo y la muerte, era una entidad externa y en cierta medida consciente, entidad guiada por un propósito destructor. Podía oponerse resistencia a la fortuna o apaciguarla, pero ella seguía esperando inflexible, en lo alto, una oportunidad de deshacer al hombre y sus empeños. Pero en el *De remediis* desaparece esta visión de la fortuna (y junto con la representación en forma de una diosa). Fortuna es una palabra útil, pero ya no supone una interpretación vertical o trascendental de la condición humana [19]. En el prólogo de la primera parte Petrarca insiste por eso repetidas veces en que la morada de la fortuna está «dentro de nosotros». Así como el diálogo se entabla entre elementos antagónicos de la psique, así también la fortuna es la responsabilidad de nuestra conciencia:

«características renacentistas» dentro de una lección medieval. Lo esencial es captar su función. Farnham y Salinas subrayan ese mismo contrapunto de la actitud hacia el mundo a propósito del *Secretum*. La siguiente cita (tomada de la monografía de José Luis Romero sobre la Edad Media) puede servir de resumen de esas ideas: «En el ambiente de crisis que caracteriza a la baja Edad Media, la concepción del mundo acentuó su bipolaridad al romperse el equilibrio establecido sobre la preeminencia de lo espiritual, de lo referido al trasmundo, de lo que pertenecía a la ciudad celeste. Este equilibrio no se constituyó sobre nuevas bases, sino que, simplemente, los elementos encontrados permanecieron en presencia, oponiéndose o complementándose en síntesis transitorias e inestables. La contemporaneidad de Boccaccio y Santa Catalina de Siena tiene el valor de un símbolo» (*La Edad Media*, México, 1949, p. 197).

[18] Véase *Jorge Manrique*, p. 22.

[19] Como ha hecho notar Patch, Petrarca niega de manera expresa (y un tanto innecesaria) su creencia en la fortuna en la carta que escribe a Tomás de Garbo.

Y que esto sea verdad, cualquiera con agudo juicio considerare el curso de su vida, lo conociera. Si no dime (yo te ruego) ¿qué día pasa de tanto plazer o tranquilidad que no tenga más de traba? ¿Qué mañana vimos tan serena que solicitud y lloro no la turbase antes que fuese de noche? Y puesto que deste mal alguna causa sea la mudanza de las cosas (sic); pero si afición no nos ciega, la culpa de noostros procede (in nobis est) (*Epistolaris praefatio*, F. Madrid, fol. 1)

El motivo de este cambio en el habitat de la fortuna (cambio que corresponde perfectamente a la estructura horizontal) queda claro. El interés de Petrarca por Séneca hace resurgir un tipo de conciencia que apenas se encuentra en el *Roman de la rose*, en el *Libro de buen amor* o en la *Divina comedia*. Es la conciencia del estoicismo, que descansa en una rigurosa división entre el mundo interior y el exterior, entre el sujeto y el objeto, y que presupone una pugna forzosa entre ambas partes [20]. Esto nos recuerda, por supuesto, la lucha temática dentro de la *Celestina*, con su incesante antagonismo entre un universo «ageno y estraño» y la conciencia subjetiva del yo. En todo caso, la fortuna no aparece del lado objetivo de este dualismo; no puede existir objetivamente porque, en cuanto concepto, es necesariamente humana [21]. Por eso tiene que ser una propiedad, una condición del sujeto. Dicho de otro modo, como nosotros no podemos cambiar o aplacar el universo dimensional (esto lo reconoce Calisto exactamente como los estoicos), y como la fortuna puede «remediarse» por definición, ésta tiene que ser subjetiva. Tiene que residir en un ámbito gobernable, en el ámbito de la «opinión», para usar el término estoico.

¿Qué es, pues, la fortuna? ¿Qué nueva forma adopta en el resurgimiento estoico? Es ni más ni menos una incapacidad de adaptarse al universo, incapacidad inherente en el hecho mismo de la conciencia y que sólo puede corregirse desde dentro, por medio de la razón. Así, el

---

[20] En el artículo arriba citado, García Bacca recuerda la imagen estoica del hombre como «ciudad sitiada» y compara los contenidos del mundo con «arqueros» que combaten al hombre. De aquí puede derivar el sentido básico de ob-jectum y sub-jectum. Pero García Bacca no relaciona esa versión estoica de la conciencia con la de los habitantes de la *Celestina*.

[21] Hay que reconocer que Petrarca no afirma la naturaleza ajena del universo en una forma tan firme como Rojas. En varias ocasiones expresa su fe en la providencia, pero como la providencia no puede conocerse, las circunstancias de su individuo parecen tan ajenas como las de la *Celestina*.

lector del *De remediis* es «sujeto» de la fortuna cuando el mundo sentimentalmente percibido (Séneca y Petrarca dirían «apasionadamente» —en breve hemos de volver sobre esta diferencia de nomenclatura) se le presenta como una serie de valores tentadores o torturantes. Por ejemplo, —y el *De remediis* no consiste sino en ejemplos—, una mujer puede ser hermosa para su marido, valor que el amor de él descubre en ella; pero al mismo tiempo ese descubrimiento lo atormenta con los celos y con una dependencia respecto del tiempo destructor. El marido ha quedado «sujeto» a la fortuna, puesto que la estimación de la belleza con la que se casó contribuye a la victoria del mundo sobre el yo. La conciencia de los valores mundanos —por espirituales e irreprochables que sean— lo ha traicionado.

Una de las consecuencias de esta definición de la fortuna como castigo de la conciencia es la inmunidad del reino animal (el cual interesaba a los estoicos de manera muy análoga que a Rojas) [22]:

> Quando yo pienso los súbitos movimientos de las cosas humanas, casi ninguna cosa más flaca, ninguna de menos reposo hallo que la vida de los mortales. Viendo que a todos los otros animales, por la simpleza o ignorancia suya, la natura proveyó de maravilloso género de remedio, y a nosotros solos dando memoria, entendimiento y prudencia, clarísimas y divinas partes del alma, ser tornados ya en nuestra destrucción y trabajo... (*Epistolaris Praefatio*, F. Madrid, fol. i).

Del mismo modo, las cosas que reducen al hombre a la existencia animal —el sueño, la muerte, la prisión— son a menudo favores disfrazados. Cada una a su manera aísla del mundo a la conciencia, actúa de barricada entre el objeto y el sujeto, limitando de este modo el poder de la fortuna.

Sin embargo, tales «remedios» son artificiales y no pueden proponerse a un individuo que vive el mundo activamente, y que está en plena posesión de sus facultades y que es por eso presa natural de sus seducciones y de sus accidentes [23]. ¿Cómo puede ese individuo resistir a la fortuna? Esta es, por supuesto, la pregunta que el

---

[22] Véase P. Barth, *Los estoicos*, Madrid, 1930, p. 64.
[23] Por lo que toca al *De remediis*, la ceguera, la prisión y otras desgracias se defienden sólo para aminorar el temor natural que el hombre tiene de ellas.

De remediis tenía que contestar: el lector tiene que forjar con su razón (y también con su fe) una armadura defensiva de virtud (recordemos el reflejo de esta idea en la *Carta* preliminar de Rojas) contra un mundo no sólo lleno de tentaciones y de mal, sino también en lucha total contra su interioridad. Sólo así evitará el hombre caer en la trampa de los engañosos valores que lo sujetan a la fortuna. La virtud es un elemento cristiano y a la vez algo que se aproxima a la ataraxia, es la »libertad» de aceptar racionalmente la condición humana. Es un supremo ejercicio del gobierno de sí mismo. Tal es, en esencia, el estoicismo cristiano de Petrarca y el peculiar «desprecio del mundo» que él defiende.

Hay que reconocer que Petrarca no escudriñó ni resolvió las contradicciones fundamentales entre el cristianismo y el estoicismo, y que el *De Remediis* es más una transacción entre las dos tradiciones que una consecuencia original de su encuentro. Sin embargo, el modo cómo efectúa Petrarca esa transacción es muy original. En Boecio, por ejemplo, están presentes o implícitas casi todas las ideas expresadas por Petrarca, y proceden de fuentes análogas [24]. Sin embargo, en Boecio vemos que la estructura vertical de la que hemos hablado corresponde a una preocupación vertical. Boecio, como las generaciones y siglos que le siguieron, estaba mucho más interesado en la relación entre el alma y Dios que entre la oposición entre la conciencia y las circunstancias mundanas. De ahí que las reminiscencias del estoicismo aparezcan sobre todo en los primeros libros de la *Philosophiae consolationes,* en los cuales la Filosofía todavía está «preparando» a Boecio para sus revelaciones y antídotos finales, distintos por cierto de los presentados por Petrarca, por Séneca o por el autor del *De remediis fortuitorum.* El libro V niega la fortuna, no desde dentro, sino desde fuera, esto es, en términos de la providencia, una providencia que no prohibe el libre albedrío. Boecio nos dice que la arbitraria fortuna es mera apariencia y basada en la imposibilidad de comprender la misteriosa trama de la voluntad divina. Es decir, que la obra en conjunto es una preparación filosófica para un cristianismo nunca mencionado explícitamente: «Superata tellus sidera donat». A pesar de la coincidencia de muchas ideas, la estructura y las preocupaciones inherentes al *De remediis* y al

---

[24] Véase Barth, *Los estoicos,* p. 57.

Philosophiae consolationes ponen de manifiesto intuiciones radicalmente distintas de la forma y de sus remedios.

Si la transacción entre el estoicismo y cristianismo realizada en el *De remediis* es original, ello se debe a que la obra de Boecio fue uno de los modelos de la presentación de la fortuna durante casi toda la Edad Media. Como ya hemos visto, unos ochocientos años después de aparecer la *Philosophiae consolationes*, Chaucer seguía preocupándose verticalmente por la misma fortuna, providencia y libre albedrío [25]. Si Chaucer logró penetrar tan creadoramente en las vidas y conciencias de sus personajes y si éstos parecen superar los esquemas de destino y castigo, es casi «a pesar» de Boecio. Farnham no sólo apoya esta interpretación, sino que llega a decir que debido a su definición «medieval» de la fortuna, Chaucer no pudo integrar temáticamente el *Troylus,* que dejó que una tesis explícita contradijera a un tema implícito. De ser esto cierto, podríamos sugerir por nuestra parte que en cierto sentido Chaucer estaba «listo» para el *De remediis,* con su fortuna interna y su estructura horizontal del diálogo. La evidente necesidad que tenía Chaucer de contar con una «tradición temática» semejante a la encontrada por Rojas nos muestra la originalidad del *De remediis* y explica que en el siglo posterior a Chaucer la obra se aceptara como breviario moral. Nos ayuda a comprender la aparición de una nueva intuición de la fortuna, que los hombres del xiv y del xv parecen haber esperado.

Sin embargo, no agotaríamos el tema si dijéramos que el éxito del *De remediis* se debe sólo a la concordancia vital de su definición de la fortuna con la transformación de las ideas en Europa, esto es, a la circunstancia de que la obra fue precursora del resurgimiento del es-

---

[25] No soy capaz de apoyar a quienes afirman la influencia de Boecio sobre el Troilus ni a quienes la niegan. Lo que nos interesa ahora es la continua presencia en la obra de la verticalidad —el esquema vertical de preocupación— de la *Consolatio,* a pesar de que las conclusiones varían. Del mismo modo se enfrentaron varios autores al problema de la fortuna después de unos ocho siglos. En todo caso, como han observado quienes han estudiado este punto, Boecio ejerció una influencia fundamental en la mayoría de las obras medievales que hablan de la fortuna. El quinto libro del *Roman de la rose* es uno de los innumerables ejemplos.

toicismo en el siglo xv [26]. Como hemos visto en el panorama detallado y en ocasiones positivo que Petrarca da de ese mundo que él censura, su *De remediis* sobrepasa la meta que se había señalado en un principio. Como tantas otras obras del Renacimiento y del Prerrenacimiento —la *Celestina* misma es un notable ejemplo—, a la deliberada imitación de formas y doctrinas antiguas se añade sutilmente el nuevo «Erlebnis» de su autor y de su tiempo. A una intención heredada suma una «postura hacia la vida» original [27]. A la par de doctrinas «renacidas» hay «vita nova». Como hemos de ver, esto se manifiesta claramente en los dos extremos de lo que hemos llamado el «eje de preocupación» de Petrarca: en el objeto y el sujeto, en el mundo y en la conciencia sitiada y atacada por el mundo.

En cuanto al segundo elemento, el sujeto y su conciencia, notemos ante todo que Petrarca reaccionaba ante ciertos espectáculos y ciertos sonidos con una sensibilidad casi excesiva (recordaremos su vocación de poeta). El siguiente pasaje ahonda más en el tema de la pugna del universo y del espíritu que la versión estoica común; revela un horror más íntimo, un sentimiento que sería interesante comparar con la mejor contribución de Sartre al pensamiento del siglo xx, *La nausée*:

> ¿...quién no padece las guerras de las aves nocturnas, de los buhos y lechuzas, y el demasiado velar de los perros que ladran a la luna, y los gatos que entre las tejas con espantosos miados hazen sus tratos y con infernales voces rompen los sosegados reposos, y el enojoso chirriar y roer de los ratones, y todo aquello que de noche haze ruydo enojoso... y sobre todo el gruñir de los puercos, el clamor y voces del pueblo, las risas de los locos..., y el cantar de los borrachos y su placer, que ninguna cosa puede ser más triste, y las querellas de los litigantes, y el reñir de las viejas y sus gritos, y las questiones y el llorar de los niños, y los regocijados conbites de las bodas y sus danzas, y las alegres lágrimas de las mujeres que fingidamente a sus maridos lloran, y los verdaderos lloros de los padres en las

---

[26] Véase L. Zanta, *La renaissance du stoicisme au xvme siecle*, París, 1914. Por supuesto, Séneca era bien conocido en la Edad Media, mucho antes de que Petrarca hiciera revivir sus ideas. Pero como su obra se solía presentar como una colección de fragmentos (florilegium), no había una comprensión plena de su doctrina.

[27] Véase Augusto Centeno, *The Intent of the Artist*, Princeton, 1941.

muertes de sus hijos...? *(Epistolaris praefatio,* F. Madrid, fol. LXXXI) [28].

En las tragedias de Séneca el mensaje de los sentidos suele ser atroz en su exageración, pero Séneca no se esfuerza por comunicar el horror percibido por una sensibilidad a flor de piel, capaz de registrar y valorar hasta el menor sonido y de convertirlo en tormento del alma. Lo que ha ocurrido es que en el esquema estoico de la agresión y la resistencia adoptado en el *De remediis* se ha introducido una nueva conciencia, que no es racional, sino sentimental. Aunque Petrarca hable de los adversarios de la razón empleando la terminología del pasado, en realidad sus pasiones (o vicios) funcionan las más veces como sentimientos. El placer, la esperanza, el temor y el dolor, por el solo hecho de poder expresar, en forma tan persuasiva, sus diferentes puntos de vista, no son pasiones bestiales y encegadoras; sacan a la luz insospechados ámbitos de valor positivo y negativo, no dentro del mundo del hombre en su conjunto, sino dentro de las circunstancias inmediatas de la vida. De ahí los verdaderos enemigos de la razón, enemigos tanto más peligrosos en cuanto que se infiltran inesperada, imperceptible y fatalmente en la estructura estoica horizontal que Petrarca resucitó para ellos. La aguda conciencia sentimental es quizá la principal innovación de *De remediis;* y su angustiada confrontación con la conciencia racional nos permite comenzar

---

[28] La alusión a los «regocijados conbites de las bodas y sus danzas» nos hace pensar una vez más en los cuadros de Brueghel y en el ataque de su sutil grosería a la sensibilidad. Más que el regocijo causado por una nueva y directa visión del mundo, encontramos en esos cuadros de la vida humana en común una especie de pesimismo encarnado. Esto a su vez nos ayuda a comprender el efecto que Rojas quiso lograr con la lamentación de Pleberio: «Los verdaderos lloros de los padres». No es sólo la expresión de la ideología estoica, sino un desgarrarse espiritual. Recordamos también la magistral evocación que Huizinga hace del «violento tono de la vida», con sus duros contrastes y su agresiva policromía. ¡Qué significativo es para la Celestina (sobre todo para el acto XII) el siguiente pasaje!: «Así como el contraste del verano y el invierno era entonces más fuerte que en nuestra vida actual, lo era también la diferencia entre la luz y la oscuridad, el silencio y el ruido. La ciudad moderna apenas conoce la oscuridad profunda y el silencio absoluto, el efecto que hace una sola antorcha o una aislada voz lejana» (trad. José Gaos, Madrid, «Revista de Occidente», 1930, p. 12). No olvidemos que al leer el diálogo de la *Celestina* estamos participando en el sentimiento de la vida del siglo XV.

comprender no sólo la importancia que tuvo para el siglo xv, sino también su función temática dentro de la *Celestina*.

¿Y en cuanto al otro polo del eje estoico, al universo objetivo? Aquí es donde aparece justamente esa innovación que Rojas decidió continuar y reforzar en su *Prólogo*: la noción o intuición de la lucha universal. Uno de los principios más conocidos del estoicismo en su forma original era el gobierno del cosmos por una ley a la vez natural y racional. El mundo objetivo no era tanto el ámbito y el tiempo ajenos, sino una especie de ser rígido e inflexible para quienes no pudieran o no quisieran ajustar su espíritu a su orden. Por ese motivo justamente, la fortuna se consideraba un fracaso de la conciencia, no una condición o entidad que estuviera más allá del control del hombre. De ahí que desde siempre los estoicos clásicos atribuyeran los conflictos y contradicciones a un errado enfoque del individuo. Por encima del nivel de las aparentes luchas, había una unidad inherente y ontológica o, en todo caso, una armonía entre los elementos opuestos. Ahora bien, hay que reconocer que en el *De remediis* Petrarca no se enfrentó abiertamente con esta doctrina. En su segundo prólogo (a los remedios contra la adversa fortuna) habla de la armonía y del orden, pero con un evidente cambio de énfasis. Petrarca subraya —más de lo que Zenón, Séneca o el autor del *De remediis fortuitorum* hubiera considerado prudente— la pugna evidente, y sólo menciona de pasada la reconciliación final. El dinamismo, el incesante choque de los elementos opuestos, la guerra implacable en todos los ámbitos, desde los insectos hasta los astros, y toda esa visión del universo que conocemos a través del *Prólogo* de Rojas es esencialmente de Petrarca. Es decir, que si Rojas elimina de raíz de su adaptación la filosófica confianza de Petrarca en la armonía, lo hace continuando una transición manifiesta ya en el *De remediis*.

A título provisional podemos decir lo siguiente: la lucha interna y la lucha externa entre elementos y animales son aspectos íntegramente fundidos de la nueva intuición de la vida que determina el marco del pensamiento de Petrarca. En la medida en que la pugna universal sustituye a la ley natural, el universo de esa pugna sobrepasa la simple oposición a la paz espiritual del individuo refractario a ese universo, y se hace radicalmente ajeno a su vida. El abismo que separa al sujeto del objeto y que el estoicismo creía poder franquear, es para Petrarca —al menos implícitamente— infranqueable. Al mismo tiempo, la lucha interna entre la razón y el sentimiento no sólo agudiza la conciencia, sino que impide que ambas facultades encuentren una unidad significativa con su circunstancia exterior. Como hemos podido ver en la *Celestina*, el sentimiento, que en cierto sentido es más sutilmente indomable que la pasión, impide una comprensión racional del mundo, mientras que la razón niega toda unión sentimental duradera y positiva con cualquier aspecto de ese mundo. Así, las dos fases de la lucha contribuyen a divorciar los dos ámbitos, y cada una de ellas es, en cierta medida, la causa de la otra. El individuo dividido entre sentimientos y conclusiones racionales, tiende a considerar desunido y anárquico el mundo, y percibido ahora de este modo tiende a sumir al espíritu en la más profunda duda y confusión. El inevitable resultado de esto es un universo ajeno y un yo solitario.

Ahora bien, en lo tocante al *De remediis*, el hecho de que esas dos modalidades de la lucha se fortalecen la una a la otra, parece cerrar las puertas a toda solución positiva al problema de la fortuna. Los «ensayos» de Petrarca —sobre todo el segundo prólogo— son mucho más desconcertantes que los discursos relativamente tranquilos de Séneca y de Epicteto. Los horrores de la existencia, tal como los pinta Petrarca, son más espantosos cuanto más íntimos. De ahí que al leer el *De remediis* nos parezcan cada vez menos convincentes las soluciones estoicas. Desesperamos más y más de encontrar la paz al final de la ruta, porque las batallas —interiores y exteriores— parecen no tener fin posible. A pesar del título de la obra, la armonía externa y la serenidad interior parecen más remotas de lo que pensábamos al abrir el libro. Por debajo de la intención y de la ideología heredada, percibimos un sordo grito de desesperación: «Morta fra l'onde e la ragione e l'arte. Tal ch'i 'ncomincio a desperar del porto».

Junto al énfasis en las incesantes pugnas del universo hay una nueva conciencia del espacio y del tiempo. En la medida en que el hombre (en este caso Petrarca) se encuentra a sí mismo viviendo en un inescrutable universo de luchas, universo por ello tanto más ajeno a él, adquiere aguda conciencia de su dimensionalidad. Parafraseando a Kant en forma muy inexacta, podríamos decir que el espacio y el tiempo son manifestaciones de la conciencia que adquiere el hombre del carácter ajeno de cuanto lo rodea, son producto de una conciencia que tiene que enfrentarse a un mundo ya extraño. Sin embargo, en el *De remediis*, esto no basta en sí mismo a explicar las continuas y angustiadas alusiones a esas formas del aislamiento humano. Para volver a la lucha interna (descrita en los ensayos, *De discordia animi fluctuantis* y *De ambiguo statu*, como la lucha más destructora y más temible de todas), no olvidemos que para Petrarca la conciencia tiene dos modalidades: la racional y la sentimental, y que el mismo afán de los sentimientos por descubrir el mundo en cuanto circunstancia valiosa agudiza la conciencia racional de que ese mundo es indiferente y dimensional. El fracaso de los sentimientos —la alternancia de ilusión y desilusión que Petrarca no se cansa de subrayar— deja en el mundo, una y otra vez, un vacío, que la razón debe llenar con espacio y tiempo. Dicho de otro modo, las únicas armas posibles de la razón contra un ataque más sentimental que apasionado, son esas mismas dimensiones [29].

A resultas de este aprovechamiento racional y discursivo de las dimensiones, la idea de la lucha natural parece en sí misma desplegarlas como un mapa ante los ojos del lector. Los cataclísmicos fenómenos siderales, las aves rapaces en la región media del aire, los insectos y los animales feroces sobre la tierra y aun el pez voraz debajo de la superficie del mar, se sitúan espacialmente cuando su

---

[29] Podemos aclarar esta idea recordando la distinción que hemos establecido entre la pasión y el sentimiento, la una ciega, encerrada dentro de sí mismo, el otro en íntima comunicación con el mundo y sus valores. Es verdad que los estoicos de la antigüedad se interesaban particularmente por las pasiones (concebidas como un exceso de instinto o de apetito natural) y por el dominio de la razón sobre ellas. Esa pugna podía resolverse desde dentro y no quería la intervención del tiempo y el espacio ajenos. El universo no era en sí mismo extraño al hombre, aunque así pudiera parecer a un espíritu subyugado por la pasión. Por su parte, el *De remediis*, al oponer la razón al sentimiento, no sólo retrata la conciencia como trabada en una incesante e íntima lucha, sino que también requiere la invención de un «mundo ageno y estraño» que contrarreste la atracción de los valores sentimentalmente descubiertos en las circunstancias inmediatas. De ahí la transición desde el huerto (circunstancia sentimental) hasta la fatídica azotea (espacio ajeno) al final de la *Celestina*. El nuevo enemigo sentimental parecía necesitar de una arma defensiva nueva y más tremenda.

pugna nos aterra e impresiona. Del mismo modo, el movimiento mismo de la batalla y los incesantes y absurdos cambios que acompañan su variada fortuna son los elementos constitutivos del tiempo. No hace falta demostrar la tesis contraria de que la fe en el orden universal y la ley natural tienden a destruir el tiempo y el espacio (nos encontramos en el mundo de Heráclito, no en el de Parménides), aunque sólo sea porque es evidente que la pugna universal acentúa las dimensiones con una multitud de entidades antagónicas. Así, la lucha exterior crea un marco o estructura para un tiempo y un espacio originados por el reconocido aislamiento de la lucha interna. Recordemos que Petrarca se hizo famoso, entre otras cosas, por ser el «primer» hombre que subió a una montaña para contemplar el panorama, panorama que debió haber sido a la vez hermoso para los sentimientos y tristemente lejano para la razón [30].

Para concluir, el *De remediis* es algo más que una antología de trillados lugares comunes y moralejas. Considerarlo de una manera tan limitada equivale a perder de vista no sólo la tradición temática que Rojas encontró en la obra, sino también su importancia vital para las generaciones y siglos subsiguientes. Este hecho compensa, como hemos visto, su falta de ideas originales con innovaciones fundamentales en la estructura y en la sensibilidad. En primer lugar, hemos visto cómo al hacer revivir el estoicismo y al tomar el *De remediis fortuitorum* de modelo, Petrarca renovó su diálogo, su ritmo y —por medio de la separación entre el sujeto y el objeto— su comprensión de la condición humana. En segundo lugar, hemos encontrado dentro del marco estoico indicios de una nueva sensibilidad, de un nuevo sentido del vivir en el mundo.

---

[30] Véase la clásica discusión en Burckhardt, *La cultura del Renacimiento*, IV, 3. Esta conciencia de las dimensiones es particularmente aguda en el prólogo de la segunda parte del *De remediis*, que tanto fascinó a Rojas. Como veremos, ahí es donde Petrarca parece más consciente de sus innovaciones subterráneas al estoicismo. En ese texto también se encuentran de cuando en cuando pasajes como el siguiente, que presentan la peculiar dimensionalidad del paisaje: «Dolor.—Soy condenado a ceguedad perpetua. Razón.—No verás ahora los valles llenos de arboledas, los airosos montes, los floridos céspedes, las sombrías cuevas, las claras fuentes, los corrientes ríos, los verdes prados, ni lo que dizen que es más hermoso que todo lo otro, la compostura del rostro humano, pero tampoco verás los montones de cieno...» (*De caecitate*, F. Madrid, fol. cxliii).

Debo subrayar una vez más que no importa hasta qué punto tuvo Petrarca conciencia de sus innovaciones (Dilthey estaba seguro de que se dio plena cuenta de lo que había hecho), ni tampoco si él habría admitido la validez de todo lo que hemos dicho. Hay en el *De remediis* una serie de aspectos ocasionales o disimulados y que en el paso del siglo xiv y del xv al xvi *adquieren* cada vez mayor significación. La preocupación por la lucha universal y la angustiada creación desde dentro del tiempo y del espacio son importantes no tanto por las intenciones de Petrarca como por su subsistencia en los siglos posteriores. Los Brueghel y los Bosco nos dan una ilustración pictórica de este fenómeno, y las obras de Bocaccio, Rabelais y aun Marlowe constituyen el testimonio literario. Al mencionar a estos pintores y escritores no queremos decir, claro está, que encontraron en el *De remediis* el mismo tiempo de aclaración temática que encontró Rojas. Lo que ocurre es que todo ese período, tal como lo vemos descrito en la *Celestina* y como lo han descrito Menéndez Pelayo, Huizinga y tantos otros, era un período de pugnas, de desgarramientos y de desmoralización social y espiritual. Y ese período está implícito y hasta cierto punto predicho en las variaciones de Petrarca sobre el estoicismo clásico. Al tratar de dar ayuda espiritual al acosado y atormentado individuo que vive en ese mundo, Petrarca revela sin saberlo su contextura y sensibilidad íntimas, la nueva cualidad de su experiencia. A esto se debe que el *De remediis* pareciera tan significativo a Rojas (y tan falto de sentido a Menéndez Pelayo) y que pudiera ayudar a encauzar la evolución temática de la *Celestina*.

2. LA «CELESTINA» Y EL «DE REMEDIIS»

Si el *De Remediis* se considera como una de tantas fuentes o influencias, no tiene gran importancia precisar dónde se encuentra su huella dentro de la *Celestina* o cómo contribuye al sentido de las situaciones. Bastará una enumeración de los pasajes. Pero si nos ponemos a hablar de conceptos como el de «tradición temática», el *dónde* y el *cómo* serán de enorme interés. El *De remediis* es para nosotros un elemento funcional del arte de Rojas, y es de esperarse que funcione de manera diferente en cada una de las tres fases artísticas por que pasó la obra. Esas tres fases, que no suponen en modo alguno una separación orgánica, son las siguientes: Acto I, Actos II-XVI de la *Comedia*, los actos añadidos y las interpolaciones de la *Tragicomedia*. Dejando a un lado el problema de la paternidad, estas fases, como ya hemos dicho, no son obra de una creciente madurez de la obra, sino un madurar de la comprensión que Rojas tenía de su creación, de la autocrítica temática que le acompaña hasta el acto XXI. Veremos que en este proceso el *De remediis* desempeña un papel decisivo.

En primer lugar, en el primer acto con su inconcluso proyecto de tesis (la blasfemia y su castigo), no hay referencias obvias a las obras petrarquescas. Castro Guisasola concluye que el primer autor no conocía a Petrarca y aduce este hecho como prueba de que el acto I no es de Rojas. Y si en efecto en ese acto no hubiera reminiscencia alguna del *De remediis*, no podríamos, de hecho, afirmar otra cosa. Pero Castro Guisasola no observó una huella muy precisa. El hecho de que Petrarca no aparezca en el resto del primer acto no se debe, pues, a una ignorancia de su obra, sino a la ausencia de una necesidad temática para recordarlo [31]. Para mí es indudable que el autor de ese acto había leído a Petrarca, pero no tuvo motivo especial para citarlo más que una sola vez.

---

[31] Una comparación entre los dos pasajes siguientes revela un tipo de influencia algo más sutil que la considerada por Castro Guisasola. El autor del primer acto logra volver a aplicar eficazmente la serie de sonidos que encontró descritos en Petrarca: «¿...quién no padece las guerras de las *aves* nocturnas, de los búhos y lechuzas, y el demasiado velar de los *perros* que ladran a la luna...? Llévase también a esto el ruido de las *ranas* de noche hazen... Pues el reposo del día no es mayor, antes las cigarras gritadoras y el graznido de los cuervos y roznidos de los *asnos* impiden, así mismo el *balido* de las ovejas y el bramido de los *bueyes*... Y también los tristes *cantares* con que los cardadores y *peinadores* halagan sus trabajos, y la desabrida música de los *arcadores* y *tejedores*, y los roncos soplidos de las fuelles de los *herreros* y el agudo son de sus *martillos* (Epistolaris praefatio, F. Madrid, fol. lxxxi).
Si passa por los *perros*, aquello suena su ladrido; si está cerca las *aves*, otra cosa no cantan; si cerca los *ganados*, *balando* lo pregonan; si cerca las *bestias*, rebuznando dizen: ¡puta vieja! Las *ranas* de los charcos otra cosa no suelen mentar. Si va entre los *herreros*, aquello dicen sus *martillos*. Carpinteros e armeros, herradores, caldereros, *arcadores*, todo oficio de instrumento forma en el aire su nombre. *Cántanla* los carpinteros, péinanla los *peinadores*, *texedores*» (Aucto I; vol. I, p. 68).

En vez de tratar de explicar de una vez por qué no se le cita directamente, veamos primero cuáles son los autores y obras que *sí* aparecen y que no vuelven a figurar en los actos subsiguientes: Aristóteles, Boecio y Séneca [32]. Aristóteles es quizá el más importante; su recuerdo confiere un matiz escolástico y a la vez cómico a la crítica de las mujeres por Sempronio y a la defensa de la virtud por Pármeno. Los dos ejemplos siguientes son típicos:

> SEMP.—...por ser tú hombre, eres más digno.
> CAL.—¿En qué?
> SEMP.—En que ella es imperfecta, por el qual defecto desea e apetece a ti e a otro menor que tú. ¿No as leydo el filósofo do dize: Assí como la materia apetece la forma, así la mujer al varón?
> CAL.—¡O triste!, ¡e quando veré yo esso entre mí e Melibea! (Aucto I; vol. I, pp. 56-57).
> PÁR.—No curo de lo que dizes, porque en los bienes mejor es el acto que la potencia e en los males mejor la potencia que el acto. Así que mejor es ser sano que poderlo ser e mejor es ser doliente que ser enfermo por acto e, por tanto, es mejor la potencia en el mal que el acto.
> CEL.—¡O malvado! ¡Cómo que no se te entiende! (Aucto I, vol. I, p. 97).

En ambos pasajes notamos una semejanza aparente con aquella integración de los tópicos morales al diálogo, que hemos estudiado al comienzo del capítulo V. En vez de tomarse en serio o de presentar una doctrina en sí misma, esas reminiscencia del pensamiento aristotélico dentro del diálogo tienen un matiz cómico —como lo prueban las observaciones de Calisto y de Celestina.

Pero a pesar de la evidente semejanza en cuanto a la asimilación de materiales adoptados, veremos que el tipo de argumentos en que interviene el pensamiento de Aristóteles es muy distinto del tipo en que entra Petrarca. Los argumentos del primer acto no sólo son más largos, sino que en ellos Pármeno y Sempronio defienden puntos de vista opuestos a sus intereses auténticos. Sempronio se esfuerza por disuadir a Calisto del amor (cuando en realidad le conviene avivar ese fuego), y Pármeno defiende una virtud que no posee. Parece como si el autor no hubiera estado seguro de lo que más le inte-

---

[32] Según Castro Guisasola, esto no se aplica al comienzo del segundo acto, pero esto interesa más a sus especulaciones personales sobre la paternidad que a nuestro propósito.

resaba: el retrato de los personajes o el tópico que discuten [33]. Por una parte esas conversaciones parecen parodiar el debate medieval, y por la otra caracterizan a los hablantes (el cínico adulto y el adolescente pedantesco). Ni Pármeno ni Sempronio han sido incitados vitalmente (en el sentido celestinesco), y ninguno de ellos ha llegado a una plena conciencia de sí mismo. Por so pueden discutir intelectualmente y servirse de una lógica escolástica risible por su manera mecánica y a-vital de explicar las cosas y el moral. Más tarde Sempronio y Pármeno no tendrán tiempo ni ganas de discutir en esa forma y Aristóteles caerá en el olvido.

Es decir, que la presencia de Aristóteles y la ausencia de Petrarca en el primer acto no sólo coincide con el intento de proponer una tesis, sino también con unos personajes todavía no envueltos del todo en el conflicto, no incorporados aún vitalmente en las situaciones dialógicas. Calisto, por supuesto, constituye una excepción, pues en su apasionada blasfemia tiene escasa oportunidad de recordar a Aristóteles o a Séneca aunque sí aluda brevemente a precedentes eruditos y establezca una comparación entre abstracciones tales como «apariencia» y «existencia» [34]. Las vidas de los demás personajes, ante todo, no han llegado aún a esa intensa y mutua conciencia, a ese combate entre la razón y el sentimiento que hemos de encontrar más tarde [35]. Se ven separados por barreras de argumentaciones escolásticas, por un despliegue verbal y

[33] Si echamos una ojeada a los otros préstamos de Aristóteles lo mismo que de Séneca y Boecio, es evidente que se han escogido para ajustarse al tópico, al tema o lugar común que se discute. Aparte algunas frases y pasajes breves, recordemos otra reminiscencia de Aristóteles, el análisis de los motivos para la amistad («bien», «proueho» y «deleyte»). En cuanto a Séneca, tenemos el pasaje al comienzo: «Como Séneca nos dize, los peregrinos tienen muchas posadas y pocas amistades...» (Aucto I; vol. I, p. 100); otros pasajes se refieren a la pobreza, a la virtud y temas análogos. Por fin, Boecio inspira la siguiente frase de Sempronio: «Miserable cosa es pensar ser maestro el que nunca fue discípulo» (Aucto I; vol. I, p. 52) y uno o dos alardes eruditos más.

[34] La intensidad de la lucha vital de Calisto queda patente en la brevedad de sus réplicas en este pasaje (aunque no en otros), que contrasta con las verbosas disquisiciones de los sirvientes.

[35] Como hemos visto, Celestina misma comienza a tramar su intriga con el mero propósito de engañar a Calisto. Sólo en el acto IV, con su épica frase «Yr quiero», comienza a participar plenamente en la acción.

una racionalización que les sirve de escapatoria. Es innegable que ya en el primer acto hay hechos que nos revelan que será cada vez más difícil mantener esas posturas cómicamente intelectuales. Sempronio no tarda en olvidar sus ideas sobre las mujeres al pensar en su futuro provecho, y cuando Celestina dice «mal sosegadilla deues tener la punta de la barriga» comienza a destruir la pedantería de Pármeno. Lo que hará Rojas en el resto de la *Comedia* será continuar y desarrollar justamente esos conatos de lucha vital; pero antes de que eso ocurra, Aristóteles domina a Petrarca en el extenso primer acto.

Resumiendo, no hay necesidad de recordar el *De remediis* en esa parte de la *Celestina* que apenas si comienza a encontrar su unidad temática de caracterización, estructura, diálogo y estilo. Todavía no se ha llegado a la guerra total aludida en el Prólogo petrarquista: los personajes están aún empeñados en una serie de escaramuzas y reconocimientos preliminares; y los temas de la lucha tienen que someterse aún a la diplomacia y al debate escolástico. Cuando Rojas se hace cargo de la obra, esos asuntos no se habían fundido aún con aquello que, como ya hemos visto, constituye una plena visión temática de la «contienda o batalla» dialógica. El debate sobre temas morales no se ha convertido en una dialéctica de vidas.

Al comienzo del segundo acto, las observaciones iniciales de Sempronio sobre la nobleza, el honor y la generosidad, aunque no tomadas directamente de Petrarca [36], revelan claramente el modo como Rojas aprovechaba sus ideas. Es el primer ejemplo en que los tópicos quedan irónicamente integrados a la situación y al hablante:

CAL.—Hermanos míos, cient monedas di a la madre. ¿Fize bien?
SEMP.—¡Hay!, ¡sí fiziste bien! Allende de remediar tu vida, ganaste muy gran honrra... ¿Qué aprouecha tener lo que se niega aprouechar? Sin dubda te digo que mejor es

---

[36] Castro Guisasola presenta a Boecio como fuente parcial, pero, en todo caso, esas observaciones son paralelas al ensayo *De origine generosa* incluido en el *De remediis*. Compárese el siguiente pasaje con el texto reproducido arriba: «Gozo.—Nací noble. Razón.—Ya te dije que el verdadero noble no nace; más hácese. Gozo.—A lo menos esta nobleza que mis padres me dejaron es grande. Razón.—También te dije que la nobleza no se halla naciendo mas viviendo. Un bien veo aquí, que no te faltarán familiares ejemplos de virtudes y domésticas guías cuyas pisadas hayas miedo de errar» (F. Madrid, fol xiii).

el vso de las riquezas que la possesión dellas. ¡O qué glorioso es el dar! ¡O qué miserable es el recebir! ¡Quanto es mejor el acto que la possesión, tanto es más noble el dante qu'el recibiente... Dizen algunos que la nobleza es vna alabanza, que prouiene de los merecimientos e antigüedad de los padres; yo digo que la agena luz nunca te hará claro, si la propia no tienes. E por tanto no te estimes en la claridad de tu padre, que tan magnífico fue; sino en la tuya. E assí se gana la honrra, que es el mayor bien de los que son fuera del hombre... Por ende goza de hauer seydo assí tan magnífico e liberal. (Aucto II; vol. I, pp. 113-114).

Este conjunto de lugares comunes es irreprochable por su verdad. Nadie negará el mérito de la argumentación de Sempronio. Pero en virtud de esa verdad y de ese mérito, queda más evidente y se hace más impresionante el sórdido motivo del parlamento (el dinero dado a Celestina) y la falta de escrúpulos de Sempronio (su deseo de exprimir totalmente a su amo). Rojas ha encontrado su propia distancia; ha permitido que el interlocutor (Sempronio) se traicione a sí mismo, revelando su bellaquería con sus propias palabras nobles.

Vale la pena notar que este pasaje es más largo y mucho más obvio que otros parlamentos análogos en los actos posteriores. Es a todas luces el primer experimento con la técnica de la ironía. La afirmación de una verdad general ha quedado dialógicamente ligada a las circunstancias humanas peculiares que la han motivado. En el primer acto los experimentos preliminares para integrar los lugares comunes al diálogo —debate semi-cómico, apartes cínicos, descripción de los vicios de las mujeres ejemplificada en seguida en casa de Celestina— no eran totalmente logrados, porque los hablantes no habían acabado de revelarse a sí mismos ni de comprometerse. En cada caso el tópico parece darse independientemente. Por eso el primer parlamento del segundo acto, con esa total interdependencia irónica entre el hablante y lo hablado, puede considerarse como un letrero que nos indica la dirección del nuevo arte de Rojas. El honor y la nobleza —y esto es típico— dependen ahora de la conciencia viva de un bellaco.

Una vez reconocido este arte de la integración irónica —que, como ahora vemos, comienza realmente en el segundo acto— podemos preguntarnos qué relación guarda con Petrarca. ¿Por qué puede el *De remediis* contribuir en tal medida a esta forma peculiar de utilizar los lugares comunes? ¿Cómo adaptó Rojas el *De remediis* a las posibilidades y necesidades de su ironía intensificada? Entre los préstamos hechos a Petrarca en el segundo acto y recogidos por Castro Guisasola, los dos siguientes podrán ayudarnos a encontrar las respuestas:

> CAL.—¿Quánto descanso traen consigo los quebrantados sospiros? ¿Quántos relieuan e disminuyen los lagrimosos gemidos el dolor? Quántos escriuieron consuelos no dizen otra cosa.
>
> SEMP.—Lee más adelante, buelue la hoja; fallarás que dizen *que fiar en lo temporal e buscar materia de tristeza, que es ygual género de locura...* En el contemplar está la pena de amor, en el oluidar el descanso. Huye de tirar cozes al aguijón. *Finje alegría é consuelo e serlo ha. Que muchas vezes la opinión trae las cosas donde quiere, no para que mude la verdad; pero para moderar nuestro sentido e regir nuestro juyzio* (Aucto II; vol. I, pp. 117-119). Las cursivas no indican aquí interpolaciones, sino préstamos).

> CAL.—Tú, Pármeno, ¿qué te parece de lo que oy ha pasado? Mi pena es grande, Melibea alta, Celestina sabia y buena maestra destos negocios. No podemos errar. Tú me la has aprobado con toda tu enemistad. Yo te creo. *Que tanta es la fuerça de la verdad, que las lenguas de los enemigos trae a sí* (Aucto II; vol. I, p. 119).

No hace falta comparar estos fragmentos con el original latino (son traducciones sorprendentemente fieles) para notar que en los tres casos queda explícito el eje horizontal de la estructura y preocupación estoicas. «Opinión» y «verdad», «lo temporal» y «tristeza» separan claramente al sujeto del objeto, a la realidad interior de la exterior. Aún más, cada una de las frases adoptadas habla de la conciencia humana, de su gobierno y su relación con la verdad. A diferencia de la previa clasificación y explicación aristotélica de temas como el sexo, la amistad y la conducta moral, la conciencia se ha convertido ahora en factor operante de la discusión. La conciencia de la verdad parece tan importante como la verdad misma. Hablando como un buen estudioso del estoicismo, Sempronio ya no arguye escolásticamente: «las mujeres son así o asá; y tú, Calisto, debes tenerlo en cuenta para lo que hagas», sino que insiste: «tu error está en lo que sientes acerca de las mujeres, pero como tú eres el que sientes, estás en la posibilidad de cambiar» [37]. Ya estos ejemplos

---

[37] Calisto propone el argumento estoico complementario cuando hace notar en el pasaje citado que la verdad objetivamente válida, aunque puede falsearse y aprovecharse con motivos per-

nos permiten ver que una vez presentado el concepto estoico de la conciencia, viene en seguida una alusión a la conciencia particular del hablante y del oyente. Y aquí es donde puede surgir esa ironía tan típica de la *Celestina*, con su yuxtaposición de lo objetivo subjetivo.

Podrá objetarse que en ninguna de las tres referencias petrarquescas es plenamente irónico el arte de Rojas. Sus intenciones no son ni con mucho tan claras (aunque sólo sea porque los lugares comunes pasan con tal rapidez frente a los ojos del lector) como en el largo parlamento de Sempronio —parlamento evidentemente hipócrita— sobre la noble generosidad y el honor personal. Sin embargo, la ironía está ahí, implícita y en potencia. No nos sorprende necesariamente que Sempronio aconseja a Calisto que olvide sus preocupaciones. Pero el hecho de que, dada su rendición personal a «lo temporal» (el dominio que sobre él tienen sucesivamente el temor, la sensualidad, la codicia y la furia), Sempronio recete una medicina estoica para la «enfermedad del alma» de Calisto, más que hipocresía, es una flagrante contradicción personal. Y cuando Calisto dice a Pármeno: «Yo te creo. Que tanto es la fuerza de la verdad, que las lenguas de los enemigos trae a sí» hay una divergencia análoga entre lo que él quiere decir y la admisión de que Celestina es tan mala persona como le había dicho Pármeno. Sin saberlo, el lugar común ha quedado confirmado [38]. En otras palabras, los tópicos «horizontales» del *De remediis* —tópicos que suponen el «gobierno de la conciencia»— se ajustan por su misma naturaleza a las necesidades del intercambio dialógico, a situaciones que forjan una red de coincidencias. Ha pasado el debate; ha comenzado la conversación viva. Y en la medida en que en el cruso del diálogo Calisto y Sempronio dicen algo distinto de lo que sienten —distancia entre el sentido propuesto y el sentido real— ha nacido la ironía.

---

sonales, sigue prevaleciendo. Por eso el ámbito de «opinión» que no puede cambiar la verdad tiene que ajustarse a ella.

[38] En su murmurada respuesta a estas observaciones, Pármeno parece interpretarlas como expresión de un sentimiento de inseguridad por parte de Calisto. Se da cuenta de que su amo está tratando de racionalizar su dependencia respecto de Celestina y que por ese motivo trata de atenuar la devastadora descripción del primer acto: «¿Ya lloras? Duelos tenemos...» El efecto irónico se acentúa por esta referencia al sollozo que debe de haber acompañado a la miserable invocación del lugar común por Calisto.

Después del primer acto, la incorporación del *De remediis* en la *Celestina* coincide, pues, con una nueva posibilidad de ironía y con el intercambio de las conciencias por medio del diálogo en un nivel más profundo que el de la mera discusión argumentadora. El estoicismo de Petrarca contribuye a invocar irónicamente la angustiada, cínica o enviciada conciencia anti-estoica de los hablantes.

Sería posible y también útil examinar los demás pasajes tomados del *De remediis* y ver en qué forma se relaciona cada uno de ellos con las circunstancias dialógicas. Pero como lo que nos interesa es el arte de Rojas y no una crítica total de la *Celestina*, bastarán dos ejemplos más. Menéndez Pelayo confirma plenamente lo que hemos dicho con los dos pasajes que cita para demostrar que la adaptación de Petrarca no tiene importancia dentro de la obra:

> Más interés tiene este plagio directo 'del Prólogo' que las vagas reflexiones morales sobre la próspera o adversa fortuna que hay en varios pasos de la *Tragicomedia*, registrados ya por Arturo Farinelli:

> «¡O fortuna (exclama Calisto en el aucto XIII), quánto e por quántas partes me has combatido! Pues por más que sigas mi morada e seas contraria a mi persona, las adversidades con ygual ánimo se han de sufrir, e en ellas se prueba el corazón rezio o flaco».

> Y antes había dicho Celestina (Aucto XI), convirtiéndose en eco de las palabras de Petrarca:

> «Siempre lo oí dezir, que es más difícil de sufrir la próspera fortuna que la adversa; que la una no tiene sossiego e la otra tiene consuelo» [39].

El primer ejemplo citado por Menéndez Pelayo es parte del monólogo pronunciado por Calisto inmediatamente después de la muerte de los criados y de Celestina. Aunque no recuerda de manera directa el *De remediis* (ni los demás tratados latinos de Petrarca, como asevera Castro Guisasola), expresa la reacción estoica ante la fortuna [40]. Pero en su contexto hay una irónica multiplicación del sentido, porque en este monólogo es donde Calisto revela toda su debilidad moral, su «corazón flaco»

---

[39] *Orígenes*, pp. 340-341.
[40] La frase que precede a ese pasaje («Rara es la bonança en el piélago») está directamente tomada del *De remediis*.

273

y su «ánimo desigual». En él Calisto llega a la vergonzosa decisión (o más bien permite que su amor la haga) de desentenderse del honor y de la muerte de sus criados, fingiéndose ausente, para continuar sus amores con Melibea. Su explicación de la muerte de Celestina se subraya sarcásticamente:

> La vieja era mala e falsa, según que hazía trato con ellos, e assí que riñeron sobre la capa del justo. Permissión fue diuina que assí acabasse en pago de muchos adulterios que por su intercessión o causa son cometidos (Aucto XIII: vol, II, pp. 112-113).

Y como última justificación de su falta de decisión y su incapacidad para actuar, Calisto forja el siguiente plan, que —él mismo debe haberlo sabido— nunca llegaría a realizarse: «Mañana haré que vengo de fuera, si pudiere vengar estas muertes; si no, pagaré mi inocencia con mi fingida absencia» [41]. Al presentar la noble doctrina de la resistencia estoica a la fortuna en el momento justo en que Calisto se rinde definitivamente a ella, Rojas está cumpliendo —y lo sabe— la promesa de ironía implícita en los primeros préstamos a Petrarca del acto II.

El segundo ejemplo aducido por Menéndez Pelayo (éste sí tomado directamente del *De remediis*) no supone aquella ironía de la contradicción vital, pero sí la de una confirmación inconsciente. Recordemos que ambos tipos de ironía aparecían, en potencia, en el segundo acto, el primero en el consejo de Sempronio y el segundo en la interpretación que hace Calisto de la descripción de Celestina. Ahora la confirmación —la verdad contenida en el tópico pero no notada por el hablante— se da porque Celestina habla de los peligros de la próspera fortuna inmediatamente después de haber recibido la cadena de oro. Celestina cree referirse a Calisto y a su exaltación al recibir la buenas nuevas de Melibea. Pero no hay que olvidar que estamos en el acto XI, pocas horas antes de entrar la noche que habrá de ser tan funesta para Celestina. Es la noche en que su inesperada buena fortuna se volverá contra ella para destruirla, y es evidente que Rojas pone en su boca esas palabras con un goce plenamente irónico. Más que ilustrar la falta de «influencia» de Pe-

---

[41] Rojas introduce aquí una interpolación que ilustra aún más la total falta de fortaleza de Calisto. Es la referencia a Ulises, intento de justificar su inacción aduciendo un precedente épico apócrifo.

trarca en la *Celestina,* esos dos ejemplos, y muchos otros del mismo tipo, muestran hasta qué punto penetró su pensamiento en el arte temático de la obra [42].

No debemos dejar atrás este aspecto del interés de Rojas por el *De remediis* sin observar, una vez más, que en ninguno de los pasajes citados se hace una burla o parodia del estoicismo de Petrarca. El arte de la imitación humorística, que en ocasiones parece desempeñar un papel tan importante en el primer acto —con su pedantería escolástica y sus agresivos apartes— ha perdido, al parecer, importancia. El humorista o el satírico tienden a identificarse con una versión de la verdad y a burlarse de todo apartamiento de ella en la conducta o en el pensamiento; pero el ironista, como Rojas, no puede permitirse ese partidarismo. Tiene que ver y ve simultáneamente la vida y la doctrina, la intimidad y los criterios oficiales, lo particular y lo general. Trabaja desde una perspectiva y a distancia; de ahí que pueda explorar a los hombres no sólo en sus errores de conducta o en la distorsión mecánica de sí mismos, sino también en sus profundidades vivas. Así pudo ocurrir (como ya insinuamos en el Capítulo V) que el *De Remediis* llegara a desempeñar en el arte de Rojas un papel muy semejante al desempeñado por el *Amadís* en el arte de Cervantes. El *De Remediis* dio a Rojas tópicos de ansiosa y conflictiva conciencia, así como el *Amadís* dio a Cervantes tópicos de heroísmo. En ambos casos las fuentes suministran un plan de generalidad desde el cual pueden explorarse eficazmente las peculiaridades vivas, y en ambos casos queda superada una fase inicial de sátira o de humor cuando la nueva perspectiva irónica da creciente gravedad a la preocupación creadora. Todos hemos tenido oportunidad de observar esta trayectoria en el *Quijote,* pero son muy pocos los que han comprendido al pie de la letra este pasaje del Prólogo de la *Celestina:*

> Otros han litigado sobre el nombre, diziendo que no se auía de llamar comedia, pues acaua en tristeza, sino que se llamase tragedia. El primer auctor quiso darle denominación del principio, que fue placer, e llamóla comedia. Yo, viendo estas discordias, entre estos extremos partí agora por medio la porfía, e llaméla tragicomedia (vol. I, p. 25).

---

[42] Estoy de acuerdo con Menéndez Pelayo en que Petrarca no ejerció una «influencia» sobre Rojas, pero por motivos muy distintos.

Al *De remediis* corresponde el mérito de haber sido —con su estructura horizontal y con su estoica traducción de la conciencia en el tópico didáctico— un vehículo tan ideal para el arte irónico de esta tragicomedia.

La frase de Celestina que acabamos de citar: «...es más fácil sufrir la próspera que la adversa fortuna...» (con la tácita referencia a su propia muerte, causada por la codicia), unida al hecho de que Rojas rara vez satirizó las ideas de Petrarca, muestra que el *De remediis* no sólo puede entrar en algunos fragmentos irónicos aislados, sino en aquello que hemos llamado los «esquemas de caracterización». Recordaremos que estos esquemas se fundan en ciertos factores fundamentales de la conciencia —edad, sexo, posición social— y consisten en proyectos y definiciones de la vida expuestos por diferentes individuos. Además, cada uno de esos factores parece tener su propio eje de discusión, de preocupación sentimental y de racionalización tradicional a lo largo del fluir dialógico de la *Celestina*. Es decir, que esos esquemas de caracterización incluyen los dos factores que son tan importantes en la obra de Petrarca: la conciencia interna y la doctrina tópica.

No debe sorprendernos por eso que en la *Celestina* los personajes lleven tan a menudo el sello de una inspiración (o de un origen) estoicos, que los esquemas de caracterización parezcan muchas veces convertirse en esquemas de sujeción a la fortuna. Un buen ejemplo es el de los personajes femeninos —Areusa, Elicia, Lucrecia, Melibea— ya estudiado en el Capítulo III. Recordemos que cada una de ellas debe enfrentarse al factor de una femineidad vigorosa, a una limitación impuesta desde fuera y al parecer objetiva. Y cada una de ellas reacciona contra este factor o condición en una forma que revela su propia personalidad. La sensualidad y la violencia de Elicia (indicios de falta de razón), la vicaria excitación de Lucrecia, la precaria independencia de Areusa (independencia que no tiene más objeto que el de la rendición) y la consagración de Melibea al amor, todas estas reacciones no son en realidad sino falsos remedios, antítesis del gobierno razonable de uno mismo. El único resultado posible era el que ya hemos visto: que cada una de las mujeres se convierte en víctima de la fortuna, por abandono, descubrimiento, servidumbre o muerte, según la forma en que cada cual se halla desarmada.

Pero por interesante que sea este ejemplo, la presencia de Petrarca en los esquemas de caracterización de la *Celestina* parece mucho más convincente cuando observamos el caso de dos individuos —Pleberio y Celestina— sujetos los dos a la vejez. A pesar de la virtud que a primera vista le atribuímos, Pleberio confía excesivamente en la seguridad material (y Rojas subraya esto claramente). Pleberio ha protegido su vejez con riquezas y provisiones, y antes de morir Melibea, ha gozado de esa engañosa comodidad que Petrarca describe en el ensayo intitulado *De tranquillo statu*:

> *Gozo:* Abundantemente son proveídas todas mis cosas.
> *Razón:* Debe ser llegada la nave que deseabas cargada de mercadurías; edificaste casa..., hiciste acequias..., hiciste palomares; pusiste ganado en sus pastos, las abejas en sus colmenares, la simiente en sus surcos, nuevas mercaderías en mar, en lugar seguro tu usura; tienes el arca llena, rica la casa, ataviada la cámara, llenos los graneros, rellena la dispensa, proveydo el dote de la hija y el casamiento para el hijo, comprada la gracia del pueblo... (F. Madrid, fol. LIX).

Esta ilusión de seguridad hace que Pleberio no esté preparado para la catástrofe, para el ataque contra esa brecha en su armadura que sus bienes no son capaces de proteger: la vida de su hija. En el *De infantis filii caso misero* aparece una muerte igual a la de Melibea, y la caída desde la fortuna se convierte también en una caída dimensional. No hace falta insistir aquí más que el propio Rojas en la extensa conclusión petrarquista del acto XXI. No temos sólo uno de los muchos préstamos, la doctrinaria «consolación» (tomada del diálogo *De amisso filio*, que precede al *De infantis filii*):

> Agora perderé contigo, mi desdichada hija, los miedos y temores que cada día me espauorecían: sola tu muerte es la que a mí me haze seguro de sospecha (Aucto XXI; vol. II, página 208).

A diferencia del engañado Pleberio, Celestina reacciona ante la vejez con una actitud irreprochablemente estoica. En el curso de su existencia literaria, puede expresar y expresa los tópicos adecuados con toda sinceridad; y, de acuerdo con la definición de Petrarca que tan bien se ajusta a ella, Celestina es realmente «el verdadero viejo». Esta ejemplaridad estoica no sólo explica su fuerza dentro de la obra, sino que también nos muestra la profunda cualidad destructora de la ironía de Rojas. Porque, al final de la obra, también Celestina se expone a la fortuna y sucumbe. Su fatal incapacidad de comprender el estado de ánimo de Pármeno y de Sempronio —incapacidad inexplicable si se tiene en cuenta su habitual perspicacia— se puede explicar a base de una frase del *De remediis* en que Petrarca dice que los tesoros inesperados son «engaños y asechanzas de la fortuna». Además, como observan Sempronio y Petrarca, la avaricia, típica de la ancianidad, hace a los viejos particularmente susceptibles a los tesoros, a las cadenas de oro que los atan —en sentido literal y figurado— a la rueda tradicional. Si Pleberio forja su perdición acumulando riquezas a lo largo de su vida, Celestina encuentra su ruína en una ganancia inesperada, que viene a socavar una «virtud» ejercida durante toda la vida. Sería difícil negar la participación de Petrarca en estos dos «casos» de vejez, riqueza y fortuna [43].

Conviene ahora insistir nuevamente en la falta de una caracterización fija en la *Celestina*. Los esquemas de femineidad o de vejez se fundan sólo en el encuentro de las modalidades de conciencia de la primera y la segunda

---

[43] El tercer esquema de caracterización (el de la condición o clase social) quedó establecido en el primer acto y, en lo tocante a los sirvientes, tiene muchas posibles fuentes de inspiración. Pero los siguientes fragmentos suenan conocidos a todo lector de la *Celestina:* «*Dolor.*—Tengo siervos muy malos, tragones, ladrones, mentirosos y desvergonzados. *Razón.*—¿Qué menester es contar tánta abundancia de títulos? Di siervos y habrás dicho cuanto hay en ellos... *Dolor.*—De muchos siervos soy cercano. *Razón.*—... los siervos, aunque sean buenos (lo que yo tendría por milagro), si son muchos nunca bien sirven, porque siempre entre sí discordan, murmuran y alteran. Mira el uno a las manos del otro y huelga entre tanto..., tiene por gran honra hacer del señor y piensa que ninguna cosa hay más honesta que no hacer nada.» La razón dice en seguida que los hombres que se ven forzados a hacerse sirvientes por su extrema pobreza y humilde origen (como Sosia) son más a menudo diligentes y fieles; y la conclusión es ésta: «Echa de tu casa los que fueren hermosos, los muy peinados, y a los que del gesto o de ingenio se precian, y entre pocos rudos y desharrapados vivirás más seguro» (*De seruis malis*, F. Madrid, fols. ciii-civ).

Y quizá no sea del todo injustificada la suposición de Cejador de que los amores de Calisto y Melibea se inspiran en el *De gratis amoribus*. Hay en este diálogo una mención expresa de las blasfemias de los enamorados, y la famosa definición del amor por Celestina («... es un fuego escondido...») proviene de ahí.

personas y no debe confundirse con ningún tipo de caracterización impuesta desde fuera. También aquí interviene el estoicismo. Uno de los principales dogmas del estoicismo es la libertad: libertad de llegar a la virtud racional o, por otra parte, de someterse a la esclavitud de las pasiones. Ya hemos propuesto que Calisto no tiene necesariamente un carácter débil a pesar de su evidente flaqueza moral; lo que es peor se ha hecho esclavo del amor y ha renunciado por lo tanto a su libertad anterior. Como dice Petrarca:

> *Gozo.*—Dí lo que te plaze que yo tengo por cosa noble amar.
> *Razón.*—Cada uno habla como siente; pues yo la tengo por cosa muy vil y muy flaca; y tal que aun los muy fuertes varones amollenta y enflaquece (*De gratis amoribus*, F. Madrid, fol. L).

El libre reflejo dialógico de la vida consciente (en cuanto un yo creador y un tú limitador) corresponde a la esencial oposición estoica entre la razón y el «sentimiento», oposición que, por ser real, nunca tiene un desenlace predeterminado. Hay que comprender el papel que desempeña el *De remediis* en el esbozo de esos personajes «sin carácter» al menos parcialmente en términos de la ilimitada libertad de ser consciente del estoicismo. Petrarca podría considerarse en este sentido como el Burton de la *Celestina*, un Burton a la inversa.

Resumiendo, en los quince actos de la *Comedia* la huella del *De remediis* se observa no sólo como una serie de préstamos aislados, sino —y esto es más importante— en la elaboración de la ironía y en la formación de los esquemas de caracterización. Su presencia acompaña al primer abandono de la tesis por parte de Rojas y a su preferencia por una plena expresión temática. A medida que los hablantes y aquello que dicen se van integrando mutuamente, a medida que se van emancipando más de la «verticalidad» tradicional y de las opiniones externas, hay una creciente necesidad de acudir a Petrarca. Su estructura horizontal y su insistencia doctrinal en la libre conciencia del sujeto ayudan a Rojas a construir con la ironía las diferentes conciencias de sus personajes y disponerlas artísticamente a base de unos factores elementales. En este sentido la *Comedia* es una amarga y sutil comedia de equivocaciones (teñida de ironía pero no risible), de valoraciones sentimentales y conductas erróneas desde el punto de vista estoico. De ahí que la lamentación de Pleberio que pone fin a la obra y la Carta que la inicia tengan por objeto dar al lector una «armadura» defensiva. Es una comedia de doctrina y de equivocaciones eróticas.

Es evidente —y yo seré el primero en reconocerlo— que esta interpretación estrictamente estoica del tema falsea la perspectiva no sólo de la *Celestina* como conjunto, sino también de esos quince actos de la *Comedia*. Ya en el primer acto es posible intuir una preocupación temática —una radical «postura ante la vida»— que sería difícil definir como un error de conducta doctrinal. En la medida en que los habitantes de la *Celestina* se tienen que enfrentar no sólo a los factores edad, sexo y clase, sino también a las condiciones dimensionales de toda vida (o sea, en la medida en que cada uno de ellos es consciente del tiempo, del espacio y del amor en cuanto descubrimiento sentimental de valores), está actuando ya el tema más profundo: la trágica situación de la vida humana que lucha por encontrar su sentido en un universo ajeno. Este es, sin duda, el tema auténtico de la *Comedia* (y también de la *Tragicomedia*), pero la «crítica creadora» de Rojas no lo reconoce aún tan plenamente como más tarde, en el segundo monólogo de Calisto y en la segunda entrevista en el huerto. Los actos añadidos se escribieron justamente para expresar y explotar el tema; y por ese mismo motivo insertó Rojas un mes de amor entre la seducción y la muerte. Pero no hace falta que volvamos sobre ese camino ya recorrido. Procedamos a examinar la participación de Petrarca en esa última fase del arte temático, sin la cual la *Celestina* habría sido tan incompleta como el *Quijote* sin su segunda parte. ¿En qué medida y en qué forma tuvo Rojas presente el *De remediis* en 1502?

Diremos, ante todo, que la lista de Castro Guisasola registra una notable disminución de los préstamos de Petrarca en los actos añadidos. Rojas parece haber olvidado el *De remediis*, y sólo hay ocho breves frases tomadas de las demás obras latinas de Petrarca (en la *Comedia* y en sus interpolaciones hay, en cambio, unas setenta frases, algunas de ellas muy extensas) [44]. Además, ninguna de

---

[44] Rojas sigue refiriéndose a Petrarca y al *De remediis* en ciertas interpolaciones a pasajes que le interesa completar (entre otras, la que comienza «*Las riquezas no hazen rico, mas ocupado...*», del acto III). Esto hace más sorprendente la escasez de referencias a Petrarca en los actos añadidos.

esas ocho frases parece contribuir esencialmente al arte del tema; tenemos la impresión de que Rojas las ha incluído sólo para reforzar —como apoyo erudito— ciertas discusiones. En vez de posibilitar la ironía o de expresar actitudes coherentes ante la vida (como en el caso de Celestina antes de su catástrofe y en el de Pleberio después de la suya), esos fragmentos sólo parecen convenir al giro de la conversación. En otras palabras, podemos considerar que Petrarca, en cuanto «fuente» de los actos añadidos, no tiene mayor importancia cuantitativa o cualitativa que cualquier otra fuente. Si todavía está presente en el texto, ya no lo está como proveedor del tema.

Lo que ha ocurrido es que Rojas ha abandonado la doctrina estoica de la *Comedia* para lanzarse plenamente a la creación de una conciencia que se justifica a sí misma y que a la vez tiene menos esperanza de encontrar remedio que la conducta o las actitudes antiestoicas (?) [45]. Por eso ya no necesita tanto de Petrarca como antes. Por una parte concentra la lucha entre duración y dimensión en el monólogo de Calisto (con su reconocimiento de que la dimensionalidad es una función del conflicto interior) y en la última noche de los amantes. Por otra parte, llena los intersticios de esas situaciones temáticas con una intriga derivada de la comedia romana y por lo tanto más humorística que irónica. En ninguno de los dos casos necesita del anterior conjunto de lugares comunes (generalidades y particularidades complementarias). Una rápida ojeada a los lugares comunes incluídos en los actos XIV a XIX (y puede ser rápida porque son relativamente escasos) revelará hasta qué punto ha cedido la polémica vital, la intrincada alternancia sen-

---

[45] A este propósito es digno de notarse que muchas de las referencias explícitas a Petrarca se relacionan con esa meditada repetición de las etapas anteriores de la evolución temática. Así, cuando al *comienzo* del segundo monólogo Calisto afirma que «No ay hora cierta ni limitada ni avn vn solo momento...», nos hace pensar en el tiempo doctrinal del estoicismo, no el tiempo dimensional —más tremendo por ser más ajeno— que pronto habrá de reconocer. Y cuando Pleberio, citando igualmente a Petrarca, dice: «Alisa amiga, el tiempo según parece se nos va como dizen entre manos...», se concibe como ser inmóvil, como una estoica roca de conciencia en torno a la cual fluye el tiempo. Pleberio todavía no se ha dado cuenta de aquello que Calisto descubre al final de su soliloquio: que él mismo está dimensionalmente condicionado y que el «ygual curso» del tiempo lo afecta a él sin que haya posibilidad alguna de «remedio».

timental y argumentada de los puntos de vista. que constituía la contextura de la *Comedia,* ante una trama más o menos superficial que encierra escenas de máxima densidad temática.

Este cambio se hace patente también en el nuevo carácter de los preliminares. Rojas ya no se interesa, como en la Carta, por forjar una armadura doctrinal tomada de la introducción a la primera parte del *De remediis.* Para su nuevo Prólogo acude a la introducción de la segunda parte (adversa fortuna), introducción escrita probablemente después de la primera y que revela con mayor franqueza la nueva intuición de la vida en Petrarca. En esta introducción esboza Petrarca, con rápido desorden y al parecer sorprendido por su propia sensibilidad, sus desesperadas innovaciones dentro del marco del estoicismo. Aún más, parece haber sentido que esta introducción era, en cierto modo, el libro que hubiera querido escribir:

> Mas ya yo veo que he comenzado gran obra y con gran ímpetu en breve tiempo y en pequeño espacio, y que tuve para ello más corazón que fuerzas, y que ni a mí ni a otro alguno que bien quisiese hacerlo sería fácil declarar cada cosa por sí, para que se viese cómo en todas las cosas hay discordia —pues sin duda la hay y no sin gran maravilla, ahora sean grandes, ahora pequeñas (F. Madrid, fols. LXXXI-LXXXII).

Aquí es donde Rojas encontró la expresión más o menos clara del tema de lucha que había estado tanteando. Y le incorporará, con muchos cambios, eliminaciones y arreglos, a las últimas páginas introductorias escritas para la *Tragicomedia.* Fascinado como sin duda estuvo por la sugestividad de ese ensayo sobre la pugna universal, no se le pudo ocurrir que más tarde los críticos lo acusarían de plagio o exigirían un manifiesto explícito. Sólo quería explicar el cambio que había realizado en la última versión y emplear con este objeto los pasajes de Petrarca que ahora tenían mayor importancia para él. Como Petrarca en su segunda introducción, en los actos añadidos Rojas *casi* parece haberse dado cuenta de hasta qué punto había transformado la doctrina estoica en un «sentimiento trágico de la vida».

Estas son, pues, las tres fases de la contribución temática de Petrarca a la *Celestina.* En el primer acto, por debajo de esa apariencia de tesis, de didactismo vertical y de debate cómico, podemos percibir el movimiento de una nueva conciencia, de una nueva postura ante la vida que todavía no entra plenamente en el diálogo y carece aún de un arte adecuado para revelarla. Petrarca todavía no ha hecho su entrada definitiva a la obra, pero si Rojas quiere explorar más esas posibilidades de creación, no podrá prescindir de él. Por eso surge en la *Comedia* un nuevo arte, que aprovecha la doctrina y los tópicos estoicos del *De remediis*. Los esquemas de conciencia y de confrontación de la vida con la sabiduría dan lugar a una comedia «anti-estoica», más viva, más sutil y más angustiada que la comedia «anti-social» de Moliére. Es una comedia irónica de la vida consciente, una comedia que ya contiene en sí misma una intuición de la tragedia de la vida consciente, de esa misma tragedia que encontraremos de nuevo, aunque en forma muy distinta, en el *Quijote*. Por último, en los actos añadidos, en lo cuales el aspecto de tragedia queda aislado en situaciones clave, las referencias disminuyen nuevamente. Parecería como que a esta altura se interesa menos por lo que se dice en el *De remediis* que por lo que se insinúa. De ahí la adaptación temática del Prólogo.

En ninguna de estas fases puede hablarse de una «influencia». No hay que pensar que el *De remediis* afectó a la *Celestina* o irradió hacia ella su doctrina. Rojas escogió esa obra —y según T. S. Eliot, todo escritor debe escoger su tradición— para poder expresar más eficazmente su tema. Sólo esta comprensión de la tradición temática de la *Celestina* nos permite captar la relación creadora de Fernando de Rojas con su tiempo. Dicho de otro modo, Rojas crea a su siglo, da su versión original del «tema de su tiempo» asimilando las revelaciones y los supuestos del *De Remediis*.

3. La «Celestina», «Tamburlaine» y la «Fiammetta»

Si queremos colocar dentro de su tradición el tema de la *Celestina* no basta examinar el papel desempeñado por el *De remediis* en las tres frases de su elaboración. Habrá que compararla también brevemente con otras obras que participan, en forma directa o indirecta, de la misma tradición. Como Petrarca continuó y revitalizó una tradición (y no actuó como mera influencia), debe ser posible comparar significativamente los temas de los diversos escritores cuya originalidad fue estimulada por él. La influencia y la imitación son problemas cerrados, confinados a las dos obras afectadas. Por ejemplo, ningún provecho se sacaría de comparar la *Dorotea* con la *Hija de la Celestina*, de Salas Barbadillo, porque en cierto sentido al influir en ambas obras la creación de Rojas allí termina. La tradición, en cambio, es viva y posee en todo momento una pluralidad de futuros originales. Me propongo ahora dejar de lado las raíces temáticas de la *Celestina* para hablar de los elementos que rehusó: las bifurcaciones temáticas paralelas a ella.

Si aceptamos esta comparación provisional entre la tradición y una planta en crecimiento, es evidente que, en relación con el *De remediis*, la *Celestina* es el tronco temático central. En la literatura occidental no hay, que yo sepa, otra obra en que el *De remediis* desempeñe un papel tan evidente, en que su estimulante presencia deje tan poco campo a la discusión o a la negación. En cambio, mi afirmación de que Petrarca contribuyó temáticamente a las dos obras que quiero comparar con la *Celestina* —la *Fiammetta* y *Tamburlaine*— es personal y, por lo tanto, discutible. Más objeciones pueden hacerse probablemente en el caso de Marlowe que en el de Boccaccio, íntimamente ligado a su predecesor tanto por su vida como por sus ideas. En la extensa bibliografía de Marlowe hay escasas o ningunas menciones de Petrarca, y aunque Marlowe podía haber leído la traducción que Twyne hizo del *De remediis* (1579), nunca se la ha mencionado siquiera como fuente. Los aspectos de la obra de Marlowe que aquí confrontamos con el tema de la *Celestina* han sido calificados por los historiadores de la literatura inglesa como «maquiavelismo» o como el indefinible «ateísmo» de la época (aunque este último ha sido objeto de muchas discusiones) [46]. Sin embargo, la presencia real de un tema tradicional no necesariamente supone una influencia correspondiente. Puede ser que el *De remediis* llegara al *Tamburlaine* indirectamente y por rodeos (asociado quizá a Maquiavelo y a Séneca), o que los que han estudiado a Marlowe hayan pasado por alto una posibilidad de investigación, pero esto no afecta en modo algu-

---

[46] Véase R. W. Battenhouse, *Marlowe's «Tamburlaine»*, Nashville, N. C., 1941.

no a nuestra comparación de los temas[47]. La preocupación temática de Marlowe, tal como se revela en *Tamburlaine*, y la de Boccaccio en la *Fiammetta* nos permiten comprender mejor la de la *Celestina*. Y a eso nos limitaremos, puesto que no nos interesa ahora realizar un estudio de «literatura comparada».

Al abrir *Tamburlaine* en cualquiera de sus partes, el lector queda impresionado por su contextura de violencia. Lo mismo se observa en las demás obras de Marlowe y en muchas otras piezas teatrales de la era isabelina, pero en *Tamburlaine* esa violencia sobrepasa con mucho las necesidades y posibilidades dramáticas, para no decir las teatrales. Es una tragedia sin clímax, porque todo en ella es clímax; sin trama, porque todo en ella es acción. Es una obra hecha de innumerables batallas, triunfos, traiciones, suicidios y asesinatos. Pero más que nada hay batallas y una continua movilización, pugna y destrucción de ejércitos. El mundo de *Tamburlaine* consiste, pues, en continuos derramamientos de sangre y tormentos; es un mundo que no se nos presenta como un espectáculo (sería intolerable y además imposible), sino que se refleja, en un «tragic glass»: el espejo de la lengua, y aquí me refiero no sólo al violento contenido (el incesante relato de blasfemias y horrores), sino —y esto es más importante—, en la lucha violenta del inglés marlowiano por expresar lo inexpresable.

De hecho, la fuerte impresión que la obra causa al lector se debe en gran parte al hecho de que está viendo cómo las palabras y las frases pugnan por dominar el espanto, por subyugar en sangrienta guerra semántica nuevos sectores de lo absurdo. Así exclama Bayaceto, momentos antes de romperse la cabeza contra los barrotes de su jaula:

> *Then let the stony dart of senseless cold*
> *pierce through the center of my withered heart*
> *and make a passage for my loathed life*[48].

---

[47] Me tomo la libertad de proponer que ambas posibilidades pueden haberse aplicado, aunque Maquiavelo y Séneca son sin duda las constituyentes principales de la tradición temática de Marlowe. Si Marlowe leyó realmente el *De remediis* en la traducción, su segundo prólogo debe de haberlo entusiasmado tanto como a Rojas.

[48] Marlowe, *Plays*, «Everyman's», Londres, 1950, p. 54.

Esa imagen del «pétreo dardo de insensible frío» es evidentemente un intento de captar, de dominar lo indecible de la muerte con palabras. Marlowe intuye la muerte como algo inorgánico, agresivo, falto de calor vital. Sin embargo, cada una de esas palabras poéticamente acumuladas, con la esperanza no de resolver el misterio, sino de penetrar la «insensible» o «insensata» inaccesibilidad de la muerte, equivale a la confesión de un fracaso, a la confesión de que el lenguaje, por enérgico que sea, no puede hacer lo imposible. Aun acosada de ese modo, la muerte sigue siendo muerte. Pero más sorprendente que ese fracaso es la directa y destructora violencia del asalto.

Aunque los sucesos dramatizados por *Tamburlaine* son más o menos «históricos», su arte, como el de la *Celestina*, es puramente verbal. Con escasas excepciones (como la del símbolo de la corona), la violencia histórica se transforma en una expresión aún más violenta. Y Marlowe, plenamente consciente del eje que se extiende entre el exceso de acción y su poesía, comienza su prólogo como sigue:

> *From jigging veins of rhyming mother wits,*
> *and such conceits as clownage keeps in pay,*
> *we'll lead you to the etately tent of war,*
> *where you shall* hear the *Scythian Tamburlaine*
> *threatening the world with high astounding terms...*

Tamburlaine es una pieza teatral —o quizá una «novela dialogada»— en la cual la guerra se «escucha» en una forma que «asombra» por su violencia. De ahí que en esta nueva expresión de la guerra y guerra por la expresión se supriman la rima y los «conceits» (los juegos muy apreciados entonces con los sentidos y las formas tradicionales del lenguaje).

La estrecha correspondencia indicada por el mismo autor entre el estilo y el asunto nos ha de ayudar a intuir el tema. En los versos citados anuncia Marlowe claramente que propone representar la guerra, pero notamos en seguida que da a la palabra un sentido mucho más literal y restringido que el que tiene en los prólogos del *De remediis* y de la *Celestina*. A Marlowe le interesa ante todo la guerra efectuada por el guerrero Tamerlán, y no —o sólo secundariamente— la guerra de «todas las cosas». Y la simple lectura nos muestra que su contenido de la guerra se reduce más aún: al choque mismo, a esa violencia que nos impresiona desde el primer momento.

He aquí, pues, el problema: comprender y formular nuestra intuición celestinesca de la guerra como tema en una obra que la reduce a la violencia elemental. Para encontrar la solución, volvamos otra vez a la dicción (los «high astounding terms») de *Tamerlaine* y consideremos algunas de las imágenes más características. La violencia en cuanto tal parece resistirse a toda definición —es únicamente violencia—, pero una vez traducida a la poesía, al lenguaje y a la descripción poética, es posible que podamos sacar conclusiones críticas, comprender intelectualmente su feroz anatomía.

Comencemos con tres imágenes, que no tienen relación directa con la violencia de la acción. Describen, sucesivamente, una tempestad, el cabello y un número infinito:

> *In... the drops which fall*
> *when Boreas rents a thousand swelling clouds* (p. 70);

> *Their hair as white as milk and soft as down,*
> *which should be like the quills of porcupines* (p. 67);

> *In number more than are the quivering leaves*
> *of Ida's forest where your highness' hounds*
> *with open cry pursue the wounded stag* (p. 90).

En estos fragmentos comenzamos a ver esa calidad cortante, aguda, afilada que da «punturas» al estilo, que desgarra («rends»), penetra («quills») y muerde («hounds») en cada imagen. No nos extrañará, pues, que Cupido «hiera al mundo» con sus flechas, que Belona arroje «denudas espadas a las cabezas de todos nuestros enemigos», que los rivales de Tamerlán huyan de su guante «como de un escorpión», que los frenos «como navajas» puestos a los reyes cautivos «atraviesan las comisuras de sus odiosas bocas» y que se ordene a los débiles habitantes de Babilonia que «caigan a tierra y traspasen (pierce) el foso del infierno».

Hay muchos otros ejemplos más o menos claros, pero éstos bastarán para ilustrar el limitado aspecto que queremos demostrar [49]. Las tres imágenes muestran una cons-

---

[49] Muchos pasajes hablan de comer carne humana; otros dan nueva significación a ciertas imágenes heredadas, como «the horned moon». Más difíciles de clasificar que los mencionados arriba son los versos siguientes:

tante insistencia estilística en lo agudo y punzante, en una perforación de la carne o de cuerpos parecidos a la carne. Ese herir, traspasar, morder, romper, flechar, rajar, desgarrar y otros verbos siniestros son los que definen la intuición de la violencia en Marlowe. Para él la violencia es esencialmente una violación, violación del espíritu y del cuerpo. Por eso el símbolo temático fundamental de las dos partes de *Tamburlaine* no es la corona, sino la espada de Tamerlán, su punta y su «cortante filo», en el cual «reposa la muerte imperial». La guerra es una violación y Tamerlán es el mayor violador de la historia: he ahí el tema de esta obra, presente en sus dos planos principales: la acción y el lenguaje [50].

Partiendo de esta intuición del tema, parece inútil involucrarnos en las interminables discusiones de los expertos sobre las intenciones morales de Marlowe o la ausencia de ellas, la aptitud de Tamerlán para desempeñar el papel del héroe trágico o sobre si la obra es una transación entre la psicología anormal del autor y las exigencias teatrales de su público. El modo como comienza y termina el drama bipartito, cómo se agrupan los rivales en esquemas genéricos y cómo se ensamblan los actos y escenas, parece de importancia secundaria comparados con esa primacía temática de la violencia en cuanto vio-

---

Thou has procured a greater enemy
than he that darted mountains at thy head (p. 98).

Las montañas se visualizan aquí poéticamente en una sola forma: como agudos picos, capaces de convertirse metafóricamente en flechas y dardos. De manera más osada aún, los ángeles desempeñan el mismo papel que un afilado proyectil:

To see the devils mount in angels' thrones
and angels dive into the pools of hell (p. 114).

El catálogo de imágenes de Marlowe hecho por M. B. Smith clasifica las metáforas más por su contenido que por su acción o función poética, y no nos es por lo tanto de gran utilidad (Véase *Marlowe's Imagery and the Marlowe Cannon*, Philadelphia, 1940).

[50] A este respecto es interesante observar que la única vez en que se menciona la palabra «violencia» en la obra tiene el sentido más habitual de 'violación':

Injurious tyrant, wilt thou so defame
the hateful fortunes of thy victory
to exercise upon such guiltless dames
the violence of thy common soldier's lust? (p. 104).

lación, de una violencia tan purificada estéticamente que casi pierde su carácter atroz y repulsivo. Es que así es aquel mundo. Nosotros, en cuanto lectores u oyentes, nos alejamos tanto del mundo de nuestras vidas y de nuestros criterios habituales de valoración, que la trágica «compasión y el terror» y la explicación moral o psicológica pierden su sentido. Como ocurre con la *Celestina*, *Tamburlaine* se justifica a sí mismo en su arte temático de la guerra:

> *View but his picture in this tragic glass*
> *and then applaud his fortunes as you please* (p. 1).

Entre el plano de la acción y el del lenguaje hay, claro está, seres humanos; pero, como en la *Celestina*, esos seres no son personajes en el sentido habitual de la palabra. Son combatientes que a la larga son más importantes en su combate que en su personalidad, más importantes por lo que hacen y dicen *uno al otro* que por lo que son. Tamerlán, sus aliados y sus enemigos violan o son violados. No hay para ellos otra salida. Y este hecho, que en cierto sentido los hace semejantes a los personajes de la *Celestina*, revela también su diferencia fundamental. La rigurosa división entre los violadores y los violados impide que haya una integración eficaz de la conciencia de la primera y la segunda personas en una sola vida. En *Tamburlaine* los personajes víctimas se ven *forzados* a existir en segunda persona, y generalmente mueren en espíritu o en cuerpo a resultas de ellos (en el caso de Bayaceto ocurren ambas cosas). Y si la segunda persona es mortal, el vivir se confina a la primera. La vida es una explosión del ego; en el fondo estos personajes no reconocen ninguna clase de limitaciones vitales y, menos que nada, el punto de vista de los demás. Los reyes cautivos continúan insultando a Tamerlán, sin tener en cuenta sus represalias, y la única manera de hacerlos callar es violarlos definitivamente poniéndoles frenos en la boca. Así, a pesar de que todo aquello que se hace o se siente en *Tamburlaine* encuentra inmediata expresión en la lengua, no hay un diálogo como el de la *Celestina*. La acción, el pensamiento y la palabra se unen en el ego y en su esfuerzo por violar otros egos; pero no es posible la argumentación razonable ni la comunicación, puesto que la segunda persona no tiene una existencia positiva. Lo que queda es un monólogo de violencia poética que se basta a sí mismo o, en todo caso, un intercambio de insultos y de blasfemias.

Este negarse a admitir las limitaciones de yo o aun la existencia independiente del yo de los demás (los hijos de Tamerlán sólo pueden vivir en cuanto proyecciones del padre) impide la pugna interna de la razón y del sentimiento que tal importancia temática tiene para Rojas. La razón se ha reducido a un mero sirviente de la voluntad, que nunca llega a tener el impertinente privilegio de proponer restricciones o imposibilidades. Y la voluntad, dueña absoluta de la situación, rara vez llega a tener conciencia sentimental o a descubrir valores; se consagra plenamente a su expresión ciegamente apasionada y a la violación de los demás. La pasión se ha convertido en expresión de la voluntad. Es decir, que aunque en *Tamburlaine*, como en la *Celestina*, el tema de la guerra presenta los hombres en términos de su puro vivir e impide que la caracterización se efectúe en la tercera persona, la visión particular que Marlowe tiene de la guerra elimina también la segunda persona, que deja de participar en la vida. A resultas de ello no sólo desaparece el diálogo auténtico, sino que la persona univalente se subordina a su propio lenguaje y a sus atroces actividades [51].

[51] Muchos de estos rasgos —violencia, pasión, monólogos en que el yo se expresa plenamente— parecen proceder directamente de las tragedias no representables de Séneca. Pero hay entre Marlowe y Séneca una diferencia fundamental: para Séneca todo se subordina al efecto estilístico, al estilo considerado en sí mismo como un valor, mientras que para Marlowe lo principal es la intuición temática. Muchos estudiosos de Marlowe dirán que esta interpretación de *Tamburlaine* es una exageración francamente caricaturesca. Es cierto que la relación entre Tamerlán y su mujer, Zenocrate, es totalmente opuesta —yo diría que presenta un contrapunto deliberado— a las vidas y relaciones arriba descrita. Pero si Tamerlán y Zenocrate parecen acentuar la violencia temática del conjunto por la misma ternura que se manifiestan, es evidente también que constituyen una pareja un tanto inexplicable e incongruente. Lo mismo cabe decir del amor de Theridamas por Olympia, aunque aquél no está muy lejos de sentir el deseo de violar a ésta. Finalmente, los críticos podrán aducir caracterizaciones tan evidentes como la del gobernador de Babilonia, la del débil, la del cobarde y sensual hijo Calyphas y otros. Pero todos estos personajes —colocados en contrapunto estructural en torno a la figura de Tamerlán— parecen necios y ridículos en su oposición contra él. Su incapacidad de predecir los resultados de la pugna entre sus personalidades y el ego de Tamerlán revela que carecen de la más elemental facultad de deducción. Podríamos aplicar a la inversa la aguda generalización formulada por Al-

Pero, ¿cómo es el universo en que viven Tamerlán y los demás personajes y en que practican su mutua violación? Sí, como en el caso de la *Celestina*, lo examinamos como una circunstancia temática, notaremos que en las dos partes de *Tamburlaine* hay frecuentes alusiones al tiempo, al espacio, a la fortuna y a la muerte, pero que sólo esta última tiene eficacia de tema. En contraste con su *Fausto*, Marlowe aquí no considera el tiempo como una fuerza capaz de retribución. Nos encontramos en medio de la acción en cuanto atrocidad, esto es, en cuanto atrozmente presente y sin pasado ni futuro. Es imposible abstraer de la violencia autónoma esas secuencias causales o valorativas que nos hacen sentir el tiempo, tan difícil que a ninguna de las víctimas se le ocurre amenazar a Tamerlán, con lo que habrá de ocurrirle «algún día». Estamos en el tiempo de los niños, un «no-tiempo», incapaz de condicionar el instante vivo de la violencia. En este sentido Elicia sería quien se acerca más a los habitantes de *Tamburlaine* por su combinación de violencia verbal y su desprecio del tiempo.

En cuanto al espacio, también se alude a él frecuentemente, pero por lo común con referencias geográficas más que vitales. Me refiero a todos los toponímicos exóticos que tanto contribuyen al efecto «asombroso» del lenguaje. Es el espacio del mapa (Marlowe lo introduce en varias ocasiones), un espacio que Tamerlán puede dominar o violar a su albedrío y que es incapaz de limitarlo o de darle una perspectiva [52]. A menudo Tamerlán parece jugar con el mundo entero, con el desenfado de un Chaplin en *El gran dictador*. También en sentido vertical prevalece la misma situación. La altura, que se extiende retóricamente desde el cielo hasta el infierno, es una invitación a la conquista definitiva, no una dimensión peligro-

fonso Reyes de que en la Edad Media el «ego» autobiográfico es en sí mismo necio y ridículo. En este mundo temático de la violación, lo que pierde no es el «ego», sino el «ille».

[52] Después de escrito esto, ha llegado a mi noticia la obra de E. Seaton, «Marlowe's Map» *(Essays and Studies,* 1924), que demuestra el empleo de un mapa en la composición de Tamburlaine. Como Tamerlán, Marlowe parece haberse sentido estimulado por los mapas. Ambos veían en ellos mucho más que meras guías para la localización geográfica; eran más bien metáforas del poder mundano, ya del poético ya del militar. Al leer *Tamburlaine* tenemos la impresión de que el mapa es parte del proceso creador y de que Tamerlán vive y lucha en un mapa, un mapa que se ha convertido en poesía.

sa. No hay en la obra el vértigo implícito en la *Celestina*, y, por supuesto, no hay el peligro de la caída. Sin embargo, a pesar de que las dimensiones no tengan sentido temático positivo, Marlowe no vuelve a defender la supremacía medieval de la fortuna. En cuanto diosa, la fortuna es continuamente violada por Tamerlán, y a tal grado, que su impotencia casi puede considerarse como una tesis. Marlowe sostiene hasta el final la actitud expresada en el siguiente alarde del primer acto:

> *I hold the Fates bound fast in iron chains,*
> *and with my hand turn Fortune's wheel about;*
> *and sooner shall the sun fall from its sphere*
> *than Tamburlaine be slain of overcome* (p. 11).

Con estas palabras, Marlowe deja tan atrás la preocupación de Chaucer por la fortuna como la dejó Rojas. Como la violencia se basa en la fuerza y como Tamerlán es —por definición temática— el representante máximo de la fuerza violenta, él está más allá de una retribución trascendental. La fortuna no se ha convertido en otra cosa; Marlowe hace que la vida misma en la primera persona la conquiste.

Es decir, que de todos los grandes tópicos de la ascética medieval, la muerte es ya única capaz de condicionar la vida. El «pétreo dardo de insensible frío» de Bayaceto es la violación definitiva, a la cual está sujeto el mismo Tamerlán. Pero la muerte no es aquí ni castigo ni recompensa, porque Marlowe (como Rojas y aun Petrarca, a sabiendas o inconscientemente) ha hecho caso omiso del orden medieval de la Edad Media [53]. La muerte es un fenómeno sin sentido, y este hecho le confiere una función temática que, como vimos, no tiene en la *Celestina*. Como en *Tamburlaine* la vida sólo se dedica a la violación, su único fruto es la muerte ajena y la aniquilación de todos los valores. O sea, aquí la vida necesita temáticamente de la muerte justamente por ser asesina. En la *Celestina* ya

---

[53] Como lo muestra el episodio de Sigismundo, Marlowe tiene cuidado de no meterse con el cristianismo. De ahí que la única creencia que se opone a Tamerlán —y que él desafía con éxito en muchas ocasiones— sea el mahometismo. Con esto se satisfacía convenientemente la necesidad temática de oponer la irresistible fuerza del ego contra una providencia inepta. Recordemos que se trata de una función del tema, que no está en necesaria relación con el ateísmo —o no ateísmo— personal de Marlowe.

hemos visto que la muerte es la terminación intranscendental de un complejo proceso de lucha interna y externa, una lucha en que entran como enemigos las dimensiones y los valores, la razón y el sentimiento. Pero como en el *Tamburlaine* se descartan esos contrincantes en favor del choque de un ego contra otro, la muerte llega a desempeñar el papel limitador de las dimensiones y hasta de la razón. Como la vida se limita a la primera persona, la muerte *es* la segunda persona, y, literalmente, cuando una persona se dirige a otra, la mata. Aunque la vida tenga escaso significado dentro del mundo de la *Celestina* (recordemos otra vez el «planctus» de Pleberio), Rojas *sí* se interesa por su continuo esfuerzo por encontrar un significado. Y lo más espantoso del tema de Marlowe es que no queda siquiera ese consuelo. *Tamburlaine* parece basarse en la siniestra idea de que la vida y la muerte no son, en último término, sino dos formas gemelas del absurdo, de la falta de sentido [54].

Vemos, pues, que tanto Marlowe como Rojas dejan atrás la preocupación medieval por el hombre y por su salvación y la sustituyen por una visión dinámica de la vida humana en cuanto lucha. Pero a eso se limita la semejanza. Rojas presenta la lucha como el proceso de la conciencia, como un proceso dialógico que incluye el sentimiento y la razón, lo mismo que los aspectos subjetivos y objetivos de la condición humana. No define la lucha como choque externo ni como indecisión interna, sino que integra ambas cosas en el discurso. Como hemos visto, cada palabra y cada frase puede expresar al mismo tiempo los sentimientos más íntimos del yo y un extenso conjunto de actitudes argumentativas —desde la adulación hasta la violencia— ante los demás personajes. De ahí que en la *Celestina* la conciencia, el diálogo y el «litigio» sean en esencia la misma cosa. El proceso de la conciencia es por definición «contienda y batalla», y el diálogo (que por definición se funde con la primera y segunda personas) es su única expresión.

Marlowe, por su parte, sólo concibe la lucha desde fuera, como choque incesante de ejércitos y de individuos.

---

[54] Por eso al final se dice que la muerte es un esclavo rebelde de Tamerlán. La muerte logra lo que en ningún hombre había podido lograr: convertirlo de un yo en un tú y luego violarlo con su «dardo» asesino. En el delirio de Tamerlán, la muerte se personifica, pero en forma muy distinta del emblema medieval.

No puede decirse, pues, que la guerra humana sea para él un «proceso». Es una serie de casos aislados de violación, cada uno de los cuales supone un momento único de conciencia en la víctima, de consciente reconocimiento de la muerte. Marlowe no puede hacer un esfuerzo por explorar la viva continuidad de la conciencia que caracteriza la lucha en la *Celestina*. Al subrayar temáticamente la violencia en cuanto tal, Marlowe reduce la vida interna a un monolito de pasión egoísta, esto es, a la bárbara determinación del guerrero de ganar y de expresarse a sí mismo a expensas del enemigo. La vida se ha limitado a su propia y explosiva exteriorización, a la violación de otras vidas, y si, a resultas de ello, sobrepasa los riesgos del tiempo y del espacio, tiene que renunciar también a su aspecto de «proceso». Tamerlán vive en un presente eterno, aunque instantáneo, y en un espacio que es a la vez el universo y la punta de una espada. Por eso se desentiende de esas continuidades de duración y dimensión que constituyen los grandes mojones temáticos de la *Celestina* [55].

Si consideramos ahora la *Fiammetta*, recordaremos que Castro Guisasola propone que influyó en la *Celestina* como antecedente más probable del suicidio de Melibea que el *Hero y Leandro*. En el capítulo VI Fiammetta describe su intento de matarse saltando de la azotea de su casa, y aunque sus motivos para decidirse por ese tipo de muerte son peculiares [56], hay paralelismos evidentes y

---

[55] En su artículo «The *Iliad* or the poem of force» *(Politics,* 1945) Simone Weil hubiera podido tomar de punto de partida el *Tamburlaine*. Si en la *Ilíada* la violencia y la fuerza, con su inevitable deshumanización del agresor y de la víctima, son sólo un aspecto de su consideración del heroísmo, en *Tamburlaine*, como hemos visto, la guerra se limita a este único aspecto. Homero cava hondo en la reacción viva de sus héroes ante lo absurdo del ambiente belicoso que los rodea, mientras que Marlowe, siguiendo una táctica opuesta, elimina la busca heroica del significado. *Sólo* subraya la violencia exterior de la guerra. A Tamerlán se aplican mejor que a Aquiles las palabras: «The conquering soldier is like a scourge of nature. Possessed by war, he, like the slave, becomes a thing — over him words are as powerless as over matter itself».

[56] Esos motivos suponen una deliberada asociación entre la caída desde la fortuna y la caída espacial (análogos a los de la *Celestina):* «Ma oltre a tutti modi m'occorse di perdici la morte, caduto dell'altissima arce cretense, e questo solo modo mi piacque di seguitare per infallibile morte e vota d'ogni infamia, fra me dicendo: io dell'alte parti della casa gitandomi, il corpo rotto in cento parti, pero tutti e cento rendera l'infe-

detallados. Entre ellos está no sólo el lugar escogido para el salto al vacío —una azotea—, sino también el hecho de que Fiammetta engañara a la nodriza del mismo modo que Melibea a Pleberio. Pero más importante que la posibilidad de una influencia es para nosotros la existencia de una tradición temática común a Boccaccio y a Rojas. Como siempre, Fiammetta se está analizando a sí misma, examinando los sentimientos que provocan su decisión de suicidarse:

> Poi gli occhi rivolti per la camera, la quale mai piu non sperava vedere, presa da dolore subito, il cielo perdei ...e *in me fierissima battaglia* sentiva tra' paurosi spiriti e l'adirata anima, i quali lei volenti fuggire a forza teneano, ma pure l'anima vincendo, e da me la fredda paura cacciando, tutta di focoso dolore m'accese, e riebbi le forze (p. 159).

Por supuesto, no debemos concluir que el tema de la *Fiammetta* es la «bataglia» en el sentido en que lo es en *Tamburlaine*. Evidentemente estamos nuevamente en presencia de un caso de amor y de fortuna, transformados de manera análoga que en la *Celestina*. Pero la intuición del amor que tiene Boccaccio en esta novela es muy peculiar. Considera el amor como algo irremediablemente confinado dentro del alma en una continuidad de indecisiones y batallas íntimas. Toda la trama narrativa de la *Fiammetta* y, aún más, su actitud misma ante el problema del intercambio de ideas y sentimientos, supone una constante contienda intelectual con el curso inexplicable e irracional del amor. Y mientras esto ocurre, hay una contracorriente de «sentimentalización» que se manifiesta en esperanzas, penas y temores eróticos respecto de las conclusiones propuestas por la razón. Fiammetta vive en un doble misterio: ¿cuál es la fuerza interna que la tiene subyugada y cuáles son los hechos de su situación externa (las intenciones de su amado, etc.)? Y como ninguno de estos misterios puede resolverse sin que resuelva antes el otro, Fiammetta no llega nunca a la satisfacción sentimental o a la serenidad racional. La lucha no tiene fin, y su única expresión posible son las «infinite lagrime». Si Marlowe subraya temáticamente la guerra externa

---

lice anima maculata e rotta a tristi Iddii, ne fia chi quinci pensi crudelta o furore in me stato di morte, anzi a fortunoso caso imputandolo, spandendo pietose lagrime per me, la fortuna maladiranno (G. Boccaccio, *Opere volgari*, vol. VI, Florencia, 1829, p. 155).

de la vida, el choque de un cuerpo armado contra otro, Boccaccio intuye una lucha interna, el conflicto silencioso pero no por eso menos tremendo de un espíritu en lucha contra sí mismo.

Esta íntima pugna temática entre el sentimiento y la razón nos hace pensar nuevamente en esos ensayos del *De remediis (De discordia anima* y *De ambiguo statu)* que describen la discordancia interna como la guerra más perniciosa de todas (y que parecen haber intervenido en el monólogo de indecisión de Calisto). De acuerdo con el estoicismo más ortodoxo de Petrarca, Fiammetta, al entregarse al amor, se ha expuesto a la fortuna, a una fortuna interior con su cortejo de interlocutores: el gozo, la esperanza, la pena y el temor. En una forma muy semejante a la de Rojas, Boccaccio parte de la doctrina moral de Petrarca, y encuentra su tema en la alianza del amor y la fortuna contra la serenidad racional. Boccaccio ya se había enfrentado a ese tema en el *Filostrato*, pero en ese poema la fortuna conservaba aún algo de su exterioridad y de su personificación medievales [57]. En la *Fiammetta*, en cambio, la narración en prosa encarna el punto de vista único de un «alma vacilante», de una conciencia que ha perdido su armadura defensiva de tal modo que la fortuna logra una victoria total sobre ella. Ha desaparecido la acción y la culminación externas (en cada uno de los libros no hay más que uno o dos acontecimientos); el diálogo se ha reducido drásticamente (pues las demás personas sólo existen en la mente de Fiammetta) [58]; y todo se narra tan exclusivamente en la primera persona que hasta los contornos del mundo se desvanecen en la nada (o en todo caso permanecen en un vago ambiente pastoril, como en el capítulo V). En cuanto lectores, nosotros, como la fortuna, hemos penetrado en el espíritu de Fiammetta con su compleja red

[57] El *Filostrato* se considera comúnmente como una obra temprana; este hecho podría explicar la diferencia de tema. Sin embargo, la clásica comparación del *Filostrato* con el *Troilus* de Chaucer revela que Boccaccio insiste relativamente poco en la fortuna externa. Evidentemente su evolución temática hacia la *Fiammetta* había comenzado desde entonces, y podemos suponer que Petrarca contribuyó a la expresión definitiva de ese tema en forma muy análoga a como ocurrió en la *Celestina*.

[58] Es interesante notar que la nodriza, que encarna la razón de *Fiammetta,* contribuye mucho más al escaso diálogo que el marido y el amado.

de razón y sinrazón. Hemos penetrado a través de la amplia brecha abierta por el tema petrarquista.

Por su misma forma autobiográfica, es evidente que el yo de Fiammetta vive en una forma diametralmente opuesta al yo de Tamerlán. Ella no somete el mundo a sus deseos, sino que, por lo contrario, está sujeta a él. Dice. «Yo siento esto» o «Yo hice tal cosa», pero vive exclusivamente en la segunda persona de su extrema femineidad tanto como el tirano vive en la agresiva primera persona de su masculineidad. El yo de Fiammetta está expuesto e inerme, está totalmente «sujeto», y así absorbe dentro de la intensidad de su experiencia las vidas, las palabras y las acciones de cuantos la rodean. La pugna interna de Boccaccio —radicalmente opuesta a la de Marlowe— se expresa en la figura de una mujer que está sujeta al amor, no como una polilla que busca la luz de la vela, sino como una luciérnaga encadenada a la luz que lleva dentro:

> Ecco adunque, o donne, che per gli antichi inganni della fortuna io sono misera; e oltre a questo essa, non altrimenti che come la lucerna vicina al suo spegnersi suole alcuna vampa piena di luce maggiore che l'usato gittare, ha fatto: perocché dandomi in apparenza alcuno refrigerio, me poi nelle separate lagrime ritornante ha miserissima fatta (p. 198).

Aquí se nota la profunda diferencia que existe entre el amor de Fiammetta y el de Melibea y también el diferente aprovechamiento temático de Petrarca. A la Fiammetta que puede escribir esas líneas no la afecta mayormente el deleite físico del amor, la conciencia sensual del «gozo» que tan importante es en la *Celestina*. Aun en los breves momentos de satisfacción erótica, Fiammetta está más «herida de amor» que físicamente excitada, y ahora comenzamos a comprender por qué. Desde el punto de vista temático, Fiammetta no tiene cuerpo, esto es, su cuerpo sólo existe para ella (y para el lector en la medida en que se refleja en su «vacilante alma»). Fiammetta puede contemplar su cuerpo y su rostro en el espejo y tratar de precisar los atractivos que tiene para su amante (a Melibea, mujer «de carne y hueso», no se le ocurriría otro tanto), pero al hacerlo absorbe mentalmente su imagen y la convierte en otro elemento más de un mundo interior [59].

---

[59] La ausencia del «gozo» o «deleite», tal como los conocemos

Así como la heroína asimila en su mente el ámbito de su carne, la «novela» está construída sin la presencia temática del tiempo, del espacio y de los valores descubiertos en el mundo exterior. Como es natural, la razón de Fiammetta introduce las dimensiones ajenas a su indecisión interna, pero una vez allá, aunque pueden seguir siendo ajenas, pierden su dimensionalidad. Como la «deleytosa visión de los nauíos» de Melibea, las dimensiones son irreales, salvo cuando se funden con un estado de ánimo. En su conocida «esclamazione alla luna», en vez de darse cuenta del carácter irrevocable del tiempo sideral, Fiammetta se limita a asimilar las fases de la luna al panorama de su desesperación; las personaliza incorporándolas a sí misma. En cuanto a la idea de suicidarse arrojándose al espacio, es significativo que, aunque Fiammetta es capaz de concebirla como solución, es temáticamente incapaz de cometerla. Hacerlo constituiría una verdadera acción, una decisión definitiva.

Lo que puede decirse de las dimensiones se aplica también —paradójicamente— a la duración. Como la *Fiammetta* es una novela totalmente subjetiva y por lo tanto un remoto antecedente de *A la recherche du temps perdu*, es cierto que presenta un tipo de tiempo y de espacio internos. Pero se trata de una duración enteramente subjetiva, una duración que sustituye la experiencia de la realidad por emociones estériles y por pasiones inexplicables. En este caso no parece muy adecuada la palabra duración, que en la *Celestina* sí tiene sentido, por su conflicto (a veces vencida, a veces vencedora) con la cronología. Sería quizá más exacto decir que el ámbito subjetivo de Fiammetta es infinito y eterno en su sufrimiento. En otras palabras, el amor de Fiammetta, a diferencia del de Melibea, no puede desembocar en la coincidencia sentimental. Ella no tiene un mundo —ni siquiera un amado que exista como persona independiente— en el cual pueda descubrir valores y de dentro del cual pueda dirigir su vida.

---

en la *Celestina*, queda patente en este pasaje: «Certo se io dicessi che questa fosse la cagione per la quale io l'amassi, io confesserei che ogni volta che ció nella memoria mi tornasse mi fosse dolore e niuno altro simile; ma in ció mi sia Iddio testimonio, che cotale accidente fu ed è cagione menomissima dell'amore che io gli porto...» (p. 32). Fiammetta comienza con hacer el amor físico, y su novela continúa mucho tiempo después de que esa actividad ha terminado. No hay en ella nada análogo al lento crecimiento hacia el ardor de Melibea.

En la *Fiammetta* no hay, pues, un encuentro temático de vidas humanas en el diálogo, ni un choque entre la duración y las dimensiones en la vida humana. No hay perspectiva ni reparto de personajes, ni hay tampoco una conciencia agudizada y aclarada por el deseo y por los impedimentos a su realización. Boccaccio presenta una vida humana única rodeada de un misterio impenetrable y consciente de sí misma sólo con un falseamiento sentimental y una mentirosa racionalización. Juzgada según el tema de la *Celestina*, Fiammetta ha quedado prisionera en la segunda persona y por lo tanto aislada del mundo. Refugiada en su propia memoria, Fiammetta siente su yo como un mero recuerdo de haber sido y no como un instrumento para encontrar los hechos o los valores que podrían dar sentido a sus lágrimas [60].

Concluyendo, esta comparación de la *Celestina* con *Tamburlaine* y con la *Fiammetta* revela la cualidad del arte del tema en Rojas. Las tres obras tienen algo en común: de acuerdo con la tradición petrarquista (en la cual incluímos, además de Petrarca, a Maquiavelo y a Séneca), sustituyen el dialectismo vertical y su visión estática del hombre por el dinamismo de la vida humana y su interminable lucha. Pero cada uno de los tres temas se aparta de ese punto de partida común y sigue distintos

[60] A este propósito vale la pena notar que el préstamo más importante de la Fiammetta en la *Celestina* (aparte las circunstancias del suicidio de Melibea) aparece en el incierto momento en que Melibea, después de haber dado su consentimiento para ver a Calisto, está esperándolo en el huerto. En este punto Calisto (como el Panfilo de *Fiammetta)* es aún una ficción de su imaginación, una creación del deseo, más que una persona a la cual ella ama: «Mas, cuytada, pienso muchas cosas que desde su casa acá le podrían acaecer. *¿Quién sabe si él, con voluntad de venir al prometido plazo en la forma que los tales mancebos a las tales horas suelen andar, fué topado de los alguaziles noturnos e sin le conocer le han acometido...? ¿O se ha caydo en alguna calçada o hoyo donde algún daño le viniesse? Mas. ¡O mezquina de mí! ¿Qué son estos inconuenientes que el concebido amor me pone delante e los atribulados ymaginamientos me acarrean?»* (Aucto XIV; vol. II, p. 115). Ese caerse «en alguna calçada o hoyo» es el peligro temático peculiar de Rojas, y él lo insertó por su propia cuenta. Pero las dos últimas frases, en que el espíritu siente su propio aislamiento respecto de un amor que aún no se ha vivido (en la *Fiammetta* la experiencia ya ha pasado desde hace mucho) están tomadas casi al pie de la letra de la traducción salmantina de 1496. Más adelante, Melibea, segura ya desde dentro de su amor, olvida la futilidad de los temores imaginarios, y la *Fiammetta* deja de ser una fuente.

caminos de preocupación. Volvamos sobre los dos últimos. Marlowe ve la lucha por la vida como cosa externa, como la contienda del cuerpo y del ego exaltado para lograr una victoria elemental, la violación y el aniquilamiento del enemigo. Por eso *Tamburlaine* es todo acción y monólogo dramático en «términos altamente asombrosos». No hay en la obra limitación de la vida, no hay tiempo, ni espacio ni razón alguna que fuerce a los personajes a precaverse; y no hay fortuna, salvo la violación definitiva de la muerte. Dicho de otro modo, como las vidas carecen de aspiraciones y de vocación, si no es la conquista y el asesinato de otras vidas, este mismo hecho se convierte, irónicamente, en su sola limitación.

Boccaccio, por su parte, sigue el camino opuesto. Para él la pugna vital es interna y espiritual, es una lucha sin posible victoria, puesto que su heroína está irremediablemente condenada a la segunda persona por su incapacidad de decidir entre la razón y la pasión. En la *Fiammetta* prácticamente no hay acción ni una verdadera culminación, porque todo es limitación, todo un laberinto de imposibilidades. En vez del «presente» de la violación, hay una narración intemporal, en que el pasado no difiere del presente ni éste del futuro. No puede ocurrir ningún cambio, si no es un enredarse más y de manera más desesperada en los lazos internos de la razón y de la pasión [61].

---

[61] Fiammetta nos dice al comienzo mismo de su relato: «Io avanti non vinta da alcuno piacere giammai, tentata de molti, ultimamente vinta da uno, e arsi e ardo, servai e servo piu che altra facesse giammai nel preso fuoco» (p. 13). Esta incapacidad de cambiar corresponde plenamente a la versión temática de la guerra en Boccaccio. Como el tiempo eliminado por la fuerza del amor, esta frase sirve de introducción a toda la obra.

Después de haber escrito estas páginas, he leído el estudio de Harry Levin sobre Marlowe, *The Overreacher* (Cambridge, Mass., 1954). Allí encontré el siguiente comentario, que con brillantez y autoridad llega a modificar mi versión del tema:

> Driven by an impetus toward infinity and faced with the limitation of the stage, the basic convention of the Marlovian drama is to take the word for the deed. Words are weapons; conflict perforce is invective, verbal rather than physical aggression; through musters and parleys, wars of nerves are fought out by exchanging boasts and parrying insults... Dialogue does not flow in Tamburlaine; characters converse in formal monologues, accumulating to rhetorical lengths; the text consists mainly of set pieces or purple passages, rather loosely strung together by short bits of awkward verse and functional prose... Marlowe

300

Esto, a su vez, provoca la desaparición de todas las dimensiones no porque el yo triunfante del guerrero implacable les ha despojado de su poder de condicionar su vida, sino porque son absorbidas por el sujeto, porque no pueden afectar a una vida ocupada exclusivamente consigo misma.

Tanto *Tamburlaine* como la *Fiammetta* son plenamente temáticos en su arte. En ambas obras los diversos niveles de la creación —estilo, personajes y estructura— confluyen en un todo orgánico, pero al mismo tiempo, ambos falsean la vida humana que retratan. Cada una es tan consecuente con el tipo de conflicto vital que refleja, con su propia versión del tema, que en cierta medida son tangenciales a la vida del lector. Se trata de algo más que de una mera cuestión de verosimilitud o exageración. La objeción de que nunca hubo un tirano tan tiránico como Tamerlán ni una enamorada tan infeliz como Fiammetta no dice nada. Precisamente porque tanto Marlowe como Boccaccio se proponen tratar la vida humana sólo como cosa viva y en acción, cada uno de ellos tiene que enfrentarse con el simple hecho de que tiene un lector o un público activamente ocupado en el mismo proceso. No es que lo que nos cuentan sea increíble, sino que sus visiones temáticas de la vida son incompletas. En cada caso nos damos cuenta, desde dentro de nuestra propia vida, de que falta algo, de que el autor ha pasado por alto elementos esenciales de experiencia personal. Tamerlán, en cuanto tirano legendario, puede actuar de acuerdo con su tradición, sin que nadie pueda censurárselo. Pero si —temáticamente— afirma su existencia ante todo como un hombre que está vivo, comenzamos a percibir su pobreza vital, la unilateralidad de su experiencia, comparada con la nuestra.

Rojas, por supuesto, evita este peligro, y con tan evidente facilidad que, sin haber meditado sobre los temas

---

contrives his own sound effects, manipulating a language which is not simply a means of communication but a substitute for representation. Magniloquence does duty for magnificence. Hence the hero is a consummate rhetorician and, conversely weakness is represented as speechlessness.

Para apoyar esta interpretación, Levin cita imágenes parecidas a las analizadas arriba: por ejemplo, «thy words are swords,» «piercing instruments of sight,» «perswade at a sodaine pinch,» etcétera.

de *Tamburlaine* y de la *Fiammetta,* no nos habríamos podido dar cuenta de que ese peligro existe. No hay que considerar como cosa natural la integración de la pugna externa con la interna en la *Celestina,* su constante equilibrio de la primera y la segunda personas en el diálogo vivo, su preocupación simultánea por la duración y la dimensión (la «invención» artística del tiempo, del espacio y de la experiencia), su bien meditado ritmo de los acontecimientos y de las reacciones que despiertan, su afortunada coyuntura de la distancia irónica con la comprensión humana. Todos estos logros convierten a la *Celestina* en una obra maestra del arte temático dentro de la literatura europea. Al concentrar su atención en la conciencia hablada, no como vocero de la hazaña momentánea ni como relator de la emoción pasada, sino como un eje vivo entre el mundo y el yo, Rojas crea un panorama completo de la experiencia. En la *Celestina* —y en esto difiere fundamentalmente de *Tamburlaine* y de la *Fiammetta*— la conciencia es el centro mismo de la vida humana, es un terreno en el cual todas las fuerzas de la lucha vital realizan su reconocimiento, sus escaramuzas, sus batallas y sus campañas.

Sería por lo tanto inexacto decir que Rojas encuentra el justo medio entre los extremos temáticos de Boccaccio y de Marlowe, o comparar las tres posturas con una tesis, una antítesis y una síntesis. Desde su distancia artística, desde su perspectiva personal, Rojas integra esos extremos en su propia y plena creación de la vida. O, sustituyendo el verbo «integrar» por el adjetivo empleado por Américo Castro, podemos decir que en la plenitud de su conciencia creada, Celestina representa una virtud muy española: la totalidad «integral» de su propia existencia.

CAPITULO VII

EL ARTE DEL GENERO

En cierto sentido, este último capítulo será una conclusión, la reunión final de los diversos aspectos del arte de Rojas que nos han ocupado. Comenzaré por eso con una breve meditación sobre lo que yo creo ser el sentido de estos ensayos. A este propósito tendremos que concentrarnos ante todo en la idea de la originalidad, que tanto subraya María Rosa Lida de Malkiel.

Desde el punto de vista artístico, la *Celestina* es algo más que «original» en el sentido romántico de la palabra; es algo más que una espléndida desviación de las teorías dramáticas de Aristóteles o de los neo-aristotélicos del Renacimiento. En cuanto obra literaria es una creación única y hasta monstruosa. Nunca se escribió nada parecido, y casi me atrevería a decir, desafiando a Nietzsche, que nunca podrá volver a escribirse nada así. Es evidente que en cada nivel del arte la relación existente entre el escritor y la palabra escrita es extrañamente distinta de las relaciones que desde siempre han sido considerados (y no sólo por los preceptistas sino por el público de todas las épocas modernas) como típicas de la novela, de la lírica de la épica, de la tragedia o de la comedia. En otras palabras, por la fuerza misma de su originalidad, la *Celestina* carece de género. Ahora bien, al decir esto, no quiero dar a entender que la creación de Fernando de Rojas es amorfa, o que, por su propio arquetipo, carece de valor. Tales conclusiones presupondrían definiciones del género distintas de las que nos proponemos dar aquí. Para nuestro objeto, el género no es forma ni receta. Es una manera de comprender la relación creadora que liga al autor con su obra [1]. Como Rojas parece haber reconocido tácitamente cuando en 1502 adoptó el término híbrido y monstruoso de «tragicomedia», la *Celestina*, obra artísticamente única, carece necesariamente de género. Es un monstruo «agenérico» en el mismo sentido en que Lope de Vega fue un «monstruo», según Cervantes.

La condición fundamental de esa cualidad «agenérica» es la entrega sin reservas al diálogo. En cada uno de los cinco ensayos precedentes hemos visto la importancia fundamental del diálogo, rasgo distintivo de la obra; hemos visto en el estilo, en la creación de los personajes de una situación a la otra, en la estructura y, finalmente, cuando comparamos la obra con los «monólogos» de *Tamburlaine* y de la *Fiammetta*, en el tema. Es prodigioso, pero no menos cierto, que la visión «dialógica» de la vida está en total acuerdo orgánico con los medios de expresión de Rojas. Creó una guerra de palabras, que supone no sólo un intercambio entre los personajes, sino, más aún, su debate ejemplar y vital con un universo ajeno. Desde los detalles al parecer más insignificantes del estilo hasta los niveles más profundos de la visión y de la intención, el diálogo es lo esencial. Es la matriz definitiva de la creación. A resultas de esta conclusión, me encuentro en una posición casi diametral respecto de quienes quieren clasificar genéricamente la *Celestina* como una «novela dialogada». A mi ver, la obra carece de género justamente por ser «dialógica» en una forma tan profunda y única.

Si hablo de esta cuestión de una manera tan personal es, no sólo por mi asombro ante la profundidad «agenérica» de la *Celestina*, sino también porque en un ensayo anterior hice un esfuerzo por aislar los elementos dramáticos de los novelísticos dentro de la trama del diálogo, y [2] el lector querrá quizá llamarme a cuentas. No es que yo haya cambiado de ideas, sino que mi enfoque del proble-

---

[1] Como la crítica moderna parece reconocer, esta definición del género se refiere, en último término, a la relación del autor y de la obra con el lector. El género es un aspecto del arte de un autor, pero lo supera necesariamente, puesto que incluye la vida histórica de la obra. Si en el caso de la *Celestina* no subrayo este aspecto es porque, a pesar de su espléndido arte, y de su historia en cuanto obra maestra, su relación con muchas generaciones de lectores ha sido a menudo insatisfactoria.

[2] «El tiempo y el género literario en la Celestina», *Revista de Filología Hispánica*, VII (1945).

ma se ha desplazado radicalmente. Si antes tendía yo a considerar el género como una cualidad o condición de la obra creada, ahora he llegado a la conclusión de que es una cualidad o condición del proceso creador, del arte de Fernando de Rojas. Dicho de otro modo, desde el punto de vista de la novela y del teatro, considerados como formas existentes, la *Celestina* sí parece combinar elementos de ambos. Pero desde el punto de vista del arte, su carácter único no es ya resultado de un cruce. Es el resultado necesario de una visión creadora que se basta a sí misma y que busca conscientemente su propia expresión. Si mi esfuerzo por hacer resaltar aquello que Herder habría llamado la «unidad orgánica» de la obra maestra, ha sido afortunado, esto mismo constituirá una negación del hibridismo genérico que yo y tantos otros hemos aseverado.

En realidad muchas de las observaciones hechas en el curso de estos ensayos han allanado el camino para tal conclusión. A estas alturas ya no nos sorprenderá mucho oír que la *Celestina* está radicalmente alejada tanto de la novela como del teatro. En el Capítulo II vimos, por ejemplo, que el decoro del lenguaje, tal como lo aplicó Rojas, era muy distinto del empleado por Cervantes y por la comedia del Siglo de Oro. En la *Celestina* la elevación del lenguaje individual sólo se subordina a la situación inmediata de la cual forma parte; no depende de una valoración más o menos fija del personaje o de la materia tratada como ocurre en la novela o en la comedia. Esta afirmación habrá parecido arbitraria a los amantes del *Quijote*, dada la habilidad de Cervantes para crear vidas independientes y oponerlas una a la otra. Pero en esta misma habilidad, en la práctica misma de la ironía de Cervantes, vimos las caricaturas previas (o sea, previa definición en tercera persona) que no se dan en la *Celestina*. En cuanto a la comedia, poco había que objetar; la fuente más auténtica nos dice que el nivel del verso depende de determinados tópicos o modalidades de la expresión de todos conocidos: «quejas», «relaciones», «cosas graves», etc.

En lo tocante a la caracterización, la nueva psicología de la conciencia que distingue a los habitantes de la *Celestina* es, como vimos, extraña tanto a la novela como a las obras teatrales. Para emplear la distinción establecida por Goethe en su *Wilhelm Meister*, ni los «sentimien-

305

tos» de la novela, con su lenta evolución, ni las motivaciones basadas en caracteres firmes de la obra teatral están plenamente al alcance de la conciencia del individuo creado. El rey Lear no puede conocer su propia senilidad ni Huck Finn su compasión del modo como Pármeno y Sempronio conocen y expresan su propia cobardía. Lo que ocurre es que Lear y Huck existen parcialmente en la tercera persona y por eso ceden algo de sí mismos al autor y al lector. Pero en la *Celestina* la existencia se limita tan realmente a la primera y segunda personas del diálogo que nosotros, en cuanto lectores o críticos, nos encontramos constantemente en la incongruente situación de tener que buscar e interpretar las definiciones que los personajes dan de sí mismos [3]. Podemos preguntarnos ahora: ¿y qué ocurre con Fernando de Rojas? ¿No tenía que tener, él sí, un conocimiento total de sus personajes, y en la tercera persona? Es imposible responder, lo único que podemos decir es que el aspecto más siniestro de la ironía de Rojas es que tan a menudo concede a sus creaciones un pleno e íntimo conocimiento de sí mismos. A diferencia de Edipo, Melibea, Celestina, Calisto y aun Elicia saben cómo son ellos mismos; se dan cuenta del compromiso de cada situación, del papel que desempeñan en cualquier momento. Y cuando esto ocurre (por ejemplo, en Celestina al momento de morir), más que ignorarse a sí mismo, el personaje ignora a los demás. La ironía está en el hecho de que se trata de una conciencia dialógica, ligada fatalmente al lenguaje en su curso, y por lo tanto ineficaz para la salvación interna y para una voluntaria autocorrección.

En el campo de la estructura quedó clara esa misma idiosincrasia. No hubo necesidad de hablar de la novela con su gran variedad de estructuras posibles (que por lo común reflejan la naturaleza y el ritmo de la intervención del novelista), pero sí hablamos de la función antidramática o «adramática» del acto y de la escena. Vimos

---

[3] Una curiosa consecuencia de esto es el constante debate de los críticos sobre el carácter de casi todos los personajes principales: Celestina, Calisto, Melibea, los sirvientes. Casi podría decirse que la *Celestina* es una obra en la cual la caracterización es un problema capaz de infinitas soluciones, dada la naturaleza misma de su arte. De ahí que esos debates sean interesantes pero en fin de cuentas fútiles; corresponden a un intento de leer la obra como si fuera una novela o una pieza teatral y por lo tanto de pasar por alto su maravilloso carácter profundamente «agenérico».

que el acto en la *Celestina* no es lo que su nombre indica, puesto que enmarca, no la acción y la culminación, sino la conciencia clave de un personaje central, tal como se revela en sus encuentros y situaciones. El acto XII es un ejemplo notable de esto, porque sus dos puntos culminantes se subordinan al agudo desprecio que Pármeno y Sempronio se tienen a sí mismos. Debemos tener cuidado con la terminología. *No* es que Rojas sea un maestro de la «motivación» y que acentúe esa consciente cobardía a fin de «preparar psicológicamente» el asesinato de Celestina. «Motivación» es un término dramático, y no nos sirve para describir la intensa contemplación artística de los esquemas y trayectorias de la conciencia humana que encontramos en Rojas. Evidentemente, la codicia es el «motivo» del ataque a Celestina, pero el acto XII, en cuanto acto, forja un prerrequisito menos definible: el «campo» del diálogo —de la conciencia expresada— dentro del cual la motivación no es sino un detalle de menor monta [4]. En cuanto a las escenas, hemos visto lo poco «escénicas» que son, puesto que es muy escaso el escenario o estímulo visual que ofrecen. Si en el teatro lo común ha sido siempre *estructurar* la acción con escenas adecuadas y *dividirla* en un número tradicional de actos, en la *Celestina* ocurre lo contrario. Precisamente por no interesarle la acción, Rojas estructura su obra en actos y la divide (por medio de un proceso de segmentación más o menos recatada) en situaciones dialógicas. Esta inversión de la estructura habitual de las obras teatrales es la señal más evidente de la originalidad genérica de Rojas. Su arte es el de la espaldera y la vid —un arte de la vida en diálogo hábilmente conducido a su término— y no el del geométrico macizo de flores ni del seto vivo esculpido.

---

[4] Juan Valera hizo notar una paradoja en la obra: el hecho de que Calisto no tratara de encontrar un camino lícito a Melibea; o sea, el matrimonio. Esta paradoja es un ejemplo notable de que Rojas no se interesaba por la motivación, en el sentido habitual de la palabra. Lo que importa son las conciencias sentimentales de los enamorados, no por qué actúan de tal o cual manera. Como Luis Vives en su *Tratado del alma,* Rojas se preocupa por saber cómo funciona el alma, no por definirla con una motivación adecuada. Hay que observar también que esta falta de interés se nota no sólo en el primer acto, sino en el conjunto. En ningún momento (ni siquiera cuando en el acto XVI Melibea rechaza el matrimonio y prefiere el amor) siente Rojas la necesidad de referirse a esa contradicción puramente dramática. Es que los requisitos del teatro no se le ocurren.

Por último, en los dos ensayos sobre el tema tratamos de hacer notar la profunda diferencia que existe entre la *Celestina* y dos obras afines a ella por su tema, *Tamburlaine* y la *Fiammetta*, el primero un «proto-drama» y la segunda una «protonovela». Si empleo estos dos términos es para poner en claro la curiosa analogía entre estas obras de Marlowe y Boccaccio y las formas modernas de las obras teatrales y de las novelas. Desde el punto de vista de la literatura genérica, las creaciones de ambos autores son extrañas justamente por parecernos tan conocidas. Son casi, aunque no del todo, como creemos que deben ser; genéricamente están desenfocadas, y por lo tanto su sentido es en cierto modo más difícil de precisar que el de la *Celestina*, francamente «genérica». ¿Por qué ocurre esto? ¿Cuál es la diferencia fundamental entre las dos obras y la creación española? Y, sobre todo, ¿cómo mantuvo Rojas la prioridad artística de su diálogo sobre las tentaciones gemelas de la introspección narrativa y de la declamación retórica? Nuestra respuesta fue aproximadamente ésta: Rojas nunca dejó que la primera o la segunda personas se libraran de su mutuo enlace en el diálogo y que siguieran su propio camino. Cada palabra y cada pensamiento depende en la *Celestina*, en mayor o menor medida, tanto del hablante como del oyente. Está dinámicamente determinada por ambos. No ocurre otro tanto en *Tamburlaine* y en la *Fiammetta*. El tema de la guerra se adapta en estas obras al punto de vista único del violador o de la víctima. No puede darse ya el diálogo auténtico; en su lugar encontramos dos tipos diferentes de monólogo temático: en un caso el aterrador himno de la violencia, en el otro el aterrado relato de una sujeción psicológica.

Es decir, que los dos géneros, el teatro y la novela, comienzan a desarrollarse en el momento preciso en que el autor se decide por un punto de vista que habrá de definir, de manera más o menos veraz, su relación con la obra, esto es, que guiará y por lo tanto clasificará su arte. Desde el punto de vista de Marlowe, la experiencia humana resulta ser un flujo de incesantes acciones guerreras, y la ficción que crea tiende necesariamente a la forma dramática. Pero para Boccaccio (en la *Fiammetta*,) la experiencia humana sin límites en el tiempo, y por lo tanto la ficción que lo retrata tiende necesariamente a la forma novelística. Ninguno de los autores sigue (ni quiere seguir) el camino de Rojas con su negación a limitarse a una sola perspectiva.

He ahí que el resumen de lo dicho expresa o tácitamente acerca del carácter «agenérico» de la *Celestina*. En fin de cuentas esas observaciones vienen a confluir en una conclusión única, en el asombro ante el prodigio del arte dialógico de Rojas. Pero estos ensayos no pueden terminar simplemente con una exclamación. La comparación del arte de Rojas con el de Marlowe y de Boccaccio ha comprometido a exponer en forma explícita las suposiciones sobre la naturaleza y el origen del género literario que han guiado mi pensamiento. El empleo mismo del término «agenérico» supone un concepto del género que requiere explicación, sobre todo porque la *Celestina* desempeñó un papel tan importante en el nacimiento del teatro y de la novela europeos. Pero antes de comenzar quiero insistir que se trata de suposiciones, no de hechos; son generalizaciones convenientes y, como espero, ilustradoras, no leyes o necesidades literarias.

Principiemos por considerar la primera obra maestra en la tradición de la *Celestina*: el *Libro de buen amor* (hablar del carácter del género épico y de su relación con el *Poema del Cid* nos llevaría demasiado lejos). Como ha hecho notar brillantemente Américo Castro en *España en su historia*, el *Libro de buen amor* debe considerarse como una obra «agenérica»; o sea, una obra literaria que carece del atributo del género. Esta ausencia de género en la obra de Juan Ruiz es tan evidente que en vez de tratar de dividirla en novela y trama (o entre dos o tres autores), muchos críticos han sucumbido a la tentación —más perversa— de subdividirla de acuerdo con sus fuentes. Nadie osaría hacer lo mismo con un Shakespeare, un Lope o aun un Cervantes y un Goethe. La relación entre estos escritores y su obra es bien familiar, y pese a los misterios del genio. Son dramaturgos y novelistas, y a pesar de que quizá nunca lleguen a sondearse las profundidades de su creación, en el aspecto exterior (la pieza teatral o la novela como conjunto) reconocemos su responsabilidad en cuanto autores. No ocurre esto en el *Libro de buen amor;* justamente es en su superficie narrativa, en su relación artística inmediata con Juan Ruiz, donde nos encontramos mas desconcertados. ¿Es dialéctico el Arcipreste o no lo es? ¿Se describe a sí mismo o es que su famoso autorretrato es puramente literario? ¿Y qué puede decirse de la identificación evidentemente imposible entre él mismo y el «personaje dramático» don Melón de la Huerta? En vista de tales dudas, no es de extrañarse que se haya negado tan a menudo la presencia poética y la responsabilidad del Arcipreste. Lo que esos críticos no llegan a comprender es que el prodigio del *Libro de buen amor* se debe a que su autor asimiló a su yo poético no sólo todas sus lecturas, no sólo el mundo exterior, sino también su propio rostro y su cuerpo. La obra es una milagrosa primera persona en la cual Juan Ruiz desempeña todos los papeles y mueve todo. El poeta se ha identificado totalmente con su poesía; la una es un aspecto del otro, y viceversa. Ahora bien, dada esa asimilación total por la primera persona, no puede haber género, ni siquiera esos rudimentarios géneros medievales como el debate, la fábula, la alegoría, la serranilla, etc., que constituyen la materia prima del nuevo arte poético de Juan Ruiz. En otras palabras, el *Libro de buen amor* es una creación tan absolutamente personal, tan radicalmente forjada en la primera persona, que sería imposible imaginar una pluralidad de obras parecidas o comparables[5]. El error de muchos críticos ha consistido justamente en negar su ser orgánico interpretándolo como una especie de antología de tópicos medievales. Confunden la falta de género con una falta de personalidad.

---

[5] Para exponer totalmente esta interpretación necesitaríamos mucho más que un párrafo. Me permito remitir al lector a unas reflexiones con el título «The juvenile intuition of Juan Ruiz» escribí a propósito de *España en su historia*, capítulo IX *(Symposium,* 1950). En este artículo traté de mostrar que el problema de determinar y de clasificar la intención de Juan Ruiz (esto es, su relación genérica con su obra) no puede llegar a resolverse, porque se funda en supuestos erróneos. El *Libro de buen amor* es una obra de juego poético (juego en el sentido de juego infantil), no de una o varias intenciones clasificables. Es una obra de puro fingir y de divertimiento, en que la alegría *incorpora a sí mismo* (como el niño en su juego) tanto el mundo objetivo como las intenciones objetivas. Del mismo modo podemos explicar también una de las características más evidentes de la obra, el goce casi infantil del ego poético ante su propia habilidad técnica. A lo largo de la obra encontramos una y otra vez la exclamación: «¡mira lo que hago...!», que en este caso es: «Mira qué bien sé versificar; fíjate cómo escribo variaciones sobre el esquema de la serranilla». La falta de género en el *Libro de buen amor* corresponde, pues, a una fusión del poeta con su poesía y con el proceso de creación poética bajo la égida única de la primera persona. El juego de Juan Ruiz ha puesto «patas arriba» nuestros conceptos habituales de la creación literaria.

Pasemos al segundo Arcipreste, al de Talavera. En el *Corbacho* encontramos un nuevo tipo de creación agenérica. La narración básica del *Corbacho* es, por supuesto, en la tercera persona, una tercera persona didáctica típica de la Edad Media. Pero apenas empieza a emitir sus juicios morales sobre la mujer, cuando siente la tentación de lanzarse a la primera persona y disfrutar del gozo de una de esas explosiones orales que estudiamos en el primer ensayo. Como autor de pronto se convierte en su mujer anti-ejemplar y escribe *su* monólogo. Queda patente su diferencia respecto del Arcipreste de Hita: en un caso el poeta absorbe en su poesía el universo visto y leído; en el otro el moralista de repente renuncia a moralizar y, en una especie de descarga verbal, otorga vida nueva e independiente a sus criaturas. El yo de la mujer en su propia voz, totalmente distinto de la voz pedante del que escribe, nos habla directamente. He aquí la diferencia fundamental con Juan Ruiz. Este encierra todo cuanto le rodea en el juego poético de su propio monólogo, mientras que el otro se sale de sí mismo, se convierte en otro yo con un burbullante chorro en lenguaje callejero. El Arcipreste de Talavera inaugura, en cierto sentido, lo que podríamos llamar esa creación de personajes al parecer autónomos, creación que hace posible no sólo la *Celestina* sino también los futuros géneros modernos del drama y de la novela. Si Juan Ruiz asimila don Melón de la Huerta a su yo poético, el segundo Arcipreste se convierte a sí mismo en una tía de pueblo desesperada por la pérdida de una gallina [6].

Para mí es evidente que la *Celestina* es el paso inevitable más allá del *Corbacho*. Como hemos visto, añade la

---

[6] No necesito mencionar los diversos tipos de ficción en la tercera persona —relatos, fábulas, parábolas, etc.—, aunque sólo sea porque no obligan al autor a superar el papel de mero narrador. Por supuesto, puede superar, y en muchos casos la introducción de la vida en su inmediatez de primera y segunda personas a esos esquemas eternos da lugar a una literatura genérica. Pero no estoy tratando de estudiar el nacimiento y el crecimiento del género en el conjunto de la literatura, en cuanto fenómeno independiente que hay que estudiar históricamente. Lo que me interesa es describir, al margen de la historia, la tradición «agenérica» de la *Celestina* e ilustrar de ese modo un concepto o definición del género. Espero que ese concepto ayude a aclarar un tanto las cosas, a pesar de que el modo como surgieron la novela y el teatro en España puede ser muy distinto de como aparecieron en otros países y en otros períodos.

segunda persona (el «tú») a las protoplásmicas y desbordantes explosiones egoístas de las mujeres del *Corbacho*, y así descubre por primera vez el empleo sistemático del diálogo. A este descubrimiento se une la preocupación temática de Rojas por la «contienda y batalla» de la vida, tema que cristalizó gracias a la lectura del *De remediis* y de su despiadada definición del hombre como una segunda persona singular ante el universo ajeno. Casi parece como si la aguda conciencia del tiempo y del espacio que caracteriza a la *Celestina* (y que acompaña a la renovación del estoicismo por Petrarca) es la causa o la condición de la habilidad de Rojas en la creación simultánea de varias vidas. Porque es dentro del espacio y del tiempo —y sólo dentro de ellos— donde se reúnen la primera y segunda personas en situaciones de mutuo encuentro. Lo que Rojas crea en la *Celestina* no son personajes, hazañas, aventuras, sino un fluir del diálogo situado por la conciencia que del tiempo y el espacio tienen los hablantes. Es decir, que el tema de la *Celestina*, con su insistencia en las condiciones dimensionales de la vida humana, corresponde plenamente a su forma dialógica. Si los dos arciprestes, por el hecho de escribir sólo en la primera persona (suyo o el de las mujeres procaces), habían absorbido o pasado por alto el espacio y el tiempo, Rojas, que escribe en la primera y segunda personas, los convierte en un elemento fundamental del tema. El monólogo (como demuestra la novela pastoril) puede ser intemporal e inespacial, pero el diálogo auténtico se sitúa en un lugar y en un momento; de acuerdo con este sencillo axioma literario logró Rojas su prodigiosa y «agenérica» originalidad.

Spengler puede o no tener razón cuando dice que el hombre occidental es «fáustico», que se esfuerza incesantemente por comprender y dominar el universo dimensional. Pero las grandes tradiciones modernas de la novela y del teatro parecen confirmar esa idea, puesto que continúan la ordenación temporal y espacial de la *Celestina*. La novela ha sido siempre un viaje, un prolongado «chemin» por el tiempo y la distancia, mientras que el teatro ha sido una concentración de hechos culminantes dentro de unas cuantas horas y de unos cuantos metros cúbicos. Es significativo que el Renacimiento haya dado una interpretación temporal y espacial a las ideas de Aristóteles y que la crítica neo-aristotélica haya afligido a Corneille y a la vez estimulado a Cervantes en su busca de la libertad narrativa. Pero si hablamos de una continuación, no queremos decir que lo posterior es idéntico a la *Celestina*. La novela y el teatro conservan la «situación» dentro de las dimensiones ajenas, pero al mismo tiempo toman esta situación más como punto de partida genérico que como tema central. No es difícil explicar este hecho. Si en la *Celestina* la creación se limita a las dos primeras personas del paradigma vital, en el *Quijote* y en *El Rey Lear* (para citar sólo las obras más grandes) la vida se efectúa en las tres personas; es simultáneamente un yo, un tú y un él. Y cuando esto ocurre, el espacio y el tiempo, aunque siguen existiendo y teniendo una función temática, ya no definen el tema por sí solos. Porque Shakespeare y Cervantes se sirven de la tercera persona para pasar de ese desnudo retrato de la *vida* humana, que tanto fascinó a Rojas, a un retrato del *hombre* en su dignidad trágica (o comicidad novelística). En la *Celestina* la vida humana carece de la tercera persona y está sujeta a una lucha eterna, desesperada, sórdida o sublime con sus circunstancias. Es trágica por su destino y cómica por su vileza. En cambio, en la gran novela y la gran tragedia, géneros plenos en que las tres personas se integran una a la otra, el novelista o el dramaturgo puede superar la interminable lucha de la vida y mostrarnos la victoriosa derrota o la desesperada victoria del hombre. El diálogo sigue siendo esencial; el espacio y el tiempo siguen determinando la estructura y la fortuna; pero al participar la tercera persona, esos elementos se adaptan a una finalidad artística que va más allá de ellos mismos. Se organizan en forma novelística o dramática y contribuyen a una visión novelística o dramática del hombre que el artista expone por su propia cuenta. La asimilación creadora de Juan Ruiz se ha convertido en la «ex-presión» creadora de Cervantes y de Shakespeare [7].

---

[7] Esto explica el curioso simulacro de género que nos llevó a describir el *Tamburlaine* y la *Fiammetta* como obras «protogenéricas». En ambas obras el énfasis creador en el yo produce un efecto de coherencia que da la ilusión de que el personaje o la personalidad está vista en la tercera persona. La expresión única del ego de Tamerlán no sólo le permite dominar el tiempo, el espacio y la fortuna, sino que también establece una imagen fija del héroe para un público posible. Sin embargo, ya vimos que en ese universo de guerra los personajes caracterizados o son víctimas o figuras cómicas. Lo que realmente distingue a los hombres entre sí es la fuerza de su ego.

De continuar estas meditaciones sobre el género literario, inspiradas en la lectura de la *Celestina*, tendríamos que escribir otro libro. Habría que ocuparse entonces de la distinción entre la novela y el teatro, del papel desempeñado por el espacio y el tiempo en la tragedia del siglo XVII, de por qué el teatro español no continuó la íntima vitalidad del diálogo de la *Celestina* y de otros asuntos. Todo esto sería interesante, pero no nos concierne. Lo que importa ahora es la tesis de que la diferencia esencial entre la *Celestina* y cualquier obra que sea plenamente genérica en sentido moderno consiste en la ausencia de la tercera persona en aquélla, la ausencia de la participación directa de Rojas en la presentación del hablante y del oyente. Ya hemos hablado antes de esta total autonomía aparente, de esta extraña prioridad de la conciencia hablada, y hemos dicho que constituye un aspecto fundamental del arte de Rojas; ahora la consideramos como una especie de clave para comprender el problema del género. Si un autor interesado en gobernar (o al menos en guiar abiertamente) a sus personajes reescribiera la *Celestina*, es seguro que la obra se convertiría en una novela o en una pieza teatral, o quizá en una combinación de ambas cosas. Tal como la conocemos, la obra nos impresiona por su falta de determinación genérica, por la abundancia de vidas únicas que se forjan a sí mismas, tanto en la *Comedia* como en la mayoría de sus interpolaciones.

Si menciono particularmente la *Comedia* de diez y seis actos es por una razón evidente: en mi opinión la verdadera diferencia que existe entre el arte de los quince actos originales de Rojas y los cinco que añadió en 1502 es de orden genérico. Los personajes principales son los mismos; el estilo no ha cambiado; la estructura de los actos y escenas es sin duda idéntica; y el tema parece continuar la preocupación original. Sin embargo, notaremos ligeras modificaciones en la relación conjunta del creador con lo creado. Notaremos los comienzos del género. Hemos hablado ya de las interpolaciones destinadas a reforzar la afición al vino que caracteriza a Celestina, y hemos dicho que en ellas Rojas parece haber añadido una idea que no se le había ocurrido antes. El vicio de la borrachera había aparecido ya en el picaresco banquete del acto IX, pero, cuando Rojas revisó su texto unos años después, tenía presente la imagen completa del personaje y entonces insertó alusiones al vino siempre que le parecía conveniente. Y yo creo que ese mismo proceso se aplica en general a los actos añadidos. Es inconcebible que después de varios años Rojas mantuviera una relación idéntica ante su obra. No podía menos de suceder que el mayor grado de conciencia crítica de la naturaleza de su obra lo llevara a una intervención artística algo más evidente. Y, si nuestras ideas sobre el género tienen alguna validez, este hecho tenía que producir la primera grieta en el diálogo, la primera y vacilante segregación entre novela y teatro.

Me refiero sobre todo a la intriga tramada por Areusa, Elicia y Centurio contra Calisto, que tiene muchas más analogías con el curso habitual de los acontecimientos en la comedia romana o humanística que el primer acto y que los demás actos de la *Comedia*. Hay en efecto un encuentro de tipos —el tonto, la cortesana, el bravucón— dentro de los esquemas preestablecidos del engaño: la cortina que oculta, la jactancia, la mentira astuta. Así, en vez de que la vida se dé a conocer a través del diálogo, comenzamos a ver que el diálogo se ha planeado de antemano para que pueda adaptarse a las exigencias de tipos definidos. Empieza a existir una tercera persona (un él o una ella), que por vez primera contribuye abiertamente al curso de la acción. Los argumentos de Rojas ofrecen interesantes testimonios de este cambio[8]. Al hablar, por ejemplo, de la precipitación con que Elicia deja el luto y vuelve a la vida normal, observa irónicamente que ella carece de la «castimonia de Penélope». Más evidente es el comentario sobre la reencarnación de Centurio, presentado ahora como un tipo, como un «miles gloriosus»: «E como sea natural a estos no hazer lo que prometen, escúsase como en el proceso paresce». A propósito de esas fugaces caracterizaciones cómicas, podemos citar también el radical cambio en la conducta de Areusa. Algunos críticos que no quieren que los actos añadidos sean de Rojas han hecho notar que si en el acto VII Areusa parece recatada e hipócrita y en el acto IX se rebela violentamente contra la sociedad, en los actos añadidos se ha convertido en modelo de la cortesana artera, de la perfecta intrigante. Esto es cierto, pero menos interesante que el cambio mismo (y que la errónea conclusión que de él

---

[8] En el Apéndice II presentamos testimonios que apoyan la atribución de esos últimos argumentos a Rojas.

puede sacarse) es la manifiesta conciencia que tenía Rojas de lo que hizo. A diferencia de un imitador que trata de copiar de un original, Rojas se da perfecta cuenta de que el proceso de continuación ha dado lugar a una nueva Areusa, a una Areusa tipificada con fines cómicos: «Pues, prima, aprende que otra arte es ésta que la de Celestina; aunque ella me tenía por boua, porque me quería yo serlo» (Aucto XVII; vol. II, pp. 162-163). El diálogo ha dejado de reflejar el profundo choque de conciencias provocado por Celestina; ahora expresa los engaños calculados y la motivación esbozada de «otra arte», de un arte que comienza a parecerse al de la comedia.

Al lado de estos cambios incipientes en la caracterización en la acción notaremos también ciertas tendencias nuevas en el diálogo y en la estructura. Cuando el autor y el lector llegan a una especie de acuerdo tácito acerca de la fisonomía de los hablantes (la tercera persona), esos hablantes pueden ya desentenderse de su oyente, pueden hablar sin tener en cuenta el punto de vista de los demás. Un diálogo como el siguiente habría sido totalmente imposible en la *Comedia*:

> CENT.—...dieron Centurio por nombre a mi abuelo e Centurio se llamó mi padre e Centurio me llamo yo.
> ELIC.—Pues ¿qué hizo el espada por que ganó tu abuelo esse nombre? Dime, ¿por ventura fué por ella capitán de cient hombres?
> CENT.—No; pero fué rufián de cient mugeres.
> AREU.—No curemos de linaje ni hazañas viejas. Si has de hazer lo que te digo, sin dilación determina, porque nos queremos yr (Aucto XVIII; vol. II, p. 169).

Este pasaje pone en evidencia que ya no puede mantenerse la trayectoria internamente forjada de un diálogo que se basta a sí mismo. Aquí la intención es cómica, lo dicho por Centurio se dirige al lector y quiere provocarlo a risa. En otras palabras, Elicia no interroga a Centurio porque quiera conocer el sentido de su nombre; la hace sólo para provocar la respuesta. Estamos en la frontera de la comedia teatral, de un mundo en el cual el diálogo va destinado al público que se encuentra detrás de las candilejas. Por eso cuando Areusa vuelve a la situación del momento hay cierta dificultad y cierta inhibición; Areusa parece no saber si debe considerar la explicación de Centurio como un chiste deliberado o no. Es el eterno dilema del actor serio cuyo papel es provocar chistes y que nunca debe reirse de la gracia que inspira en sus compañeros.

Además de este nuevo tipo de diálogo (un eco de las tradicionales jactancias romanas) hay una insinuación de teatralidad en la estructura de los tres actos destinados a esa intriga. Los tres son breves, se desarrollan en un escenario único y su objeto es enmarcar una intriga, no una conciencia dialógica. En cierto sentido, la estructura interna se ha identificado con la externa. Nos encontramos frente a tres actos de enredos adecuadamente divididos y organizados, y es significativo que Areusa misma describe los sucesos empleando una palabra que más tarde se convertiría en un término técnico del teatro: «¡Ay prima, prima, cómo sé yo quando me ensaño, reboluer estas *tramas*, aunque soy moça!».

Si en los actos XV, XVII y XVIII se observa una vacilante tendencia hacia una disposición dramática (y aun teatral), en los otros dos actos se nota la aparición de ciertos rasgos novelísticos. En los cinco actos añadidos es donde mejor se justifica la división de la *Celestina* en diversos niveles de decoro, propuesta en su tiempo por Américo Castro [9] (y ahora negada por él). Si en la *Comedia* las vidas de amos y sirvientes, de pícaros y enamorados cortesanos se fundían en una comunión dialógica, ahora comienzan a separarse, a dividirse entre la típica disimulación de la intriga y la total revelación del yo por el amor. En las últimas escenas el sentimiento ya no va teñido de argumento; el diálogo representa el brote pleno del amor, la unión extática del yo con el tú. ¡Qué difícil es para Melibea disimular en el acto XVI; qué imposible iniciar el necesario diálogo del engaño con su madre y su padre! Lo que ha ocurrido es que —como si Rojas hubiera anticipado la definición sentimental de la novela de Goethe— la nueva visión de Calisto y de Melibea como enamorados el uno del otro, hizo posible que ellos hablaran de otro modo. A medida que los demás personajes se tipifican y reciben papeles más o menos teatrales, los dos amantes se hacen cada vez más novelísticos, se sumergen más y más en el mundo interno de su amor y se van haciendo más incapaces de mantener una relación puramente dialógica con los demás personajes. Así, cuando Calisto, en el primer parlamento que pronuncia en los actos añadidos, dice «mis cuydados e los de vosotros no

---

[9] *Santa Teresa y otros ensayos*, Madrid, 1925.

son todos unos», nos está revelando hasta dónde llegaba el cambio genérico de 1502. La novela y el teatro, el sirviente y el amo, el amor y el engaño, unidos tan firmemente en la *Comedia* han venido a separarse. Rojas se ha alejado fatalmente de su posición creadora original y de ese modo nos ha permitido presenciar el nacimiento (o al menos la aparición de la posibilidad) de los dos géneros principales del siglo que entraba.

El acto que mejor despliega esa nueva potencialidad novelística es, por supuesto, el acto XIX, con la segunda entrevista en el huerto. A diferencia del primer encuentro, con su exceso de vehemencia, sus timideces y su desconfianza, en la segunda reunión el amor ha aprendido por medio de la experiencia de amar. Tanto Calisto como Melibea (después de ese mes que Rojas ha insertado cuidadosamente entre los actos XV y XVI) son amantes experimentados que rechazan todas las preocupaciones y los intereses ajenos a su amor [10]. En otras palabras, la intención expresa de Rojas de alargar «el processo de su deleyte destos amantes» ha dado lugar a un refinamiento de la experiencia, a una experiencia dilatada y sin urgencia dialógica. Se produce así una especie de disminución de la velocidad, una languidez pastoril, una amplitud sentimental que anticipa la novela. Al lado de esto, notamos que los dos han adquirido creciente conciencia del huerto que los rodea, de la naturaleza concéntrica —flores, follaje, luz de la luna, río, cipre-

---

[10] Esta cuidadosa inserción de tiempo se hace con una ruptura en la secuencia de la acción (la única de este tipo) y la intercalación de por lo menos tres alusiones de Melibea a «un mes» (acto XVI). Este proceso es muy distinto de la ilógica fusión del tiempo durativo y mecánico en la *Comedia* y constituye en sí mismo un testimonio de la mayor conciencia genérica de Rojas. Notaremos, sin embargo, que hay una maliciosa divergencia en cuanto al empleo de ese mes por los dos grupos de personajes. Si Melibea dice que Calisto la visita todas las noches («jamás noche ha faltado»), Sosia nos da una versión distinta: «Ni menos auía de yr cada noche, que aquel oficio no çufre cotidiana visitación... en vn mes no auemos ydo ocho veces...». Esto no muestra una falta de lógica ni una contradicción, sino que Rojas se niega siempre a establecer la verdad de los hechos. Desde el punto de vista cómico, Calisto es un hombre débil, desde el de la novela es un hombre totalmente consagrado al amor; y ambas cosas (como los dos tiempos de la *Comedia)* son simultáneamente ciertas. En todo caso, en ninguna de las dos afirmaciones debemos ver una mentira deliberada. Lo que ocurre es que cada género requiere su propia historia.

ses— que no se había mencionado para nada en el acto XIV. Los personajes ya no existen sólo dentro de una situación, sino, aún más, en un paisaje, en un mundo privado que adquiere sentido en virtud de su amor [11]. Como lo que leemos ahora es más un registro de la experiencia que un combate en diálogo, es natural que el mundo exterior adquiera mucha más importancia que antes. En la novela pastoril ese mundo iba a ser un elemento indispensable de la adoración plena o el dolor desesperado. También es significativa la inserción, inconcebible en los actos anteriores, de versos líricos cuyo tema es esa misma comunión del sentimiento con la naturaleza (y que con mucho superan en valor a las poesías intercaladas en la *Diana*) [12]. La alternativa de verso y prosa es en sí misma un síntoma de metamorfosis. Evidentemente nos estamos acercando a las fronteras de la novela, el género de la sentimentalidad y de la experiencia inmediata.

---

[11] Estos rasgos del acto XIX son los que inspiraron la sensibilidad de Jorge Guillén y le hicieron recrear la cita en su *Huerta de Melibea*. La riqueza de posibilidades de experiencia sugeridas pero no totalmente realizadas condujo directamente a esta «continuación» única y auténtica de la *Celestina*. Que la continuación de Guillén es de tipo lírico y no novelístico es de importancia secundaria; la entrevista en el huerto es novelística desde nuestro punto de vista, justamente porque añade una conciencia lírica de la experiencia a su secuencia dialógica.

[12] El análisis formal más elemental revelará la habilidad de Rojas como poeta lírico; sólo las dudas sobre la paternidad de los actos añadidos han podido privar esos versos del lugar que deberían ocupar entre las «cien mejores poesías». Podemos mencionar esta metáfora extraordinariamente vital, con su gráfico retrato del anhelo físico del amor y con su insinuación del tema de la guerra:

> *Saltos de gozo infinitos*
> *da el lobo viendo ganado;*
> *con las tetas los cabritos,*
> *Melibea con su amado.*

También debemos hacer notar el riguroso crecimiento del concepto poético de una estrofa a la otra, procedimiento que no debe sorprendernos en Rojas. La palabra «cara» en la primera estrofa sugiere la «vista» de la segunda; el verbo «saltar» (con su fúnebre matiz de predicción) sugiere los «saltos» de la tercera; y la palabra «amado» que figura al final de la tercera estrofa se convierte en clave de la cuarta. Sería absurdo tratar de estudiar el arte lírico de Rojas a base de estos pocos versos, pero creo que sí ponen de manifiesto ciertas cualidades que se deducen también de nuestro estudio del diálogo.

Así, cuando Rojas emprendió la tarea de ampliar su obra, de llevar a una conclusión vital o mortal los amores de Calisto y Melibea, descubrió que el carácter genérico de su tarea creadora era sutilmente diferente. Por una parte, la ausencia de Celestina hacía que la intriga continuada por Elicia y Areusa tendiera a lo teatral y a lo puramente cómico, es decir, a chistes, a la tipificación, a la maniobra escénica. Por otra parte, el amor de Calisto y Melibea sigue el curso inverso, se basta cada vez más a sí mismo sentimentalmente, se va convirtiendo más en una experiencia novelística que incluye el paisaje y el lirismo y da lugar a un diálogo casi estático. Como Rojas conoce ahora sus personajes en la tercera persona, como los ha conocido durante años, vuelve a ellos con una visión potencialmente novelística o dramática. Por el transcurso mismo del tiempo se ha alterado la relación genérica autor-obra. Cierto es que esa alteración sigue estando implícita, que consiste más en un cambio de énfasis que en un cambio de forma. Exteriormente la *Celestina* sigue siendo «agenérica» y lo es tanto en los actos añadidos como en la *Comedia*. Casi podríamos decir que, dentro de esa identidad externa, la creciente separación de los elementos novelísticos y dramáticos en 1502 sólo tiende a confirmar nuestra interpretación de este aspecto del arte de Rojas. Su carácter único, su peculiar originalidad en cuanto artista, lo ha llevado a los umbrales del género, a una especie de descubrimiento personal del sentido interior de la novela y del teatro.

En conclusión, diremos que esta tendencia hacia la literatura genérica muestra la razón por la cual Rojas no pudo crear un género propio, la novela dialogada, «celestinesca». A pesar de muchos intentos, algunos medianamente buenos y a veces bien recibidos por el público, las imitaciones no pasaron de ser eso: imitaciones. Ni Feliciano de Silva ni Ferreira de Vasconcellos (dos de los imitadores de más categoría), ni ningún otro autor logró crear algo más que un facsímil mediocre del mundo de la *Celestina*. A diferencia del *Quijote* y de la larga tradición novelística que inició, las obras que se esforzaron por continuar la *Celestina* tenían que imitarla directamente. No podía haber una tradición celestinesca sin una Celestina copiada de Rojas, y esto supone los procesos habituales de estéril caricatura, exageración, ampliación, etc. ¿Por que ha ocurrido eso? ¿Por qué los continuadores de Rojas no podían ser sino una serie de Avellanedas más o menos brillantes? Precisamente porque una continuación significativa de la *Celestina*, esto es, una creación que no fuera mera reproducción de sus logros, impondría necesariamente una conciencia del punto de vista, de esta o aquella postura creadora. Y esto, como el mismo Rojas lo demostró en las adiciones de 1502, supone una tendencia hacia la novela o hacia el drama. En otras palabras, mientras Feliciano de Silva y los demás imitaron el género de la *Celestina*, mientras trataron de escribir «novelas dialogadas», podían llegar a una imitación más o menos afortunada, nada más. Pero en cuanto ciertos continuadores trataron —como Francisco Delicado y aun Torres Naharro— de superar la imitación y hacer contribuciones originales, revelan una evidente tendencia formal, ya en la novela ya en el teatro. No hay otra salida. Es una condición de la creación «agenérica» y única de la *Celestina*. Es una condición de su consagración total al diálogo.

APENDICES

I

En la versión original dediqué el Apéndice I al problema del autor. Mi convicción era (y es) que no vale la pena seguir discutiendo la responsabilidad de Rojas en cuanto a las adiciones de 1502. El, por una parte, afirma ser su autor y, por otra, la íntima hilazón y el cuidado minucioso de la «amplificatio» misma no podían corresponder a una segunda (o tercera) mano. Quizá el mayor mérito de estos ensayos habrá sido el haberlo demostrado analíticamente. Las clásicas objeciones —el supuesto mal gusto (Foulché Delbosc) y las diferencias lingüísticas (House)— no nos deben asustar. La primera es evidentemente subjetiva y falsa; y la segunda se explica fácilmente como consecuencia del intervalo que separa la *Comedia* de la *Tragicomedia*. Era un momento de gran fluctuación en el uso del castellano, fluctuación que salta a la vista si comparamos la *Cárcel de amor* con el *Tractado de amores*, las dos del mismo autor. Sería frívolo preguntar en serio: ¿Fue Cervantes realmente el autor de la Segunda Parte del *Quijote?* La misma pregunta en el caso de la *Tragicomedia* es igualmente frívola.

Ahora bien algunas dudas expresadas por mí sobre el Acto I, me han llevado ahora a suprimir aquel apéndice. Es decir, dejaba yo abierta la posibilidad de una primera tentativa juvenil, que Rojas después atribuiría a otro por motivos de autoprotección, y recelo. Pero después de leer el artículo magistral de Martín de Riquer («Fernando de Rojas y el primer acto de *La Celestina*», RFE, XLII, 1958) y tras muchas relecturas, quedo completamente convencido de que Rojas en la carta a «un su amigo» nos dijo la pura verdad. Es posible que al copiarlo arreglara el texto encontrado en Salamanca más de lo que nos dice, pero en el estilo y en la caracterización, más discursiva que dialógica (la descripción, por ejemplo, que de la casa de Celestina hace Pármeno) intuímos otra mano. En *La España de Fernando de Rojas* trataré de estudiar el problema de la unidad orgánica que

325

liga a ambas partes y que llevó a Blanco White y a Menéndez Pelayo a atribuir el primer acto a Rojas. Menéndez Pidal en el artículo citado al principio, tenía mucha más razón de lo que yo creía hace veinte años.

II

LOS «ARGUMENTOS» DE *LA CELESTINA*

Una de las pocas afirmaciones contenidas en el *Prólogo* de *La Celestina* que nunca han sido puestas en entredicho es la que asevera que los «argumentos» o resúmenes de la trama no son obra del autor de *La Celestina*, sino que habían sido añadidos al texto por los «impressores».

Que aun los impressores han dado sus punturas, poniendo rúbricas o sumarios al principio de cada aucto, narrando en breve lo que dentro contenía; una cosa bien escusada, según los antiguos scriptores usaron. (Vol. I, p. 25).

Esta afirmación ha sido aceptada en gran parte porque no hay, ciertamente, ninguna razón especial para ponerla en duda. Estos «argumentos» resultan apropiados como simples sumarios, pero por lo demás no se distinguen notablemente por su perspicacia ni por su penetración crítica. Por este motivo, no hay en ellos justificación literaria ninguna que pueda mover a un investigador desapasionado a refutar las afirmaciones del *Prólogo;* ninguna razón que pueda compararse con las que movieron a Blanco White y a Menéndez Pelayo a contradecir la abierta declaración de Rojas de que él había heredado el Acto I, debido no a su pluma sino a la de otro autor. En estos resúmenes no hay grandes problemas que discutir sobre su autor y, por tanto, no hay mucho que comentar acerca de ellos.

Todo esto, sin embargo, no quiere decir necesariamente que los «argumentos» carezcan por completo de interés para los estudiosos de *La Celestina*. Existen al menos dos problemas en torno a ellos que merecen nuestra atención. Existe, en primer lugar, el problema de la tradición de que proceden; el de la identificación de todo ese tipo de literatura —y del concepto existente sobre ella— que requería la presencia de los «argumentos», literatura a la que, evidentemente, se consideraba que pertenecía *La Celestina*. En segundo lugar, se ha de examinar la relación de estos «argumentos» con el texto específico al que están destinados; la luz que de algún modo vierten, a menudo incluso por sus mismas inexactitudes, sobre cuanto sucede en *La Celestina*. Es mi propósito estudiar aquí el segundo de estos problemas: la relación entre «argumento» y texto; pero —como frecuentemente sucede en los asuntos literarios— ningún problema se presenta totalmente aislado de los demás. Por ello, tal vez sea mejor comenzar nuestro estudio con algunas breves observaciones sobre el primer problema, es decir, sobre las fuentes inspiradoras de los «argumentos».

María Rosa Lida de Malkiel me indicó en una conversación que sostuvimos, que el modelo a que se acomodaron los «impressores» podría ser los «argumenta» y los aparatos críticos que acompañaban a las ediciones de Terencio que se imprimieron en los años 70, 80 y 90 del siglo xv en casi todos los países europeos. Esta idea queda evidentemente más apoyada que refutada por las palabras mismas del *Prólogo*, «los antiguos scriptores», entre los cuales, claro es, figura Terencio. Debo reconocer que, en la fugaz investigación que me ha sido posible realizar, no he visto edición ninguna de Terencio que presente «argumentos» del mismo tipo que los que se ofrecen en *La Celestina*. Generalmente se trata de resúmenes que preceden a cada una de las comedias —a la manera del *Argumento de toda la obra* que se encuentra en *La Celestina*—, pero en ningún caso aparecen explicaciones parciales al comienzo de cada acto en particular. En cambio, sí que hay un comentario que corre a lo largo del margen del texto —de Donato, Servio, Calpurnio, etc.— y que proporciona observaciones de carácter crítico y moral sobre las incidencias dramáticas. Estos comentarios se inician normalmente con la frase «in hac scena», y suelen aludir al movimiento y motivos de la acción. Podemos, pues, aceptar su calidad de precedentes en cuanto a los «argumentos» incorporados a *La Celestina*.

Según esto, podría decirse que cuando Rojas envió su manuscrito a Burgos en 1499 u otra fecha aproximada, su texto fue tratado según el uso establecido entre los impresores por aquella tradición ya desarrollada y consolidada en torno a las comedias de Terencio. La hipótesis que supone la existencia de una primera edición sin «argumentos», perdida para nosotros, es, a mi parecer, innecesaria[1]; probablemente las cosas sucedieron de este

---

[1] La única razón sólida para admitir la existencia de una edición anterior a 1499 reside en la presencia de la frase «con sus argumentos nuevamente añadidos», frase que aparece en el título del Acto 16 de la edición de 1501 (cf. capít. I, p. 2). Dado que los «argumentos» parciales aparecen *ya* en la edición de 1499, se ha sugerido la posible existencia de una edición anterior sin «argumentos»; una edición que justificaría la expresión «nuevamente añadidos». Puede ser así, pero a mi parecer esta hipótesis se basa en una interpretación excesivamente literal del término «nuevamente». Sabemos que los «argumentos» eran «añadidos» por los impresores, de modo que el vocablo «añadidos» se explica por sí solo; en cuanto a «nuevamente», pudiera tratarse de una desmañada

modo: primeramente tendría lugar una lectura más o menos atenta del manuscrito —con su división en actos y la indicación de los personajes que intervenían en el diálogo—. Esto a su vez provocó la decisión de imprimirlo en la sola forma que Fadrique Alemán de Basilea (Friedrich Biel) pensó que debía imprimirse una obra de esa clase: tal como él había visto, en sus años de aprendizaje, que se editaba a Terencio. Estas suposiciones encuentran apoyo en las observaciones de A. W. Pollard, bibliógrafo inglés, que hace notar que incluso los grabados de la edición de 1499 eran imitación estricta de la edición de Terencio de Gröninger (Strassburg, 1496). No parece que pueda explicarse de otro modo la razón que movió a los impresores a incorporar estos «argumentos».

El interés más notable que ofrece esta hipótesis es, sin duda, el hecho de que nos brinda un indicio de la perspectiva desde la cual se contemplaba *La Celestina*, y que queda reflejada en los «argumentos». En otras palabras, nos indica el contexto literario que condicionó la descripción de *La Celestina* en estos mismos «argumentos». De acuerdo con las interpretaciones predominantes en aquella época sobre Terencio y la comedia[2], el autor de los «argumentos» no consideraba *La Celestina* ni como dramática (en el sentido de estar destinada a la representación) ni como novelística (en el sentido de estar destinada al mero placer de la lectura). Era más bien para él una «imitación» activa de la vida, un compendio de acción en diálogo que llevaba a una conclusión cómica, propia de la comedia —es decir, moral, por su carácter ejemplar—.

Hoy día, tendemos más bien a tomar un poco a la ligera las pretensiones de utilidad didáctica declaradas por Rojas a cada paso en el prefacio de *La Celestina;* y verdaderamente el texto nos confirma en esta opinión. El arte de Rojas difícilmente puede ser equiparado con lo que el siglo xv entendía en cuanto al arte de Terencio. Pero el anónimo escritor del «Argumento de toda la obra» sí parece sinceramente convencido de ello:

> Por solicitud del pungido Calisto, vencido el casto propósito de Melibea (entreveniendo Celestina, mala y astuta muger, con dos servientes del vencido Calisto, engañados e

---

alusión a la misma intervención. En otras palabras, quienquiera que escribiera el título de la edición de 1501 (título que probablemente se encontraría también en el folio perdido de la edición de 1499), tal vez sólo pretendiera distinguir entre el texto original y esas partes «nuevas», añadidas al texto por Fadrique Alemán en Burgos. Quizá no pensó ni por un momento en que ese «nuevamente» habría de carecer de significación para el lector que no hubiera tenido ocasión de contemplar el manuscrito de la obra.

En todo caso, la validez de mis consideraciones sobre los «argumentos» no depende necesariamente de la fecha en que fueron escritos.

[2] Cf., por ejemplo, E. W. Robbins, *Dramatic Characterization in Printed Commentaries on Terence*. Urbana III, 1951.

por esto tornados desleales, presa su fidelidad con anzuelos de codicia y de deleyte), vinieron los amantes e los que los ministraron en amargo y desastrado fin. Para comienço de lo qual dispuso el adversa fortuna lugar oportuno, donde a la presencia de Calisto se presentó la desseada Melibea (Vol. I, p. 28).

Este uso de adjetivos expresivos de valoración moral (malo, casto, amargo, etc.), este decidido esfuerzo en la exégesis no se mantiene en los «argumentos» antepuestos a cada uno de los veintiún actos. En éstos solamente aparecen descritos con todo detalle los elementos de la acción imitada, del movimiento hacia el clímax. Si el «Argumento de toda la obra» pone de relieve la intención moral de *La Celestina*, estos «argumentos» individuales resaltan ante todo la trama. El autor de ellos no ha sabido comprender que uno de los aspectos menos importantes de la obra que él intenta resumir es precisamente la trama —el encadenamiento moral (o inmoral) de los acontecimientos—. Obcecado por la doctrina literaria, no es capaz de ver la profunda e irónica investigación realizada por Rojas, no sobre la acción sino sobre la reacción, no sobre los acontecimientos o la progresión dramática sino sobre los sentimientos y vivencias personales a medida que toman cuerpo en el diálogo vivo. Y no es de extrañar que así sucediera. Al contrario, desde un punto de vista histórico, habría sido muy de extrañar que no hubiera sucedido precisamente así. Pero lo cierto es que, si nosotros pretendemos descubrir cuál es realmente el tema de *La Celestina*, estos «argumentos» resultan no sólo de ninguna ayuda sino francamente engañosos. Sucede en ellos que un conjunto de personajes tridimensionales, vivos y profundamente humanos queda reducido a fría serie de símbolos morales lanzados a acción incesante.

Ofreceré un solo ejemplo de esa incapacidad para la definición literaria, inherente a los «argumentos». Se refiere al estilo de estos textos y especialmente a una palabra clave que en ellos se repite con gran frecuencia: se trata del término «razón» que aparece usado en diversas formas, como en el siguiente fragmento tomado del «argumento» al acto I:

> Calisto... habló con vn criado suyo llamado Sempronio, el qual después de muchas *razones,* le endereçó a vna vieja llamada Celestina... Entretanto que Sempronio está negociando con Celestina, Calisto está *razonando* con otro criado suyo, por nombre Pármeno. El qual *razonamiento* dura hasta que llega Sempronio y Celestina a casa de Calisto. (Vol. I, p. 31.)

En este fragmento el sinónimo de «razonar» no es, desde luego, «pensar» sino «hablar»; y es de notar que uno u otro —*razonar* o *hablar*— aparecen en casi todos los «argumentos». Fácil es comprender lo que ha sucedido: el autor de los «argumentos», al intentar describir la acción, encuentra páginas y aun partes enteras de la obra en las que no ocurre nada, en las que los personajes se dedican por entero al diálogo. Estas son precisamente las páginas y partes más típicamente celestinescas, más profundamente humanas, pero el autor las despacha con frases como «después de muchas razones» o «estando todos entre sí razonando, viene Lucrecia». Y en estos términos es como, en efecto, aparecen resumidos en los «argumentos» pasajes tales como el extraordinario y vital alegato de Areusa sobre la libertad, o los sutiles artificios con que Celestina logra sonsacar a Melibea su secreto en el Acto X. Las palabras «razón» y «habla» son, en un cierto sentido, manifestaciones de la incapacidad de que adolecen los «argumentos» en la descripción de la substancia literaria de *La Celestina*. El empleo de estos «argumentos» representa la casi tangible repugnancia de la obra a asumir como propia la definición de «comedia» o «acción».

Ahora bien, aun cuando todo lo relacionado con *La Celestina* es interesante para sí mismo, no hay por qué esforzarse mucho más en resaltar la inadecuación estética de estos «argumentos». Su fallo es evidente para cualquier lector con sensibilidad. En efecto, yo no les habría otorgado tanta atención, si no fuera porque implican y sugieren otro problema más: el problema de los «argumentos» de la edición de 1502, «argumentos» que probablemente son debidos a un segundo autor.

Como dijimos anteriormente, la edición de 1499 —la primera que llevó «argumentos»— fue realizada por Fadrique Alemán de Basilea en Burgos; en cambio, las tres ediciones de 1502 aparecieron respectivamente en Salamanca, Sevilla y Toledo. Ahora bien, yo *no* doy como probable la intervención de dos grupos distintos de «impressores» para *La Celestina*. Más verosímil podría parecer que el segundo autor haya incorporado a la obra sus propios «argumentos», cuando envió a la imprenta el manuscrito revisado. Dado que los «argumentos» ya habían sido añadidos y habían venido a ser parte aceptada de la obra, es muy natural y muy de esperar que el autor de los actos añadidos escribiera también los «argumentos» de estos mismos actos. Muy bien podría haber sucedido que en un principio Rojas no pensara en resumir y describir su propia obra en esta forma (al fin y al cabo, Rojas era un creador, no un crítico); pero, ya después, ¿por qué había de permitir que otro y no él realizara esa tarea?

Es en este punto de nuestra argumentación en el que cobra toda su importancia la insuficiencia de los «argumentos» de la edición de 1499, en los que la obra es objeto de doctrinaria distorsión y de menosprecio y mengua de los valores del diálogo. Es evidente que, si los «argumentos» de los actos añadidos son obra de Rojas, no compartirán esa inadecuación de sus predecesores. Antes al contrario, constituirán valiosas muestras de autocrítica, nos ofrecerán, al menos, algún vislumbre de la intención que alienta tras las adiciones. En otras palabras, estos «argumentos», lejos de estar relacionados negativamente con el contenido de los actos que resumen, mantendrán con ellos una relación de signo positivo.

Afortunadamente, las circunstancias específicas de la edición de 1502 nos ofrecen un excelente medio de control en lo que se refiere al cambio de estilo y de actitud de los «argumentos» frente a la obra. Los cinco actos añadidos aparecen insertados en medio del Acto XIV de la *Comedia:* por consiguiente, el comienzo de este acto sigue estando donde estaba, pero, en cambio, el final de este mismo acto —la fatal caída de Calisto— pasa a constituir el remate del Acto XIX. Por esto, fue preciso rehacer el «argumento» del Acto XIV, a fin de que se acomodara al nuevo contenido de este acto. Y aquí, precisamente, es donde encontramos el hecho importante y significativo: cuando Rojas, o su sucesor, puso manos a la obra de corregir el «argumento», no se limitó a añadir algunas frases, sino que redactó nuevamente el pasaje entero, incluso la parte correspondiente al comienzo —no alterado— del acto. Como consecuencia de esto, podemos comparar los «argumentos» de 1499 y 1502 que describen unos mismos acontecimientos. Vale verdaderamente la pena confrontar atentamente estos «argumentos», pues la comparación entre ambos hace resaltar las diferencias implicadas. En la edición de 1499 el comienzo del «argumento» de este acto dice así:

Esperando Melibea la venida de Calisto en la huerta, habla con Lucrecia. Viene Calisto con dos criados suyos, Tristán y Sosia; pónenle la escalera, sube por ella y métese en la huerta donde halla a Melibea. Apártase Lucrecia; quedan los dos solos[3].

El procedimiento seguido nos es bien familiar: una descripción detallada de la acción y junto a ella una desvaída referencia a la conversación que sostienen los personajes: «habla con Lucrecia». Veamos ahora lo que en opinión, no del impresor, sino de Rojas mismo es realmente importante en ese comienzo del Acto XIV. Es decir, consideremos la frase primera del «argumento» de la edición de 1502:

Está Melibea muy afligida hablando con Lucrecia sobre la tardança de Calisto, el qual le auía hecho voto de venir en aquella noche a visitalla, lo qual cumplió, e con él vinieron Sosia e Tristán. (Vol. II, p. 114).

La diferencia que de modo más inmediato salta a la vista, es de carácter gramatical: las breves frases declarativas del texto de 1499 han sido sustituidas por una frase larga de estructura

---

[3] Este «argumento» aparece transcrito en la edición de Cejador, vol. II, p. 114, nota.

sintáctica compleja. Estamos ante un cambio de estilo que se mantendrá constante en los «argumentos» añadidos, y que parece denotar la negativa del autor a reducir el contenido de su obra a los desnudos contornos de la acción, a considerarla como mera serie sucesiva de aconteceres. Es evidente el esfuerzo realizado por poner de manifiesto la interrelación de los hechos, la trama en que se entretejen los humanos enredos, precursora de catástrofe; para tal intento, las frases descriptivas deben ofrecer una estructura igualmente complicada. Pero aún más importante que estos aspectos formales y más llamativo desde nuestro punto de vista, es el hecho de que el «argumento» revisado ya no se limita a decir «habla con Lucrecia», sino que comunica al lector el contenido de la conversación que sostienen Melibea y Lucrecia, y explica los sentimientos que embargan a Melibea en el curso del diálogo que entrambas sostienen: «Está Melibea muy afligida hablando con Lucrecia sobre la tardança de Calisto...» Es de hecho la primera vez que advertimos en los «argumentos» la presencia de un auténtico esfuerzo por revelar el sentido de los vacíos y evasivos términos «razonar» y «hablar», y por explicar lo que real y verdaderamente acaece en *La Celestina*. Y sucede así, no sólo en este caso, sino que se trata de un rasgo que se repite frecuentemente en los «argumentos» añadidos:

> Calisto se retrae a su palazio e quéxase por auer estado tan poca quantidad de tiempo con Melibea... (Vol. II, Acto XIV, p. 114).
> ...despídese Elicia de Areusa, no consintiendo en lo que le ruega, por no perder el buen tiempo que se daua, estando en su asueta casa. (Vol. II, Acto XV, p. 131.)
> Pensando Pleberio e Alisa tener su hija Melibea el don de la virginidad conseruado... están razonando sobre el casamiento de Melibea... (Vol. II, Acto XVI, p. 144.)
> Elicia, careciendo de la castimonía de Penélope, determina de despedir el pesar e luto que por causa de los muertos trae, alabando el consejo de Areusa en este propósito... (Vol. II, Acto XVII, p. 153[4].)

Ahora bien, yo no pretendo afirmar que los «argumentos» de la edición de 1499 no hacen nunca referencia a los motivos de la acción, o nunca aluden a los sentimientos de los personajes, o jamás explican el contenido de las conversaciones. Simplemente pongo de relieve que rara vez proceden así, y aun entonces en forma muy limitada y rudimentaria. En este sentido difieren

---

[4] María Rosa Lida de Malkiel, tras haber leído el manuscrito de este apéndice, anota otra diferencia interesante: «Aunque la materia sea resbaladiza (y aunque «negocio» no era tan prosaico en el siglo xv como lo es hoy), no puedo menos de contrastar «Acabado su negocio...» (1499) con «E después que cumplió su voluntad...», porque esto explica el soliloquio final del Acto XIV».

totalmente de los «argumentos» de 1502, como demuestran los ejemplos que acabamos de ofrecer al lector. Para resumir, en un caso —«argumentos» de la edición de 1499— la acción es el determinante primordial; en el otro —«argumentos» añadidos en la edición de 1502—, lo que se busca es la conciencia humana latente tras y más allá de la acción. Y, a mi parecer, esto constituye un excelente indicio de que nos encontramos ante un segundo autor de los «argumentos»; es una prueba de que nuestra hipótesis inicial era acertada: el autor de los actos añadidos tomó también sobre sí la responsabilidad de describir y resumir su contenido en los «argumentos» de estos actos. Solamente una persona capaz de percatarse de modo intuitivo de la insignificancia de la trama en La Celestina —si comparada con la vívida interacción de un espíritu sobre otro— podría haber escrito estos «argumentos». O —rehaciendo la frase— estos «argumentos» son creativos más que críticos, y sólo un creador, un poeta, pudo componerlos.

A manera de epílogo, me gustaría indicar el provecho que el lector puede extraer del alejamiento que percibimos en estos «argumentos» añadidos con relación al antiguo modelo que se nos ofrecía en la edición de 1499. Sería, desde luego, difícil de mantener que el autor hubiera abandonado sin más la crítica tradicional para presentarse ante nosotros con originales ensayos de autocrítica. Los comentarios al Acto XIX con su repentino regreso a las nunca abandonadas invocaciones de justificación moral, serían bastantes para contradecir tan arriesgada tesis. Al fin y al cabo, éstos son también «argumentos» y fueron escritos a la manera de los anteriores (un entrecruzamiento de puntos de vista que, en ocasiones, parece nublar su claridad). Sin embargo, se nos ofrece aquí la posibilidad de hacer unas cuantas observaciones que ilustran, sin duda, la intención más profunda de la obra. Podemos, en primer lugar, observar cómo el argumento del Acto XVI pone de relieve la casi frenética reacción de Melibea ante los erróneos conceptos que sus padres están formulando sobre ella: «...en tan gran quantidad le dan pena las palabras que de sus padres oye, que embía a Lucrecia para que sea causa de su silencio en aquel propósito». (Vol. II, p. 144.) He aquí un texto que, en su sentido, se aproxima a los términos utilizados por Menéndez Pelayo cuando —al defender la tesis de un Rojas, segundo autor— elogia este mismo pasaje: «¡Qué tormenta de afectos se desata en su alma bravía y apasionada!... siente oprimido el corazón por el engaño en que viven sus padres» [5]. Esta coincidencia de opiniones es, a mi parecer, muy significativa.

Finalmente, merece también atención la referencia del «argumento» al angustiado monólogo de Calisto en el Acto XIV, referencia que aclara (aún más quizá que las explicaciones de cual-

---

[5] *Orígenes*, p. 270.

quier otro crítico posterior) la naturaleza de la repentina crisis
de duda que Calisto experimenta, así como el modo como procura el joven resolverla. Anteriormente hemos transcrito la primera
parte de este pasaje, y ahora es el momento de ofrecer el final
del mismo:

> ...Calisto se retrae en su palazio e quéxase por auer es-
> tado tan poca quantidad de tiempo con Melibea, e ruega a
> Febo que cierre sus rayos, para hauer de restaurar su
> desseo. (Vol. II, Acto XIV, p. 114.)

¿Qué es lo que implican estas palabras? ¿Qué quiere decirnos
el autor con ellas? Pues esto y no otra cosa: que esa angustia
de Calisto, esa repentina inquietud por su honor y por la muerte
de sus criados, sobrevienen precisamente en el momento en que
su «deseo» ha quedado ya satisfecho. El gran monólogo del Acto XIV —quizá el más notable logro creativo de las adiciones—
sólo era posible en la mañana consecutiva a la noche de amor.
Esto lo saben bien tanto el autor como Calisto; ambos saben
que el relajamiento de la urgencia amorosa ha dejado al descubierto de momento las innobles bases sobre que se sustentaba
el amor. A continuación, el «argumento» alude a la solución que
Calisto pretende dar al conflicto, a su intento de «restaurar» artificialmente el anterior estado pasional. La frase «restaurar su
desseo» supone, en efecto, una a modo de definición valorativa
de la debilidad de Calisto, de su voluntad de evasión ante la acción (venganza de la muerte de sus criados, defensa de su honor):
el joven emprende la retirada a un mundo de imaginación: «Pero,
tú, dulce ymaginación, tú que puedes, me acorre. Trae a mi fan-
tasía la presencia angélica de aquella ymagen luziente...» El mundo de Calisto es un mundo de restaurados deseos que él mismo
provoca artificialmente, es un mundo romántico; y, tal como es,
aparece desnudamente, cruelmente expuesto por el autor.

Observaciones como éstas son las que nos muestran el profundo conocimiento que Rojas tenía de su propia creación. Muestran también en qué medida resultan sugerentes, desde un punto
de vista crítico, los «argumentos» de la edición de 1502, lo que
no sucede con los precedentes [6].

---

[6] Este apéndice fue leído en comunicación ofrecida con ocasión de
una asamblea de la Modern Language Association en Chicago (1953).
Más tarde fue publicado como artículo (en inglés) en *Romance Philology*.

III

EL TIEMPO Y EL GENERO LITERARIO
EN *LA CELESTINA*

Cuando Fernando de Rojas hubo terminado la segunda versión de *La Celestina,* en 1502, su ya mejor percepción de la esencia de la obra, percepción que le había llevado a hacer las adiciones, le planteó el problema de volverla a clasificar dentro de los géneros literarios. Advirtió entonces que parecía inexacto el término «comedia» empleado para la versión primera, pues era una cáscara que ya no podía contener la estructura viva de su creación tal como había crecido en su mente. Sabía que había hecho más que revivir en un ambiente contemporáneo la comedia romana y que, en lo concerniente a los preceptos clásicos, había entremezclado rasgos de todos los géneros conocidos. Pero, a causa de su educación humanística y de su embeleso con el prestigio nuevo de las teorías artísticas griegas y romanas, no podía pensar críticamente en otros términos. Como en tantos otros autores de comienzos y de fines del Renacimiento —entre los que incluimos a Cervantes—, su fuerza creadora había dejado muy atrás a su entendimiento crítico. Y se vio obligado a llamar a la edición revisada «tragicomedia», término híbrido que debe de haber sido insatisfactorio hasta para su creador. Rojas tenía conciencia del problema del género, pero no conocía matemáticas que pudieran resolverlo.

Es curioso que aun ahora estemos prácticamente en la misma situación. Es claro que tenemos la nomenclatura necesaria, pero parecemos incapaces de aplicarla en forma que se ajuste a *La Celestina.* Los eruditos emplean todavía para la obra y para sus diversas continuaciones clasificaciones tan absurdas y todavía híbridas como «novela dialogada», lo cual sucede por distinta razón de la que asistía a Rojas. El hecho es que somos incapaces de usar la nomenclatura de los géneros en forma eficaz porque no creemos en ellos, porque hemos dejado de considerarlos como distinción crítica válida. No alcanzamos a poseer —como poseían los griegos— una «poética» aclaradora que encasille nuestra literatura dentro de una serie de definiciones generales. La hemos reemplazado con una «estilística» que ve en cada obra individual sólo la expresión de la individualidad. Hallamos el sentido de cada creación en su personalidad artística, más bien que en su parentesco formal con otras creaciones, de tal modo que se convierte en un universo en sí, separado dimensionalmente de otros de su clase, un universo que podemos apreciar artística pero no estéticamente, en el verdadero sentido de la palabra. La época moderna nunca ha aceptado una comprensión genérica de sí misma, aunque se hayan hecho muchas tentativas individuales para proponer tal síntesis. Esa condición se aplica a la expresión artística de su existencia tanto como a la expresión filosófica, social, etc. La novela, por ejemplo, es un género de muchas definiciones, algunas de ellas excelentes, pero sólo es reconocible mediante unas pocas características superficiales, tales como su longitud o su forma de prosa narrativa; es un término que clasifica pero no explica. Por eso, llamar a *La Celestina* «novela dialogada» significa menos que nada. Despachándola en esta forma no sólo confundimos y dividimos su clasificación, sino que no alcanzamos a tocar su estructura estética interna, sus relaciones genéricas, por encima del tiempo, con lo mejor de la novela y del drama de Europa.

El problema del género literario en *La Celestina* es tan esencial, que desconocerlo es no entender y no apreciar la obra como un todo. La mezcla y conflicto de géneros es un factor determinante no sólo en la forma sino también en el estilo; se relaciona directamente, no con una incertidumbre o confusión superficial de parte del autor, sino con su intención artística fundamental tal como quedó expresada a través de las posibilidades de aquella época. Así, en el caso de *La Celestina,* un estudio de los géneros literarios no nos exige abandonar el acostumbrado punto de vista estilístico: sólo es necesario reorientarlo. Lo cual importa una gran ventaja, pues no necesitamos ya elaborar por anticipado definiciones discutibles del drama y de la novela; bastarán algunas características de los estilos del uno y de la otra, correspondientes a sus distintas presentaciones de tiempo y espacio.

Las tragedias y epopeyas griegas se situaban en un mundo mítico, y, por lo tanto, fuera del tiempo y del espacio, mundo que reflejaba el cuerpo de creencias de donde estaban tomados sus temas. En consecuencia, los géneros aristotélicos no subrayaban esas dimensiones en su definición. Pero, como las matemáticas modernas al hacer relativo el mito de Euclides, así también la literatura moderna se ha reorientado con la introducción de nuevos conceptos de espacio y de tiempo. Las unidades eran mucho más importantes para Corneille, que las violó, que para Aristóteles. Uno de los determinantes fundamentales del drama moderno es el hecho de que, en su presentación imaginaria o real en el diálogo, el mundo fingido del personaje y el mundo ordinario del espectador coexisten de instante a instante mientras no se interrumpa la escena o el acto. En la novela, por otra parte, la presencia de un narrador que interviene hace el tiempo flexible y rechaza la lógica de una progresión sucesiva. Un segundo determinante del drama es la limitación física de su escenario, un marco en el espacio, así como en el tiempo. La novela, y es un nuevo contraste, puede por su flexibilidad narrativa crear todo un mundo de tamaño natural para su protagonista. El hecho de que no esté confinada a la rigidez del diálogo permite estas libertades y las posibilidades artísticas mayores que surgen de ellas.

Por consiguiente, si admitimos estos determinantes y la fuente de que proceden, ¿cómo puede haber confusión de géneros en *La Celestina?* Rojas nunca quiebra la continuidad de su diálogo, ni impone a la obra su presencia narrativa. La respuesta es que, si lo hubiera hecho, el problema sería mucho menos fascinante de lo que es, porque nuestro estudio de su estilo nos mostrará cómo el diálogo, tal como lo escribe repetidas veces, denuncia sus propias necesidades. Esa mezcla evidente no sería sino un recurso artístico y no una expresión genuina de la vitalidad de su fuerza creadora. Examinemos, para empezar, el siguiente pasaje del acto segundo:

> *Calisto.*—Saquen un cauallo. Límpienle mucho. Aprieten bien la cincha. ¡Por si passare por casa de mi señora e mi Dios!
>
> *Pármeno.*—¡Moços! ¿No hay moço en casa? Yo me lo hauré de hazer, que a peor vernemos desta vez que ser moços d'espuelas. ¡Andar! ¡pase! Mal me quieren mis comadres, etc. ¿Rehincháys, don cauallo? ¿No basta vn celoso en casa? ¿O barruntás a Melibea?
>
> *Calisto.*—¿Viene esse cauallo? ¿Qué hazes, Pármeno?
>
> *Pármeno.*—Señor, vesle aquí, que no está Sosia en casa.
>
> *Calisto.*—Pues ten esse estribo, abre más essa puerta. E si viniere Sempronio con aquella señora, dí que esperen, que presto será mi buelta.
>
> *Pármeno.*—¡Mas nunca sea! ¡Allá yrás con el diablo! (Vol. I, págs. 124-125)[1].

No hay en este fragmento de diálogo geometría estática de escena; lo que hay es un cálculo dinámico, pues la acción mueve sus puntos, sin traba alguna, del cuarto de Calisto a la cuadra, luego al portón de un patio, y, por fin, calle abajo. No hay necesidad de cambios formales de escenario o de apartes artificiosos; la conversación viva emerge con una libertad tan natural que no atrae la atención hacia sí misma. Las convenciones dramáticas de escena y acto, el método racional y jerárquico de la presentación del diálogo, pierden su función, pues en *La Celestina* la circunstancia externa emana del diálogo, de las percepciones de los personajes y no es nunca un agregado adjetivo o formal.

---

[1] La edición de *La Celestina* que cito es la de Cejador en «Clásicos castellanos», Madrid, Espasa-Calpe, 1931.

Los veintiún «autos», como veremos, están más emparentados con capítulos que con actos; la estructura dramática que hay en ellos no es explícita ni convencional.

Esta despreocupación de Rojas por los requisitos convencionales del drama ofrece nuevas posibilidades para un tratamiento temático del mundo de tres dimensiones. Así como la casa de Calisto surge ante nosotros tal como se refleja en los ojos y en la mente de los que viven en ella, así también se presenta una ciudad entera de tamaño natural, una ciudad por lo visto tan genuina que los eruditos han intentado muchas veces identificarla históricamente. Sin ceder nunca ante el argumento, es una ciudad de torres, iglesias, barcos, plazas de mercado, de gente y muros sólidos. De todas estas cosas hablan gozosamente los personajes con esa expansión de lenguaje, con esa reverencia por los nombres de las cosas que Rojas compartía con el Arcipreste de Talavera y con Rabelais. No es una ciudad preparada en miniatura o bosquejada para nuestra acogida; antes posee su propia importancia artística dentro de la totalidad de la obra. No obstante, pese a esta libertad que hemos descubierto y a las instrusiones temáticas a que conduce, no tenemos todavía el derecho de suponer que *La Celestina* sea una novela disimulada. Por extrañas que estas cosas puedan parecer al drama como género literario, no son de ningún modo violaciones de las necesidades de diálogo. El cinematógrafo, que en el dinamismo de su escenario y en su expansión de atmósfera se asemeja tanto a *La Celestina*, multiplica las posibilidades del drama pero no las niega. Los diversos géneros son en realidad caminos artísticos hacia el alma humana: conocerlos por sus apariencias externas es conocerlos sólo por sus limitaciones temporales. *La Celestina* puede compartir la libertad de la novela en el espacio; pero, sin libertad semejante en el tiempo —una libertad físicamente imposible al diálogo—, el camino novelístico hacia los personajes está positivamente cerrado.

Con todo, a pesar de la imposibilidad física, tal libertad en el tiempo existe dentro de *La Celestina*: Calisto, Melibea, Celestina y el resto de los personajes hallan dentro de la obra una experiencia de tiempo más larga que el lector, quien, a causa de la forma dialogada, ha supuesto que estaba viviendo con ellos cada instante de la obra. La realidad de la paradoja puede demostrarse con una comparación entre las indicaciones de tiempo y el curso de los acontecimientos, largo experimento que sólo la extrañeza de sus resultados justificará. Después del primer encuentro con Melibea, Calisto revela su amor a Sempronio, quien parte entonces en busca de Celestina. La primera visita de Celestina a Calisto termina el acto primero. Al comenzar el segundo, Calisto pide a Sempronio que la alcance mientras vuelve a su casa, para inclinarla a su favor; de tal modo que entre los dos actos no ha habido interrupción importante de la secuencia de tiempo y acontecimientos. No obstante, al comienzo de este mismo acto segundo, Sempronio observa a su señor:

«Que, en viéndote solo, dizes desuaríos de hombre sin seso, sospirando, gimiendo, maltrobando, holgando con lo escuro, deseando soledad, buscando nueuos modos de pensativo tormento. Donde, si perseueras, o de muerto o loco no podrás escapar...» (Auto II; t. I, 116, 1-6).

Esas reacciones están presentadas en forma que parezca que han estado sucediéndose durante mucho tiempo, a fin de crear así para Calisto todo un modo de vivir, un modo de vivir que todavía no ha tenido tiempo de vivir. Y aunque todavía no se haya realizado. Sempronio posee el don de preverlas en términos del pasado.

Después de unas pocas palabras intermedias, Pármeno pone el problema del tiempo en un estado de confusión aún mayor:

«Señor, porque perderse *el otro día* el neblí fué causa de su entrada en la huerta a le buscar...»

¿A qué día puede referirse «el otro día»? ¿Cómo puede dar a entender Pármeno que han pasado uno o varios días desde el comienzo del drama? Nosotros, que hemos seguido cada acción en secuencia ininterrumpida, no hemos notado nada de la actividad periódica —el dormir, comer o anochecer— que implicaría su paso. Ni podemos siquiera suponer que la visión artística de Rojas excluyese tales realidades prosaicas; sabemos que no las excluía. La lógica no explicará el hecho de que todo el tiempo pasado es mayor que la suma de sus partes.

El acto tercero sorprende a Sempronio precisamente cuando alcanza a Celestina para acompañarla a su casa. Por consiguiente, la acción prosigue todavía su secuencia original. Una vez allí, Celestina aumenta sus fuerzas con hechicerías para afrontar la prueba de la primera y peligrosa entrevista con Melibea, durante la cual confirma el aserto de Pármeno de que han pasado varios días desde su primer encuentro con Calisto:

Éste es el que *el otro día* me vió e comenzó a desvariar conmigo en razones haciendo mucho del galán. (Auto IV; t. I, 180, 2-4).

Aunque a lo sumo no pueden haber pasado más de cinco o seis horas (cifra que permite la naturaleza deliberada de la acción así como el tiempo empleado por Celestina en ir de una casa a la otra), Melibea no recuerda horas sino días desde su primera impresión del galanteo de Calisto. Celestina, por su parte, fija «el otro día» como pasado una semana antes, por lo menos, cuando informa a Melibea que el dolor de muelas de Calisto ha durado ocho días, dolor de muelas que no pudo tener cuando hablaba tan elocuentemente en el jardín.

Después de ingeniarse para volver a la mañana siguiente, Celestina llega a su casa y encuentra que Sempronio la está espe-

341

rando con intensa curiosidad. Parten juntos para informar a Calisto de todo lo que ha sucedido y esta segunda visita es el tema del acto sexto. Aunque sólo ahora y por primera vez se habla de que se acerca la oscuridad, Calisto puede lamentarse:

En sueños la veo tantas noches (Auto IV; t. I, 219, 15).

«Tantas noches» que no han pasado, de acuerdo con la lógica de la acción continuada. Cuando un instante después Celestina está preparando a Areusa para que seduzca a Pármeno, tiende el camino diciendo:

Ya sabes lo que de Pármeno te oue dicho (Auto VII; t. I, 252, 23).

Nosotros, que hemos seguido desde nuestro punto de vista externo, casi cósmico, todos los actos de Celestina, desde que ha mencionado por primera vez a Areusa ante Pármeno en el primer acto, sabemos que no ha habido oportunidad para semejante preparación, es decir, al menos que la hubiese durante uno de esos días increíbles que se nos han ocultado. Hasta ahora teníamos que suponer que esos días se llenaban con las lamentaciones de Calisto y la reprimida doncellez de Melibea, pero esta acción positiva, aunque imposible, nos proporciona una confirmación concreta de su existencia.

Pármeno y Areusa consuman dramáticamente la acción del primer día que la obra tiene en común con su lector, porque al comienzo del acto VII «la mañana viene», la mañana del día que ha de acabar, también dramáticamente, con la muerte de Celestina y la ejecución de sus asesinos. Después de concluida la famosa comida de Celestina, ésta visita a Melibea, como lo había convenido en las primeras horas de la tarde, y, en esta segunda entrevista, Melibea revela algo más de la naturaleza del tiempo perdido:

Muchos e muchos días son pasados que esse noble cauallero me habló en amor. (Auto X; t. II, 61, 17-19.)

El paso de sólo un día en la secuencia del diálogo, un día de drama, ha traído a Melibea la memoria de muchos días; en la tarde anterior había recordado que su primera conversación con Calisto se había realizado sólo «el otro día». No es ésta una inserción estática de tiempo, no es una semana perdida de la que Rojas se hubiera olvidado de disponer, sino un tiempo que funciona como tiempo, que progresa con el diálogo aunque a una velocidad mucho mayor.

Cuando Calisto se entera del éxito de Celestina, sale de un período de tensión espiritual más largo de lo que podría asignarse al día y fracción del transcurso del drama:

Dios vaya contigo, madre. Yo quiero dormir e reposar vn rato para satisfacer a las passadas noches e complir con la por venir. (Auto XI; t. II, 74, 156-157.)

Y también cuando habla con Melibea a través de la puerta de la casa de su padre dice:

¡O, quántos días antes de agora passados me fué venido este pensamiento a mi coraçón, e por impossible lo recha-çaua de mi memoria...! (Auto XII; t. II, 85, 18-21.)

Y ella le responde:

E avnque muchos días he pugnado por lo dissimular, no he podido tanto que, en tornándome aquella muger tu dulce nombre a la memoria, no descubriesse mi desseo e viniesse a este lugar e tiempo, donde te suplico ordenes e dispongas de mi persona segund querrás. (Auto XII; t. II, 86, 10-15).

Al día siguiente, después de la ejecución de Pármeno y Sempronio, Elicia informa a Areusa de lo que ha sucedido y ataca a Calisto por su insensibilidad:

Y de lo que más dolor siento es ver que por esso no dexa aquel vil de poco sentimiento de ver y visitar festejando cada noche a su estiércol de Melibea, y ella muy vfana en ver sangre vertida por su servicio. (Auto XV; t. II, 140, 9-13.)

Calisto sólo ha visitado a Melibea una vez desde la mañana fatal, pero Elicia da a entender una serie de citas, una realidad futura que ella, como antes Sempronio, tiene el don de considerar como pasada.

Es interesante notar que el último pasaje citado está tomado de las adiciones de 1502, que con tanta frecuencia se han atribuido a otro autor. Rojas, como no podía sentirse obligado por las restricciones del tiempo, revela por todas partes en *La Celestina* la fundamental unidad de concepción que la distingue; un segundo autor apenas podría haber imitado este aspecto de tan delicado «camouflage» en la creación original; un aspecto que, de percibirse, parecería exigir corrección más bien que repetición. Por lo tanto, este modo particular de continuar el estilo de la versión de dieciséis actos en las adiciones de 1502 es un criterio ideal de unidad. Y como es un criterio derivado del interior del estilo e inmediatamente relacionado con el proceso creador de Rojas, es quizá más justificado que las deducciones externas sobre las cuales Foulché-Delbosc, Cejador y House basan sus opiniones.

Todos estos ejemplos de la desigualdad de tiempo entre los personajes y el diálogo en que se presentan, ya tan importantes como testimonio adicional de la existencia del fenómeno, lo son mucho más por la correlación de las circunstancias individuales de su aparición. Debe recordarse, compararse y contrastarse la relación de cada ejemplo con los personajes, ya que el género literario, como hemos dicho, reside en lo interno y se determina finalmente como un modo de encarar al personaje y no como algo perteneciente al marco formal de su existencia. El sentido de esa contradicción, tan leve en apariencia, sólo así se puede comprender en relación con el sentido del conjunto, de la fusión de la técnica novelística y de la dramática de Fernando de Rojas.

Lo que de más semejante tienen los diversos ejemplos es que el tiempo está casi siempre inserto de modo que una acción individual o un estado de ánimo reciente parezcan habituales. Una acción o reacción, limitada por la forma dialogada a una presentación específica ocasional, puede adquirir, por el proceso de dilatar el tiempo, el peso psicológico de muchas repeticiones. La pena de Calisto, su lasitud, el empuje apasionado de sus continuas visitas, todo ello, así como el ensueño virginal de Melibea, es la sustancia misma del tiempo escondido. Pero ha de hacerse una distinción: este tiempo y esta sustancia existen, más que para el lector, para los personajes que se recuerdan a sí mismos en función de tal tiempo. El lector o no llega a notarlo en absoluto o, si no, lo encuentra tenue y desdibujado, pues la existencia del drama como espectáculo se nubla con insinuaciones que están más allá de sus posibilidades. Paralelamente, si en el lector disminuye el sentimiento de la inmediatez escénica, aumenta en el autor, porque su drama no tiene la acostumbrada plena autonomía de un mecanismo que corresponde a sus propias leyes y excluye a su creador. Siempre que Rojas siente la necesidad artística de retratar un hábito, se toma la licencia de entrar en escena y desconocer los requisitos del tiempo dramático. Rojas goza de los privilegios estéticos del novelista, siempre presente en su obra.

Con todo, si ese manejo del tiempo hubiera sido la expresión de una intención bien definida de parte de Rojas, si hubiera escrito «el otro día» en lugar de «hace cuatro horas» porque percibía cierta complicación psicológica dentro de sus personajes, para cuya revelación la forma dramática parecía inadecuada, hubiera tratado el problema de otro modo. Con indicar en el «Argumento» que había pasado una semana entre el acto primero y el segundo se habría librado de incoherencia en cuanto al género literario. Un artista consciente de sí mismo lo hubiera advertido y, de hecho, lo advirtió Rojas más tarde cuando en las adiciones de 1502, escritas con mayor conciencia crítica, interrumpió la continuidad entre los actos XV y XVI para permitir que pasara un mes entre las dos citas en el jardín. Las contradicciones temporales de *La Celestina* parecen resultar de la necesidad fundamental de libertad en su autor, de su incapacidad de tener conciencia de que no era libre en espacio y en tiempo.

Rojas, que como artista conocía toda la importancia de la dimensión temporal, y había hecho del transcurso del tiempo un tema central de *La Celestina*, ¿cómo podía ser incapaz de observar y corregir los errores aquí considerados? Para responder a esta pregunta no es necesario dar por supuesta una negligencia artística personal de parte de Rojas, ni afirmar una vez más la precipitada composición de *La Celestina*, ya que esta aparente percepción de los valores artísticos de espacio y de tiempo sin la correspondiente percepción de sus limitaciones estéticas era una condición característica de la época de Rojas, de los comienzos del Renacimiento, con su sensibilidad recientemente revelada, de lo inmediato. En lugar de derivar de la parábola del Dogma el contenido del mundo de la expresión, los hombres del Renacimiento hallaron a mano la línea recta de la sensación. Los objetos tendían a convertirse en unidades importantes en sí mismas por el hecho mismo de su existencia; Rojas y Rabelais convergen en estilo al catalogarlos en prolijas series. Las posibilidades de cada objeto, tan repentinamente percibidas, parecían ilimitadas, tan ilimitadas como las del hombre, que se había libertado de las anteojeras dogmáticas mediante su conocimiento imperfecto, pero inmanente, de tales objetos, y mediante el descubrimiento, basado en ellos, de que él estaba vivo. Gargantúa es un hombre que ha crecido hasta la talla de un gigante, y en las pinturas de Bosco y Durero están vencidas todas las limitaciones acostumbradas de la vida. Los monstruos bosquejados por estos artistas son imposibles, su parentesco mutuo es confuso, pero tienen vida; parecen existir dentro del tiempo; no son conceptuales. Al comienzo del Renacimiento el hombre había percibido de pronto lo inmanente como valor, pero no lo había experimentado todavía durante un lapso de tiempo suficiente para advertir las limitaciones y las desesperadas perspectivas nacidas de ello que le habían de imponer su yugo. Había de ser un yugo que pudiera aceptar con gracia clásica o contra el cual pudiera reaccionar con amargo romanticismo, pero, una vez reconocido, nunca podría desatarlo. No obstante, el autor de *La Celestina*, prendado de la novedad del espacio y del tiempo como recursos de expresión, pudo moldearlos dentro de su obra sin inhibición, y sin que se le ocurrieran las necesidades menores de diálogo y escena planteadas por el género literario.

Así, espacio y tiempo aparecen en *La Celestina* de dos modos distintos: ya como tema, ya como atributo implícito en el retrato de los personajes. Rojas tenía conciencia de las limitaciones conceptuales del tiempo, de la «rueda de la fortuna», símbolo de la cancelación de los valores humanos, y de los límites conceptuales de las cosas en el espacio, cada cual en conflicto fútil contra el otro. Éstos eran sus temas, tales como los anticipaba en su *Prólogo*, temas sobre los que habían filosofado antes Petrarca, de quien los tomó, y Juan de Mena. Los errores de Rojas y su tratamiento original de la dimensionalidad aparecen cuando intenta algo nuevo, una técnica de percepción de los personajes en relación con el tiempo y el espacio. Sólo cuando ya no concibe la dimensión con la mente como una restricción impuesta al hombre, sino que la percibe con los ojos como su ambiente, las posibilidades aparecen tan ilimitadas como limitadas lo habían sido desde el otro punto de vista. Rojas no se contentó con construir sus personajes con los tipos preconcebidos, sino que fue más allá y halló para ellos una serie de relaciones vitales con sus circunstancias pasadas y presentes.

Hubiera sido imposible para él comenzar *La Celestina* como Mira de Amescua comienza *El esclavo del demonio:*

Padre soy, hago mi oficio,

porque sus personajes aparecen como resultados inevitables de sus condiciones humanas, de sus circunstancias, sus aspiraciones, sus conocimientos y sus deseos. No son personajes de declaración inicial, como el *Padre* de Mira de Amescua, que seguirá actuando como tal hasta el final de los tres actos de su existencia, sino que crecen y se desarrollan tanto antes como durante la obra. Existen tanto en ella como más allá de ella. Melibea y el jardín, Calisto, su antigua eminencia social y su presente cuarto a oscuras, Celestina y su casa en los arrabales de la ciudad, sus recuerdos de grandeza infamante, todos ellos son indivisibles, pues cada personaje pertenece a un complejo más amplio de espacio y tiempo.

Tal fue la innovación de Rojas en la literatura; no declaró qué era el alma humana, pero, como había de recomendarlo luego Luis Vives, trató de mostrar cómo funcionaba. Bajo las relaciones fijas de la comedia romana —héroe, heroína, lena, sirviente— encuentra una vida interior, delimitada y afectada por la experiencia presente y pasada. Lo típico existe todavía, pero está relativizado y se le hace aparecer dudoso por su lugar de existencia, por su realidad dimensional inmanente. Cuando Areusa, que dice haber visto a Melibea en un baño público, la encuentra fea, indica hasta qué punto la experiencia inmediata ha corroído a la heroína como tipo y como valor literario absoluto.

Al aplicar este análisis de *La Celestina* (por el cual estoy en gran deuda con Américo Castro) a las acciones de sus personajes y al problema de cómo esas acciones no logran coincidir con la «acción», nos acercamos al núcleo del problema del género literario. Tiempo y espacio, ambiente temporal y espacial son particularmente importantes en el caso de Calisto y de Melibea, cuyas decisiones proceden de una serie de cambios interiores que acontecen durante el curso de la obra. Sus respectivas acciones e inacciones en los últimos actos no son explicables en función del personaje tal como apareció al comienzo; en su mayoría provienen de una trémula y demorada fusión de lo que el personaje había sido con lo que había visto y experimentado. Celestina y Sempronio, por otra parte, no cambian su conducta, porque son el resultado maduro de una serie de circunstancias explicadas por Rojas, que se han realizado mucho antes del punto temporal que eligió para comenzar la obra. Dentro de las fronteras de *La Celestina* son invariables. Son personajes dramáticos, y se encuentran adecuadamente con un clímax de destrucción dramática, esto es, con una destrucción que se ha hecho inevitable a causa del mutuo juego dramático de sus pasiones características. Ese juego mutuo despliega con la progresión de tiempo externa del diálogo, un tiempo dramático de dos días que Rojas nunca altera. Como caracteres más o menos estables, no lo necesitan para la presentación de sus acciones.

Volviendo a Calisto y Melibea, descubrimos en contraste una flexibilidad de carácter, una debilidad (no compensada con ninguna superioridad conceptual, ya como protagonistas, ya como aristócratas), que hace recaer la responsabilidad de sus acciones y repentinas reacciones en sus circunstancias y en la continuidad interior de su experiencia. El artista que era Fernando de Rojas se daba cuenta de esta verdad acerca de sus creaciones y sabía intuitivamente que la entrega de Melibea, en los pocos días que le permitía la presentación dramática ininterrumpida, era artísticamente insostenible. Y como no se sentía obligado lógicamente por su nuevo modo de concebir la función dimensional, sencillamente creó tiempo del mismo modo que creaba espacio cada vez que lo necesitaba. Consideremos de nuevo a Melibea cuando dice:

> E avnque muchos días he pugnado por lo dissimular, no he podido tanto que, en tornándome aquella muger tu dulce nombre a la memoria, no descubriese mi deseo...

Lo cual implica todo esto: la experiencia del primer encuentro, el crecimiento subconsciente de su significación y la súbita cristalización de amor ante la mención prohibida del nombre de Calisto. Éste es el género literario de la novela, el género de Stendhal con su escenario de tiempo vitalmente presente en la mente del personaje. Un disimulo activo de Melibea proyectado para algún propósito de la acción podría muy bien considerarse dramático y podría haber tomado menos tiempo para llevar a cabo su resultado. Ella, no obstante, se refiere a un disimulo bajo la superficie de la voluntad, que tiene sus propios requisitos de tiempo y se ha de apreciar novelísticamente, por sí mismo. Calisto, genio de la indecisión y de la inacción, debe tener asimismo su trasfondo, debe tener muchas noches de sufrimiento para llevar a su punto crítico, en el tremendo monólogo del Acto XIV, los factores mutuamente destructivos de su debilidad y de su amor. Sólo el tiempo puede subrayar la locura de su éxito. Una nueva lectura de los pasajes que indican ensanchamiento del tiempo mostrará que, con una excepción, están ideados para alargar el in-

tervalo entre el primer encuentro de Calisto y Melibea y la consumación de su amor. Esa excepción es la mención previa de
Pármeno que hace Celestina a Areusa. Por lo visto, Rojas sintió
que aun en este caso era necesaria alguna prevención psicológica.
Pero, como regla general, el ensanchamiento del tiempo se realiza
precisamente en conexión con esos personajes que por su juventud, debilidad e inactividad no contribuyen con otra cosa que con
deseo inadecuado al desarrollo de la obra.

La controversia sobre los cambios del carácter de Melibea
en las adiciones de 1502 ilustrarán nuevamente cómo Rojas hacía
uso novelístico del tiempo. En esas adiciones llegó hasta retratar
la evolución vital de los amantes después de que Celestina hubo
completado el drama de la preparación de su amor. Sabía que
para ello tendría que insertar por lo menos un mes de tiempo,
un mes de paseos y experiencias nocturnas. No obstante, como
hemos dicho, en esas adiciones su técnica está guiada por una
conciencia crítica superior, y, aunque está libre de toda limitación, no puede permitir a sus personajes, durante la segunda
noche de amor, recordar que se han conocido durante un mes.
Su solución es hacer posible, pero no indicar explícitamente, una
ruptura de continuidad entre los actos XV y XVI, lo cual permite una serie de encuentros no testimoniados en el diálogo.
Sin embargo, con o sin hiato explicativo en la acción continuada,
una corriente de tiempo continúa modificando el ser de Calisto
y el de Melibea, tal como fluye dentro de ellos. Varios eruditos
han observado este cambio, y han deducido de él que Fernando
de Rojas no era el autor de la adición, deducción equivocada,
porque en su tiempo sólo Rojas podía tener conciencia de su
necesidad. Foulché-Delbosc, por ejemplo, señala que la Melibea
de la *Comedia* original parece una niña asustada en comparación
con la ardiente mujer de las adiciones. Quedó para H. Warner
Allen interpretar este hecho, aunque con cierta vacilación, como
una «notable muestra del realismo y hondura psicológica de
Rojas». Así, aunque el tiempo inserto sea o no admisible en lógica, aunque interrumpa o no la secuencia del diálogo dramático,
su función no varía: permite la revelación sensible de las corrientes ininterrumpidas de vida psicológica implícita, de lo que
podría llamarse personalidad, bajo los rasgos externos característicos del héroe y de la heroína. Esa función puede recono-
cerse, sin recurrir a la definición, como la del género literario
conocido hoy como novela.

Los críticos del pasado han explicado *La Celestina* como dualidad, una dualidad de tema literario. Sempronio, Celestina, Elicia, Areusa, etc., que representan lo picaresco, se oponen a Calisto y a Melibea, los cuales, dicen, existen en función de una tradición literaria más alta, de sentimentalismo idealizado. La hi-
bridez característica se explica así como una combinación, sin fusión, de tradiciones temáticas de *troubadours* y de *fabliaux*. Sin
pretender señalar todas las fallas de esta simplificación exce-

348

siva, deseo presentar una vez más la dualidad de género literario más fundamental, la de la novela y del drama, en la cual cada una impone a la obra su significado respectivo y sus irreconciliables necesidades estéticas. La indicación más singular de esta mezcla de géneros literarios es, naturalmente, el crecimiento del tiempo en la mente de los personajes, inexplicable de otro modo. Más allá de éste, sin embargo, mi interpretación aclarará otros aspectos de la obra y definirá además varios de sus valores todavía poco atendidos. Registremos algunos a modo de conclusión: la presencia dimensional plena del mundo creado; la oposición de los dos grupos de personajes, uno de los cuales llega a fines de culminación o de drama y el otro a fines prosaicos y accidentales, es decir, novelísticos; la necesidad de la intriga semicómica para justificar la forma de diálogo de las adiciones de 1502 después de que se ha realizado la culminación dramática principal; la presencia del recurso no dramático del prólogo, ideado para criticar y explicar externamente los temas externos novelísticos de cambio y tiempo; la insistencia del autor en la naturaleza relativa de la verdad; naturaleza que sólo aceptará la experiencia como guía y que permite a los personajes una larga libertad de desarrollo, inadecuada a la forma y dirección del género literario dramático; la eficacia de escena y diálogo dramático cada vez que los personajes, uno frente a otro en la inmediatez de intereses mutuos, presenta con ello una solidificación, un plano de autopresentación, etc. Pero continuar la lista o elaborarla no haría más que privar, a los lectores de *La Celestina* que se interesan por el estudio de los géneros literarios, de los placeres del descubrimiento. Mi única intención en este artículo ha sido sugerir la posibilidad de una interpretación más nueva de una obra a la que hace mucho tiempo se ha reconocido el segundo lugar entre las escritas en prosa castellana.

IV

EVANG. MATEO, V, 10 EN BROMAS Y VERAS DEL CASTELLANO

Imaginemos a un sesudo lector que abre por primera vez el *Lazarillo de Tormes*. Podemos asegurar que antes de volver la primera página habrá sentido atrapada su atención por una frase de jocosas resonancias y que, dentro de su contexto propio, podría parecer banal. Alude el narrador a la ocasión en que su padre, que ya ha muerto, fue sometido a juicio: «...fue preso y confesó, y no negó, padeció persecución por justicia. Espero en Dios que está en gloria, pues el Evangelio los llama bienaventurados». La doble significación del vocablo «justicia» en español —como valor moral y como institución— se presta en boca del Lazarillo a un retorcimiento de la expresión por el que se desfigura el sentido del pasaje de Mat. V, 10, que cobra una intención que de ningún modo podra tener en los textos originarios griego o latino. Si de estos textos vertemos al inglés el mismo pasaje, obtendremos: «Bleesed are those who are presecuted for righteousness' sake, for they shall inherit the kingdom of heaven»: el sentido original es perfectamente claro. Sentido que sobradamente conocía el anónimo e ilustrado autor del *Lazarillo*: que aquellos que por su rectitud sufren persecución y daño —es decir, los mártires—, han de alcanzar sin duda la salvación[1]. Pero en

---

[1] GONZALO GARCÍA DE SANTA MARÍA en sus *Evangelios y Epístolas con sus exposiciones en romance*, Salamanca, 1493, vierte este pasaje evangélico con las siguientes palabras: «Bienaventurados los que sufren persecución por la justicia, ca dellos es el reyno de los cielos». Y a continuación glosa las palabras de San Mateo a fin de rechazar claramente toda posibilidad de interpretación abusiva —cual la que brinda el narrador del *Lazarillo*—: «No solamente bienaventurados los que obran bien, mas aun bienaventurados los que suffren persecución, no por peccados como fechizeros, ladrones e heréticos...» Solamente «los santos martires, los quales quanto de mas crudos tormentos eran atormentados tanto mas se gozauan en el señor» quedan incluídos en la bienaventuranza. Pues ellos —dice este autor— «defienden» y «mantienen» la justicia, y por tanto puede con verdad decirse que las persecuciones de que son objeto son «propter iustitiam». (Editado por

el *Lazarillo*, sea por error sea intencionadamente, el vocablo «justicia» aparece interpretado no en el sentido que alude a la recta causa defendida por el que sufre persecución inicua, sino más bien como denominación de las fuerzas instituídas para el mantenimiento de la Ley y del orden. Y así, resulta que un puro y simple criminal, más bien de poca talla, queda incluído en el número de los elegidos. Diríase, según el criterio del narrador del *Lazarillo*, que *todo aquel* que por sus hechos sufra el peso de la ley, de la «justicia», se hace automáticamente «heredero del reino de los cielos».

La ambigüedad caracteriza hoy —como caracterizaba otrora— el término español «justicia». Nada tiene de extraño, pues, que hallemos en otros escritores castellanos muestras de usos abusivos del vocablo con fines estilísticos independientes. Por ejemplo, Gabriel Miró, con esa su ironía de agridulces rasgos, nos describe una escena en la que un niño presencia el ir y venir de los encargados de investigar un sórdido asesinato:

> Y para aliviarme me asomé al portal de la asesinada. En lo hondo bullían unos hombres. Me dijeron que eran la Justicia. Yo nunca había visto la Justicia. Con el pie o con el bastón iban removiendo aquellos hombres todo el ajuar, harapos de mantas, cabezales, un cántaro sin asas, una escudilla de arroz, donde comería el gato y la vieja..., todo lo hurgaban.
> —¿Qué hacen?
> —Es la Justicia..., me respondió don Marcelino [2].

En este caso la natural incapacidad de comprensión en el niño impregna de la más negra tristeza todo el mundo en torno. Los dos extremos significativos del vocablo «justicia» —los rudos y brutales policías y el inaplicable valor moral— no discernidos en su mente ingenua, viene a bloquearse y anularse mutuamente. ¡A este miserable tugurio ha venido a parar la «Justicia»..., y además tiene los pies planos!

Hay otro ejemplo en el que se repite el juego de palabras del

---

I. Collijn y E. Staaf, *Skrifter Utgifna af Kingl. Humanistika Vetenskaps Samfundet*, vol. XI, Uppsala, 1906-1911, pág. 274).

[2] *El humo dormido*, edición conmemorativa, vol. VIII, Barcelona, 1941, págs. 26-27. Debo reconocer mi deuda con Edmund L. King que me sugirió este ejemplo. En otros textos modernos, la intención es más difícil de captar. Por ejemplo en *Los jueces implacables* de Roberto Ruiz (México, 1970), se nos hace escuchar al paso el diálogo de unos campesinos que han sobrevivido a una matanza rural: «—¿Qué haremos ahora...? —Hay que dar parte a la justicia. —¡Qué justicia ni qué Dios! ¿Pues no ves que es la justicia la que nos ha apiolao?», página 154. Al situar el autor la palabra «justicia» junto a la alusión a Dios, tal vez intente sugerir una irónica referencia mental del interlocutor al valor abstracto del vocablo; pero, en realidad, no es fácil asegurarlo.

Lazarillo, pero al mismo tiempo se asemeja al pasaje de Miró porque desvirtúa el ideal de justicia rebajándolo al nivel de los hombres corrompidos que la representan. En uno de los sermones que pronuncia Cantinflas en *El padrecito,* junto con otras humorísticas variaciones del texto de las Bienaventuranzas, hallamos la siguiente: «Bienaventurados los que padecen persecución por la justicia... porque de ellos será la libertad inmediata» [3]. Es un chiste trivial y, como todos los de su clase, será probablemente fácil de encontrar en otras muchas versiones. En el mundo hispánico los agentes de la justicia han sido objeto de tradicional admiración, más o menos como lo son entre nuestros estudiantes de hoy.

Esos dos ejemplos modernos ofrecen interés para nosotros no por sí mismos ni en sí mismos, sino porque a la luz de ellos resalta por contraste la anomalía que se ofrece en la versión del siglo XVI. La ironía de la escena de Miró y la sátira que contiene el chiste de Cantinflas van dirigidas una y otra contra la policía que, en el caso del *Lazarillo,* al menos en la parte inicial de la obra, no parece ofrecerse como blanco vulnerable a las críticas. A juzgar por el texto, es bien claro —cínicamente claro— que el padre del Lazarillo era culpable de los cargos que se le imputaban y que su castigo no fue, al parecer, sino un ejemplar acto de «justicia», llevado a cabo por quienes estaban facultados para ello. ¿Dónde está, entonces, —preguntará el lector— la gracia de esa cruel burla? ¿Contra quién o contra qué va dirigida? A estas preguntas pueden darse, creo yo, dos respuestas que se complementan; respuestas que salen a la luz más adelante en el curso de la narración del Lazarillo. La primera es que la extrema dureza de la alusión tangencial «Espero en Dios...», inicia un proceso de caracterización. El *Lazarillo* en su totalidad se basa en el irónico contraste que se produce entre el patetismo de cuanto acaece (vicisitudes y penalidades propias de un niño de Dickens) y el cinismo de la narración. A fin de ponernos en contacto con el deshumanizado narrador en la forma más abrupta y descarnada, el anónimo autor le hace recordar el desastroso fin de su padre y las circunstancias en que se produjo.

Esta explicación queda confirmada en el último «tratado», en el que se nos informa sobre la personalidad del que nos viene hablando a lo largo de la obra, es decir, del narrador. En este último «tratado» se nos descubre un Lazarillo adulto que ha alcanzado las cimas de la abyección espiritual y de la inhumanidad. Claudio Guillén ha sido el primero en poner de relieve [4], entre otros rasgos infamantes del Lazarillo, uno que se relaciona

---

[3] No recuerdo bien si estas palabras son pronunciadas o no en el filme. Tomo la cita de un folleto de propaganda que tengo en mi poder. No tiene fecha y fue editado en México bajo el título *Sermones de «El Padrecito» Cantinflas.*

[4] «La disposición temporal del *Lazarillo de Tormes*» en HR, XXV, 1957, págs. 269-270.

directamente con esa burla inicial sobre la salvación de su padre. El narrador no solamente se ha incorporado a la compañía de «los buenos» (en el sentido de «hipócritas») [5], sino que incluso ha llegado a convertirse en funcionario de «la justicia»: «Y es que tengo cargo de... acompañar los que padecen persecución por justicia y declarar a voces sus delitos...» No es necesario incurrir en exageraciones ni imaginarnos a Lázaro haciendo burla de los desventurados presos sometidos a su vigilancia con insinuaciones sobre su celestial destino, y mostrando la misma carencia de compasión con respecto a su padre muerto. La yuxtaposición de la burla inicial y de la función asumida por el Lazarillo al final de la obra tiene una significación bien precisa: la forma está en clara y específica conexión con el personaje. La víctima se ha convertido en victimario; el perseguido en perseguidor; y el libro, como un todo, en el acoso que por medios formales pone un hombre a su propia vida.

Considerado así, comprendemos ahora que la intención no ya del narrador, sino del desconocido autor del *Lazarillo* está más cerca de la de Miró que lo que a primera vista podría parecer. Como observa Guillén, la justicia bajo la forma de persecución inmisericorde de los desvalidos «llega a ser uno de los componentes del ambiente de la obra» [6]. Y cuando la injusticia de una tal justicia aparece descrita en términos de irónica aceptación y aun de aprobación, aprendemos entonces de modo directo lo que significa la ausencia de sentimientos. Y esto a su vez proporciona a nuestra sensibilidad herida una lección mucho más importante: lo que significa la capacidad de sentir. Tal intención difícilmente podría haber sido servida de modo tan eficaz, si el autor hubiera creado un relato abiertamente sentimental.

La segunda respuesta cobra cuerpo en el progresivo y gradual conocimiento a que llega el lector de la que Manuel Asensio llama «deformación religiosa producida en Lázaro» [7]. Como ya sabemos, el narrador atribuye, en reiteradas expresiones de falsa piedad, a la divina providencia tanto sus tristes «adversidades» como sus desvergonzadas empresas: «Quiso Dios alumbrarme...», «Dios le cegó aquella hora el entendimiento...», «Topóme Dios con un escudero...», y otros muchos ejemplos. Pero quizá la expresión más plena de corrosiva ironía es la que, al final de la obra, resume su existencia: «...yo vivo y resido a servicio de

---

[5] Sobre el uso del proverbio «Arrimarse a los buenos por ser uno dellos», como ironía estructural paralela al problema que abordamos en estas páginas, véase —además del artículo de Guillén— mi estudio «The Death of Lazarillo de Tormes», PMLA, LXXXI, 1966, págs. 153-154. En un caso y en otro el proverbio es utilizado para comunicar al lector la degradación a que ha llegado Lázaro.

[6] *Ibídem*.

[7] «La intención religiosa del *Lazarillo de Tormes* y Juan de Valdés», HR, XXVII, 1959, pág. 88.

354

Dios...». La observación de esta incesante labor de zapa a que en el texto aparecen sometidas tantas y tan hueras expresiones religiosas, ¿no nos autoriza a interpretar el pasaje que estudiamos —y que más tarde fue suprimido por la Inquisición («Espero en Dios que está en gloria, pues el Evangelio los llama bienaventurados»)— como una alusión a la índole caprichosa de la justicia divina? El eco de Juan, I, 20 que aparece en la frase anterior, «confesó y no negó», dado que supone una tácita comparación entre la mezquina confesión del padre de Lázaro y el divino testimonio del Santo, no deja de ser también sumamente significativo a este respecto. De dos diversas maneras sugiere el autor la naturaleza malignamente arbitraria de la salvación y condenación: alzando a un ratero sobre el pedestal del lenguaje escriturario, y haciendo uso de un juego de palabras para llevar a ese mismo ladrón al reino celestial.

Aplicando lo que sucede más allá de la tumba a esta existencia terrenal, se hace bien evidente la significación estructural de la incrédula chanza. Es decir, la salvación del padre puede ser entendida como una prefiguración del «buen puerto» final, aderezado por Dios para Lázaro, una vez que éste logra al fin incorporarse al grupo de «los buenos». Si es así, no podemos por menos de preguntarnos qué hado cree el autor que habrá de ser reservado por Dios a los verdaderos mártires que han sufrido persecución «por la justicia» («for righteousness sake»), qué recompensa habrá de ser otorgada por la sociedad a los que son verdaderamente honestos. Contra la opinión de algunos de nuestros colegas, el *Lazarillo* y otras obras a ésta semejantes nos llevan a sospechar que en la literatura española no todo se debe a la pluma de seglares de rigurosa ortodoxia católica, clérigos y gentes de espíritu patriótico.

Tal vez lo que acabamos de proponer pueda ser desechado como una de tantas cesiones a la fácil tentación de perderse en interpretaciones sutiles y abusivas —que insidiosamente se ofrecen a los críticos en casi todas las páginas del *Lazarillo*—. Si así es, valdría la pena fijar la atención en la que es fuente inmediata de la expresión burlesca que estudiamos. Se encuentra, claro es, en *La Celestina*, en el Acto VII: aquí, en lugar del prestidígito si bien bastante inofensivo padre de Lázaro, nos encontramos con la mucho más repulsiva madre de Pármeno, bruja dotada de diabólicos poderes, superiores incluso a los de Celestina, y que por esta tan sospechosa senda logra entrar en el reino de los cielos. El enorme despropósito que tal idea implica, así como el fuerte énfasis con que aparece destacada en el texto, pone de manifiesto la intención escéptica que mueve a Rojas. No es fácil admitir que el autor del *Lazarillo* ignorara el valor de las palabras que tomaba en préstamo.

A fin de justificar esta conclusión, pasemos a examinar la forma en que Rojas introduce el pasaje de Mat. V, 10 en el diálogo de su *tragicomedia*. Celestina y Pármeno se dirigen hacia la casa de Areusa y, mientras caminan, van conversando en torno a Claudina, madre de Pármeno. Lo que realmente pretende Celestina es afrentar a Pármeno echándole en cara su poco limpia ascendencia, pero cela astutamente su designio entre fingidos elogios a las brujeriles artes de su antigua compañera y a la heroica fortaleza que supo mostrar ante la adversidad. En la enumeración de las peripecias vitales de la madre de Pármeno, recalca Celestina maliciosamente aquel «meneo y presencia», plenos de dignidad y altivez, que supo mostrar cuando fue expuesta a pública vergüenza en la plaza mayor de la ciudad [8]: allí, de pie, en lo alto de una escalera, cubierta con el ignominioso sambenito, sólo podría haber sido comparada con el poeta Virgilio cuando —según la leyenda medieval— fue puesto en un cesto y colgado de una torre a la vista del pueblo todo de Roma. En este punto interviene Pármeno y da pie, con su ingenua reflexión, a la réplica de la vieja. Responde Pármeno: «Verdad es lo que dices; pero eso no fue por justicia». Quiere decir, claro es, que en el caso de Virgilio, y no así en el de su madre, no se hizo justicia en el sentido axiológico del vocablo. Pero Celestina —diríase que hablando en nombre de Rojas como profesional de las leyes— finge entender el vocablo en su segundo significado a fin de poner en contraste los procedimientos justicieros de las leyes civiles con las iniquidades de la Inquisición: «¡Calla, bobo! Poco sabes de achaque de iglesia y cuánto es mejor por mano de justicia que de otra manera.» Que la poco clara alusión «achaque de iglesia» se refiere, desde luego, al Santo Oficio, queda confirmado poco después cuando Celestina dice: «...a tuerto y sinrazón y con falsos testigos y recios tormentos la hicieron aquella vez confesar lo que no era». La única posibilidad de alcanzar justicia en la España de Rojas estaba en la autoridad civil. La justicia que la Iglesia administraba sólo acarreaba injusticias —incluso para las Claudinas—.

La diferencia entre el respeto que Rojas muestra hacia la ley (evidente no sólo en este punto sino también en la actitud del incorruptible juez que condena a Pármeno y a Sempronio) y el horror que el autor del *Lazarillo* manifiesta hacia *toda* clase de persecución legal, es digno de atención. Uno y otro unen, sin embargo, sus fuerzas cuando Rojas —tras haber contrapuesto en juego verbal los dos significados de «justicia» en boca respectivamente de Pármeno y Celestina— viene a acordarse de las

---

[8] Como es bien sabido, esta descripción influyó en la que se nos ofrece en el *Buscón* de Quevedo, en el episodio en que narra el ejemplar comportamiento del padre de Don Pablos en el momento de su ejecución. Según A. Fernández-Guerra, Quevedo tomó también el retrato de Claudina como modelo en la descripción de la madre del Buscón (Cf. *Obras en prosa*, ed. L. Astrana Marín, Madrid, 1941, pág. 80, n. 2). En términos generales, todo el diálogo Pármeno-Celestina podría ser interpretado, no ya como fuente inspiradora de las burlas con que se inicia el *Lazarillo*, sino como prototipo de toda la picaresca.

Bienaventuranzas, y hace hablar a Celestina en estos términos: «Sabíalo mejor el cura, que Dios haya, que viniéndola a consolar, dijo que la santa Escritura tenía que bienaventurados eran los que padecían persecución por la justicia, que ellos poseerán el reino de los cielos» [9]. Las frases que siguen a estas palabras ponen de manifiesto que la vieja ha dado de lado su anterior interés por las instituciones legales cívicas o religiosas y que lo que pretende ahora es presentar a Claudina como a una mártir galardonada con la salvación: «Mira si es mucho pasar algo en este mundo por gozar la gloria del otro». Y de nuevo unas líneas más abajo: «Así que todo esto pasó tu buena madre acá, debemos creer que le dará Dios buen pago allá, si es verdad lo que nuestro cura nos dijo, y con esto me consuelo» [10]. De este modo, si las primeras reflexiones del parlamento de Celestina declaraban el violento resquemor del hombre de leyes contra las injusticias inquisitoriales, en la segunda parte se revela el sarcasmo del «converso» escéptico al enfrentarse con lo que la ya desaparecida María Rosa Lida de Malkiel no vacilaba en denominar «lo problemático de la recompensa ultraterrena». Y precisamente es esta segunda parte —y el hecho es muy significativo— la que el autor del *Lazarillo* juzgó digna de ser repetida en la burla con que inicia su relato.

La interpretación de María Rosa Lida aparece confirmada no sólo por el texto sino también por otra circunstancia externa

---

[9] Leído este texto en lógica secuencia con lo expresado antes por Celestina, podría ser tomado en el sentido de que para el cura la justicia civil era el reino celestial, si se la comparaba con el infierno inquisitorial. Es decir, a primera vista parece que Celestina reproduce la ingenua interpretación que el cura dio al pasaje de Mat. V, 10, a fin de reafirmar su demostración de que la justicia civil es preferible a la eclesiástica. En realidad, y de modo muy característico, ni Rojas ni Celestina quedan maniatados, por la lógica que fingen mantener. Nuevas reflexiones vienen a revelar claramente que la corriente consciente de Celestina se ha desplazado, tal como hemos hcho notar, de una falsa interpretación del vocablo «justicia» a otra.

[10] MARÍA ROSA LIDA DE MALKIEL en *La originalidad artística de «La Celestina»*, Buenos Aires, 1961 hace notar la semejanza de esta frase con la que más tarde atribuyó la Inquisición a Álvaro de Montalbán: «Acá toviera yo bien, que allá no sé si ay nada». De igual modo, la declaración que poco antes ha hecho Celestina, «Pasar algo en este mundo por gozar la gloria en el otro», no es sino el eco invertido del proverbio escéptico de los «conversos» que nos ha sido transmitido por primera vez en los escritos de Fray Alonso de Espina hacia el 1459 (cf. Y. Baer, *History of the Jews in Christian Spain*, II, pág. 286) y que aparece repetido posteriormente por generaciones enteras víctimas de la Inquisición: «En este mundo no me veas mal pasar; en el otro no me verás penar». Diversos ejemplos de este tipo de expresiones serán estudiados en el capítulo II de mi obra, de próxima aparición, *The Spain of Fernando de Rojas*. En general, el dicho ofrece una apariencia en la que se entreveran sarcásticamente los tópicos, tanto piadosos como impíos, de la época.

que escapó a su observación. Se da el caso de que el pasaje de Mat. V, 10 era usado muy a menudo como tópico consolador por los «conversos» perseguidos. Asediados por la Inquisición o por sus hostiles convecinos, solían repetirse unos a otros la promesa contenida en ese texto en el mismo tono en que se la dirige el cura de *La Celestina* a la madre de Pármeno. El pasaje proporcionaba una retórica expresión esperanzadora al mismo tiempo que elevaba el sufrimiento individual a la categoría de martirio[11]. A mi parecer, resulta muy significativo el hecho de que, aunque los dos juegos de palabras que Rojas se permite con el vocablo «justicia» no guardan conexión lógica, su alusión inicial a la Inquisición le haya traído a las mientes el versículo del Evangelio de San Mateo. Sin duda muchas veces había escuchado estas mismas palabras de labios de sus amigos y parientes. ¿No pudo suceder, en efecto, que el bondadoso pero un tanto ingenuo sacerdote a que alude Celestina fuese alguien a quien el propio Rojas había conocido?

Veamos los diversos ejemplos que he recogido y que ilustran lo que acabo de decir. En primer lugar, las palabras que dirige el Beato Juan de Ávila en una de sus cartas a los presos del Santo Oficio: «Mas... pues su bendita boca llama bienaventurados a los que lloran, a los que padecen hambre, y sed, a los que padecen persecuciones, y toda su vida no fue sino un continuo martirio, ¿qué duda queda a los que somos discípulos suyos sino que firmemente creamos que éste es el camino de la salud?»[12]. Y de igual modo Fray Francisco Ortiz, que (como hace ver Ángela Selke de Sánchez en su interesantísima novela documental) halla pronta y constante fuente de consuelos en el hecho de ser perseguido «por la justicia», y escribe a sus inquisidores en estos términos: «...Qué burla sería si nos viéssedes a estos vuestros dos presos el día del juizio, coronados de muy rica gloria por esta injusta persecución que pacientemente y con gran gozo çufrimos; y estuviéssedes vosotros aviendo muerte sin convencimiento y arrepentimiento deste pecado...»[13]. Siegfried Giedion considera la Historia como «voces que llegan hasta nosotros desde las venturas y desventuras de una época»[14]. Estas que ahora evocamos son las más patéticas que jamás haya tenido yo ocasión de escuchar.

Incluso un supuesto perseguidor tan fanático como Juan de Padilla, conocido también por «el Cartuxano», pudo en una ocasión aplicar el texto de Mat. V, 10 a la situación de sus contemporáneos. Su *Retablo de la Vida de Cristo* es, en general, violentamente hostil a la «Ley Vieja» y a los «conversos», como sospe-

---

[11] Cf. J. Caro Baroja, *Los judíos en la España moderna y contemporánea*, Madrid, 1961, vol. I, págs. 429-431.

[12] *Obras*, Madrid, 1951, págs. 688-689.

[13] *El Santo Oficio de la Inquisición*, Proceso de Fray Francisco Ortiz, Madrid, 1968, pág. 143.

[14] *Time, Space and Architecture*, Cambridge, Mass., 1951, pág. 18.

chosos por definición[15]. Llega incluso a equiparar con Judas a todos cuantos ejercen las ocupaciones consideradas como típicas de los «conversos»[16]. Sin embargo, cuando habla de personas que, siendo objeto de injusta maledicencia, se muestran tolerantes y resignadas (tal vez «cristianos viejos» cuya limpieza de sangre es puesta en entredicho, o bien «conversos» sinceros que son falsamente acusados de apostasía y reincidencia), al momento acude a su mente el pasaje evangélico: «Beatos aquellos que siempre padecen / por la justicia la persecución: / ternán en el cielo sin más dilación / la gloria que siempre los tales merecen»[17]. Los tonos del bien conocido tópico y su inserción en tan sorprendente contexto son, en mi opinión, indicios claros del frecuente uso de esta fórmula consoladora en las postrimerías del siglo xv y comienzos del xvi. Los que pertenecían a la primera generación que creció y vivió bajo la Inquisición y que —como dice el Padre Mariana— fueron lanzados a un estado de tensión y horror por los jamás vistos procedimientos de justicia del Santo Oficio, hallaron en la promesa evangélica de recompensa al martirio lo que hoy llamaríamos una fórmula de «terapia de grupo»[18].

Encontramos un cuarto ejemplo en *Cárcel de amor* de Diego de San Pedro. En esta ocasión, el aprovechamiento del doble significado de «justicia» imprime un mayor patetismo al texto. Como conviene al talante de un pretencioso ensayo alegórico, la utilización de Mat. V, 10 en este texto no se produce como resultado de un ingenuo atrevimiento o de rutinaria piedad, sino que tiene más bien el carácter de una muy calculada insinuación. Francisco Márquez Villanueva ha comentado la velada acusación que subyace en la novela, dirigida contra la política real[19]. Entre

---

[15] Junto a violentos ataques contra los judíos, aparecen también de vez en cuando expresiones ponderativas de la pureza de sus costumbres, de las ventajas de la circuncisión, etc. La esquizofrenia de que da muestras Padilla en este punto me lleva a sospechar que en realidad está rechazando tanto como reivindicando su propia ascendencia.

[16] «Venden a Cristo merchantes traperos...» Tabla tercera, Cántico VI. He manejado una edición de Sevilla del año 1518 sin paginación ni numeración de folios; las indicaciones que suministro son, sin embargo, suficientes para encontrar la cita sin dificultades. En su relación incluye también Padilla a los «logreros» y «alquimistas».

[17] Tabla segunda, Cántico X. Dado que Padilla desplaza constantemente su atención desde el pasado escriturario al presente español, mi interpretación, según la cual el autor aplica el pasaje de Mat. V, 10 a los que han sido víctimas de difamación, queda justificada. Es de lamentar, sin embargo, que en este caso no sea tan preciso como en otras ocasiones.

[18] Me refiero naturalmente al pasaje discutido por Castro en *La realidad histórica*, México 1954, pág. 508. La mención de los «heréticos» en García de Santa María (cf. n. 1) entre los que de modo especial no tienen acceso a los beneficios prometidos a los «perseguidos por la justicia», es sin duda una indicación más del frecuente uso de este pasaje evangélico.

[19] «*Cárcel de amor*, novela política», en Rev. Occ. IV, 1966, 185-200.

las referencias a la Inquisición menciona los «ásperos tormentos» y el destierro en soledad a que fue condenada la princesa Laureola [20]. El texto que transcribimos a continuación está tomado de la patética epístola que dirige la reina a su hija en prisión; sus palabras aportan nuevo apoyo a la tesis de Márquez Villanueva: «Pon, hija mía, el coraçón en el cielo; no te duela dexar lo que se acaba por lo que permanece. Quiere el Señor que padezcas como martyr porque gozes como bien aventurada... Deténgome tanto contigo, luz mía, y dígote palabras tan lastimeras que te quiebren el coraçón, porque deseo que mueras en mi poder de dolor por no verte morir en el del verdugo por iusticia...» [21]. A fin de asegurar nuestra comprensión del uso irónico de «justicia» en el texto, Diego de San Pedro establece en la última frase un evidente paralelismo gramatical entre «iusticia» y «dolor». De un lado están el rey y su «Ministerio de Justicia», el cual llegado el. caso echa mano del «verdugo»; de otro, el valor moral, el abstracto ideal trágicamente traicionado y que, como el dolor, también puede matar. Es de notar que San Pedro se aparta de Rojas y del autor del *Lazarillo* en el uso del texto evangélico, pues Laureola es inocente y se encuentra en grave peligro de sufrir verdadero martirio. Por tanto, a pesar de la semejanza del juego de palabras, San Pedro se adscribe claramente al uso positivo y consolador del versículo tal como lo encontramos en el Beato Juan de Ávila y en Fray Francisco Ortiz. En la imaginación y en las expresiones de la reina en su carta, La .ureola aparece equiparada a una víctima del Santo Oficio.

El último ejemplo que he recogido ofrece extraordinario interés, pues se trata de un testimonio oral, no escrito, y procede de Puebla de Montalbán y de fecha algo anterior al 1494. En ese tiempo un hombre que se reconocía como «converso», llamado Pedro Serrano, y que estaba en calidad de mayordomo al servicio de don Alonso Téllez Girón, primer Alcalde de la Puebla, fue sometido a juicio por la Inquisición de Toledo. El expediente del juicio se conserva en el *Archivo Histórico Nacional* [22], y ofrece gran interés no sólo porque contiene datos muy notables sobre la familia del suegro de Rojas, sino también porque nos proporciona una imagen viva y terrífica de lo que era la vida de las gentes de la Puebla en los días inmediatamente anteriores a la marcha de Rojas a Salamanca [23]. Pero lo que ahora nos interesa

[20] Conviene hacer notar que la acusación contra Laureola no justifica en modo alguno ese trato. Tanto más cuanto que el rey no necesitaba en absoluto obtener una confesión forzada, ya que la había declarado convicta de culpa.

[21] DIEGO DE SAN PEDRO, *Obras*, ed. S. Gili Gaya, Madrid, 1950, pág. 172.

[22] Sección «Inquisición de Toledo», pág. 229 en el *Catálogo*, ed. V. Vignau, Madrid, 1903. Las referencias del catálogo han sido alteradas y las nuevas sólo pueden obtenerse en la copia del *Archivo*. Por esta razón, sólo puedo reseñar aquí el número de la página.

[23] Cf. capítulo V de *The Spain of Fernando de Rojas*.

es que, entre otros cargos, se acusó a Serrano de haber dicho a los «reconciliados» del lugar que «los que ansí padecían, serían bienaventurados». Dado que Serrano era hombre de buen corazón pero poco inteligente —como él mismo dio a notar al verse en tan dura situación— nos sentimos inclinados a pensar si tal vez no hizo sino repetir algo que habría oído decir a algún sacerdote, posible modelo —en carne y hueso— del «cura, que Dios haya» de Celestina.

Sea como sea, queda claro que el texto de Mat. V, 10, si inserto en un contexto inadecuado, vino a quedar considerado como herético, pues de hecho se había convertido en una expresión —tan subversiva como trivial— negadora de la «justicia» inquisitorial. Al verse enfrentado con una acusación tan grave, Serrano no se atrevió a rechazarla abiertamente sino que intentó suavizarla con palabras engañosas y al mismo tiempo reveladoras:

> ...yo jamás dixe contra la Santa Inquisición ni que los erejes avían de prosperar, mas que, como los penitentes de la dicha villa de la Puebla andovieron su pena y andavan avergonçados e algunos los corrían de manera que pudieran venir a desesperación [24] que yo por los consolar y animar con nuestra santa fe católica les diría en público y en secreto, «No os turbéis ni desmayéis que bien aventurados avéis sido en faser pena...».

Tales eran las escenas que contemplaron los ojos adolescentes de Rojas y tales las voces de protesta o de defensa que pudo escuchar.

Mi tesis, por tanto, es que la irónica cita de Mat. V, 10 en el texto de Rojas se debió no a mero escepticismo sobre la vida ultraterrena sino a un escepticismo irritado hasta la raíz. Ver que creyentes sinceros, entre los que como él eran «conversos», utilizaban este versículo como fórmula piadosa, fue algo que Rojas no pudo soportar [25]. Se puede ser incrédulo en cuanto al dogma y guardar silencio; pero la fórmula confortadora repetida una y otra vez de manera inconsciente e ingenua, provocaba necesariamente una réplica. En otras palabras, para Rojas la aplicación del bálsamo celestial como remedio al infernal acoso de

---

[24] Como es sabido, el significado de este vocablo en la época de Rojas era «suicidio».

[25] No sólo los que, como Fray Francisco Ortiz, eran cristianos sinceros proclamaban de sí mismos que eran mártires, sino también los que eran auténticos criptojudíos. Véase, por ejemplo, F. Fita, «La Inquisición Toledana» BRAH, XI, págs. 307-308. Solomon ben Verga apunta la posible existencia de una tradición judía que se correspondería con Mat. V, 10. En el *Chebet Jehuda,* el rabbi Solomon ha-Levi argumenta frente al Papa en estos términos: «...nosotros hemos recibido por tradición que a todo ejecutado por el tribunal de la tierra le serán perdonados sus pecados...», versión de F. Cantera Burgos, Granada, 1927, pág. 190.

una inmediata persecución era como tratar un cáncer con recursos de medicina casera. Sin embargo, Rojas no prorrumpió, como su suegro, en abierta refutación del tópico cúralotodo [26], sino que, con su característica ironía, se valió del malicioso equívoco en torno a «justicia» en boca de Celestina para ejemplificar el absurdo uso que se hacía del texto evangélico. Fue precisamente la habilidad de la réplica de Rojas contra aquella paralizante ofensiva de tópico asentimiento lo que provocó la admiración del autor del *Lazarillo*. En una sociedad interesada tan sólo en demostrar su ortodoxia y que, para ello, no perdía ocasión de proclamar sus hueros tópicos acerca de Dios y de su benigna Providencia, he aquí que había un maestro, Rojas, a quien seguir. De este modo, de la semilla plantada por Rojas en el pasaje en que Celestina declara la salvación de su comadre Claudina, creció y llegó a sazón una nueva narrativa basada en la constante y diversa denuncia del abismo que separaba la interpretación de la sórdida realidad.

(Traducción de María Rico)

---

[26] El exabrupto de Álvaro de Montalbán (citado en n. 10) contra los tópicos utilizados por algunos compañeros piadosos estuvo a punto de costarle la vida. El asunto aparece examinado y discutido en mi artículo «The Case of Álvaro de Montalbán», MLN, LXXVIII, 1963, págs. 113-125.

V

FORTUNA Y ESPACIO EN *LA CELESTINA*

Hasta fines del siglo XIX *La Celestina* era una obra desconocida. Esto no quiere decir que no tuviera lectores, aunque sin duda el interés por ella se ha incrementado rápidamente a partir de la fecha crucial del 98. Lo que desde luego sí podemos afirmar es que los pocos lectores anteriores a esa fecha que accedieron a sus páginas, no tenían una idea muy precisa de lo que estaban leyendo. El libro que tenían en sus manos era, en muchos aspectos, diferente del que hoy leemos nosotros. En efecto, en el siglo XIX no se tenía ni la menor noticia sobre la fecha, las principales fuentes, la mejor edición y la identidad del autor de *La Celestina*. Hasta se había olvidado que la versión en veintiún actos (1502) no es sino una ampliación posterior de la versión original en dieciséis actos (1499). En cuanto al significado de la obra, *La Celestina* era juzgada en esas fechas como no mucho más que una obra extraña y semianónima a la que sus escasos lectores no acudían sino atraídos por la desaforada picaresca del personaje central; en el mejor de los casos, veíase en ella una obra germinal en la constitución y crecimiento del drama europeo. Pero en este medio siglo que desde entonces ha transcurrido, hemos aprendido muchas cosas sobre *La Celestina*. Gracias al renacimiento de la filología y gracias también a los extraordinarios trabajos de identificación realizados por Menéndez Pelayo, Foulché Delbosc y tantos otros estudiosos, contamos hoy con todos los datos indispensables para una comprensión más profunda y una más alta estima de la creación de Rojas. Nos encontramos, por fin, en situación de estudiar los problemas literarios de *La Celestina* de un modo serio y responsable. Tal es el talante crítico con que hoy planteo este acercamiento, enderezado en una dirección un tanto inédita[1]. No se

---

[1] Este artículo constituye la forma reducida de lo que originariamente fue una conferencia, pronunciada en inglés en Harvard y en español en la Universidad de Colonia. Gran parte de este material aparece, si bien organizado de otro modo, a lo largo de los capítulos IV y V de mi obra *The Spain of Fernando de Rojas*, un libro que

trata ahora de problemas de caracterización ni de género, que ya han sido frecuentemente discutidos en otros momentos, sino que nos proponemos dedicar nuestra atención a los temas centrales de Fortuna y espacio. Mas, precisamente porque mi interés sobre *La Celestina* se centra de modo principal en los aspectos de la crítica literaria, deseo en este momento proclamar mi deuda con los investigadores que me han precedido. El primer paso en la comprensión literaria es necesariamente la identificación, es decir, el hallazgo, para la obra que se somete a estudio, de una identidad exacta e inteligible.

Sin embargo, hay algunos aspectos literarios que o carecen totalmente de interés o pueden incluso inducirnos a error si los contemplamos como entidades que es preciso identificar. Entre estos aspectos, yo brindaría a manera de ejemplo el problema de la localización de *La Celestina,* un problema que ha sido debatido diríamos que hasta con acritud en el tránsito de siglo a siglo. La acción de la tragicomedia aparece encuadrada dentro de los límites de una misma ciudad; en el curso del diálogo surgen numerosas alusiones —nombres de calles, acontecimientos populares, datos geográficos, iglesias bien determinadas— que invitan al estudioso a identificar el lugar de la acción como una u otra de las ciudades españolas. No es necesario que nos detengamos aquí en el examen de todos los intrincados detalles y opiniones que se enmarañan en torno a este asunto. Por el momento, nos bastará con traer a nuestra atención lo que suele llamarse el «estado actual» del problema. Helo aquí: Sevilla y Salamanca son los candidatos que van en cabeza; generalmente obtiene mayores preferencias Salamanca debido a ciertos aspectos humanísticos y académicos que se ofrecen en *La Celestina,* y además porque existe el testimonio biográfico que nos dice sin lugar a dudas que el autor, Fernando de Rojas, estudió en esta ciudad. Los partidarios de Salamanca se ven, no obstante, enfrentados con una muy grave objeción: la que resulta de la observación contenida en un parlamento del Acto XX. Nos encontramos en ese momento en el clímax de la acción: el «amante», Calisto, ha caído de una escala y ha resultado muerto, y su «amada» Melibea, abrumada por el dolor, se propone seguirle prontamente dándose muerte. Como Fiammetta, también Melibea proyecta lanzarse al vacío desde la azotea de su casa. Pero hay una dificultad que es preciso superar: Pleberio, el padre de Melibea, está cerca de la joven tratando de consolarla en tanto que ella se esfuerza por hallar una excusa para subir a la azotea sin que él llegue a sospechar su proyecto. La conversación entre ambos se desarrolla en estos términos:

está a punto de ser publicado por la Wisconsin University Press. Aparece ahora bajo esta forma, merced al amable interés del Profesor Fritz Schalk, de la Universidad de Colonia; aprovecho esta oportunidad para expresarle mi agradecimiento. Versión española en prensa, de Taurus Ediciones.

Pleberio: Levántate de ay. Vamos a uer los frescos ayres de la ribera... descansará tu pena.

Melibea: Vamos donde mandares. Subamos, Señor, al açotea alta, por que desde allí goze de la deleytosa vista de los navíos: por ventura afloxará algo mi congoja (XX. 190-191)[2].

La estratagema de Melibea, su deseo de contemplar el panorama que desde la azotea se divisa parece inocente, incluso patética en su contexto; sin embargo, ha tenido repercusiones ulteriores en las tareas de los investigadores, repercusiones que no es fácil que Rojas pudiera haber visto. En efecto, se planteó inevitablemente la cuestión de si el Tormes, el humilde río de Salamanca —la ciudad en la que todavía no había nacido Lazarillo— pudo o no mantener a flote algo que se pareciera a los «navíos», es decir, a naves transoceánicas. La respuesta, naturalmente, es negativa; ello hizo posible la identificación de la ciudad de *La Celestina* como Sevilla. Sevilla es, desde luego, la única gran ciudad de España que tiene un río navegable: el Guadalquivir; satisface por consiguiente las dos exigencias del diálogo que hemos reproducido: «la ribera», y más allá, flotando sobre las aguas, «los navíos»[3].

Como ya he indicado, desde el punto de vista de nuestra propia generación, esta clase de identificaciones resulta desorientadora o, cuando menos, banal. No nos sentiremos interesados en la ciudad como tal ciudad, como tal espacio geográfico que debamos identificar. Es más bien su función artística lo que nos interesa; es decir, su significación dentro de la creación literaria; o su contribución a la obra, su aporte en el seno del diálogo en el que los personajes aluden de vez en cuando a su ciudad. Cualquier otro modo de considerar el problema nos envolvería en una peligrosa, por lo ingenua, ecuación de literatura y vida. Incluso nos arriesgaríamos a decir que lo más interesante para nosotros en este asunto es el hecho de que Rojas *no* se creyó en el caso de nombrar la ciudad ni de indicar claramente su identidad geográfica, de tal modo que tan sólo permitió que apareciera en la medida en que se alude a ella incidentalmente en boca de los personajes. Así como denominaba en forma inespecífica a sus personajes (Calisto, Centurio, etc.) y dejaba que revelaran sus

---

[2] Las referencias de actos y páginas se hacen según la edición de Cejador en «Clásicos Castellanos». Mi edición fue publicada en 1949. No añado referencias de volúmenes por no ser necesarias: los siete primeros actos aparecen en el vol. I, y los catorce restantes en el vol. II.

[3] Sobre este problema, véanse los recientes estudios de JOSÉ RAMÓN JIMÉNEZ *Algo más que tenerías* (Salamanca 1950) y R. MORALES «Otro escenario más para *La Celestina*», *Cuadernos de literatura* 1950. Sobre la polémica fundamental de comienzos de siglo, puede hallarse bibliografía en las fuentes bibliográficas de uso corriente.

respectivas personalidades en el contexto de sus situaciones vitales, del mismo modo esta innominada ciudad se nos antoja muy significativamente —no inadvertidamente— innominada. Estamos ante un aspecto de la técnica creativa de Rojas.

Pero si bien dejamos a un lado este problema de identificación, no por eso dejamos de agradecer a los que nos precedieron en el estudio de este texto el haber llamado nuestra atención sobre esta decisiva «vista de los navíos» que Melibea espera contemplar desde el tejado de su casa. El adjetivo «decisiva» nada tiene que ver, desde luego, con la realidad de los navíos; tenemos que aceptarlos lo mismo que aceptamos cualquier otra cosa en *La Celestina*. Lo usamos por otra razón: porque las palabras de Melibea en esta ocasión son la única referencia que encontramos, a lo largo de la obra, a lo que en nuestro lenguaje actual llamaríamos un «paisaje». Normalmente cuando los personajes que pueblan *La Celestina* dirigen sus ojos, sea sobre su entorno, sea a distancia en el espacio, su mirada se encamina en derechura hacia algún objeto determinado que suscita su interés o que de algún modo les concierne: la sorprendente prisa que se revela en el aleteo de las faldas de Celestina, el llamear amenazador de las antorchas de la guardia nocturna, etc. Pero, en esta ocasión, por el contrario, la mirada se pierde en una perspectiva vacía, que abraza la escena en todas sus dimensiones: una escena «deleytosa» y, por ello, hecha para ser contemplada por sí misma. El espacio ya no es una barrera, ya no es una distancia entre dos personajes; ahora, la sola presencia de los navíos que rompen la lejana continuidad otorga al espacio un énfasis propio. De este modo, quiebra Rojas por un instante, en este momento de clímax final, el tenso e ininterrumpido engranaje de consciencia y palabra que, con intensidad casi raciniana, caracteriza el decurso de *La Celestina*. Nos ofrece, en rápida vislumbre, esa vacía extensión del espacio que fue revelada por el Renacimiento como nuevo entorno del individuo. Y lo hace a través de las palabras de su heroína.

Teniendo en cuenta que Rojas es un autor en extremo detallista y puntilloso, un autor que en las adiciones que incorporó a su obra en 1502 manifiesta una tan vigilante conciencia de los detalles más íntimos, el problema en este caso es el por qué. ¿Por qué había de hacer esta única y fugaz alusión al espacio en sus dimensiones horizontales? ¿Y por qué había de elegir a Melibea como portavoz de esa alusión y en el preciso momento en que la joven toma la decisión suprema? Quizá estas preguntas puedan parecer triviales; mas si alcanzan respuesta plena y veraz, nos llevarán hasta el interior de la sustancia temática de *La Celestina*. De ahí que yo me apresure a rechazar la explicación superficial..., por eso precisamente, porque es superficial. Me refiero, claro es, a la posibilidad de que Melibea hable de «la vista de los navíos» tan sólo como excusa para subir a la «azotea». Si estamos simplemente ante un engaño femenino, un «engaño» propio de las mujeres que se mueven y alientan en *La Celestina*, no hay por qué intentar llevar más allá el sondeo de este asunto. Pero no hay razón ninguna para aceptar tan pobre explicación. La verdad literaria casi nunca es univalente. Sobre todo, cuando se trata de obras maestras, las explicaciones que llamaremos sencillas más inducen a error que a lo contrario. Pero es que además el texto mismo nos ofrece un dato muy oportuno. En la desconsolada despedida de Pleberio a su hija muerta, de nuevo le oímos referirse a los «navíos», y nos hace saber que una parte al menos de sus riquezas las logró con la construcción de buques. Como más adelante tendremos que aludir a este pasaje, lo reproducimos ahora:

> ¡O duro coraçón de padre! ¿Cómo no te quiebras de dolor, que ya quedas sin tu amada heredera? ¿Para quién edifiqué torres? ¿Para quién planté árboles? ¿Para quién adquirí honras? *¿Para quién fabriqué navíos?* ¡O tierra dura! ¿Cómo me sostienes? ¿Adónde hallará abrigo mi desconsolada vegez? ¡O fortuna variable, ministra e mayordoma *de los temporales bienes*! *¿por qué no ejecutaste tu cruel ira,* tus mudables ondas, en aquello que a ti es subjeto? ¿Por qué no destruiste mi patrimonio?... (XXI, 202-203).

Si la mención de los «navíos» no es más que un pretexto para la acción del momento (es decir, para que Melibea lleve a cabo su fatal ascensión al tejado), ¿a qué insistir nuevamente en ellos en las palabras de Pleberio? Como veremos más adelante, este pasaje ha sido tomado del *De remediis utriusque fortunae* de Petrarca, pero sigue siendo digno de notarse que de nuevo volvamos a toparnos con nuestros «navíos».

Una vez que he rechazado la explicación que juzgo sencilla y superficial, quisiera proponer —con mis mejores esperanzas— otra más complicada y profunda. En mi opinión, las palabras de Melibea fueron escritas por Rojas porque deseaba aludir, precisamente en el clímax de la acción, a un espacio de paisaje y horizonte —lo que podríamos llamar un «espacio desinteresado»—. Era un modo tácito de reconocer la decisiva significación del espacio en *La Celestina*. No faltarán lectores que objeten que esta obra no ofrece los rasgos de lo que comúnmente se entiende como una obra de espacio. Wolfgang Kayser no la describiría probablemente como «räumlich»; difícilmente se la podría comparar en este aspecto con el *Quijote* o con el *Poema del Cid*, para no hablar de esas creaciones postrománticas, verdaderas obras de espacio, como *Martín Fierro* o *Huck Finn*. El hecho de que la *única* vez que el autor nos hace mirar más allá de la ciudad sea precisamente cuando Melibea otea el horizonte desde la azotea, es por sí solo suficiente indicación de que no nos hallamos ante una obra de espacio. Sin embargo, en ninguna de esas obras la función del espacio resulta tan decisiva como en *La Celestina*. Al afirmar esto de modo tan terminante, me refiero ante todo al ininterrumpido movimiento de los personajes de un lugar a otro, de un piso a otro, tal como en el diálogo se indica. En efecto, Rojas sustituye una continua trayectoria tridimensional por escenas limitadas y acotadas. Lleva a su lector a través de una estructura de acaeceres radicalmente espacial, sucediéndose en constante progresión cinematográfica: dentro, fuera, adelante, abajo, arriba, hacia atrás, a través de iglesias, escaleras arriba, al interior de los jardines..., del comienzo al fin de la obra. Y cuando surgen obstáculos (muro, puertas, etc.), lo son en efecto para los deseos de los personajes y no simple decorado o mero juego de detalle escénico. Esta libertad espacial es la que, mejor que ningún otro rasgo, produce en nosotros esa ilusión engañosa de realidad identificable en la ficticia ciudad de *La Celestina*.

Pero es incluso más sorprendente la presencia *positiva* del espacio en la acción y en el lenguaje de la obra. Rara vez se ha hecho notar que cuatro de las muertes que acaecen en *La Celestina* son resultado de caídas, caídas a través del espacio. Este es el hecho central y es, además, caso único: yo no sé de ninguna otra obra que coincida en esto con *La Celestina*. Pero antes de proseguir mi comentario, voy a identificar esas cuatro muertes: el traspiés de Calisto desde la escala y el salto suicida de Melibea ya han sido mencionados. Son sin duda alguna caídas; y casi tan evidente como éstos es el caso de los dos criados de Calisto, Pármeno y Sempronio: su caída es de tan contundentes efectos que, si poco después son llevados a ejecución por el asesinato de la alcahueta Celestina, esta ejecución no pasa de ser una simple formalidad. Sosias, el criado superviviente nos describe los hechos:

> ¡O señor! que si lo vieras, quebraras el coraçón de dolor. El uno llevaba todos los sesos de la cabeça de fuera, sin ningún sentido; el otro quebrados estamos braços e la cara magullada. Todos llenos de sangre. Que saltaron de vnas ventanas muy altas por huyr del alguazil. Y assí, casi muertos les cortaron las cabeças, que creo que ya no sintieron nada. (XIII, 110).

¿Por qué insistiría Rojas en esos crueles detalles? ¿Por qué otorgara mucha menos atención al hecho de la ejecución legal que al accidente sufrido por los criados? ¿Por qué desdeñaría las posibilidades que se le ofrecían de extraer consecuencias morales..., a no ser que deseara poner de relieve la terrible caída a través del espacio? Nos pone ante los ojos en vívida muestra un hado que es paralelo, y aun premonitorio, al del amo y su amante.

Pero esto no es todo. No sólo la caída a través del espacio es un corriente y recurrente suceso en la tragicomedia; es también una obsesión fundamental en las mentes de los personajes. Podría parecer natural ese temor cuando, en su primera cita amorosa en el jardín de Melibea, sube Calisto el muro fatal y la joven prorrumpe en lo que diríase una premonición: «¡O mi señor! no saltes de tan alto, que me moriré en verlo; baja, baja poco a poco por el escala; no vengas con tanta presura». Pero no necesitamos alimentar sospechas de intencionales prefiguraciones en otros pasajes; por ejemplo, cuando Elicia, la aprendiz de Celestina, reprende a la vieja por su corretear de noche en las oscuras calles: «¿Cómo vienes tan tarde? No lo deues hacer, que eres vieja; tropeçarás donde caygas e mueras»; pero Celestina, con su experiencia y su natural cautela es bien consciente de los riesgos del espacio y muy capaz de precaverse contra ellos: «No temo eso, que de día me auiso por donde venga de noche. Que jamás subo por poyo ni calçada, sino por medio de la calle... Más quiero ensuziar mis zapatos con el lodo que ensangrentar las tocas e los cantos». (XI, 74-75). Un postrer ejemplo mostrará la —al menos en apariencia— naturaleza intencional de estas alusiones. Se nos ofrece en uno de los pocos pasajes directamente inspirados en la *Fiammetta*: estamos en el acto XIV: Melibea ha convenido en reunirse por primera vez con Calisto y está en el jardín, presa de gran agitación, esperando la llegada del joven a la medianoche. Es una de las pocas ocasiones en que la situación vital de Melibea se aproxima a la autoconsciente ansiedad de Fiammetta; y, como es natural, Rojas no vacila en tomar de Boccaccio todo un monólogo de timoratas imaginaciones:

«Mas, cuytada, pienso muchas cosas que desde su casa acá le podrían acaecer. ¿Quién sabe si él... fue topado de los alguaziles noturnos e sin le conocer le han acometido?... ¿O si ha *caydo en alguna calçada o hoyo*, donde algún daño le viniese? ¡Mas o mezquina de mí! ¿Qué son estos inconuenientes que el concebido amor me pone delante y atribulados ymaginamientos me acarrean?». (XIV, 115).

Es bien notorio el elevado tono propio de Boccaccio —especialmente en las palabras finales. Pero, aparte de eso, podemos observar que una de las añadidudas personales de Rojas en el texto italiano es precisamente la alusión a la caída: «... ¿O si ha caydo en alguna calçada o hoyo...?».

Así pues, *La Celestina* ofrece no solamente perspectivas urbanas de calles y plazas, no sólo libertad espacial en el diálogo de esos límites horizontales, sino también el siempre presente peligro del espacio vertical, de la muerte por caída. Es un mundo en el que las criaturas que lo habitan parecen estar constantemente sujetas a una incipiente sensación de vértigo: un mundo en el que la *altura* está siempre en sus mentes, desde el inicial y casual vuelo del halcón (que llevó a los amantes a conocerse) hasta la postrer mirada de Melibea desde las crestas de su alta casa.

Ha llegado el momento en que debemos poner de relieve una muy notable coincidencia. Existe en *La Celestina*, junto al vértigo físico, un sentimiento —igual y complementario— de vértigo moral en los mismos personajes en cada ocasión. Si por una parte temen y encuentran «la cayda en el espacio», por otra esquivan (y al mismo tiempo desafían) ese peligro terrible para el hombre del siglo XV, «la cayda de fortuna». Esta noción de caída desde una alta situación, de derrumbamiento desde la rueda de la Fortuna, es tan familiar a cualquier lector de la literatura de esa época que no precisa que aportemos demasiadas pruebas. Sempronio, por ejemplo, previene a Calisto en el acto I de los peligros que entraña toda compañía con mujeres:

> Lee los hystoriales, estudia los filósofos, mira los poetas. Llenos están los libros de sus viles é malos exemplos é de las caydas que llevaron los que en algo —como tú— las reputaron (I, 47).

O, espigando de nuevo al azar en las numerosas alusiones a este mismo tópico que se ofrecen en el diálogo de *La Celestina*, declara Sosias su parecer a Calisto: «Recuerda y levanta que si tú no buelbes por los tuyos, de cayda vamos». Y finalmente Sempronio, hablando con Celestina sobre el porvenir de Calisto, corrobora la caída de Fortuna con una imagen que alude al espacio y a los efectos de la gravedad y de una lenta aceleración: «Que primero que cayga del todo, dará señal como casa que se acuesta».

Esta invocación de la Fortuna en tono de admonición es tan frecuente en *La Celestina* que ha inducido a lo largo del tiempo a muchos lectores a interpretar esta obra como un «caso de la fortuna». Según ese punto de vista, tenemos en ella una muestra de ese concepto medieval de la tragedia que, como expone Farnham [4], supone la caída ejemplar desde un alto estado de un hombre orgulloso o imprudente. La primera atribución de esta interpretación a *La Celestina* se produjo ya antes de su publicación, cuando los «impresores» compusieron el «argumento» o sumario de la acción y lo añadieron a la obra. Encontramos en él esta frase: «...vinieron los amantes en amargo y desastrado fin. Para comienço de lo cual dispuso el adversa fortuna lugar oportuno donde a la presencia de Calisto se presentó la desseada Melibea». Sin embargo, a pesar de que el propio Rojas parece apoyar esa interpretación, hemos de decir que los lectores que la aceptan, desdeñan por entero un hecho de extraordinaria significación. Y es que Calisto —el único candidato posible a la categoría de *héroe trágico* (sea cual sea su definición)— *no* se enfrenta con catástrofes ni castigos. Lo que sufre Cailsto es un accidente. La temerosa y ejemplar caída desde un alto —el final que Sempronio había predicho— queda reducido a una caída en el espacio. Apresuradamente insensato, noche oscura, alta escala y un traspiés al azar se combinan para derribarle: es un fin tragicómico —y hasta novelístico— y que nada tiene que ver con

---

[4] WILLARD FARNHAM, *The Mediaeval Heritage of Elizabethian Tragedy*, Berkeley 1936.

orgullo ni desmesura. Más aún, tal como presenta la muerte de los criados, parece Rojas complacerse en resaltar el hecho de que eso le puede suceder a cualquiera. En ambos casos, procura evitar la apariencia de ese justo castigo que el lector venía ya largamente esperando ver cumplido.

La peculiar naturaleza de esas muertes —o tal vez diríamos mejor acaecimientos— ha sido observada ya más de una vez; en ellas encuentra mayor fuerza el argumento de los que ven en *La Celestina* la creación de un «converso», es decir, de un hombre que ha perdido su fe sin ganar ninguna otra y que se complace en resaltar la ausencia de trascendencia moral en el mundo: la diosa Fortuna ha abandonado la escena y en su lugar ha dejado un simple y mecánico azar. Ahora bien, aunque es muy cierto que la equívoca situación de Rojas dentro de su sociedad guarda estrecha relación con el decurso de los sucesos en *La Celestina*, sin embargo, esa interpretación resulta casi tan esquemática y simplista como la de los «impresores» de la primera edición. Unos y otros pasan por alto la ecuación que aquí sugerimos: la sarcástica identidad Fortuna-espacio en esta obra. Unidos en el término «cayda» con sus dos niveles significativos —figurativo el uno y cruelmente real el otro—, Fortuna y espacio vienen a ser una sola cosa. Únense, y cuatro saltos en la muerte son la ganancia de su unión enigmática.

En otras palabras, la ironía de Rojas procede con mayor sutileza que la que hubiera permitido la sustitución directa de la ciega Fortuna por el azar ciego. Su mente no se empeña en planteamientos ideológicos, ni era dado Rojas a formulaciones metafísicas. Al presentar la muerte de Calisto como una verdadera caída y al permitir que los personajes descuiden y olviden ocasionalmente su arraigada obsesión del espacio, deja Rojas bien sentado implícitamente —sin llegar a declararlo— este hecho: que el hombre ha sido abandonado en un universo hostil, en un universo en el que las dimensiones —el espacio— son los herederos de fortuna. Así, el tácito convenio, el implícito compromiso con el lector —que los amantes tienen que sufrir— ha sido mantenido al pie de la letra, pero el espíritu ha quedado trasmutado por la infiltración de una nueva visión de la vida. La ecuación espacio-Fortuna en las «caydas» es la señal de una profunda y sutil revolución temática, no es un simple cambio de planteamiento. Carmelo Samonà en su reciente estudio *Aspeti del retoricismo nella «Celestina»* observa una «concretización» semejante en otros tópicos verbales:

Molti, infatti, degli esempi citati dalle diverse forme di dialogo hanno dato occasione di osservare il valore di un alternativa astratto-concreta nello sviluppo dell'azione... In materia d'amore, il passaggio è avvertibile fin dall'esame delle singole figure, talvolta perfino nel lessico, in notazioni frammentarie ma egualmente ricche di contenuto stilistico. Abbiamo visto come permanga nell'opera un residuo di terminología provenzale nel definire oggetti circostanti alla situazione amorosa: *muralla, fortaleza, huerta, escalas*. Ma, oltre ad esser alleggerite della loro intensità simbolica (che era devuta alla pregnanza di un'allegoria qui inesistente), queste espressioni vengono restituite di continuo a una funzione pratica e materiale, perdendo anche in modo brusco qualche raro e stanco rivestimento metaforico (tipo, per es. «*fortaleza-huerta*»). Rojas avverte la seduzione di ornare qua e là il racconto con immagini attinte alla secolare poetica dell'*assedio* d'amore, ma c'è un momento (e prevale su tutti gli altri) in cui la scala è sentita come scala, il muro è muro autentico, il giardino giardino e non fortezza, e così via. Prevale insomma una sensibilità pratica, scenica, funzionale su quella metaforica[5].

Aunque la interpretación de Samonà es distinta de la mía, estas observaciones pueden muy bien ser aplicadas a la conversión de Fortuna en espacio. En este sentido corroboran de modo muy efectivo el tema tal como aquí se propone: la concreta exposición física del individuo a un mundo espacial.

Si todo esto es cierto, si el extraño carácter de las muertes que se producen en *La Celestina* refleja realmente un cambio en el tema básico, en tal caso sería lógico que encontráramos alguna alusión al asunto, si no precisamente en el texto, sí en la *Carta*, o en los versos de presentación, o en el *Prólogo*, en una palabra, en los diversos textos que fueron escritos como introducción o explicación del diálogo. Sería lógico y natural, en efecto; pero desgraciadamente Rojas no nos presta ayuda ninguna a esta metamorfosis de Fortuna en espacio. Y nosotros nos preguntamos: ¿por qué?

Una respuesta puede ser ésta: que los dos prefacios de Rojas —la *Carta a un amigo* y el *Prólogo* posterior— comparten esa poco grata cualidad que es común a tantos otros escritos introductorios que aparecen antepuestos a obras maestras de la literatura: la ausencia de una declaración explícita de lo que el escritor hace y ha hecho. A causa de la misteriosa naturaleza de la creación artística y, también, porque la vida del artista está totalmente implicada en su obra, sucede que tales comentarios, aunque interesantes, suelen ser frecuentemente bastante evasivos. Rojas no es una excepción a esta regla. Ni explica, ni puede explicar, ni debe quizá explicar al lector la naturaleza de su empresa. Sin embargo, si bien no se nos da ningún claro testimonio de la nueva identidad Fortuna-espacio, tenemos al menos algún derecho a esperar que esa escondida corriente de obsesión espacial que se hace evidente en el diálogo, aparezca de algún modo en los textos prologales. En esto no quedamos defrauda-

---

[5] CARMELO SAMONA, *Aspetti del retoricismo nella «Celestina»*, Roma 1953, págs. 208-209.

dos. No sólo hallamos en ellos una breve alusión al mito de
Dédalo e Icaro; encontramos también otra significativa inserción:
un pasaje tomado de Petrarca. Menéndez Pelayo fue el primero
en advertir que el *Prólogo* de Rojas era, párrafo tras párrafo,
copia directa del prólogo a la segunda parte del *De remediis
utriusque fortunae*. Es una muestra más de la falta de habilidad
o de gusto en Rojas por esta clase de actividad literaria. Pero
lo que Menéndez Pelayo no advirtió fue el alcance de los cambios introducidos por Rojas en esos pasajes: además de reorga-
nizarlos, insertó en ellos detalles y resaltó ciertos puntos según
su propio criterio. El ejemplo que nos interesa es una de esas
fantásticas anécdotas de historia natural tan frecuentes en la
época y que dice lo siguiente:

> De vna ave llamada rocho, que nace en el índico mar de
> oriente, se dice ser de grandeza jamás oyda e que lleva
> sobre su pico hasta las nuues, no solo vn hombre o diez,
> pero un nauío cargado de todas sus xarcias y gente. Y como
> los míseros navegantes estén assí suspensos en el ayre, con
> el meneo de su buelo caen e reciben crueles muertes (22).

A fin de comprobar hasta qué punto esta anécdota fue recom-
puesta por Rojas, vamos a compararla con la traducción literal
que del texto latino de *De remediis* hizo en el siglo XVI Francisco Madrid:

> Que dice que hay cerca del mar Indico una ave de grande-
> za nunca oída, que los nuestros llaman Rocho, que no so-
> lamente un hombre, mas un navío entero se lleva hasta
> las nubes colgado del pico. Y de allí dejándole caer mata
> los tristes navegantes [6].

En primer lugar, fácil es advertir los detalles adicionales in-
ventados por Rojas: en lugar de «un navío entero» (tota navi-
gia), escribe «un navío cargado de todas sus xarcias y gente»,
etcétera. Esto ya indica que el pasaje excitó probablemente su
imaginación. Pero con mayor interés podríamos observar la última frase de Rojas, una frase que en parte es añadidura suya:
«Y como los míseros navegantes estén assí suspensos en el ayre,
con el meneo de su buelo caen y reciben crueles muertes.» ¿No
es cierto que la frase heredada, «suspensos en el ayre», seguida
de ese «con el meneo de su buelo caen» concuerda con esa nota
de vértigo temático que caracteriza a *La Celestina* en su conjunto? No nos interesa en este momento el contexto en que
aparece en el prólogo de Rojas; pero es interesante observar

---

[6] Esta cita procede de una edición española de mediados del siglo XVI, propiedad de la Biblioteca de la Universidad de Cornell. Lamento no disponer en este momento de la referencia bibliográfica
exacta.

cómo, al nivel de la ilustración semimitológica, aparece también el mismo horror al vacío, la misma —implícita— identidad espacio-Fortuna, cuyos específicos efectos, tanto en la acción como en el diálogo de la obra, hemos examinado.

Consideremos también, finalmente, una imagen contenida en los versos acrósticos, esos versos de presentación que en sus letras iniciales ofrecen el nombre del autor. Aquí encontramos a Rojas entretenido en una artificiosa comparación entre su creación de *La Celestina* y el vuelo temerario de esa variedad de hormiga que en su postrer ciclo vital se ve dotada de alas. Es una imagen verdaderamente difícil y Rojas no logra dominarla demasiado bien, pero el sentido es evidente. Rojas desea poner en claro su modestia: él —como la hormiga— no está acostumbrado a las empresas creativas, y es bien consciente de los peligros (más o menos imprecisos) que tales empresas suponen. Pero, veamos ahora los versos mismos:

> Como hormiga que dexa de yr,
> Holgando por tierra con la provisión:
> Jactóse con alas de su perdición:
> Lleuáronla en alto, no sabe dónde yr.
> El ayre gozando, ageno y estraño,
> Rapiña es ya hecha de aues que buelan
> Fuertes más que ella, por cebo la llevan:
> En las nuevas alas estaba su daño.
> Razón es que aplique a mi pluma este engaño,
> No despreciando a los que me arguyen
> As,í que a mí mismo mis alas destruyen,
> Nublosas y flacas, nascidas de hogaño (págs. 9-10).

A pesar de la pobreza poética de esta comparación, su importancia temática —su íntima relación con el significado de la obra presentada— es evidente. En estos versos se nos muestra al hombre en su eterna búsqueda de una satisfacción o valor final: en el caso de Rojas, la creación literaria; en el de Calisto y Melibea, el amor; en el de los criados, el oro. Se nos muestra también que el fracaso —caída o muerte espacial en una u otra forma— es algo inherente a la aspiración misma. Las alas del hombre son débiles, «nublosas y flacas, nascidas de hogaño».

Esta imagen de la hormiga nos recuerda otra gran obra literaria que comparte, a su propia manera, esta misma preocupación temática. Me refiero a *El Rey Lear* y su planto patético: «As flies to wanton boys are we to gods.» Pero Rojas es mucho más sarcástico que Shakespeare; su ironía es más corrosiva y carece de compasión —esa cualidad que resulta de la fusión de ternura y objetividad—, compasión que caracteriza la grandeza del poeta inglés. Sin embargo, en *El Rey Lear*, lo mismo que en *La Celestina*, encontramos una confrontación paralela con el tema de la vulnerabilidad de la vida en un universo indiferente. No hemos, pues, de sorprendernos al descubrir que Shakespeare también ensaya la poesía del espacio vertical:

> How fearful
> And dizzy t'is to cast one's eyes so low!
> The crows and choughs that wing the midway air
> Show scarce so gross as beetles: half way down
> Hangs one that gathers samphire, dreadful trade!
> Methinks be seems no bigger than his head:
> The fishermen that walk along the beach,
> Appear like mice; and 'yond tall anchoring bark
> Diminished to her cock, her cock a buoy
> Almost too small for sight: the murmuring surge,
> That on unnumbered idle pebbles chafes,
> Cannot be heart so high. I'll look no more;
> Lest my brain turn, and the deficient sight
> Topple down headlong. *(El Rey Lear*, IV, 6) [7].

No vamos a reparar de momento en la coincidencia que se produce entre el lejano «bark» de Edgardo y los «navíos» de Melibea. Vamos tan sólo a hacer notar el paralelismo del desarrollo artístico que va desde el tema de la fragilidad humana a la visión del miedo al espacio vertical. No deja de ser desleal con respecto a Rojas colocar sus pesados versos de «arte mayor» junto a los versos de Shakespeare. Rojas puede justamente aspirar a la grandeza literaria por su habilidad en la creación de ritmos y tensiones en el marco cerrado del diálogo, del argumento vital que es el tejido ininterrumpido de su obra. Rojas no es un poeta; su nombre nunca aparece en ninguno de los «cancioneros» de la época. Pero aun así, es precisamente en esos versos donde mejor podemos captar el muy profundo sentido de la conversión de fortuna en espacio que se produce en su tragicomedia. Como Shakespeare (y por eso ofrezco esta comparación), Rojas está obsesionado con el espacio, no porque haya sufrido ese pánico de las alturas propio de los niños, sino porque el nudo espacio —más radicalmente extraño a la vida que la diosa Fortuna— es un signo externo que hace evidente el hecho de que el hombre es un «pobre animal inerme y desgarrado».

---

[7] «...¡Qué escalofríos / da dirigir la vista hasta allá abajo! / Los cuervos y las chovas que vuelan por el espacio intermedio / apenas aparecen mayores que escarabajos. En medio del precipicio, / suspendido en el espacio, veo a un hombre que coge hinojo marino; ¡pavorosa faena! / Dijera que no es más grueso que su cabeza. / A los pescadores que recorren la playa / se les tomaría por ratoncillos. Más lejos, un gran navío anclado / que apenas se distingue. No logran oírse / desde esta altura los murmullos de las olas que van a romperse / sobre las innumerables peñas movedizas de la costa; no puedo mirar más desde tan alto. / Temo que la cabeza se me vaya y que, perdida la vista, / caiga en el abismo» (Versión castellana de Luis Astrana Marín.)

Para que el hombre quede desguarnecido de toda simulación, es preciso despojar y desnudar también las dimensiones en que desarrolla su vida [8].

Mediante este modo de entender el tema, la trayectoria vital de los amantes, Calisto y Melibea, cobra un nuevo y más profundo significado. Desde el comienzo de la acción sólo un deseo alienta en los dos jóvenes: superar con su amor las dimensiones de tiempo y espacio. Aspiran a crear una versión enteramente suya y totalmente terrena de «la gloria divina», ...pretenden convertir el amor mundano en paraíso eterno y sin fin. El jardín de Melibea pasa a ser, efectivamente, un país de pura sensualidad, total bucólica, nido sin dimensiones para su amorosa existencia, espejo de sus emociones [9]. En esto reside, pues, éste es el sentido real del tema blasfemo tantas veces mal interpretado, así como el de la irónica recompensa que silenciosamente les reserva la dimensionalidad: la caída con su cruel re-

---

[8] Podemos encontrar aquí el sentido humano de esa «estructura» literaria espacial propuesta por Theophil Spoerri en «Éléments d'une critique constructive» *(Trivium,* VIII): «L'espace apparaît dans l'oeuvre d'art non comme une forme mathématique mais comme une structure vivante et dialectique: comme extension et limitation, comme infinitude et finitude. Il peut être une immensité vide dans laquelle on se perd, une prison où l'on étouffe, une grande maison où l'on se sent à l'abri, une contrée pleine d'embûches où s'ouvre à chaque pas un abîme. Chacune de ces structures peut servir de modèle à un projet du monde». A esta última categoría espacial podríamos asignar *La Celestina.* Spoerri prosigue su exposición y discute el espacio de la caída: «Il faudrait évoquer tout ce qui se rapporte à la dialectique du stable et de l'instable basée sur l'instinct de securité, sur le sens de l'équilibre et faisant naître le vertige, la hantise du gouffre...» (págs. 171-172). La única objeción que opongo a estas observaciones es la que provoca su excesiva tendencia a describir variedades de espacio literario per se (o, en el mejor de los casos, como resultado del «instinto»). Para que las dimensiones dentro de la literatura sean verdaderamente significativas (como es el caso de *La Celestina),* tienen que reflejar una visión temática de la vida humana. Lo mismo que el estilo, la caracterización, la estructura de los hechos, etc., también las dimensiones deben estar en relación con el proyecto creativo del artista; deben expresar su mundo de valores.

[9] Rojas, al parecer, tuvo conciencia clara de la «no-objetividad» y «no-dimensionalidad» del jardín de Melibea, como albergue de experiencia amorosa. No es sólo que Calisto lo describe como «parayso dulce», sino que además el cándido tema de los cantos de Melibea y Lucrecia es la reverberación de la emoción erótica en el mundo vegetal, la unión sentimental del amor con las «viciosas flores». Pero Melibea hace la siguiente observación: «Todo se goza este huerto con tu venida»; y respondiendo a esta idea, una vez que Calisto ha muerto, predice Areusa que los árboles se secarán y las flores se volverán negras. He aquí, pues, el contrapunto temático: espacio sin dimensiones, ambiente cual espejo. En efecto, el cerrado jardín hace que el espacio del mundo exterior parezca aún más exterior, por completo ajeno, plena e indiferentemente fatal.

greso al espacio físico. Así es como Calisto y Melibea regresan de su paraíso artificial al «ayre ajeno y extraño», de su sueño alado al salto fatal. Como dice Gaston Bachelard en su ensayo sobre la caída como motivo psíquico, «nous *imaginons* l'élan vers le haut et nous *connaissons* la chute vers le bas» [10]. ¿Por qué? Rojas nos acaba de dar la respuesta. Porque Calisto y Melibea, porque el propio Rojas, porque nosotros todos somos como las hormigas de sus versos con las «alas nublosas y flacas nascidas de hogaño». En uno de sus versos más conocidos describe Conrad Aiken a los amantes como «wingless angels who heat with violent aun» («ángeles sin alas que pugnan en violentas brazadas»). Pero Rojas va más allá de la desesperación eterna del amor. En el umbral de nuestra época desesperada, revela implacablemente todo cuanto hay de sentimentalismo, afectación e inseguridad en las alas que cada uno de nosotros crea o pretende crear para sí mismo. Vuelve a contarnos el mito de Icaro en los términos que mejor se acuerdan con nuestra sensibilidad actual.

Volvamos —a manera de epílogo— al problema que nos sirvió como punto de partida: el problema de Melibea y su «deleytosa vista de los navíos». Nuestra certeza de que esta «vista» constituye realmente un problema que hay que considerar seriamente, procedía en parte —recordémoslo— de la segunda alusión a los «navíos» contenida en el lamento de Pleberio por su hija muerta. ¿Por qué —dice Pleberio— tantos desvelos en plantar árboles, alcanzar honores entre los demás hombres y adquirir riquezas en la construcción de navíos, si no se ha de tener alguien a quien dejar como heredero de todos esos bienes? Sentimientos éstos que nos parecen tan naturales en las circunstancias vividas por Pleberio que hasta nos sorprende que este pasaje sea en su totalidad una adaptación más del famoso tratado de Petrarca sobre la Fortuna, *De remediis utriusque fortunae*. Es éste un hecho que, si anteriormente no hacíamos sino tomar nota de él —con ocasión de nuestra discusión sobre la metamorfosis de Fortuna—, merece realmente un examen más atento. En esta obra de Petrarca, así como en sus poemas, encontramos abundantes alusiones a los «nauíos»: «nauíos» que van y vienen sobre los mares, que proporcionan riquezas a sus dueños o que les acarrean ruina si naufragan antes de llegar a puerto. Por Patch y por otros estudiosos que han realizado investigaciones sobre la diosa Fortuna, sabemos que el mar, los barcos y el comercio marítimo figuran entre los elementos que con mayor frecuencia y de modo tradicional se vienen utilizando en la simbología de Fortuna [11]. Los navíos son los típicos in-

[10] GASTON BACHELARD, *L'air et les songes*, París 1943, pág. 108.
[11] HOWARD PATCH, *The Goddess Fortuna in Mediaeval Literature*, Cambridge Mass. 1927. Se puede encontrar más bibliografía y comentarios sobre el papel de Fortuna en el drama medieval, en el Appendix E de la obra de HARRY LEVIN sobre Cristopher Marlowe, *The Overreacher*, Cambridge Mass. 1952.

genios de esta divinidad, y no puede extrañarnos ni que Petrarca aludiera a ellos tan a menudo, ni que Rojas aceptara y asumiera esa tópica referencia en el patético apóstrofe de Pleberio a la «fortuna flutuosa».

Y ¿qué tiene que ver esa ya tradicional relación entre «nauíos» y Fortuna con la «vista de los navíos» reales y en nada simbólicos que Melibea proyecta contemplar desde la «azotea»? La respuesta es sencilla. Melibea va a experimentar una caída mortal, una caída que se corresponde en irónica equivalencia con la ruina desde la rueda de Fortuna; pero en esta ocasión la caída será en el espacio vertical. Y de modo idéntico el paisaje marino y los navíos de que habla Melibea verifican la misma ecuación. Una vista de navíos que se despliegan hacia el horizonte ha sustituido al concepto alegórico del navío como símbolo típico de las víctimas o favoritos de la Fortuna. En concordancia con el profundísimo proceso temático de *La Celestina*, la figura tópica se hace inmanente y real. El paisaje de la muerte de Melibea es inevitablemente un paisaje de Fortuna ya transformada en espacio... con barcos en la lejanía.

Esta explicación que sugerimos del marco escénico en que se desarrolla el suicidio de Melibea es menos arbitraria de lo que parece. De hecho, *La Celestina* no es el único ejemplo que podemos aducir. Cierto es que, por fortuna, podemos ofrecer nuevas ilustraciones procedentes de un campo de creación totalmente distinto: la pintura de la época. Todos hemos visto obras de pintura renacentista y prerrenacentista con su inevitable fondo marino y un profundo espacio que, en exagerada perspectiva, se distiende y aleja de los centros humanos de composición. Es más, todos hemos podido advertir que en su inmensidad —deprimente y fascinante a la vez— esos mares llevan barcos sobre sus aguas. Algunos aparecen pacíficamente anclados, otros luchan desesperadamente contra vientos de proa, otros por fin zozobran en el horizonte lejano: y todos ellos representan a Fortuna convertida aquí también en dimensional albur. Estas representaciones nos brindan el modelo a que podríamos acomodar tanto nuestra imagen de esa «deleytosa» aunque estremecedora y premonitoria «vista de los navíos» a que alude Melibea, como la engañosa y terrífica descripción de Edgardo en *El Rey Lear*. Evocaré tan sólo una obra a manera de ejemplo: el *Icaro* de Brueghel que fue compuesto hacia el 1554. En primer plano aparece de pie un labrador absorto en la cuidada geometría de sus surcos, sin prestar atención al espléndido panorama que se abre ante él. Junto al labrador aparece un pastor: uno y otro no son sino meros detalles del paisaje. El fondo es, naturalmente, marino, con dos altivos navíos que surcan las aguas dejando atrás una innominada ciudad de renacentista silueta, que se deja adivinar en el horizonte. Finalmente, en algún punto entre los barcos y la costa —y sin que las demás criaturas que pueblan la escena lo adviertan—, podemos divisar las finas y ridículas piernas de Icaro que están ya a punto de desaparecer bajo las aguas. He aquí un salto también tragicómico, un accidente más en el vasto mundo del espacio. En alguna ocasión se ha aludido a esta obra de Brueghel y ha sido interpretada como expresión gráfica del tema de la indiferencia, lo que no carece de fundamento. Pero es algo más: es una obra pictórica de espacio, del espacio hostil e indiferente que Icaro ha intentado conquistar y que, en su desnuda altitud y en su distancia, deja reducido a su agresor al tamaño de un insecto. El «aire ajeno y extraño» de los versos de Rojas se ha hecho aquí visible; también Icaro ha descubierto la futilidad de sus «alas nublosas y flacas, nascidas de hogaño». Así pues, tanto para Brueghel como para Rojas, una caída y unos barcos en la lejanía representan la nueva dimensionalidad de la Fortuna. Cada uno de ellos, a su manera, ha utilizado estas ecuaciones gráficas para expresar el tema de la insignificancia humana en un mundo no simplemente «objetivo» como los estoicos lo habrían concebido, sino abrumadoramente indiferente en su enorme magnitud [12].

(Traducción de María Rico)

---

[12] La coincidencia de paisaje marino y navíos con el tema del riesgo humano frente a un cosmos extraño no debe ser considerada como un tópico sin variantes, como un objeto literario que se clasifica y a continuación se olvida. Para cada artista y para cada autor posee una significación especial, íntima, única, como hemos podido comprobar en los pasajes que hemos seleccionado de El Rey Lear y La Celestina. Un poeta contemporáneo, cuya visión de la existencia se podría cifrar en la expresión «fiesta lírica» —Jorge Guillén— puede brindarnos la misma escena y reinterpretarla de manera diametralmente distinta a la que ofrece Rojas. En La verde estela se nos presenta un paisaje marino (con barcos) que acompaña al alma:

> Tan hostil
> Es el azul del mar al Infinito gris,
> Y con tales
> Figuras se responden oleaje y celaje
> Que el abismo,
> Sensible a una mirada, queda claro y amigo,
> Breve y noble
> Cuando se ajusta al círculo que traza el horizonte
> Si algún barco
> Riza su verde estela, capital del espacio.

El contraste de este «breve abismo» de Guillén con la enhiesta verticalidad de La Celestina no podría ser más rotundo. Guillén se caracteriza por su intrepidez lírica: como amante, el universo entero por «ajeno y extraño» que pueda parecer, en su «jardín». Para Calisto, su jardín está «en el medio».

VI

LA CAIDA DE FORTUNA: DE LA ALEGORIA
A LA FICCION

Hay un aspecto de mis trabajos sobre *La Celestina* que ha
suscitado controversias: es la ecuación temática Fortuna-espacio
que en diversas ocasiones he defendido [1]. Mi tesis se reduce simplemente a lo siguiente: que el ejemplo típico de los *De casibus*
—soberbia que lleva a ruina ejemplar— aparece en *La Celestina*
irónicamente equiparado a un traspiés casual y a un fatal salto
en el espacio. En nuestro primer contacto con el mundo de la
tragicomedia, Calisto, el «héroe» se nos aparece con los rasgos
típicos del que sería héroe trágico de la «tragedia medieval»
según la denominación de Farnham. A lo largo del diálogo todos
los demás personajes predicen la bien merecida ruina de Calisto,
con la que pagará su arrogante desenfreno y su concupiscencia
insensata. Y, en efecto, Calisto finalmente «cae»; mas, si esto
sucede, es porque de hecho el joven resbala y cae desde la escala
al suelo rompiéndose la cabeza sobre las losas. Hay una torva
ironía en ese literal cumplimiento de la tópica amenaza; una
ironía que no puede por menos de parecernos totalmente inten-
cionada, al observar que otras tres muertes de las que se producen en la tragicomedia suceden de igual modo. Melibea se
suicida precipitándose en el vacío desde el tejado de su casa.
Por otra parte, los dos criados de Calisto perecen también al
arrojarse desde un alto ventanal en un desesperado intento de

---

[1] Me refiero a mi obra *The Art of «La Celestina»* (Madison Wis. 1956)
y a una conferencia publicada en *Romanische Forschungen* (1956) que
llevaba como título «Fortune and Space in *La Celestina*». El desacuerdo
tal vez se base en los ataques dirigidos por Leo Spitzer en *Hispanic
Review* (1957) y por Marcel Bataillon en su reseña de *Nueva Revista
de Filología Hispánica* Debo expresar aquí mi agradecimiento a Américo Castro que me animó a intentar el presente artículo, a Harry Levin
que me brindó valiosas ideas en el curso de una conversación, y a
Joaquín Casalduero que llamó la atención sobre algunos ejemplos contenidos en *Del rey abajo ninguno*. Ninguno de ellos conoce el original de
este artículo mío.

escapar a la guardia nocturna[2]. Solamente Celestina, que muere a manos de los criados de Calisto, queda exenta de ese sino espacial. El mundo de *La Celestina* es un mundo en el que el espacio —como dimensión vital— parece haber reemplazado en forma imperceptible a la diosa Fortuna; un mundo en el que el

---

[2] Los dos criados son detenidos tras su caída y ejecutados sumariamente por su crimen. Sin embargo (como hice notar en el artículo citado, en la nota 1), cuando su compañero de servidumbre, Sosias, refiere a Calisto el fin que han tenido sus servidores, pone mayor énfasis en las terribles consecuencias de la caída que en el castigo que les ha sido impuesto por la justicia: «El vno llauaua todos los sesos de la cabeça de fuera, sin ningún sentido; el otro quebrados entrambos braços e la cara magullada. Todos llenos de sangre. E assí casi muertos les cortaron las cabeças, que creo que ya no sintieron nada» (Acto XIII, pág. 110 de la edición de Cejador en *Clásicos Castellanos*). Este mayor énfasis en la caída es reafirmado por Calisto cuando posteriormente intenta excusar ante sus propios ojos la prontitud con que sus servidores han sido ejecutados: «...que ya estaba el uno muerto de la cayda que dio» (Acto XIV, pág. 127). Por otra parte, cuando Pleberio hace el recuento final de la obra de muerte, no menciona la caída de los criados: «Ellos murieron degollados. Calisto despeñado. Mi triste hija quiso tomar la misma muerte por seguirle» (Acto XXI, pág. 210). Existe, pues, una cierta ambigüedad en lo que respecta al destino de los criados, una ambigüedad que parece llena de intención; como si Rojas estuviera en ese momento muy interesado en dejar que la metamorfosis temática se convirtiera en tesis. Esa misma ambigüedad es evidente en la atribución por Calisto de la muerte de sus criados a la Fortuna, inmediatamente después de recibir la noticia: «¡O pecadores de mancebos, padecer por tan súpito desastre! ¡O mi gozo como te vas disminuyendo! Proverbio es antigo, que de muy alto grandes caydas se dan. Mucho avía anoche alcançado; mucho tengo oy perdido... ¡O fortuna, quánto e por quántas partes me as combatido!» (Acto XIII, págs. 111-112). No es posible determinar si Calisto se refiere ante todo a las dificultades que este suceso puede acarrear a su asunto amoroso, o a la pérdida de tan «fieles» servidores. En todo caso, la irónica yuxtaposición de los dos sentidos posibles de «caída» (podríamos incluso barruntar una alusión al futuro destino del propio Calisto) es bien clara. Otros dos factores menores apoyan posiblemente esta interpretación. En el mismo pasaje Calisto describe a sus servidores como candidatos típicos a la retribución de que habla en *De casibus*: «Ellos eran sobrados y esforzados; agora o en otro tiempo de pagar hauían». Y un poco antes denomina «caso desastrado» las caídas sufridas por los criados; palabras que con frecuencia se utilizan para aludir a los ataques de la Fortuna. Otros testimonios que aparecen citados en este artículo: la versión castellana de Francisco Madrid del *De remediis*, el texto del cronista de Don Alvaro de Luna, etc. Un ejemplo interesante (comparable a la traducción del *De casibus*) de los usos sinónimos de «casus» y «caída» se encuentra en la biografía de Cortés, en textos paralelos latino y español, obra de López de Gómara, *reproducida modernamente por* R. Iglesia (*Cronistas e historiadores de la conquista de México*, México, 1942, pág. 229): a los ojos del biógrafo el hecho de que Cortés saliera con vida, en sus años mozos, de una caída desde lo alto de un muro (en ocasión en que, como Calisto, andaba de conquista amorosa), parece una temprana indicación de que era un mimado de la Fortuna.

vacío moral se mezcla imperceptiblemente con el vacío físico; un mundo en el que la perspectiva —ajena al hombre— sustituye a los tópicos antropomórficos[3].

En el reino de la creación literaria no existen coincidencias; podemos, pues, muy bien preguntarnos sobre el significado de este cuádruple estrago. Si lo consideramos desde el punto de vista de la trama, la deducción del significado a partir del azar, parece suponer la renovación del clímax dramático mediante una novelística ruptura del hilo narrativo[4]. Si hablamos en términos de Fortuna y caída de Fortuna, el cambio parece ser un ejemplo más de una técnica de «concretización» de los tradicionales emblemas de la alegoría[5]. Pero estas explicaciones, aunque interesantes, no llegan al fondo del asunto. La caída en *La Celestina* es, a mi parecer, un signo visible de una profunda revolución temática e histórica: la sustitución del universo moral de tópicos tradicionales por un inhóspito universo dimensional totalmente indiferente a los intereses del hombre. Es un signo —para emplear el marbete usual— de fecunda transición de la Edad Media al Renacimiento.

Contemplada a esta luz, *La Celestina* es, sin duda, una muestra importante de la identificación planteada por Karl Jaspers entre grandeza creada y «Zwischensein» histórico:

> «Si la historia es la manifestación del Ser, en tal caso la verdad está siempre y en todo momento presente en la historia, nunca consumada, mas, sin embargo, siempre en movimiento. Y se pierde, cuando se cree haber alcanzado la posesión definitiva de ella. Cuanto más radical es el movimiento, mayor es la profundidad desde la que puede emerger la verdad. Por eso, las obras espirituales más notables son las de transición, las que surgen en las fronteras de las épocas... Los fenómenos más grandiosos en la historia de la evolución espiritual del hombre son, como tal transición, simultáneamente conclusión y comienzo. Se alzan entre lo viejo y lo nuevo como verdades que son particularmente válidas sólo en su propio lugar dentro de la historia, y que por ello permanecen en la memoria como figuras irreemplazables, que son, también y, sin embargo, irrepetibles e inimitables. La grandeza humana parece estar

---

[3] La suposición de Salinas de que los grandes tópicos de la Baja Edad Media (Tiempo, Muerte, Amor) deben de haber aparecido frecuentemente —a los ojos de «algunas atribuladas imaginaciones de la Edad Media» (*Jorge Manrique*, Buenos Aires, 1947, pág. 97)— como entidades capaces de sentir y animadas de malas intenciones, queda confirmada en K. HAMPE, «Zur Auffassung der Fortuna im Mittelalter» (en *Archiv für Kulturgeschichte*, 1927; con textos y documentos).

[4] Véase, entre otros estudios, mi artículo *El tiempo y género literario en «La Celestina»*, en RFH, 1945.

[5] Véase C. SAMONA, *Aspetti del retoricismo nella «Celestina»*, Roma, 1945.

condicionada a una tal transición. Y por eso, su obra, aunque supera al tiempo en la creación intemporal, jamás es para la posteridad la verdad con la que podríamos llegar a identificarnos, aunque nos sintamos inflamados ante ella y por ella nos pongamos en movimiento»[6].

El concepto de «transición», tan frecuentemente aplicado a *La Celestina*, se extiende en este caos más allá de sus acostumbrados términos lineales. Es decir, la idea de que ha sido escrita entre dos períodos y de que en ella se mezclan elementos de uno y otro, ya no nos sirve. Por el contrario, la transición implica un sobrepasar la historia, una repentina e inesperada cabalgada hacia la grandeza, un alcanzar —más allá de las intenciones primeras— el reino de los valores. Precisamente en obras como *La Celestina*, la historia (contemplada como sucesión de estilos, períodos o «Weltanschauungen») puede aspirar a algo más que historia. Puede llevar sus pretensiones hacia la consecución de la grandeza única; grandeza «agenérica» que va más allá de la imitación o repetición, pero que en su originalidad estimula a las generaciones posteriores[7].

La fusión de elementos históricos opuestos (o, mejor, el proceso de convertir uno en otro a lo largo de la composición literaria) puede producirse solamente —tal como implica la doctrina de Jaspers— a una temperatura creativa elevada. Una obra tibia como *Cárcel de amor* (o incluso gran parte de la obra de Juan de Mena, como ha demostrado María Rosa Lida de Malkiel) puede mezclar características de la tradición pasada con rasgos que sólo alcanzarán su perfección durante la centuria siguiente. Pero esto no sucede en el caso de *La Celestina*. Al contrario, precisamente porque la obra de Rojas actúa como un crisol de la historia, porque mezcla dentro de la unidad temática visiones históricas tan dispares, es por lo que el problema de Fortuna y espacio es en ella tan interesante. En él se nos ofrece un medio de contemplar, en su mismo proceso de composición la grandeza de *La Celestina*. No entra en mis pretensiones, desde luego, la de suponer que la estimación de la obra pueda quedar vedada para todo aquel que ignore o rechace la transición que yo he propuesto. En último caso, como bien supo ver Unamuno, la significación perdurable de ésta o de cualquier otra obra se basa naturalmente en los hombres y mujeres que la pueblan. En este momento nos ocupamos tan sólo en un aspecto de la relación que los hombres y las mujeres de *La Celestina* mantienen con su circunstancia vital, en un aspecto de su conciencia de la

---

[6] *The Origin and Goal of History*, London, 1953.

[7] Una interpretación demasiado estricta de la doctrina de Jaspers llevaría a excluir de la «grandeza» a un Lope o incluso a un Garcilaso. Difícil sería defender una aplicación tan negativa de su teoría, pero creo sinceramente que Jaspers nos ayuda a captar el significado del encabalgamiento de Weltanschauungen en Rojas.

propia existencia. Por otra parte, como indica Jaspers, es a través de un entendimiento de la transición en una obra determinada, como podemos comprender mejor (o re-experimentar, reconocer) la prodigiosa metamorfosis de «race», «milieu» y «moment» en valor. La conversión de Fortuna en espacio puede proporcionarnos un instrumento con el que nos sea dado contemplar —aun parcial y oscuramente— lo creado, el creador y el material histórico vivo, unidos en relación funcional. De ahí nuestro esfuerzo presente por persuadir a los escépticos con nuevos y más abundantes testimonios.

Es imposible y debería ser en esta ocasión innecesario demostrar la aguda conciencia espacial de los hombres que vivieron en la época de Rojas. Es ésta una referencia acostumbrada en las listas de «características renacentistas», y suele aparecer ilustrada con alusiones al empleo de la perspectiva en pintura [8] y a la aparición de una escultura que parece emerger del fondo del nicho medieval o de los recovecos arquitectónicos. Igualmente significativo es el empeño en la creación de puro espacio tanto en paisajes de tierra como de mar. Y dado que el historiador del arte, Max Dvorak, considera la década misma en que apareció *La Celestina* como el clímax de ese esfuerzo, puede valer la pena intentar un bosquejo de los orígenes de nuestro problema, aduciendo al menos su testimonio. El paisaje —dice Dvorak— en la pintura medieval había sido divina «Versinnlichung der ewigen Wahrheiten», y más tarde vino a ser «räumlichen Einrahmungen der figuralen Darstellungen»; y en los tiempos de la generación de Rojas había alcanzado interés en sí mismo y por sí mismo: «Die Freude an Formenreichtum der Umwelt, an weiten Horizonten, an atmosphärischen Erscheinungen wächst beständig und führt dazu, dass um die Wende des 15. und 16. Jahrhunderts fast gleichzeitig von der Niederländern, Deutschen und den wahlverwandten Venezianern die poetische Schönheit der landschaftlichen Gestaltung und Stimmung als ein selbständiger und führender Inhalt der bildlichen Erfindung in die Malerei eingeführt und in sie auch die Figurendarstellung einbezogen wurde» [9]. Paisajes como los de Patinir entran en relación tanto espacial como metafísica con el observador y se convierten en «Angangspunkt der Anschauung, als Massstab der Grössenvernältnisse und als Inbegriff des Weltbildes welches Natur und Menschen umfasst».

---

[8] Leo Spitzer (dentro de la línea de las *Meditaciones del Quijote*) aplica el concepto de perspectiva al estilo y temática de Cervantes. Es una suerte contar con un precedente de tan gran categoría en la adaptación de este término a fines literarios. En mi opinión, sin embargo, resulta aún más apropiado para el arte de Rojas que para el de Cervantes, a causa de los corolarios espaciales (por ejemplo, vistas a lo largo de las calles, etc.) que resultan del uso de puntos de vista relativos en la caracterización. Véase el ensayo en *Linguistics and Literary History, Princenton*, 1948.
[9] *Kunstgeschichte als Geistesgeschichte*, Munich, 1928.

En este sentido la organización del espacio según el paisaje no es distinta de la organización según la perspectiva. Ambos, paisaje y perspectiva, existen como función del punto de vista del pintor o del observador: son modos de mirar a la obra pictórica [10]. En cuanto a las criaturas que aparecen dentro de la escena representada en el cuadro, están sujetas a la distancia. Se adentran y se pierden en ella; a menudo no parecen sino mera excusa («Vorwand») para los paisajes dentro de los cuales quedan difuminadas. Estas criaturas que pueblan la escena nos interesan tan sólo en la medida en que están contenidas por el espacio o absorbidas en él [11].

Pero ¿qué tiene que ver todo esto con la Fortuna? En primer lugar, es interesante observar que en algunos casos la espacia-

_____

[10] Así pues, en *La Celestina* el espacio no aparece mencionado directamente, ni se manifiesta preocupación en cuanto al espacio como tal. Más bien se trata de un recurso de estructura, de un modo de organizar las situaciones humanas. Me refiero de manera específica a reuniones, salidas, paseos, conversaciones y otros hechos semejantes. El espacio es, o una barrera o una distancia, un factor importante en las relaciones físicas o espirituales entre los personajes. Por esta razón como se ha intentado hacer ver en algún otro lugar —cf. n. 1) es por lo que constituye un factor estructural en el montaje de la escena. Esta es una diferencia importante entre *La Celestina* y la comedia romana de la que, en lo esencial, deriva —así como del drama medieval, en general—. En lugar de «pintoresco» —en el sentido de «pictórico»—, el arte de Rojas es plenamente tridimensional en su concepción; y ésta puede ser la razón por la que no logró —y es muy de lamentar— llamar la atención de los hermanos Schlegel.

[11] En opinión de Dvorak, este proceso fue llevado a término por Brueghel: «Bei seinen Vorgängern verschob sich das Verhältnis zwischen Landschaft und figuralen Darstellung zugunsten der Landschaft. Das menschliche Leben ging in der Szenerie auf... Bei Brueghel verschwindet er ganz». El hombre, como centro de la visión del artista, queda reducido a «gusano miserable», en tanto que el paisaje se convierte en un «integrierendes Element der dagestellten Lebenseinheit». En otras palabras, el hombre existe en función del espacio; su «Lebenskampf» tiene lugar en la «Unendlichkeit des Himmels und des Meeres». Este, desde luego, no es un espacio geométrico y carente de vida. Como en la descripción de la «puta vieja» en boca de Pármeno, las cosas mismas vienen a ser «lebendig» y sujetas como la vida del hombre a «Werden und Vergehen». Esto, no tanto por la ejemplar transitoriedad proclamada por el ascetismo, como por el hecho de que el cambio (como comprendieron Rojas y Petrarca) es el verdadero «Inbegriff des Lebens», una parte de las «naturlichen Bedingtheiten des menschlichen Daseins». Desde luego, estas palabras que emplea Dvorak para resumir el arte de Brueghel podrían ser aplicadas de igual manera y con igual brillantez al arte de Rojas: «Ihr Ausgangspunkt war die Totalität eines Lebensauschnittes mit seinem ganzen Reichtum an Lebensbetätigung, Gegenständen, Formen und Farben, mit seinen Beleinandersein und Füreinandersein, mit seinen äusseren und inneren Zusammenhänge» (pág. 256). Todo ello justifica la estrecha relación que yo establezco entre el tema de *La Celestina* (tal como se expresa en la vista de Melibea desde la «azotea») y el de *La caída de Icaro* de Brueghel.

lización de la pintura parece haber afectado a la iconología de la Fortuna. O, al menos, que la diosa Fortuna, por algún cambio paralelo o simultáneo, ha sido provista de todo un equipo para maniobrar en el espacio. Erhard Lommatzsch en una reciente monografía muestra que en un cierto número de casos, precisamente en el «Ausgang des 15. Jahrhunderts», la antigua representación de la Fortuna a manera de criatura alada que se lanza a través del espacio como un halcón [12], vuelve a reemplazar a la imagen medieval, al horrible monstruo femenino que emerge de los infiernos armada de su fatal rueda. Estamos, creo yo, ante un hecho plenamente significativo. No se trata simplemente del gusto renacentista por las formas antiguas. Esta nueva Fortuna es una criatura que no se dedica ya a castigar al hombre arrogante, no llamada a acción moral frente a la «hybris» de la tragedia medieval [13]. Diríase más bien que bajo esta nueva (y vieja) faz representa tal vez el sometimiento de la vida al azar arbitrario. He aquí como lo explica A. F. G. Bell: «La concepción de la Fortuna como algo meramente accidental hace su aparición en los escritores del siglo XVI y coincide con la difusión de las doctrinas estoicas...» Al final del siglo, López Pinciano insiste en el carácter accidental, externo, de la Fortuna: «Veis que no hay razón ni se

---

[12] «Erst am Ausgang des 15. Jahrhunderts verwenden italienischen Humanisten, antike überlieferung wieder aufnehmend, das Attribut der Flügel». (La imagen del halcón aparece citada como de Horacio, y no puede por menos de resultar interesante en lo que se refiere a este proceso de «concretización» tan típico del arte de Rojas. S. H. Chew en su *Time and Fortune*, en ELH 1939, dicute la escala de la que los descarriados son arrojados a golpes y las madejas entrelazadas de la rueda de la Fortuna, además de otros accesorios alegóricos. A la vista del trabajo de Samonà, toda esta imaginería de la Fortuna debería ser investigada de modo definitivo, dado que probablemente presta su contribución al arte de Rojas). Pero aquí estamos menos interesados en las alas mismas que en el espacio en que se agitan. Lommatzsch cita a Angelo Poliziano como instaurador de Fortuna en su nuevo hogar en fecha no anterior a 1482:

Est dea, quae *vacuo sublimis in aëre pendens*
It nimbo succincta latus, sed candida pallam,
Sed radiata comam, ac *stridentibus insonat alis*.

Y ofrece algunos otros ejemplos: «*El libro de Santo Iusto Paladino de Franza* nach dem Druck von Venedig 1490», *Beiträge zur alteren italienischen Volksdichtung*, II. Berlin, 1951 (Deutsche Akademie del Wissenschaften), pág. 100.

[13] La obra de FARNHAM (*The Mediaeval Heritage of Elizabethian Tragedy*, Berkeley, Cal. 1963) confirma el hecho evidente de que una tal intuición de la Fortuna no reemplazó ni eliminó la otra. Por el contrario, a menudo se acompañan una a otra en representaciones híbridas (Chew tuvo ocasión de ver un emblema en que aparece la Fortuna con alas y con rueda). *La Celestina* es precisamente una muestra profundamente significativa de tal paralelismo en su tratamiento de la caída.

puede hablar para estos casos de Fortuna; y por eso con razón los filósofos la definieron sin ella...»[14]. Este es el legado de un largo proceso de pensamiento e intuición (iniciado, por así decirlo, con la aparición del *De remediis utriusque fortunae)*[15], proceso que alcanza expresión definitiva. La Fortuna, bajo la figura del ave de presa, comunica iconográficamente, un siglo antes de Pinciano, el mismo sentido de indiscriminación y azar: sus alas son el símbolo de su libertad sin freno, sin restricciones, lejos ya de los límites divinos que le fueron impuestos por Dante; son la señal de que la Fortuna se ha convertido en azar indiferente y extraño. Ya no es la entidad, a la medida del hombre (como el Tiempo y la Muerte), en la que los hombres creen y no creen.

Enfrentado con un tan imprevisible antagonista, el hombre se sintió desamparado. Quedó desesperanzada y ansiosamente expuesto al aéreo descenso de la Fortuna desde cualquier punto y en cualquier momento. Existía y tenía que seguir existiendo en ese estado de «Obdachlosigkeit» que, según Lukacs, es la situación básica de la novela moderna, el género de un mundo de azar[16]. O, para decir lo mismo con otras palabras, el individuo como criatura humana quedó tan efectivamente disminuido, en su tamaño e importancia, por esta sumisión al azar, como lo estaba en los dilatados paisajes que se pintaban en esa misma época[17]. Sería exagerado pretender que estamos tratando aquí lo que Ortega habría llamado «el tema de aquel tiempo». La historia, por definición, sobrepasa toda definición. Pero, al menos, debería ser evidente que la conversión de Fortuna en azar da como resultado la disminución del hombre, la pérdida del sentido humano de la propia importancia, lo que se presta a la aparición de una representación espacial del universo. El universo antropocéntrico y antropomórfico del mito moral, universo en íntima y total relación con el hombre, es reemplazado por una visión dimensional de un mundo-espacio extraño: visión mucho más próxima a la nuestra. No quiero decir, desde luego, que ese espacio del siglo XV fuera concebido en los términos de medición y cálculo matemático a que nosotros estamos acostumbrados. Ese espacio no movía al observador a tentaciones de velocidad o aceleración, ni era tampoco originariamente (a pesar de la experiencia colombina) un manantial de incitaciones fáus-

---

[14] A. F. G. BELL, «Notes on the Spanish Renaissance», en «*Revue Hispanique*», 1930, pág. 623.

[15] La refutación, en Petrarca, del sentido medieval de la Fortuna es bien conocida. En la obra a que he hecho referencia en la nota 1, intento sugerir la renovación dimensional a que es sometido el concepto de Fortuna —sobre todo en el segundo prólogo de *La Celestina*.

[16] *Die Theorie des Romans*, Berlin, 1920.

[17] La disminución del hombre como una entidad predefinida y de central importancia es un resultado muy notable de la feroz ironía de Rojas y de su uso temático de espacio y tiempo. Al final, los personajes son meras vidas, nudas conciencias expuestas a un universo indiferente; ya no son, en absoluto, personajes.

ticas. Era, por el contrario, un angustioso vacío, purgado ahora de toda significación y cargado su seno de peligros latentes [18]. El espacio era —en una palabra de doble filo significativo— el *abiding-place* —a la vez refugio y atalaya— del azar. Los voraces perfiles que cobra la imagen de la Fortuna, tal como Lommatzsch ha puesto de relieve, pueden muy bien ser, por tanto, una interesante manifestación del profundo cambio operado en los sentimientos que la antigua diosa despertaba.

Aún más susceptible de reinterpretación espacial que la Fortuna misma es el castigo que la diosa distribuye: la caída. La razón es evidente por sí misma; sucede lo mismo que en expresiones como «caída del hombre» (o incluso en la frase «una mujer caída»): se trata ante todo de una imagen espacial, que puede pasar a espacial efectividad con sólo un ligero cambio en el énfasis. Y así sucede que, en *La Celestina*, Rojas enmienda irónicamente las típicas moralidades con pronóstico catastrófico y da muerte a sus personajes por vía dimensional. Ahora bien, no me atrevería yo a afirmar que fue éste el intento de Rojas —su versión última del tema de su tiempo, si no dispusiera de testimonios que lo confirmaran. En otros lugares y contextos he citado algunos de ellos, y otros nuevos han surgido después de mis últimas discusiones sobre este punto. Los he reunido aquí, no sólo con la intención (ya antes declarada) de convencer a los escépticos, sino también para proporcionar una base sólida a nuestra comprensión de la originalidad del tratamiento que Rojas da a este problema.

En primer lugar, es necesario dejar bien claro que la caída física, como sustitutivo de la caída de Fortuna, no es en sí misma un tópico; al menos, no lo es en el sentido que da Curtius a este término. Más bien es un modelo que aparece y reaparece de manera independiente en forma casi siempre muy irregular. Si la equiparación irónica caída espacial-caída de Fortuna fuese en sí misma tópica, sería lógico encontrar su uso en el *De casibus virorum illustrium* de Boccaccio. Y, como puede comprobarse, no aparece en este texto. El *De casibus* —traducido al español con el título de *La cayda de príncipes* y al inglés con el de *The Fall of Princes*— fue el compendio de desastres ejemplares más característico de su tiempo y el que alcanzó mayor difusión. Como tal, ignora de hecho tanto el espacio como el azar. Incluso en aquellos capítulos (tres o cuatro a lo sumo) en que el modo de castigo es real y efectivamente una caída, no se otorga atención ninguna a esta coincidencia. Por ejemplo, cuando los hombres

---

[18] El peligro y el vacío no excluían, desde luego, la percepción de la belleza a distancia. La «deleytosa vista de los navíos» es invocada por Melibea en el preciso momento en que la joven se abandona a la mayor desesperación. En *La caída de Icaro, el* salto fatal se combina con la atracción del espacio, tal como se ve en la representación pictórica. Ambos son elementos necesarios de lo que Dvorak llama visión de la «Naturaleza» de Brueghel.

de Nemrod son arrojados a tierra por el viento desde lo alto de la torre de Babel —divina admonición—, no hay muestra alguna de que el autor advierta las posibilidades irónicas de la situación:

> «...ya assí estando como cerca de acabada: y como que alcançaua a las nubes en un breve momento sin sospecha con muy bravos vientos arrebatados, embiados por el poderío y mano de Dios, la qual es verdad y bien de creer, cayó de lo alto abaxo con mortandad de mucha conpañía de los que allí labravan [19]. Pues ¿qué diremos deste tal castigo y escarmiento de sobervia? A qualquier sabio varón cuerdo pusiera freno para se escusar de hazer tales obras. Empero a este sobervio Nembrot puso aun mayor atrevimiento y muy más loca osadía. Ca luego después deste tal milagro y derribamiento desta torre: tornó consigo mayor esfuerço de contrallar al poderoso Dios: ca no tan solamente pensó de adobar y reparar aquella torre y grande edificio que cayera: mas aun con mayor sobervia pensó de hazer otra obra más loca y más sobervia...» [20].

[19] Lydgate no resiste a la tentación de describir los terribles resultados:

And in discence and fallyng of the stonys,
Of the werkmen ful many a man was ded,
And oppresid, ther bak I broke and bonys,
The masounry with ther blood was red:

(ed. Bergen, London, 1924, I pág. 33).

Si bien es cierto que la escena es horrible, no se le ocurre hacer observaciones sobre la irónica coincidencia de las dos clases de caída.

[20] La conclusión a que llega Boccaccio es puramente moral y ejemplar. La erección de la torre de Babel, en lo que se refiere a las motivaciones de orgullo que mueven a los hombres, aparece comparada con la construcción de un castillo: «...y después vistes y oystes que no por fuerça de enemigos: ni por les fallescer el fundamento de los cimientos, ni por falta de betumen y piedra: mas tan solamente por una voluntad de Dios assaz muy chica, fue cayda y derribada y quebrantada... Por ende si voz queredes estas assentados en la silla firme y estable, no busquedes las alturas de los montes, ni las torres y castillos altos enfortalecidos ni el poderío de las armas ni la fuerça de los cuerpos ni el grand allegamiento y poder de los reyes y príncipes y grandes señores. Ca la silla perpetua firme y muy durable en la sola humildad». (*Libro llamado Cayda de Príncipes*, Medina del Campo, 1552, folios III y IV).

La confluencia de alusión y espacio es total y sin clara percepción de diferencias de categorías en ningún punto. De ahí que no exista en absoluto ni ironía ni *pathos* como en la *Fiammetta* del propio Boccaccio. Pueden hallarse otros muchos ejemplos de una igualmente plena e indiscutible confluencia de los universos moral y físico. De extraordinario interés para mí son los siguientes: la descripción de la caída de Satán en el *Monn's* Tale de Chaucer, verdadero *De casibus* en miniatura; el vuelco y caída (semejantes a los de Icaro) del rey Bladud (en John Higgins, *Mirror for Magistrates*, ed. Haslewood, London, 1815:

Este texto nos sumerge en un universo de tópicos y de lugares comunes. El relato brota desde el interior de las creencias; desde donde ni a Bocaccio ni al lector puede asaltarles la idea de que la imagen moral aparezca corroborada por el cruel hecho dimensional. Cuando en el libro IV moraliza Bocaccio sobre el destino final de Marco Manlio que fue arrojado al Tíber, este castigo de tan peculiares rasgos es considerado simplemente como un ejemplo más de ruina desde un alto estado: «E pues caten y vean como en un breue momento se le hizo todo negro y feo y descolorado, abaxado de su estado... assentado en canto del muro para ser dende despeñado cayendo sobre el río Tibre» [21]. Todo esto equivale a decir que el *De casibus* no es un «Zwischensein». No se aventura en dos universos distintos, como sucede en *La Celestina*, sino que por el contrario asimila todas las cosas, cualesquiera que sean, a su visión moral.

Cuando este tópico tan común se aplica a una situación o contexto más específicos, entonces y sólo entonces aparece con toda claridad ese otro modelo, poco frecuente, que revela la ironía de las caídas yuxtapuestas. Esto no parece suceder —como ya he apuntado anteriormente— más que en casos dispersos; y como resultado natural del cruce de lo general y de lo particular en las actitudes humanas, es decir, del cruce de lo moral y preceptivo con lo vital y personal. El primer ejemplo que he encontrado está contenido en el *De remediis utriusque fortunae* y quizá haya sido fuente inspiradora del lamento de Pleberio:

> *Dolor:* Lloro un caso desastrado de mi hijo pequeño. *Razón:* Ningún acaescimiento se debe llorar. El hombre todas las cosas deve tener ante pensadas, y si tú assí no lo tienes, no deues llorar el caso del hijo; mas tu poco saber y el olvido de la natural condición... *Dolor:* Mi hijo murió de una cayda. *Razón:* Arthemoro murió mordido de una serpiente, otros con la leche de ama preñada y otros de enfermedades que casi ay más en aquella edad que en la vejez. *Dolor:* Cayó mi niño y murió luego. *Razón:* La muerte súbita para los inocentes es buena, y para los culpados mala. *Dolor:* El hijo mío despeñado de alto mu-

---

«I'sayd to flye, but on the Church I fell,— And brysed all to peeces lost my life withall. —This was my race, mine exercise and fatal fall»); y el anónimo *Contention between Liberality and Prodigailty* (1602). Acerca de este último dice Chefl: «La Fortuna, después de hacer su entrada triunfal, asciende a un lugar elevado que es considerado su morada propia. La Prodigalidad, bajo el aspecto de un joven libertino e insolente, trepa por una escala hasta la morada de Fortuna. Pero cae en tierra y Fortuna pone en torno a su cuello un dogal» (pág. 91). El dogal —que representa un castigo plenamente intencionado— reemplaza, como símbolo de muerte en este caso, a la que no ha sido sino caída casual. La Prodigalidad cae y muere, pero dentro de la visión moral y alegórica del autor, no cae ni puede caer con consecunecias mortales.

[21] Fol. LVII (Libro quatro).

391

rió. *Razón:* El dolor tanto es más tollerable quanto es más breue y por esto a los que mueren de enfermedades, muchas vezes es la muerte más dura y las angustias más luengas. *Dolor:* Murió de cayda mi hijo niño. *Razón:* Rodar y caher propio es de aquella edad; hizo tu niño lo que todos hazen, aunque todos no mueren cayendo... Murió tu hijo inocente y por ventura si viviera muriera culpado. No quieras llorarle pues está en salvo; de todos los temores de la fortuna se ha escapado. Él tomó la muerte; y si más se detuviera, tomara ella a él[22].

En este intercambio de razones estamos muy lejos de las caídas ejemplares del hombre altanero y poderoso. Aunque *Dolor* alude a la muerte del niño como a un «caso desastrado», lo que Petrarca resalta (como frecuentemente hace) es el marco doméstico y familiar en que se desenvuelve la catástrofe: un niño atolondrado, un accidente repentino, una pérdida irreparable, una incontenible efusión de dolor..., partes son éstas de la «natural condición» del hombre. Estas son las dolencias más necesitadas de «medicina». La Fortuna ha abandonado la esfera moral y se ha asimilado al espacio, a la gravedad y al azar que a todos nos rodean: «Rodar y caher propio es de aquella edad: hizo tu niño lo que todos hazen, aunque no todos mueren cayendo». El esfuerzo de Petrarca por hallar una explicación de la Fortuna, por alzarse en estrecho acoso frente al problema, por encontrar un remedio a esa insoslayable entrañable agresión del mal que tanto le preocupaba, ese esfuerzo le ha llevado a esta nueva interpretación de la Fortuna. El *De remediis* —aun cuando hoy pueda parecer un tanto trasnochado— es un libro conturbador. Es un libro que pretende conturbarnos poniendo ante nuestros ojos nuestra propia vulnerabilidad y desamparo: en este caso el fortuito desamparo de un niño inocente ante la caída de Fortuna.

Otro ejemplo, quizá menos exacto, es el que nos ofrece Fiammetta en sus proyectos de suicidio. Siendo como es esta obra otra fuente de *La Celestina*[23], tal vez proceda, en parte, de ella la inspiración en ese aspecto del tema:

---

[22] *De remediis utriusque fortunae* (trad. de F. Madrid, Valladolid, 1510). Día XLIX.

[23] Castro Guisasola refuta de modo muy convincente a Menéndez Pelayo en este punto, aduciendo la presencia en ambos casos del engaño previo y del recurso a la «azotea» (*Observaciones sobre las fuentes literarias*, Madrid, 1924). Otro ejemplo que puede ser estudiado es el de Boscán que insiste más que Museo en la nota de la caída como género de muerte que los hados han preparado para Hero; la Fortuna y los Hados son invocados constantemente por Boscán que, por último, decide poner término a la tragedia cuando Hero enciende su fanal y hace caso omiso de dos caídas premonitorias:

«Ma oltre tutti questi modi, m'occorse la morte de Pernice caduto dell'altissima arce cretense, e questo solo modo mi piacque di seguitare per infallibile morte e vota d'ogni infamia fra me dicendo: «io dell'alte parte della casa gittandomi, il corpo rotto in cento parti, per tutte e cento renderà l'infelice anima maculata e rotta a' tristi iddii, né fia chi quimci pensi crudeltà o furore in me stato di morte, anzi a fortunoso caso imputandolo, spandendo pietose lagrime per me, la fortuna maladiranno» [24].

Si en el *De casibus*, Boccaccio no insistía en la irónica yuxtaposición de las dos variedades de caída, en la *Fiammetta* no puede dejar de ponerla de relieve. En esta última obra, su intención va encaminada, no ya a una recapitulación de tonos moralizadores, sino a la comunicación de un cierto *pathos*, a la contemplación patética de un espíritu que se agita dentro de la trampa en que ha caído. En este momento se nos presenta el intento de suicidio de Fiammetta, no como un acto llevado a cabo, sino como un propósito desesperado y fugaz, que sabemos (aunque sólo sea porque es la propia Fiammetta quien nos lo cuenta) que jamás se cumplirá. ¿Cómo comunicar la frenética desesperanza de ese instante? La fórmula de Boccaccio para la expresión del *pathos* no cambia apenas en el curso de la obra: aquí y en cualquier otro lugar la resuelve en efecto permitiéndonos escuchar los sentimientos de Fiammetta a medida que intentan vanamente erigirse en ideas. Precisamente estos pruritos de racionalización son los que nos interesan. Por una parte, Fiammetta anhela sin palabras y de modo irracional su propia destrucción en un repentino abandono a la muerte; por otra, intenta comprender, justificar y dar forma intelectual a su deseo. Al obrar así, invoca el tópico de la caída de Fortuna y se sirve de él para paliar o enmascarar su acción. La patética conjunción de sentimiento y razón dentro del alma individual queda

---

Llegada, pues, la hora de la noche
que a todos en reposo es concedida,
quiso poner su lumbre a la ventana:
mas el viento que andaba apoderado,
reforzó más en aquel mismo punto,
y como si a sabiendas lo hiciera,
embistió en la ventana con tal furia,
que la lumbre mató y echó de dentro
a la triste en mitad del duro suelo.
Del caer no sintió sino el agüero
y el estorbo de aquel poco de tiempo.

(*Garcilaso y Boscán: Obras completas*, Madrid, 1944, Aguilar, págs. 529-530). Hace un intento, cae de nuevo, y vuelve a intentar una vez más. Y «Súbitamente en esto, las tres parcas / sus cuchillos tomaron en las manos...».

[24] G. BOCCACCIO, *Opere volgari* (Florencia, 1829), VI, pág. 155.

expresada de manera objetiva por la irónica semejanza establecida entre el tópico y el real y auténtico salto suicida.

Más cruelmente sarcástico resulta un ejemplo procedente de la historia de España. Si la circunstancia literaria (es decir, un personaje específicamente literario que aparece interpretado o se autointerpreta en términos de lugar común) puede acarrear cruce de caída espacial y caída mortal, ¿por qué la circunstancia histórica no podría hacer otro tanto? No es menos específica, ni menos vital, ni desde luego menos humana. Y su espacio es, asimismo, ¡tan indiferente! En este caso particular, la caída es un asesinato político maquinado por don Álvaro de Luna: «por ende, fazed de manera como la baranda [de una torre de Burgos] vaya y cayga juntamente con él» [25]. Una vez que estas previsiones quedan cumplidas, los criados de don Álvaro llevan real y verdaderamente a cabo la misma estratagema que Fiammetta tan sólo planeó:

> «Así que para sustentar e lebar adelante la tal fingida manera, aunque por cierto es dura e grave cosa dar a conosçer a las personas que lo verdadero es contrafecho, e lo contrafecho es verdadero, en punto que cayó Alonso Pérez, porque la gente creyesse él aver caydo por desastrado e desaventurado caso, luego desçendieron muy apriesa por la escalera de la torre abaxo... diziendo a grandes bozes:
>
> —Abaxo, abaxo, a la calle, que es caydo Alonso Pérez de la torre ayuso, por desaventurada ocasión que le vino...
>
> Van pues aquellos dos caualleros, e con ellos otra mucha gente que a la hora estaba en la posada del Maestre, a la calle, por ver qué cosa era aquella... E fallan que Alonso Pérez era muerto; ca avíe dado con la cabeça en una esquina de una puente de piedra que estaba junto con la posada del Mestre, e le avíen saltado los sesos por las paredes» [26].

En este relato histórico no es fácil encontrar la intención irónica. De hecho, parece que el cronista ve en el asesinato una muestra perfecta de pericia y habilidad por parte de don Álvaro. Podríamos casi creer que ha leído a Maquiavelo en los pasajes en que proclama su admiración por César Borgia [27]. Pero irónico

---

[25] *Crónica de don Álvaro de Luna*, ed. J. de Mata Carriazo, Madrid, 1940, pág. 351. Tiempo atrás, en Tordesillas, según el cronista, se había tramado un primer atentado con el designio de que el rey y el pueblo creyeran «que por infortunio dispensado, o por ocasionado acaescimiento, Alfonso Pérez avía caydo de la torre abajo» (pág. 346). O, en otro lugar, «que paresciese a la gente que por infortunado e desastrado caso, la baranda se avía caydo con el traydor...» (pág. 310).

[26] Págs. 352-353.

[27] Los consuelos tributados al hijo de Alonso Pérez constituyen la mejor prueba de las dotes de don Álvaro para la hipocresía cortesana,

o no, el asesinato fue concebido y planeado dentro del estilo de la época: es un crimen espacial, que resulta aceptable precisamente porque en él se brinda una imitación espacial de la caída de Fortuna; es decir, porque ha sido presentado a los ojos de las gentes como un «infortunado e desastrado caso». Todo lo cual nos hace pensar en la más insidiosa ironía que concebirse puede: la ironía histórica de que este crimen haya sido cometido no por otro sino precisamente por don Álvaro de Luna.

En la tradición directa de *La Celestina* (y, por tanto, claramente indicativa de que mi interpretación del tema de la obra no es una simple «impresión») se producen también caídas, tanto en *La tercera Celestina* como en *La Dorotea*. Y en ambos casos la caída afecta a las respectivas «alcahuetas», el único personaje que en la obra original se libra de una tal muerte. Menéndez Pelayo reproduce el «argumento» del acto XLIX de la imitación en 50 actos, obra de Gaspar Gómez de Toledo. Dice así:

> «Celestina como sabe que los desposorios son hechos, dize que no perderá las albricias. E yendo muy apriesa a las pedir con el sobrado gozo no mirando cómo va cae de los corredores de su casa abaxo y allí fenecen sus tristes días. Y entrando los vezinos a socorrerla por los gritos que dió la hallan hecha pedazos. Y ansí van a contar a Felides aquella muerte de la desdichada...»[26].

Es arriesgado intentar el comentario de un texto tan sólo sobre «arugumentos», pero podemos admitir que este final en clímax supone el retorno al modelo del *De casibus*[29]. En el momento de mayor ufanía y buena fortuna, Celestina cae derribada, contribuyendo de este modo al perfeccionamiento moral de sus convecinos. Como es característico de las imitaciones, también aquí las enigmáticas profundidades del tema original quedan congeladas al nivel de tesis más o menos superficiales. Gaspar Gómez, como tantos otros imitadores de Rojas (¡y qué significativo que ninguna de estas obras figurase en la biblioteca de Rojas!), ha intentado al parecer transmutar *La Celestina*, convirtiendo la

---

como se puede comprobar a través de la admirable descripción del cronista:

«Juan de Vibero entra llorando e mesándose, e faziendo gran llanto; el Maestre eso mismo començó de renobar con el llorar suyo. E después de aquello, començóle a dezir muchas conortosas palabras, diziéndole entre otras cosas 'que si padre avía perdido, padre avía cobrado'...». (pág. 356).

[26] *Orígenes de la novela*, Madrid, 1910, III, pág. CCXVII.

[29] El título comienza con estas palabras: «Tercera parte de la tragicomedia de Celestina: va prosiguiendo en los amores de Felides y Poladria: conclúyense sus deseados desposorios y la muerte y desdichado fin que ella uvo...». (pág. CCXII).

obra misma en un tópico [30]. Como consecuencia de ello, regresa al esquema del *De casibus*, pero, aún así, no mantiene la verdadera índole de la caída tal como se ofrece en su modelo directo. Tanto Celestina como *La Celestina* han sido rematadas.

La muerte de Gerarda en *La Dorotea* aparece tratada con mucha más gracia y desenfado. Bastan, en efecto, unas pinceladas de ligero toque, tan lopesco que casi resulta despiadado:

> *Teodora:* ¿Qué voces son aquellas, Felipa, y qué ruido? ¿Quién ha caído en la cueva?
> *Felipa:* ¡Ay, señora! Es la voz de mi madre, que iba por agua para Dorotea que se ha desmayado... Baja, Celia, que me ha faltado el ánimo.
> *Celia:* Tampoco yo le tengo. ¡Oh, misarable espectáculo! Gerarda es muerta: mas ¿quién dijera que buscando agua?
> *Felipa:* ¿Donaires, Celia? Pues no se lo debías.
> *Celia:* Dios sabe que lo siento. Reposa en paz, catedrática de amor, Séneca del concierto, consejera del pedir, consultora del dar, y la que mejor ha entendido en el mundo la práctica de las mujeres y el desuello de los hombres.
> *Felipa:* ¿Qué vas diciendo por la escalera, mujer sin alma? En otra cantes lo que en ésta rezas. ¡Ay, dulce madre mía!
> *Celia:* Antes era salada.
> *Felipa:* ¿Como han quedado aquellas honradas tocas?
> *Celia:* Las tocas sanas: ¡así lo estuviera la cabeza! Pero puédese consolar, que murió cayendo, como aquellos a quien levanta la Fortuna.
> *Felipa:* Sentenciada te veas. ¡Ahora sentencias!
> *Celia:* Nunca creí como agora la santidad de Gerarda: el jarro en que iba por el agua no se ha quebrado [31].

Lo más sorprendente en este diálogo es la burla frente al lugar común —«la sentencia»— como reacción ante los sucesos humanos. En el Siglo de Oro, el momento de transición histórica ha quedado ya muy lejos: el lugar común se ha convertido en tópico. En sí y por sí mismo era mucho más solemne, pero se ha convertido en simple motivo literario. Y así, para Lope, la caída de Fortuna constituye un motivo de chanza. La ironía de su conjunción con una caída dimensional no es como otrora algo terri-

---

[30] Sancho de Muñón muestra notable ingenio en esta actividad. Finge gran entusiasmo por una anterior obra literaria («...mientras más lo leía, más necesidad me ponía de lo tornar a pasar...»), y pretende haber realizado su tarea de reajuste durante una «vacación de graves y penosos estudios», e incluso piensa en un nuevo título («Tragicomedia de Lisandro y Roselia llamada Elicia») antes de su publicación. El intento de explicar la creación de Rojas simplemente en términos de composición tópica indica un fallo en la comprensión de lo que propiamente es *La Celestina*: reacción profundamente irónica contra tales tópicos y contra los espíritus miméticos con el de su «continuador».

[31] *La Dorotea* (ed. Blecua, Madrid, 1955), págs. 599-600.

ble, patético, cruel; sino travesura y señal de que esta muerte no ha de ser tomada muy en serio. Es un anticlímax muy en consonancia con una obra de ideología y tonos agridulces, ajena a las implacables pretensiones morales de *La tercera Celestina* y de tantas otras imitaciones. Pero la caída —que en cada una de las dos obras que hemos examinado pone fin a los días de Celestina— si bien en *La tercera Celestina* tiene carácter de clímax tedioso y, por el contrario, en *La Dorotea* es claro anticlímax, tiene en ambos textos algo de común. En uno y otro caso es complemento explícito del modelo temático que se ofrece en la creación de Rojas [32]. Lope y Gaspar Gómez, cada uno a su manera, al dar muerte a sus antiheroínas están intentando una interpretación crítica de la obra original.

Finalmente, vamos a examinar un ejemplo extraído de una «comedia», género que allegó para sí casi todos los recursos literarios, es decir, todo cuanto se escribió, se cantó o se dijo antes de su época. No es extraño, pues, encontrar, entre los fragmentos con que se montó *Del rey abajo ninguno* (al igual que otras comedias), una pasajera alusión a la caída dimensional como sustitutiva de la caída de Fortuna. García de Castañar está ayudando a don Mendo —a quien él cree el rey— a escapar de su propia casa por una escala.

> García: Aprisa, aprisa, señor;
> remitid los cumplimientos
> y mirad que al descender,
> no caigáis, porque no quiero
> que tropecéis en mi casa,
> porque de ella os vayáis presto.
> Mendo: (¡Muerto voy!)   *(Aparte)*
>   *(Vase)*
> García: Bajad seguro,
> pues yo la escala la tengo.
> ¡Cansada estabas, Fortuna,
> de estarte fija un momento!
> ¡Qué vuelta diste tan fiera
> en aqueste mar!... [33].

La corriente de expresión poética se aceleró en el lenguaje de la «comedia», especialmente hacia el 1650 (de ahí que fuese vituperada por Calderón). En este texto podemos observar el fugitivo intercambio de alusiones figurativas entre «caer» (el percance

---

[32] Este afán de «completar» la obra de Rojas (así como la servil y tópica imitación a que se hace alusión en la nota 30) es un rasgo característico de las «continuaciones» de *La Celestina*. Feliciano de Silva, por ejemplo, reelabora y multiplica las notas de paisaje marino que en *La Celestina* aparecen casi como símbolos visuales en el momento en que Melibea se rinde a la Fortuna. Véase Menéndez Pelayo, CCXI.

[33] Líneas 1592-1630.

real y la tradicional «caída» de los reyes) y «tropezar» (el «desliz» moral). Y seguidamente las connotaciones morales, emocionales y físicas del «Muerto voy» —que sella irónicamente el sino futuro de don Mendo— y la convalidación del anterior juego sobre «caída» con la alusión a la «escala» [34]. Finalmente, hallamos una mención directa de la diosa Fortuna como si hubiera sido sugerida por la previa sucesión de ideas. La alusión a Fortuna, a su vez, (evoca la idea de mar, su morada tradicional, y así sucesivamente. En este ejemplo, pues, el cruce de Fortuna y espacio ha quedado absorbido en el lenguaje; es un fragmento más de pretéritas expresiones ya casi digeridas y eliminadas en el disolvente verbal de la «comedia». Y su ironía, en otro tiempo tan corrosiva, ha quedado reducida a levísimos toques verbales. Ya no hay rastros de clímax ni anticlímax; ya no es sino uno de los mil y un motivos o alusiones que (normalmente sin ningún énfasis especial) componen la trama expresiva de la «comedia». En este pasaje la caída de Fortuna y la caída espacial están al borde de la desaparición, como tema y como tesis.

Llegados a este punto, regresemos por un momento a *La Celestina*. ¿Qué nos enseñan todos estos ejemplos (aunque sólo sea por contraste) sobre el arte de Fernando de Rojas? En primer lugar, si en las diferentes obras que acabamos de examinar, la yuxtaposición de las dos caídas es accesoria, aislado componente de las diversas técnicas artísticas, en *La Celestina* en cambio constituye una ambigüedad central minuciosamente dirigida a lo largo de todo el diálogo [35]. Pero al mismo tiempo, en *La Celestina*, cuando se producen las caídas fatales, su coincidencia con predicciones morales previas nunca es (al contrario de lo que sucede en la mayoría de los casos) explícita ni supone, en manera alguna, clímax. La consciencia espacial de las criaturas de la tragicomedia (manifestada en el temor a caer, en la conciencia de la distancia, etc) y su preocupación moral se funden en ese definitivo fiel de la balanza. Este es el resorte, discreto en sí mismo, pero esencial en el funcionamiento del conjunto. Cuando al fin los

---

[34] Véase en la nota 12 la alusión a la escala como símbolo recurrente de la Fortuna.

[35] Característica fundamental del arte de Rojas es su irónica cohesión, así como la no menos irónica elegancia de su ausencia de énfasis; cohesión increíblemente compleja y también increíblemente consistente para una obra que se extiende a lo largo de veintiún actos de denso y apretado diálogo. Incluso los detalles más insignificantes desempeñan su función con orgánica ironía en el desarrollo del conjunto total y en la elaboración del tragicómico desenlace. Justificar estas afirmaciones sería volver a escribir mi *The Art of «La Celestina»;* a aquellos de mis lectores que por categoría profesional tienen un conocimiento profundo y documentado de *La Celestina*, no necesito recordarles los progresivos descubrimientos, a que en el curso de sus lecturas habrán llegado, sobre el sentido de palabras y alusiones. *La Celestina* es una creación realizada con extremado cálculo y, por ello, exige lectura tras lectura de aquellos que se precian de discutirla.

personajes vienen a caer en la muerte (dando así irónico cumplimiento a los compromisos contenidos en el prólogo de 1501), es como si los dos mecanismos principales de la obra (el moral y el vital) hubieran llegado finalmente a un entronque inexplicable [36]. La caída es a manera de fulcro que —semioculto— soporta el conjunto total en equilibrio seguro pero delicado. En otras palabras, los ejemplos aislados y fragmentarios que hemos estudiado aquí, ilustran una posibilidad temática que el genio de Rojas supo intuir y llevar a plenitud. De acuerdo con la fórmula de Jaspers podemos afirmar que Rojas, a partir de su personal experiencia de la transición histórica y religiosa, elaboró una prodigiosa técnica artística. Y con ella creó un gran «Zwischensein». Su prolongado silencio literario después de 1502, sus años de vida retirada y familiar, de respetabilidad y de usura en Talavera, no podrían hallar mejor explicación [37].

(Traducción de María Rico)

---

[36] Robert Petsch hace las siguientes observaciones sobre la naturaleza del azar en la ficción. «Natürlich gibt es in der Kunst wie in einer geschlossenen Lebensanschauung) keinen «unbedingten» Zufall. So weit wir unser Leben ordnend überblicken, haben wir immer das Gefühl, dass auch die «unkontrollierbaren» Ereignisse ihre Gesetzmässigkeiten haben, die nur wegen der Verwicklung ihres Wurzelgeflechts über unsere Einsicht weit hinausgehen. In der Kunst müssen uns immer diese Verflechtungen «sozusagen» oder «irgendwie» einleuchten, ohne dass wir sie auflösen könnten. Des «sinvolle» oder «bedeutende Zufall» ist dann derjenige «Punkt» der Handlung, von dem aus auf einmal die hintergründigen Zusammenhänge und Stosskräfte erhellt werden, die zum epischen «Ende» führen». *(Wesen und Form der Erzählkunst,* Halle, 1942, pág. 150). Sea o no sea esto necesariamente cierto para todos los posibles universos creados, parece probable que Rojas podría haber estado de acuerdo.

[37] Pueden hallarse otros innumerables ejemplos de conincidencia implícita entre las dos variedades de caída. En *La Araucana,* por ejemplo, creo percibir una sospechosa insistencia en los efectos de la gravedad, sobre todo en conexión con el «caso» de la derrota de Villagrán:

> La inadvertida gente iba rodando,
> que repararse un paso no podía,
> del segundo al primero tropellando,
> y el tercero al segundo recio envía,
> el número se va multiplicando,
> un cuerpo mil pedazos se hacía,
> siempre rodando con furor violento
> hasta parar en el más bajo asiento (Canto VI)

O, en otro lugar: «así la triste gente mal guiada / rodando al llano vo despedazada». Personalmente no dudo de la presencia de una conjunción irónica en éstos y otros casos similares, pero dado que no es mi intento recoger todos los ejemplos posibles, he preferido comentar aquí solamente aquellos en los que no parece que cabe sospecha de mera coincidencia.

INDICE ONOMASTICO

403

ESTE LIBRO SE TERMINÓ DE IMPRIMIR EL
DÍA 25 DE MARZO DE 1974, CON PAPEL
DE TORRAS HOSTENCH, EN LOS
TALLERES DE RAMOS, ARTES
GRÁFICAS, MARÍA ISABEL,
N.º 12, MADRID - 11

ULTIMOS TITULOS

DE LA

COLECCION PERSILES